U0613525

Yilin Classics

DANTE ALIGHIERI

经/典/译/林

La Divina Commedia

Paradiso

神曲 天堂篇

[意大利] 但丁 著

黄文捷 译

译林出版社

图书在版编目（CIP）数据

神曲. 天堂篇 / （意）但丁著；黄文捷译. —南京：译林出版社，2019.9（2024.3重印）
（经典译林）
ISBN 978-7-5447-7741-4

Ⅰ.①神… Ⅱ.①但… ②黄… Ⅲ.①诗歌－意大利－中世纪 Ⅳ.①I546.23

中国版本图书馆 CIP 数据核字（2019）第 079118 号

神曲 ［意大利］但丁 / 著 黄文捷 / 译

责任编辑 姚 燚 彭 波
校 对 孙玉兰 王 敏
责任印制 颜 亮

原文出版 La Nuova Italia; Le Monnier
内文插图 ［法国］古斯塔夫・多雷
出版发行 译林出版社
地 址 南京市湖南路 1 号 A 楼
邮 箱 yilin@yilin.com
网 址 www.yilin.com
市场热线 025-86633278
排 版 南京展望文化发展有限公司
印 刷 江苏凤凰盐城印刷有限公司
开 本 880 毫米 × 1240 毫米 1/32
印 张 39.875（共三册）
插 页 6
版 次 2019 年 9 月第 1 版
印 次 2024 年 3 月第 6 次印刷
书 号 ISBN 978-7-5447-7741-4
定 价 （共三册）128.00 元

天　堂　篇

CONTENTS · 目录

第一首[1]

序诗(1—36)
登天(37—81)
但丁的疑问(82—99)
宇宙的秩序(100—142)

序诗

推动宇宙中一切的那位的光荣,
渗透到某个部分,并在其中放射光明,
不同的部分承受的多少也各不相同[2]。
我已在得到他的光辉照耀最多的那重天上[3],
我目睹一些景象,
凡是从那天上降下的人都不知如何复述、也无力复述这些景象[4];
因为我们的心智在接近它的欲望时,
会变得如此深沉,
以致记忆力也无法在后面跟踪[5]。
然而,我在脑海中所能珍惜
的那神圣王国的情景,
现在毕竟将作为我的诗歌题材来吟诵。
哦,好心的阿波罗,请把我变成盛满你的才气的器皿[6],

助我把这最后一部诗作完成，
正如你要求具备这样的才气，才把你所爱的桂冠相赠。
直到如今，帕纳索斯山的一座山峰，
就足以助我写作；但现在，我则需要
有两座山峰助我进入这余下的竞技场中[7]。
请进到我的胸中，请赐予我灵感，
就像你把马尔西亚
从他的肢体的皮囊中抽出[8]。
哦，神的威力，倘若你借与我你的才气，
使那铭刻在我脑中的幸福王国的形影
能显示得轮廓分明，
你就会看到我来在你喜爱的树木脚下拜跪[9]，
你也会看到我戴上那枝叶编成的王冠，
而那题材和你都会使我对此当之无愧。
这类事情是如此罕见，父亲[10]：
从这树上摘下枝叶，把凯撒或诗人的胜利来庆祝[11]，
而这又出于人类欲望的罪过和耻辱[12]；
佩尼奥斯的枝叶却定会[13]
使那快活的德尔夫的神感到加倍快活[14]，
只要它使某个人对它本身产生饥渴。
小小的火星会引起大火：
也许在我之后，会有人以更美好的声音，
请求希拉峰作出回应[15]。

登天

世界之灯在升起，从不同射点普照众生；
但是，它从那四个圆圈与三个十字
相联之处，喷薄而出[16]，
它有更美好的流程，又有更吉祥的星宿结伴同行[17]，
它可以把尘世的蜡料

以更符合它的方式揉和与刻印[18]。
这样一个日升之处，给那里带来早晨，给这里带来夜晚[19]，
而那里，整个半球几乎都是白色，
另一部分则全是黑暗，
这时，我看见贝阿特丽切转向左边[20]，
把太阳注目观看：
飞鹰也从不会把眼睛紧盯在那上面。
正像第二道光线往往从第一道射出[21]，
并且重又直射上去，
恰如远行游子想要走上归途，
由于她的行动通过双眼渗入我的想象，
我的行动也便同样从她的行动中产生，
竟然超出我们的习惯，把眼睛盯住太阳[22]。
这在那里是十分正当合理，
而在这里则不适合我们的能力[23]，
因为那个地方正是为人类创造的[24]。
我不能承受太久，也并非连片刻也不能承受，
就仿佛我不能观看周围光辉灿烂，
如同从火中取出的铁把火花四下射遍[25]；
立即像是把白昼加在白昼之上[26]，
仿佛无所不能的那位[27]，
为苍天装饰另一个太阳。
贝阿特丽切聚精会神地注视那永恒旋转的重重天体；
而我则从那上边移开眼光[28]，
固定在她的身上。
我在注意观察她的形象的同时，内心深处发生变故，
就好像格劳科斯在尝到青草时发生变化一样[29]，
那青草竟使他变成其他诸神在海中的伴侣。
无法用言语来说明何谓超凡入圣[30]；
因此，但愿上述范例足以令人领悟问题，

既然上天的恩泽令他需有亲身经历。
这样,我是否只是我身上你所再度创造的那个部分[31],
掌管天国的爱啊,这一点你知道[32],
因为你用你的光芒使我得到提高。
你使那天体的轮子永恒地旋转,并抱有欲望[33],
它把我的注意力吸引到它的身上,
伴随它的是由你调节和配置的和谐音响[34],
此刻我觉得竟有大片天空
被太阳的火焰烧成通红,
即使雨水或江河汇成的任何湖泊,也没有如此广阔无垠。

但丁的疑问

音响的新颖和辉煌的光亮,
燃起我想得知其缘由的热望,
这热望是我从未感受过的,竟然如此炽烈难当。
她见我这般光景,于是,在我提问之前,
便先启开樱唇,
来平静我激动的心灵,
开始说道:“由于想象错误,你自己使你变得如此迟钝[35],
以致你看不出你本可看出的事情,
只要我把那错误想象撼动。
你并非如你所认为的那样,是在凡尘;
但是,霹雳逃向自己的家园[36],
却也不如返回家园的你奔驰得如此疾迅。”
我固然因那简短而含笑的轻言曼语
而解除了那第一个疑问[37],
却又被一个新的疑问困扰得更加心神不宁,
于是说道:“我已满意地
平息了我那莫大的惊异;但现在我惊异的是:
我是如何超越这些轻飘的物体[38]。”

宇宙的秩序

于是,她在怜惜地长叹一声之后,
朝我掉过双睛,那表情
宛如俯身观看发着梦呓的儿子的母亲,
开言道:“万物之间都是井然有序,
这种秩序正是把宇宙造成
与上帝形似的形式[39]。
那些高级造物从这里看到那永恒威力的痕迹,
而那永恒威力又是
上述准则所要达到的终极目的[40]。
一切自然物都倾向于我所说的这个秩序,
而由于命运不同,
距离它们这个本源,有的稍远,有的更近[41];
因此,它们在这人生的大海中,
向不同的港口游动,
各自都凭借被赋予的本能,并由这种本能把它推向前进[42]。
正是这个把火送往月球;
正是这个是生物心灵中的推动力;
正是这个使地球凝聚在身,形成一体[43]:
这张弓射的也不仅是
那些缺少智慧的造物,
而且还有那些拥有智力和意志的造物[44]。
把一切安排得如此妥善的天意,
用它的光芒使苍穹变得永远静谧,
在其中旋转的那重天,速度最急[45];
如今,那根弓弦的威力把我们送到那里,
正如送到预定的目的地,
而射出的那只雕翎恰好飞向幸福的标的[46]。

诚然,正如形式往往
并不符合艺术的初衷,
129 因为材料不肯作出回应[47];
同样,造物有时也会背离这个流程,
尽管有这样的推动,
132 它却有能力走上弯路,另入他径[48];
这正像可以看到烈火从云雾中降落[49],
那原始的动力也同样会把人打在地上,
135 因为人被虚假的欢乐所迷惑。
倘若我说得不错,
你无须对你的上升倍感惊愕,
138 这不过像是一条江河从高山上向下坠落。
倘若你已排除障碍,却依然滞留尘凡,
犹如那活跃的烈火平静地待在地面,
141 那时,你才会感到是奇迹出现[50]。”
说罢,她便将面庞转向苍天[51]。

注释

①本首可视为《天堂篇》的总序诗。在本篇中,但丁已从地上升到天上(地狱在北半球地中心,炼狱则在南半球渺无人烟的大海中耸立而出的高山上),换言之,但丁这时已脱离地球,奔向天堂。但丁构思中的天堂,是依照中世纪盛行的由天文学家克劳迪奥·托勒密(Claudio Tolomeo,100—178)所创立的天文学理论而形成的,这个理论一直被奉行到十六世纪的哥白尼(1473—1543)和伽利略(1564—1642),即在但丁后又延续了二百年,史称“托勒密体系”(Sistema tolemaico)。根据托勒密学说,地球是宇宙的中心,是不动的;环绕地球的是呈同心圆的透明的九重天,它们一层层不停地转动,而且愈高,转动的速度也愈快。头七重天每重属一个行星,第八重天系恒星之所在,第九重天没有任何星辰,而所有这九重天仍属物质材料构成的。根据但丁当时所信奉的基督教思想,九重天外仍有第十重,这重天是不动的,它环绕下面的九重天,即所谓“净火天”或称“天国”(Empireo),它不再属于物质,而是由智慧之光构成,充满爱、幸福、温馨,这便是上帝所在之处,与地球相比,则位于地狱和炼狱的同一轴心垂直线上;那里也是天使和享天福者(beati,或所谓“仙人”)的居所,这也便是“天堂”。其形式类似梯形剧场,有成千上万道环形阶梯,愈往下,愈窄小,上面端坐着享天福者,静默沉思,瞻望上帝。但诗中只是在第三十首至第三十三首才开始描绘天堂。此前,本篇着重描

述但丁随贝阿特丽切经历下面九重天的情景：在来到头七重天时，他们每飞到一重天的行星之上，便说明其名称，并遇见暂时离开上帝、前来迎接他们的享天福者（在最后两重天也是同样），这对但丁自然是一种“特权”，因为他负有返回人世、向世人陈述自己的冥界之行的使命，从而使世人得以自救。在第八重天，但丁还来到他所属的双子星座。前已提及，中世纪乃至但丁本人是相信星宿对人的影响的，因此，在但丁笔下，头七重天每重都各有种种不同影响，而其中有一种是主要的：“月球天”（cielo Luna）的主要影响是“不持之以恒”（incostanza），因此，凡在人间虽无过犯、却不能兑现许愿的精灵都要来到这一层；“水星天”（cielo Mercurio）：影响世人“爱慕世间荣耀”（amore della gloria terrena），因此，但丁在此遇到的精灵，虽在世上做过善事，但有沽名钓誉之嫌；第三重天是“金星天”（cielo Venere）：影响“追求爱情”（tendenza all'amore），那里的精灵曾及时悔罪，并能将功补过；其他四重天顺序是：“日球天”（cielo Sole）、“火星天”（cielo Marte）、“木星天”（cielo Giove）、“土星天”（cielo Saturno），它们分别所起的主要影响是：“智慧”（sapienza）、“战斗力”（combattività）、“正义”（giustizia）、“渴望默思和静想”（desiderio di raccoglimento e di meditazione，指对道义和宗教真理）；但丁在这几重天里也遇到与此相应的精灵。最后两重天是“恒星天”（cielo Stelle Fisse）或称“星空天”（cielo Stellato）和“原动天”（cielo Primo Mobile）或称“水晶天”（cielo Cristallino）。享天福者也与地狱中受惩的鬼魂和炼狱中涤罪的灵魂一样，根据他们在哪一重天上出现，享有程度不同的天福：愈高则愈大。因此，在最下三重天的享天福者，其功绩都被世间的某些阴影所遮掩，但只要得到适当的解脱，仍可享受天堂之福。正因如此，他们觐见上帝的程度也随他们的功绩大小而异。

②这里的“那位”即是指上帝；根据亚里士多德的学说，上帝被理解为宇宙的首要推动力。这里是说，上帝的光芒普照他所创造的万物，但照耀的程度要根据万物接受神力的能力大小而有所不同。诗中的思想在但丁的《筵席》第三卷第七节第二句段和《论俗语》第一卷第十六节第五句段中都有所陈述，特别是在但丁致曾在他流亡期间收留过他的维罗纳僭主坎格兰德·德拉·斯卡拉的一封信中，对本段三行韵诗的含义乃至用词都作过确切的阐明。关于上帝的“光荣”，在但丁的《书信集》第十三章第六十一和六十四句中都有类似的说法：divinum lumen（神的光芒）、divinus radius（神的光辉），意谓上帝的“造物能力”和“光荣工作”（布蒂）；此说法盖来自《旧约》的《诗篇》第十九篇第一句：“苍天陈述上帝的荣耀”；《耶利米书》第二十三章第二十四句：“主说：……难道我不是充满天地的上帝吗？”

③上帝的“光辉照耀最多的那重天”是指“净火天”（见注①），是诸天体中最为光辉灿烂的。但丁在《书信集》第十三章第六十六至六十八句中曾对净火天作过详细说明：净火天“接受上帝的光荣，亦即他的光芒最多”，是“最高层的天体，它既包容一切天体，又不为任何一个天体所包容，在这重天中，一切天体都在运动，而它则永远是静止不动的”；“它被称为‘净火天’，这就是说，这重天是依靠自身的火力来燃烧的，这并不是因为它本身具有什么物质的火，如有，也不如说是精神的火，亦即神圣的爱，仁爱”。

④但丁在其他著作中曾对这一诗句所包含的思想作过更为详尽的阐述:《书信集》第十三章第八十三至八十四句说:“不知,是因为已经把它忘记了;不能,则是因为:即使仍保存对内容的记忆,也缺乏语言。确实,我们依靠心智,可以看到许多东西,但要表达这些东西,却又缺乏语言工具”;《筵席》第三卷第三节第十五句段说:“语言并非能完全跟随心智所见情景的那个东西。”波斯科-雷吉奥注释本特别指出,诗句所说显然是指:但丁所见的景物是不可思议的,但这是由于“记忆的缺陷”,而非“表达的无能”,尽管本篇、特别是最后几首谈到“语言的无能”之处很多;萨佩纽则引《书信集》第十三章第七十八句所说:“当心智提高到某个程度,记忆力……就缺乏了,因为它无法超出人力的界限”,说明这种情况与神秘主义者所说的 excessus mentis(心灵的超限)情况相同,即:人的智慧超出感觉认识的方式,其所起的作用就像“脱离肉体的天使般的智慧”(《书信集》第十三章第七十九至八十一句),但丁本人还引圣保罗被提到第三层天上去为例,说明此问题:《新约·哥林多后书》第十二章第二至四句说:“远在十四年前,有一位基督徒被提到第三层天上去,这是肉身上的经验呢? 抑或是心灵里的经验呢? 我都不知道,只有上帝知道。总之,我只知他被提到天上的‘乐园’里,听见隐秘的事情,是人不能描写,难以言传的。”

⑤这里所说的“心智”的“欲望”是指心智对觐见上帝的渴望,因为上帝正是心智的认识欲望的“对象”和“最终目标”。由于上帝的本质是异常深奥,人的认识愈接近它,也愈需深化,近代的马塔利亚就曾依照《圣经》的说法,认为神的本质深不可测,从而提出“上帝-深渊”(Dio-abisso)的比喻。十一、十二世纪由法国威廉·德·桑博(Guglielmo di Champeaux,1070—1121 或 1125)在巴黎创立的、以著名的圣维托尔修道院(Abbazia di San Vittore)而得名的神秘主义神学哲学派即维托尔学派(vittorini)的代表人物之一里查多(Riccardo),就曾在其《天恩冥想论》(*De gratia contemplationis*)第六章中,分析过心智达到最高境界时与记忆力的关系:“当我们从这最高境界(指接近上帝)返回到我们自身时,我们绝对不可能再把此前在我们上空看到的那些东西唤入记忆力,尽管这些东西是如此清晰而明确”;这也便是诗中所说的,记忆力“无法在(心智)后面跟踪”(参见注④有关“心灵的超限”部分)。

⑥萨佩纽和波斯科-雷吉奥两注释本都指出:到第十二句为上,本篇序诗的第一部分算是告一段落,自第 13 句起,开始对日神、同时也是诗神阿波罗发出呼吁和求助。由于“天堂”的题材特殊,只求助于缪斯女神已经不够,必须要求诗神阿波罗介入,助诗人一臂之力。“器皿”,原文为 vaso,为《圣经》用语,《新约·使徒行传》第九章第十五句,上帝对信徒亚拿尼亚就说,圣保罗就是“我选用的器皿”;《地狱篇》第二首第 28 句也曾用过隐喻圣保罗的“神选的器皿”(vaso d'elezione)的说法。“你所爱的桂冠”,原文是 amato alloro,直译为“你所爱的月桂”,在诗中也有影射希腊有关神话之双重含义:阿波罗爱上河神佩尼奥斯(Peneo)和地神所生之女达芙妮(Dafne);达为了逃避阿波罗的爱,求其父帮助,于是,其父将她变为月桂树,从此,月桂树也便用来祭祀阿波罗。奥维德《变形记》第一章对此有记载。

⑦由于西班牙六、七世纪的塞维利亚的伊西多罗有关字源学的著作造成的误解,古今一直把希

腊的帕纳索斯山与埃利科纳山混为一谈（参见《炼狱篇》第二十九首第 40 句及有关注释），并认为，缪斯女神所居住的山为帕纳索斯山，而不是埃利科纳山。其实，帕纳索斯山为希腊中部的一条巨大山脉，穿过多里德（Doride）和佛西德两地区，又把佛西德地区与洛克里德（Lacride）和比奥齐亚两地区分开：帕纳索斯山有双头峰，据说是祭祀阿波罗和酒神巴库斯的，卢卡努斯《法尔萨利亚》第五章和奥维德《变形记》第一章提及这一点，塞维利亚的伊西多罗把二峰称作希拉（Cirra）和尼萨（Nisa），但又补充说，此二峰又名希特罗尼（Citerone）和埃利科纳，从而把帕纳索斯山与缪斯女神所居住的埃利科纳山混为一谈；古代注释家中的但丁之子彼特罗、本维努托等，也许正是根据伊西多罗和卢卡努斯的某些说法，认为但丁是把阿波罗和巴库斯看作一个诗神；也有人认为，希拉峰是祭祀阿波罗的，尼萨峰则是祭祀缪斯女神的；还有人认为，二峰有象征“人的科学”和“神的科学”之分。简言之，诗句的总的含义是：由于《天堂篇》题材艰深，需要有缪斯女神和阿波罗神一齐来辅助。“竞技场”原文为 aringo，源自日耳曼语，即哥德文 hari-hrings，有“比赛”之意，这里则意谓“考验”，系一种形象比喻。

⑧马尔西亚（Marsia）系半人半兽的林神，为山神奥林波斯（Olimpo）之子，善吹笛；曾向阿波罗挑战，比赛音乐，胜者可随意处置败者：最后，阿波罗获胜，将他捆在树上，活剥其皮（“从他的肢体的皮囊中抽出”）。

⑨“你喜爱的树木”即阿波罗所喜爱的月桂树。

⑩“父亲”是对先知或神的专门称谓。

⑪这里的“凯撒”原文用小写 cesare，系泛指“皇帝”。

⑫这里是说，世上皇帝或诗人能戴上胜利桂冠的是非常“罕见”的，况且，还有贪慕虚荣、沽名钓誉者，不思依靠丰功伟绩或真才实学而取得个人的荣誉，因而诗中说，这是“人类欲望的罪过”，最终只能落得可耻的下场（“耻辱”）。

⑬“佩尼奥斯的枝叶”即是指月桂树的枝叶，因为月桂树是河神佩尼奥斯之女达芙妮所变的（参见注⑥）。

⑭“德尔夫的神”即是指阿波罗；德尔夫（Delfo）为希腊佛西德地区一城市，今称“卡斯特里”（Castri），位于帕纳索斯山山脚下，是当时专门祭祀阿波罗神之所在。

波斯科-雷吉奥注释本认为，这两段三行韵诗（从第 28 句至 33 句）结构很“奇怪”：因为第 32 句阿波罗是以第三人称出现的，而第 28 句，但丁又向阿波罗发出呼吁，并称之为“父亲”；它认为，这是一种“不规则的结构”。

⑮多数注释家认为，这里是但丁以“抛砖引玉”的谦虚口吻述说，因此，“会有人以美好的声音……”意谓“会有比我更有才华的诗人……”。但也有人解释为：“其他人，包括贝阿特丽切和圣徒们，也会与我一起祷告：使我的请求得到满足，我的写诗使命得以完成。”萨佩纽和波斯科-雷吉奥两注释本都不同意后一解释。

⑯这段三行韵诗是但丁依照撰写前两部诗篇的惯例，用以说明升往天堂的时间。“世界之灯”

原文是 lucerna del mondo,系指太阳,维吉尔在《埃涅阿斯记》第三、四、七章中也有类似说法;但十三世纪的里斯托罗·德·阿雷佐(Ristoro d'Arezzo)在其名著《世界的构成》(*La composizione del mondo*,1282 年)中则说得更明确:太阳"在这个世界上就如家中的灯"。"射点"原文为 foci,本意为"出海口",这里是指地平线上不同的射出点,随季节的变化,阳光升起的"射点"也有不同。如前所述,但丁的冥界之行约是在春分,这个季节是个"吉祥"的季节:因为太阳这时是在白羊星座,也正是上帝创世、耶稣诞生之时;从第 43 至 45 句看,此刻可能是中午,但这一直是有争议的问题。

"四个圆圈":前三个可能是指赤道(Equatore)、黄道(Eclittica)、二分圈(Coluro equinoziale),在春分时节,这三个"圆圈"集中到白羊星座的交叉点上(但秋分时,也同样如此);太阳升起的地平线则是第四个"圆圈",它与前三个交叉在太阳升起之点上。波斯科-雷吉奥注释本认为,诗中所说的"十字"是广义的,因为确切地说,只有赤道和二分圈是垂直的,倘若把地平线看成观察太阳升起之点,那么,此刻形成的三个"十字":即"地平线"+"二分圈","地平线"+"黄道","地平线"+"赤道",没有一个"十字"是规则的"十字",即"有四条垂直线条的膀臂"的"十字"。该注释本还探讨究竟是哪一条"地平线"问题,它猜测是炼狱与耶路撒冷共有的那条地平线。萨佩纽注释本的看法与上述解释大致相同:它认为,"四个圆圈"之所以是赤道、黄道、二分圈和地平线,是因为:春分时,太阳恰好在赤道上;黄道恰好在春分点上切断赤道;二分圈亦即指经过春分点的子午圈;前三个与地平线交叉在一起,在单一的一点上形成膀臂不成直角的三个"十字"。该注释本认为,但丁所设想的交叉点是东方的枢纽点,亦即在此点上,太阳一年升起两次,亦即春分和秋分时节。古代注释家认为,这里所谈的时间的寓意是:"四个圆圈"象征"四枢德","三个十字"则象征"三超德",二者联结一起,拯救世人。

⑰"更美好的流程"是指随春分时节的到来,一年的最好的时期开始:白昼延长,万物复苏。在中世纪,人们普遍认为,世界是在各星座运转到春分的位置上创造出来的。"更吉祥的星宿"指春分时太阳所在的白羊星座,该星座被认为是"吉星"(参见《地狱篇》第一首第 38 等句及有关注释)。

⑱这里是说,在这特殊的时刻,上天会对尘世产生祥瑞的影响,诗中用"蜡料"比作"尘世",又用动词"揉和"和"刻印"来说明上天的影响,可谓形象鲜明,意境深远。

⑲"日升之处"即指东方的枢纽点(参见注⑯);"那里"系指炼狱,"这里"则指耶路撒冷。

⑳波斯科-雷吉奥注释本根据波雷纳的分析认为,此处用"几乎"来形容南半球处于白昼,是非常确切的,因为即使在冬至(12 月)时,炼狱也并非完全受到阳光照耀,更不要说是春分时节了;"另一部分"指北半球,这时则处于深夜。关于此刻的具体时间,有不同看法,即有说是早晨,有说是中午:萨佩纽和波斯科-雷吉奥两注释本都认为是指中午:萨本说,但丁到达勒特河和欧诺埃河的共同泉源并先后浸入二河水中,正是时届中午(见《炼狱篇》第三十三首第 103—104 句);波-雷本对此解释得比较详细,它认为:但丁的地狱之行开始于黑夜(见《地狱

篇》第二首第1—3句),炼狱之行开始于早晨(见《炼狱篇》第一首第13等句与第115—117句),因此,此刻升往天堂,应为中午;它并引近代的摩尔(Moore)的说法指出:"黑夜很恰当地代表绝望;黎明代表希望;中午代表完美";它还指出两个"重要事实"证明此刻为中午:一是贝阿特丽切在《炼狱篇》第三十二首第16—18句中是与整个仙人队伍一起面朝东方,而这时,则要"转向左边"(第46句),这正是因为太阳已届中午,在炼狱,太阳是朝北方运行的(《炼狱篇》第四首第55—75句);倘若此刻为早晨,她就无须转身了;二是但丁在前不久明确指出时届中午(《炼狱篇》第三十三首第104句),自那时至现在,只不过度过在欧诺埃河饮水的短暂时间而已。持"早晨"说的注释家认为,但丁的"升天"开始于次日拂晓,而且本首第43—45句都说的是拂晓,而不是中午(萨佩纽就此指出,但丁在第43句是用"大过去时",而在第44—45句则用"未完成过去时",正是为了区别时间先后)。

古代一般认为,老鹰注视太阳是为了训练小鹰习惯于阳光的刺激;这里用来形容贝阿特丽切对阳光的热切注视,是十分恰当的,并且也预示她即将带领但丁飞向天堂。

㉑这里的"第二道光线"是指来自"第一道"光线即入射光线的反射光线。"远行游子"的原文为pellegrino,基门兹认为,该词是指"远飞的鹰",他是根据中世纪论述狩猎的作家说法而提出这一诠释的;古代注释家许多认为是指"光线"(所有近代注释家也沿袭此说法),布蒂则认为是指"远离家乡的游子";波斯科-雷吉奥注释本同意布蒂的说法,萨佩纽则似乎倾向于基门兹的解释。

㉒但丁在《筵席》第二卷第十三节第十五句段中就说:"眼睛不能注视"阳光,而诗中但丁却有了这种"超自然"的能力。

㉓"那里"系指地上乐园;"这里"则指人世。

㉔这里是说,地上乐园本是上帝为人类创造的住所,而当时上帝亲手制造的人即亚当,是完美的,其感觉能力大大超过犯了原罪、被逐出伊甸园的人,如今,但丁经过涤罪,又恢复到亚当犯罪前所处的状态。

㉕这里的"铁"是指在火中烧成白热的铁。

㉖"把白昼加在白昼之上"是指白昼的光亮似乎增加一倍。

㉗"那位"指上帝。波斯科-雷吉奥注释本认为,此处之所以描述阳光的亮度仿佛增加一倍,是因为但丁正在接近烈火圈(sfera del fuoco),而古人想象该火圈是位于地球与月球天之间;但丁设想的宇宙是这样构成的:即地球位于宇宙的中心,是不动的,地球本身只有两个元素:土和水,地球周围则是第三个元素即"气"(空气),这一圆层在原动天的带动下不住旋转;气层之上则为"火"圈(即第四个元素),地球上的所有的火都要汇集到此圈,雷电除外;烈火圈以上即是九重天体,其同心圆形式自地球起愈来愈大,由第五个元素即"以太"(etere)构成,该元素是透明、纯净、看不见、摸不着的。但丁在《筵席》第三卷第三节第二句段中也曾提及烈火圈。

㉘"从那上边"是指从太阳上边,即但丁不再看太阳。古代注释家认为,此段的寓意是:太阳代

表上帝,因而贝阿特丽切注视太阳,但丁则是通过神学的中介,来默想上帝的,因而他把眼光“固定”在代表神学的贝阿特丽切的身上。

㉙格劳科斯(Glauco)是希腊神话叙述的渔夫由人变神的故事的主人公:格是比奥齐亚的渔夫,因见他打来的鱼触到一种青草,就恢复了活力,便想亲口一尝青草,不料,食草之后,立即感到体内发生变化,投入海中,最后成为海神。奥维德《变形记》第十三章中对此情节有详细描述,可能给但丁以特别深刻的印象,其中说:“我突然感到五脏六腑躁动不已,胸脯也像是被属于另一种性质的爱所拖曳。”

㉚“超凡入圣”(trasumanare)即是指超出凡人的界限;圣托马索的《神学大全》第一卷第十二章曾说:“觐见上帝的能力不属于根据人的本性而创造的心智,而只有依靠上天的光荣照耀才能具备,这便使心智成为一种类似上帝的东西。”此句的“用言语”,原文为 per verba,波斯科-雷吉奥注释本认为是“拉丁文表达方式”,故用斜体,但萨佩纽注释本则未这样做。

㉛这里的“那个部分”是指灵魂;“再度”(novellamente)是指造完肉体后的二度创造,因而也是“最后”之意,波斯科-雷吉奥注释本认为,这里所指的“灵魂”,是“理性灵魂”,即是上帝在业已完成“植物灵魂”和“感觉灵魂”之后,注入正在孕育中的肉体之内的(参见《炼狱篇》第二十五首第 71—75 句)。萨佩纽和波斯科-雷吉奥两注释本都认为,此段的写法是借鉴于《新约・哥林多后书》第十二章第三句,即圣保罗被提升到第三层天时所说:“这是肉身上的经验呢?抑或是心灵里的经验呢?我都不知道,只有上帝知道。”其实,但丁从游地狱、经炼狱直到如今飞升天堂,都是携带肉身的,而这时,但丁的肉体已几乎像最后审判后肉身复活的诸享有天福的精灵的肉身一样,是“没有重量的材料”(雷吉奥);但丁之所以用这种“有意的模棱两可”的笔法,是为了突出显示他此刻的不可思议的经历。

㉜“掌管天国的爱”指上帝;此说法来自波伊提乌斯的《哲学的慰藉》(*Consolazione della filosofia*)第二卷。这里是说,上帝是用爱的行动来创造各天体,并永久地把它们保存下来。“你的光芒”是指从贝阿特丽切的双眼中反射出来、照在但丁身上的上帝的“光芒”。

㉝这里的“欲望”是指企求与上帝结合在一起的渴望。

㉞毕达哥拉斯(Pitagora,公元前六世纪)和柏拉图有关各重天体运转和谐之说,曾被亚里士多德在其《天论》(*De coelo*)第二章中推翻,随后,阿威罗伊斯、大阿尔贝托、圣托马索也都反对“和谐”说。然而,这一理论当时甚为盛行,但丁诗中所据可能出于西塞罗的有关著作,而且中世纪基督教神学著作中也不乏此论,即认为,天体的旋转运动是相互和谐的;甚至六世纪的属于亚里士多德学说传统的辛普利丘(Simplicio),在评论《天论》时也曾维护天体和谐说的观点,而这篇评论在但丁出生前五十年就从希腊文译为拉丁文,因此,但丁可能阅读过此文。

㉟“错误想象”是指但丁以为自己仍在尘世(见第 91 句)。

㊱“霹雳”的“家园”即是指烈火圈,而但丁的“家园”则是指天国:但丁在《筵席》第四卷第二十八节第二句段中就说:“高贵的灵魂在最后阶段……要回归到上帝那里,这正像回归到那个

港口,而当它投入这人生的大海时,它正是从这个港口启航的。”中世纪认为,“霹雳”亦即雷电,乃是一种火,它违反自然规律,离开产生它的原地而下降到地球(参见本首第115句),因此,“但丁”即是“火”,“烈火圈”即等于“天堂”的这种对比关系,排除了有人认为“自己的家园”是指“云雾”的说法(雷吉奥)。

㊲“第一个疑问”即是指“音响的新颖和辉煌的光亮”产生的原因。

㊳“这些轻飘的物体”是指空气与火,它们是比沉重的肉体为轻的元素。因此,此句说明,但丁显然认为自己是带着肉身升天的(参见本首第73—75句及有关注释)。

㊴上帝创造的万物形成有秩序与和谐的整体的观念来自经院神学:圣托马索的《神学大全》第一卷第六十七章就指出,“这个世界可说是秩序统一的浑然一体,依照这个秩序,某些东西可说是被有秩序地与其他一些东西安排在一起的。的确,来自上帝的万物,相互之间以及在对待上帝方面,都是被井然有序地安排的。”宇宙的“形式”与上帝“相似”也是经院神学语言中的一个主要原则,即:“万物都有各自存在的形式”;而正由于万物之间又是有秩序地安排的,这种形式就使宇宙变得“与上帝相似”,因为上帝是“最好的秩序”。

㊵“高级造物”:古代注释家对此解释略有不同:拉纳、《最佳评注》、本维努托认为是指天使;但丁之子彼特罗认为是指神学家和哲学家;布蒂和兰迪诺则认为是指天使和“具有高度智力的人”。波斯科-雷吉奥注释本说,这是指“有理性的生物”,亦即天使与人;萨佩纽注释本则依照但丁在《帝制论》第一卷第八节第二句段的内容,指出,这是指这样一些造物:它们认识到造物主的威力与智慧的标志,而这一标志又正是宇宙的秩序从中产生、并要达到的最终目的。“上述准则”即是指宇宙的秩序。

㊶“本源”(principio)即是指上帝,它是一切“自然物”亦即造物所共有的;“命运不同”意谓每个造物被安排的处境不同,因此,各造物距其“本源”即上帝有远有近。这一概念出自《神学大全》第一卷第五十九章:“既然万物来自上帝的意志,它们便都以各自的方式倾向于渴望爱,但形式不同。有些只是根据本能而倾向于善,是不自觉的,如植物和无生命之物体;这种倾向谓之曰‘自然的渴求’(appetito naturale),有些靠一定的认识倾向于善,但这是因为它们认识的是一定的特殊的善,如那些有感觉的生物便是,这种倾向谓之曰‘感觉的渴求’(appetito sensitivo)。最后,有些倾向于善,是因为它们认识到善的理由本身,这便是智力所固有的,这种倾向便谓之曰‘意志’(volontà)。”但丁在《筵席》第三卷第七节第二至五句段中也说:“神的善降在万物身上,否则,万物也不可能存在;但是,既然这种善是由极简单的本源而来的,接受它的种种物体的接受程度便有不同,有多有少……因此,上帝的善是由种种独立的物质以不同方式接受的,就是说,天使是一种方式……人类灵魂是另一种方式……动物是另一种方式……植物乃至矿物又分别是另一种方式。”

㊷“本能”(istinto)即布蒂所说的“自然倾向”(inclinazione naturale),正是这种倾向推动各造物实现各自的本质。下一段三行韵诗就此做了举例说明。

㊸这里是说:火的“本能”使火自然而然地朝自身所属的“烈火圈”上升,而该圈是如《筵席》第

三卷第三节第二句段所说，位于“月球天的沿线上”的；“生物心灵”的“生物”是指非理性的动物，它们的本能则调节它们的感觉官能；第三个例子是指“地心吸力”的“本能”，它使每个物体都朝向地球中心而动，从而使地球成为统一而完整之物。

㊹“缺少智慧的造物”指非理性的造物，即动物和无生命之物；“拥有智力和意志的造物”指天使与人。

㊺“那重天”即是指“原动天”，它是在不动的“净火天”即天国中转动的，速度最快，并带动下面各重天体。“静谧”(quieto)即意谓“不动”，因为“净火天”正是神灵的所在地。

㊻这里又用射箭作为比喻，因为弓箭是当时战争中最常用的武器；“幸福的标的”即是指“净火天”，即天国，这是上天安排的秩序的“威力”，亦即“本能”，使每个造物朝它而动的“终极目的”，在那里，可享有安宁和幸福。

㊼这里用艺术家制作艺术品来作对比：正因为人有自由意志，能自行作出各自选择，便有可能远离其本能使之努力追求的善的道路，这正如艺术家所使用的“材料”不肯接受艺术家为它所定的形式一样。但丁的这一有关“本能”的论述，由于强调了人的意志的作用，就避免像正统基督教学说所说的那样，沦于宿命论。

㊽“这样的推动”，即是指“本能”的推动；“另入他径”指走向罪恶。

㊾“烈火”指霹雳、闪电；作为“烈火”，它原应是朝上走的，而却朝地面降落，这就违反它的“本能”。“原始的动力”即指自然倾向，亦即“本能”。本段三行韵诗是说人如霹雳一样，为世间财物(“虚假的欢乐”)所吸引，也会违反向善的本能而走上歧途。

㊿这里是说，但丁已“排除障碍”，亦即“涤清罪过”，本应“登天去会繁星”，倘若“依然滞留尘凡”，如烈火本该上升到烈火圈，却仍“平静地待在地面”，那才是应当令人感到惊奇的事，换言之，如今但丁飞升天堂，并非什么“奇迹”。

(51)“面庞”，原文为 viso，有眼光、视线之意；《神曲》中多处有此种用法。

第二首

对读者的告诫(1—18)
抵达月球天(19—45)
月球的斑点(46—148)

对读者的告诫

哦,坐在一叶小舟中的你们,
热望谛听诗歌的内容,
紧跟我那漂洋过海、放声歌唱的木船航行[1],
你们且返回去再看一看你们的海滩[2]:
你们不要进入那大海汪洋,
因为也许一旦跟不上我,你们就会迷失方向。
我所航行的这片海水,是前人从未走过[3];
密涅瓦在送风,指引我的是阿波罗[4],
还有九位缪斯女神在向我指点大熊星座[5]。
你们这些少数的读者,曾很早就扬起脖颈[6],
仰望天使的食品[7],
世上的人们靠这食品维生,却总不能饱餐一顿[8],
因而你们完全可以把你们的船只放入浩瀚的咸水[9],
顺着我的航道驶进,

在那波浪正在平复的海水的前面游动[10]。
那些渡海来到科尔喀斯的光荣勇士[11]
也不会像你们这样感到吃惊，
因为他们当时曾看到伊阿宋竟变成耕田人[12]。

抵达月球天

与生俱来的那种对以上帝为形式的王国的永恒饥渴[13]，
使我们飞速上升，
几乎像是你们抬眼仰视天空[14]。
贝阿特丽切在上方，而我则向她观望；
也许时速之快，犹如箭上弓弦，
随即从弦扣弹出，腾空飞翔[15]，
我发现我竟然来到这样一个境界：
那里的神奇景物使我的视线转移到它的一方；
而我的关注心情又无法向那位隐藏[16]，
因此，她向我转过身来，既欢悦又美丽[17]，
她对我说道："把感激的心灵朝向上帝，
因为正是他使我们与那第一颗星连接在一起[18]。"
我觉得，仿佛有一层云雾把我们围拢[19]，
那云雾是那样明亮、厚重、坚实和洁净[20]，
几乎像是太阳照射的金刚石那样晶莹。
这块永恒的宝石把我们接受到它的怀中，
如同一池清水接受光辉照映，
却依然保持统一完整[21]。
既然我是肉身，而世间无法设想
一个体积如何能把另一个体积容忍，
这就必然是使物体渗入物体之中，
这也便会进一步燃起我们的热望，
要想看一看那个基因[22]，

从中可以看出我们的人性如何与上帝相互交融。
在那里，我们将看到我们只是凭信仰才相信的事情，
这事情不是被验证，而是它依靠自身，就会令人看清[23]，
就像人类所相信的初步真理，浅显易懂[24]。

月球的斑点

我答道："夫人，正因为我能抱有最大限度的虔诚，
我才对他感恩不尽，
他使我远离了凡尘。
但是，请您告诉我：
这个物体的那些黑色痕迹究竟是什么？
下面尘世的人们把这些痕迹作为该隐的寓言来述说[25]。"
她嫣然一笑，随即对我说道：
"如果说凡人的看法在感官的钥匙
无法打开的地方犯错误，
如今惊奇之箭也肯定不该把你刺中，
既然你已看出，追随在感官之后的理性，
双翼很短，也无法飞得很远[26]。
但是，告诉我：你自己对此有何意见。"
我于是说："我认为，天上的东西显得有这样的明暗不同，
是因为各个天体的密度有稀有浓[27]。"
她就此说道："肯定你将会看到，
你的信念深深地陷入虚妄的泥潭，
倘若你仔细听取我将对此提出的相反的论点。
那第八圈向你们显示许多星光[28]，
可以看出这些光芒在质量和数量上
又表现为不同的模样。
倘若这只是出于稀薄与浓密，
所有星光就会只有一种能力，
这种能力的分布有多有少，或完全同一。

不同的能力理应是一些形式原则的结果，
那些原则，除去一个[29]，
依照你的道理，都将一概打破。
进一步来说，倘若稀薄是你所问的黑斑的原因[30]，
那么这个星球就该是
要么缺乏物质，从这部分到那部分，
要么就该像一个肉体，
肥瘦部分共存，
这就像纸张在厚度上也是变化无穷。
若是第一种情况，
在日蚀时就会一目了然，
因为光芒的透露就像进入另一个密度稀薄的星球里面。
情况并非如此：因此，应当看一看另一种情况；
倘若发生我把另一种情况也推翻的事，
那么你的见解就会证明全属虚妄。
倘若发生这样的事：这种稀薄不曾蔓延，
那么就该有一个终点，
与稀薄相反的密度从那里不容透过光线[31]；
而从那里，其他光线却散布开来[32]，
就如同从玻璃中反映出色彩[33]，
因为玻璃本身的后面，隐藏着一层铅。
现在，你会说，光线显得
比其他地方黯淡之所在，
是因为它从那里更靠后的地方反射出来[34]。
经验可以使你摆脱这种异议[35]，
倘若你想尝试一番，
而经验往往是你们的艺术长河的起源。
你可以拿出三面镜子；你把两面
放在与你距离相等的地方；把另一面放得更远，
它能从头两面之间照出你的双眼。

你要面向它们,要使你的背后有一束光,
要使这束光把这三面镜子照亮,
并使它们全都把光线反射出来,回到你方。
虽然那更远的视线在数量上[36]
不能同样伸展,你却会看见,
那边必然放射同样的光芒。
现在,正像在炎热的阳光辐射下,
雪的主体变成赤裸裸[37],
丧失了先前的寒冷和颜色,
你的心智也同样如此,
而我正是要使它焕发出如此璀璨的光辉,
在你的身上显示出它那晶莹闪烁的姿色[38]。
在呈现神的和平景象的那重天里[39],
旋转着一个天体,
它的全部内涵的存在,都以它的能力为根基[40]。
下一重天——它有那么多的星星点点[41],
把上述的存在分配到不同的基因上面,
这些基因既与它区分开来,又包容在它的里边。
其他各重天体以种种不同方式,
把自身内部所具有的各自特有的能力加以布置,
以期达到各自的目的,撒播各自的种子。
宇宙的这些器官,正如你现在所见[42],
就是这样一层一层地运转,
取之于上方,施之于下面[43]。
你现在该仔细观看我是如何
通过这个途径,走向你所渴望的真理[44],
这样,你以后就可知把浅滩自行走下去[45]。
这些神圣旋转天体的运动和能力,
就像使用铁锤的技艺来自铁匠,
它们也必然要出自那些幸福的动力[46];

而这重天有那么多的星光使它变得如此美丽[47]，
它从那使它不住旋转的深邃的脑海中汲取形象[48]，
从而也使自身变为印章。
正如你们肉体中的灵魂，
最终体现为不同的肢体，
而这些肢体又与不同的功能相适应[49]，
同样，这智慧也把它的善心散布给群星[50]，
并使这善心变成多样多种，
同时又在它那单一的实体之上自行转动。
不同的能力与那珍贵的物体结成不同的联合，
正是这能力使这物体得以成活，
在这物体中的结合，也正像你们身上的生命，是灵与肉的结合[51]。
由于这混合的能力据以产生的可喜天性，
它就通过那物体放出光明，
这正像通过明亮的眼珠透露喜悦的心情[52]。
光亮与光亮之间之所以显得不同，
正是出于上述能力，而不是出于密度有稀有浓；
它正是那形式原则，根据它的善心，
产生昏暗与光明。”

注释

①这里与《炼狱篇》序诗一样，以船行海上作譬喻：读者乘坐在小舟上，由于对哲学和神学一无所知，必须紧跟但丁的“木船”，在象征神学的大海中航行。有人对本首开头对读者的告诫，认为是但丁“骄傲自大”的表现，其实不然，因为在但丁以前，意大利的诗歌中，也曾有不少诗人——如蓬维辛·德·拉·里瓦（Bonvesin de la Riva，1240—1315）、贾科米诺·达·维罗纳（Giacomino da Verona，十三世纪下半叶）等——试图描述冥界乃至天堂，但这些诗作一般都很粗俗，缺乏但丁自认为是其诗作中的真正伟大的新内容，即阐述哲学神学问题，从而使他有资格去觐见上帝。《最佳评注》曾对此段作过详尽的诠释，指出：作者在此“把神学比作深邃的大海，把微小的才智比作小舟，把大的、足够的才智比作‘木船’……正是这样的海船才足以航行在任何浩瀚的大海上”。“放声歌唱”指吟诗作句。

②这里的“海滩”是指前两部诗篇，其寓意是：读者可中断阅读本篇，而只满足于前两部诗篇。

近代注释家几乎一致认为，这里反映出一种“文化贵族的格调”，萨佩纽就认为，这是对被排除在这“文化贵族”之外的人的一种“高傲的怜悯”（altera pietà）；但丁在《筵席》第一卷第一节第一至七句段中就提及：“所有人都自然而然地渴望得到知识”，但是，“由于种种原因，许多人都不能达到这种极为高贵的完美境界，这些原因使一个人的内部和外部，都无法穿上科学的外衣……凡是仔细考虑问题的人，到处都能明显地看出：只有少数人才能穿上大家都渴望的外衣，而那些吃不到一直如饥似渴地想吃到的这类饭食的人，却几乎不胜枚举。哦，那些少数人真幸福啊！因为他们能坐到食用天使的食品的餐桌上；而那些与山羊一起食用共同饭食的人又是多么可怜！”

③这里把但丁“航行的这片海水”比作描述天堂，因为这是一项最艰巨的工作，最困难的话题。萨佩纽注释本认为，诗中说“这片海水”是“前人从未走过”，可能是因为但丁不知中世纪有人也曾描述过天堂，贾科米诺·达·维罗纳的《论天国的耶路撒冷》（*De Ierusalem coelesti*）和蓬维辛·德·拉·里瓦的《镀金著作》（*Scrittura dorata*），都属于此类作品；不论如何，但丁“想必是把这些作品无非看成粗俗不堪的尝试，缺乏坚实的理论结构”。波斯科-雷吉奥注释本认为，很难说但丁不了解这方面的消息，其实，他是指以前的有关作品都不曾涉及“艰巨的神学题材”。

④密涅瓦为智慧女神，但丁把她作为本首所歌颂的对象、深奥的理论即神学的象征；阿波罗在序诗中已提到过，但丁显然把他作为诗的灵感的象征，因此，在诗中，由阿波罗来为但丁的“木船”掌舵。

⑤这里是说，但丁呼吁九位缪斯女神一齐来为他指点方向。但有人也把 nove Muse（九位缪斯女神）中的 nove（九）解释为“新的”，即基督教的缪斯女神；波斯科-雷吉奥注释本不同意这种说法，它认为：既然提及密涅瓦和阿波罗等“旧的”神，这种诠释就不能成立了。

⑥“很早”（per tempo）指从青年时起；“扬起脖颈”指抬起眼睛；波斯科-雷吉奥注释本认为，此句的“很早”有“长时间从事哲学研究”之意。

⑦“天使的食品”（pane de li angeli）：萨佩纽注释本认为是指“上天的智慧”（Intelligenze celesti），亦即“天使”用以营养自身的“智慧”（sapienza）；波斯科-雷吉奥注释本则认为是指“神学”。这种说法来自《旧约》的《诗篇》第七十八篇第二十五句：“他们所吃的原是天使的食物”；《箴言》第九章第五句“智慧”对“愚昧的人”说的话：“跟我一同吃饭，尝尝我调和的酒吧。”但丁在《筵席》第一卷第一节第七句段中也提及“天使的食品”，参见本首注②。

⑧这里是说，这种精神食粮世人也可以食用，但永不会吃饱，因为人的智慧的局限性使他们不能完全洞悉上天显示的真理；但丁在《筵席》第四卷第二十二节第十三句段中也说，“你们在这个人生中不能完善地使用思辨的智力（intelletto speculativo），你们将从上帝身上得到这种智力，因为上帝是最高的智慧”。波斯科-雷吉奥注释本还就此指出，天使由于能幸福地觐见上帝，可以满足他们的求知欲望。

⑨“浩瀚的咸水”(alto sale)即是指汪洋大海;贺拉斯、维吉尔、卢卡努斯的著作中都有类似的说法。值得注意的是,这里用“船只”(navigio)而不再用“小舟”,其寓意是:这些“少数读者”很早就食用“天使的食品”,因而能乘用坚固的大船(隐喻“习惯于思辨”),追随但丁的“木船”在大海中航行,不致像前一批读者会迷失方向。

⑩这里是说,这些读者所乘的舟楫需在水面恢复平静、但丁所乘的船留下的航道印迹消失之前行进;也有人解释为,他们的船只要保持在水面恢复平静的前面地方行进,因为波浪消失,就看不出航道了。前者指“时间”,后者指“地点”,但其大意则是一致的。

⑪“光荣勇士”指随伊阿宋(参见《地狱篇》第十八首及有关注释)寻找金羊毛的阿耳戈英雄们。“科尔喀斯”,原文为 Colco,是指住在科尔喀斯岛(Colchide)的居民,此处则用来指该岛(参见《地狱篇》第十八首及有关注释)。

⑫伊阿宋率阿耳戈英雄们来到科尔喀斯岛后,需经受一系列考验,其中一项是:要用两头生着铁犄角、有四只铜足、鼻孔喷射烈火的牛(这时已被他征服)来耕田,然后,在田地下撒播蛇牙作为种子,而这些“种子”竟变成武装战士(奥维德的《变形记》第七章对此有叙述);因此,诗中说伊阿宋变成“耕田人”(bifolco,意谓“用牛耕田者”)。但是,奥维德著作中所写的是科尔喀斯人看到伊阿宋征服怪牛并用以耕田“感到吃惊”,而非阿耳戈英雄们,因此,波斯科-雷吉奥注释本认为,要么是但丁有意把二者混为一谈,要么则是但丁把奥维德原文记错了,除非但丁是想把《天堂篇》的读者与伊阿宋的追随者作一对比:它指出,对这种对比的诠释有两种:一是以布蒂为首的,他们认为,这是把变为“耕田人”的伊阿宋与从“世俗者”变为“神学大师”的但丁作对比;一是以本维努托为首的,他们认为,这是把伊阿宋的奇迹般经历与但丁的奇迹般天国之行作对比。它认为,从对伊阿宋征服怪牛的考验来看,似乎以前一种解释为是,尽管它认为,从时间上看,“诗歌与科学的结合并不成为令人感到惊异的如此重要的原因”,这是针对布蒂申述的理由而说的:布蒂曾诠释此句说:“看到我从诗人竟上升为神学大师,这会是比看到伊阿宋从骁勇善战的国王下降为耕田人,更加令人感到惊奇的。”

⑬“以上帝为形式的王国”即是指“净火天”或“天国”;“以上帝为形式”的原文是 deiforme,意谓“净火天”的“形式”是直接来自上帝的构思。“与生俱来……的永恒饥渴”是指人的天生渴望,而这种渴望是永远无法满足的。

⑭这里强调的是“速度”,即是说,飞升的速度犹如“抬眼”仰望天体旋转;但基门兹等注释家认为这种说法不妥,因为人的肉眼是看不出天体的运动的,因此,萨佩纽和波斯科-雷吉奥两注释本都以不同方式指出,这种“仰视”不是指眼睛,而是指心智;后者说:“更可能的是:但丁所设想的只是心智的视觉,即有文化修养的人依靠他所积累的科学知识,‘看到’各天体的迅速运转。”

⑮这里又以射箭为例,说明速度之快:箭放在弓弩上,弹出飞腾,射中目标,但最后一点对说明“箭飞”的目的是最重要的,在诗中则省略了,而代之以下句中但丁飞升的实际结果。

⑯“那位”指贝阿特丽切。

⑰“欢悦”是指贝阿特丽切为但丁能终于抵达他所渴望的天国而感到高兴;“美丽”则是指贝天生的姿色。

⑱“第一颗星”指月球,因为它是环绕地球运转的诸天体中距离最近的,亦即第一重天。但丁认为,诸星球和恒星都是一些发光的完整的球体,镶嵌在构成天体的厚厚的透明物质的圆层中;他所想象的从一重天到另一重天,正是飞降到星球本身转到的那一点上。

⑲“云雾”即是指月球的物质,因此,但丁降落之处是作为物质的星球上,而不是包含星球的那重天体;因为天体的物质是以太,是透明而又看不见的,那就不会使他产生诗中所述的印象。

⑳这里用了四个形容词描述月亮的物质即“云雾”:“明亮”是指月球本身有光,不仅取光于太阳(见但丁《帝制论》第三卷第四节第十七、十八句段);“坚实”是指月球乃至其他星球的不可渗透性;“洁净”是指“光滑”甚或“没有斑点”,因为正是这一点使但丁向贝阿特丽切提出有关月球的斑点问题(见本首后一部分)。近代注释家万戴利曾援引天文学家乔瓦尼·安东内利(Giovanni Antonelli,1818—1872)的话说:“头三个特点是合适的,第四个特点则是不恰当的”,因为我们所见到的“虽不是月亮的其余部分,却肯定是极为偶然的部分(即指‘光滑’而无‘斑点’的部分)。”但这在但丁时期,他是不可能知道的。

㉑“永恒的宝石”即不易腐蚀、不易破坏的宝石,这里用以比喻月球和其他星球,因为只有它们“不是像世上的宝石那样会破碎的”(本维努托)。这里是说,一道光线射入一池清水却未把它破坏、瓦解,安东内利就此指出,这是自然规律的一种例外,即物体的不可渗透性;科斯莫(Cosmo)在《最后的上升》(*Ultima ascesa*)一书中曾提及十三世纪有一无名氏作者写过颂扬圣母贞洁无瑕的一段诗句,内容类似:“正如阳光射透玻璃,而玻璃却并未因此发生任何裂痕。”诗中的比喻是异常美妙的。

㉒这里是说,这种一个“物体”(但丁的“肉身”)渗入另一个物体(“月球”)之中、而又不破坏后者的完整性的现象,使人产生热望,想上升到天国去领略一种更加伟大得多的奇迹,即:人性与神性的相互渗透,融为一个“基因”,即耶稣基督;换言之,在天堂,必能看到和明了“化为肉身”(incarnazione)的奥秘。

㉓这里是说,在天堂看到人性与神性结合的状况不需用论证说明,而是能令人凭本能即可领悟。

㉔“初步真理”是指“浅显易懂”的、可以凭本能理解的原则;也有人解释为“上帝的思想”,因为它是“一切真理的本源”,但萨佩纽和波斯科-雷吉奥两注释本都不赞成这种说法,因为依照亚里士多德经院哲学派的说法,上帝的思想是要经过论证说明的。

㉕民间传说,该隐因杀死胞弟亚伯而受惩,被囚禁在月亮内,肩上永远背着一捆荆棘(参见《地狱篇》第二十首及有关注释),这也便是月亮上的黑斑,犹如我国传说月上的黑影是吴刚伐桂。这里用迷信传说来突出显示贝阿特丽切就此所作回答的科学神学严肃性。

㉖在第52—57句这两段三行韵诗中,本维努托对贝阿特丽切这“嫣然一笑”曾作过这样的诠释:“她几乎是想不言而喻地说:‘不仅无知的人们讲述这样的寓言而犯了错误,而且那些学

识渊博的智者也在论述哲学方面铸成错误'。"诗中用了一系列比喻的笔法来说明某种现象或某种道理:首先,如人们单凭感官("感官的钥匙")往往不能彻底弄清真理("无法打开"真理之门);同样,"惊奇之箭"的"刺中"说法,又是一种比喻笔法,说明但丁不该为此感到惊奇的简单意思;最后,人们在有所感之后产生的"理性"(智力思考),凭"双翼"也不能"飞得很远",即是说,"理性"也无法解决有关真理的问题。波斯科-雷吉奥注释本特别就此指出,这并非像有些注释家那样,认为是但丁轻视感觉认识,其实,正如但丁在《筵席》第二卷第四节第十七句段中所说,感觉认识只不过是认识的开始,这里无非是说,理性有其局限性。换言之,还要靠代表神学的贝阿特丽切对诸如月球斑点之类单凭理性不能解决的问题,作出确切可靠的阐述。

㉗这里所提及的论据是出自阿威罗伊斯提出的假设。但丁在《筵席》第二卷第十三节第九句段中就说:"它(月亮)上面的阴影……无非是其本体的稀薄,太阳的光线不能最终照到上面,也不能像照在其他部分那样,得到反射。"但丁在诗中则摒弃上述理论,而靠拢圣托马索在《评天与世界》(*Comm. de Coelo et Mundo*)第二章中提出的新柏拉图主义的论点,该论点认为:位于不同层次的星球之间以及位于同一层次的星球之间,在其特殊性质方面,存在差别,而正是这种差别使它们产生不同的亮度。波斯科-雷吉奥注释本指出,纠正《筵席》中的某些理论,在《神曲》中已不是第一次了,因此,《神曲》是对但丁思想的"最后彻底的修正";它还特别提及,但丁在此指出的密度稀浓不仅限于月球,而是也涉及所有天体("各个天体的密度有稀有浓")。但,法国近代注释家安德烈·佩扎尔(André Pezard)认为,但丁在《筵席》中的有关思想的直接来源为法国十二、十三世纪的小说《玫瑰传奇》(*Roman de la Rose*),该小说的作者原为威廉·德·洛里(Guglielmo de Lorris),后又由让·德·默恩(Jean de Meung)续写,其中有关天体明暗问题的理论与《筵席》的论点相似,因而使但丁倾向于此理论,甚至包括"三面镜子"问题(即本首第96—105句所谈试验问题),而此问题在阿威罗伊斯和大阿尔贝托的理论中都是不曾有过的。波斯科-雷吉奥注释本明确表示不同意此说法。

㉘"第八圈"指恒星天;贝阿特丽切首先从总的概念来批驳但丁的错误观点:即倘若密度的稀浓为月球上光亮程度不同的形式原则(principio formale),那么,这也应适用于第八重天即恒星天,这一来,第八重天的所有星辰都应具有同样的能力,对世间也应产生同样的影响,因为所有星辰的特性是同一的,相同的,只有量的区别,而无质的区别,却不是每个星辰都有各自的能力和特性;因此,根据但丁的理论,形式原则只有一个,即密度,各星辰的能力也只有一个。而这是无稽之谈。所谓"形式原则"即是指确定事物特殊形式的主要原因,亦即物种的根源,为一哲学名词。

㉙这里的"除去一个"即是指但丁所说的"密度"问题。

㉚从第73句至第105句,都是贝阿特丽切所申述的理由的第二部分,即是从经验来证明但丁所持论点是错误的:若是密度问题,密度的稀薄或浓稠理应或是扩及月球的全部厚度,或是扩及其中一部分,即在稀薄一层下面,又有浓稠一层。在上述第一种情况下,当出现日蚀时,

月球的密度稀薄部分就会显得透明,阳光(即诗中的“光芒”)可以从中透过,而这种情况是不存在的;第二种情况则是:阳光的反射是来自较远的部分,亦即稀薄一层之后的浓稠一层,但这种反射的光芒并不弱于更近之处反射的光芒,亦即密度更浓之处反射的光芒,即是说,无论距离远近或密度稀浓,其反射的阳光亮度都是同样的。

㉛“与稀薄相反的密度”即是指浓稠的密度,那里,“光线”(即阳光)不能透过。

㉜“其他光线”同样指阳光。

㉝这里的“色彩”是指从镜子中反映出的物体及其色彩。镜子是由玻璃后面涂上一层铅而形成的,参见《地狱篇》第二十三首第25句;但丁在《筵席》第三卷第九节第八句段中也提及这一点。

㉞这里是说,按照但丁的理论,在反射阳光的密度浓的部分,因为是在月球的靠里部分(“更靠后的部分”),而不是在月球表面,在人们看来,就觉得光线显得比其他部分“黯淡”,从而形成月球的“斑点”。

㉟这里的“经验”指试验。有关经验是人类艺术的基础的观念来自亚里士多德,也是经院哲学家的方法论的一个论据。

㊱这里的“视线”是指从更远的镜子中反映出来的形象;“数量”则是指形象的大小。因此,诗句的意思即是指:更远的镜子反映出的形象不如更近的两面镜子反映的形象大,但是,三面镜子反射的“光芒”却是一样的。

㊲这里用阳光融化白雪来形容贝阿特丽切“点化”但丁,使之顿开茅塞。“主体”原文为 suggetto,来自经院哲学家常用的 subiectum,意即“原料”;白雪经阳光一照,便变为“赤裸裸”,失掉原有的“寒冷”和“颜色”,转化为“主体”即水。

㊳这里是说,贝阿特丽切对但丁的陈述,正是要使他的“心智”脱离错误和偏见,放出星光般的闪烁光辉。

㊴“那重天”指“净火天”即天国;如前所述,这重天是不动的,呈现出一片安谧、幸福的和平景象。

㊵这个“天体”即是“原动天”或称“水晶天”。“全部内涵”指包含在原动天内的所有物体,亦即指“宇宙的整个生活”;“存在”则指如下含义:即如近代注释家纳尔迪所说,“下面几重天受最高一重天(即作为第九重天的原动天)的影响,然后又各自一级接一级地将该影响从一重传递到另一重”;但丁在《筵席》第二卷第十四节第十五至十七句段中也说,第九重天“以其运动规定所有其他天体的日常运转,因此,所有这些天体每日都既接受,又把属于它们各自部分的能力,传送到下面世间去。倘若这重天的运转不作这样的规定,各重天体的能力就会很少来到世间,或者世间看到它们也会很少……确实,世间就不会传宗接代,就不会有动物或植物的生命,不会有夜,也不会有昼,也不会有周、月、年,而是整个宇宙都会变得紊乱无序,其他天体的运动也都会成为徒劳”。

㊶“下一重天”即第八重天,亦即恒星天,因此,这一重天内,星辰甚多(“有那么多的星星点

点”)。“存在”仍如前注,指来自第九重天的影响和能力;“不同的基因”指不同的星体,这些星体既“包容”在这重天内,又与它有别,因为各“基因”(即星体)都有各自的特殊能力和各自固有的形式原则。因此,从第八重天即恒星天起,就开始实行由净火天传送到原动天的宇宙能力的“区分化”(differenziazione),即“化一为繁”(riduzione dell'uno al molteplice),亦即变“一个”为“多个”,这种“区分化”也便反映为“世间自然物的多样性”(萨佩纽)。波斯科-雷吉奥注释本也说,“恒星天把自身的能力分配到它本身拥有的种种星体上去,而其他各重天,只有一个星球,则把它们各自的能力只传送到这个星球上去,再由它影响位于下面的天体。这样,原动天的最初而又有区分的能力,便一重天、一重天地相互区分,变为多种多样,直到影响地球”。“撒播各自的种子”中的“种子”是指“上天的智慧”(Intelligenze celesti)或称“天使的智慧”(intelligenze angeliche)所构思的基本原型,物质的现有潜在形式都是由“上天的智慧”用这种基本原型来推动并起作用的,这也就是说,星宿的影响来自作为原动力的“上天的智慧”。

㊷“器官”在这里即是指各重天体,因为它们的作用类似人体的各个器官。

㊸这里是说,每重天体从上一重天接受影响,而又对下一重天施加影响。

㊹“通过这个途径”意谓“通过我的论述”。

㊺“浅滩”(guado),是但丁常用的形象词汇,意谓“应走之路”。这里是说,贝阿特丽切所作论述的严谨使但丁可以据以自行得出结论。

㊻“神圣旋转天体”即是指九重天,之所以称之为“神圣”,是因为它们是永不腐蚀的,也是上帝直接创造的。这里把九重天的运转和各自的能力比作“使用铁锤的技艺来自铁匠”,是异常亲切而形象的,因为各天体的运转和能力都来自作为原动力的“上天的智慧”(“幸福的动力”);换言之,各天体的运动和影响都来自“上天的智慧”,因此,各天体只不过是产生效果的工具,效果的真正起因则是天使,这正如“铁锤”为“工具”,“铁匠”为“起因”。这种类比来自亚里士多德的《论灵魂》第二章第六节、《论动物之生殖》(*De generatione animalium*)第五章第八节,并且是中世纪理论著述常用的:圣托马索的《神学大全》第一卷第七十章就曾谈及:“天体既是被动又是主动的,它起着工具的作用,因为它是依靠主要动因的能力而活动的,因而也就是依靠其原动力的能力,而这个原动力是活的物质,可以造成生命”;但丁在《筵席》第四卷第四节第十二句段中也说:“铁锤的击打是制成刀子的原因(即工具),而铁匠的灵魂则是有效和推动的原因”,《帝制论》第三卷第六节第五句段也有类似的提法。

㊼“这重天”仍指恒星天。

㊽这里是说,恒星天的“形象”是来自“深邃的脑海”(即九级天使中司知识的二级天使基路伯),而它的“不住旋转”也是由这些天使的“智慧”所推动的。“使自身变为印章”是指各星辰从上天智慧中取得能力或印记,又将自身所得印记,根据自身的能力,打印在下面的物体上(布蒂)。

㊾这里是说,上天智慧之于恒星天,犹如人类肉体的灵魂之于不同器官,即是说:灵魂仍是单一

的一个,但又分散为不同的有秩序的器官,这些器官又根据各自功能发挥作用,上天智慧也同样如此,它推动恒星天,并把自身的能力以多种多样的方式输入各星体,从而使各星体产生不同的能力,尽管上天智慧仍只是一个同一的整体。就这一点而言,但丁似乎接近新柏拉图主义和阿拉伯哲学家的学说,但这只是表面现象,而非实质上的接近,因为对他来说,一般说,也是对经院哲学家而言,上天智慧与被它推动的天体之间的关系,只是类似、而非同一于人的机体中的灵与肉,但丁在《筵席》第二卷第五节第十八句段中就提及这一点。

㊿“善心”(bontate):即是指作为恒星天原动力的基路伯天使的智慧所具有的能力。这里是说,上天的智慧或天使的智慧将其不同的能力(“善心变成多样多种”)散布到不同的星辰(“散布给群星”),但就“智慧”本身而言,它仍是一个“单一的实体”,它像一个轮子一样,在轴心上不住转动。也有人认为,此段不仅说明上天的智慧始终是“单一的实体”,而且它自身也意识到其本身是一个“单一的实体”,萨佩纽以及斯卡尔塔齐尼-万戴利(Scartazzini-Vandelli)等注释家就是持此类意见的,他们的依据是:但丁在《筵席》第三卷第十二节第十一句段中曾说:正如对上帝,对上天的智慧来说,确实“它的旋转亦即是它的理解”,这就是说上天的智慧“对自身的单一体的意识”。

51“珍贵的物体”即是指星辰;这里仍是进一步说明上述反复阐述的道理,即:上天的智慧把不同的能力散布到星体的珍贵物质之内,与它们结合在一起,使它们具有生命(“使这物体得以成活”),这种结合形式,犹如人体的结合形式:即灵魂纳入肉体,亦即诗中所说的“你们身上的生命”。

52这里是说,上天的智慧的能力与星体的结合是出自“可喜天性”(natura lieta),这就使星体本身“放出光明”,犹如人的“明亮的眼珠”透露出“灵魂的喜悦”,换言之,一个星体或一个星体的某个部分所放出的光明或大或小,均取决于作为原动力的上天智慧的“喜悦”程度,正如人的灵魂的喜悦程度如何,要通过“明亮的眼珠”表现出来。这种对月球明暗原因的解释,实际上是一种形而上学的原理,这与但丁在《筵席》的有关章节和本首第59—60句所谈的涉及纯属物理原理(密度稀浓)有根本的区别。这一点也证明:但丁的精神境界中,神学宗教原则总是位于科学哲学原则之上的。此外,值得注意的是:许多手抄本把第141句中的“你们身上”(in voi)写成“它身上”(in lui),“它”即指星体,因为当时有一种理论(但不是但丁的论点),认为“星辰”是“有生命的活的造物”。

第三首

月球天（1—33）
皮卡尔达·多纳蒂（34—57）
享受天福的不同程度（58—108）
康丝坦扎皇后（109—130）

月球天

那轮太阳以前曾用情爱烘暖我的胸膛[1]，
这时则向我揭示了美好真理的俏丽形象，
既验证真谛，又批驳错误主张[2]；
而我，为了承认自身得到纠正，确信真相，
我恰如其分，更挺直地昂首抬头[3]，
谈出我的感想；
但是，此刻出现一片景象，
它是如此紧密地把我吸引过去，把它观望，
我甚至不记得要把我想承认的事宜讲。
犹如通过透明而洁净的玻璃[4]，
或是通过清澈而平静的水面，
那清水并非深沉到看不见水底，
反映出我们面容的轮廓，

显得如此模糊不清，却也如雪白额上的珍珠[5]，
在我们的眼球中并非显得那么不清楚；
我看到有许多面庞正是如此，它们都准备好与我谈论；
因此，我竟陷入相反的错误[6]，
跑去逢迎那点燃人与泉水之间的恋情的面容。
因为我立即发觉它们[7]，
看出它们就是那些从镜子中反映出的身影，
我把眼光转到身后，想看一看他们究竟是谁人[8]；
我什么也不曾看见，我又把眼光转回前面，
径直观看那位温柔向导的明亮双眼[9]，
而她则面带微笑，神圣的秀目射出热烈的光线。
她对我说：“你且不要为我的微笑而感到惊奇，
由于你那幼稚的想法，
你的脚还不能信赖地踏上真理[10]；
而是像经常发生的那样，这使你转向徒劳无益的方向[11]；
你所见的这些都是真正的物体，
它们因为许愿未偿，才被贬到这里[12]。
因此，你可以与它们谈话，你可以听，也该相信[13]；
因为那真正的光辉满足它们的渴望[14]，
却不容许它们掉转双脚，远离它自身[15]。”

皮卡尔达·多纳蒂

有一个身影仿佛更切望说话，
我于是将身子朝向它，
开口说道，几乎像是一个人受到过分的热望重压：
“哦，被创造的幸福精灵，你得到上天的光辉照映，
你感受到永恒生活的温馨[16]，
而不经尝试，就永不会对这种温馨神会心领，
倘若你能告诉我你的姓名和你们的处境，
我将会感激莫名。”

我看到有许多面庞正是如此，它们都准备好与我谈论。（第三首第16行）

她于是双眼露出笑意，立即说明[17]：
“我们的仁爱不会向正当的愿望把门关紧[18]，
这正像那位希望他的所有朝臣
都类似他自身。
我在人世曾是贞洁的修女[19]；
倘若你的脑海能很好地运用记忆，
你定会不至看不出我如今更加美丽[20]，
而是定会认出我是皮卡尔达，
我与其他这些享天福者一起，被安派在这里，
这些享天福者都是置身于旋转最慢的天层里[21]。
我们的情感炽热如火焰，
只是因为得到圣灵的欢心，
为依照它的命令所做的安排而不胜庆幸[22]。
这种处境显得如此低下[23]，
却是赋予我们，这是因为我们许下的心愿
曾被忽视，在某些方面则未偿还。”

享受天福的不同程度

于是，我对她说道：“你们那令人惊叹的外形
光芒四射，我不知是什么神灵
把你们最初的容貌变更[24]：
因此，我不曾很快地回忆起来；
但是，现在你对我说的话给我很大帮助，
令我更容易地重又想起你的面目。
但是，请告诉我：你们在这里很幸福，
你们可曾盼望到更高的地方去，
以便看得更清，使你们变得更为亲近[25]？”
她先是与其他那些形影一起，莞尔一笑；
随后，又兴高采烈地向我答道，
仿佛被那首要的爱之烈火所燃烧[26]：

“兄弟，仁爱的德性使我们的意愿感到平静[27]，
它使我们只求得到我们已有的那个处境，
使我们对其他东西的渴求也不再产生。
倘若我们盼望升到更高层，
我们的渴望就会与把我们
分配到此处的那位的意旨相抗衡[28]；
你将看到这类事情在这重重天体中不会发生，
既然在这里必须生活在仁爱之中，
倘若你能很好地考虑这仁爱的本性[29]。
把自身限定在神的意旨之内，
甚至对这种享受天福的处境也是至关重要，
以便使我们各自的心愿成为一条[30]；
这正像我们在这王国中，从这层安置到那层[31]，
既令整个王国喜悦，又令国王欢欣[32]，
正是这位国王按照他的意愿，使我们的意愿也随之产生。
我们的安宁恰恰就在他的意志之中[33]：
这意志就是那片大海，万流都归入其中，
归入其中的正是由它所创造，或是由自然所造成[34]。”
这时，我才明白：天上每个地方都是天堂[35]，
即使至善的恩泽并非以同一种方式[36]，
降落到你们的身上。
但纵然如此，倘若某种饭食令人饱餐，
口嘴却仍然贪食另一种餐饭，
这就使人对这个提出要求，对那个又感谢无限[37]，
我的言行也恰是这般模样，
为的是从她那里得知：究竟是什么织物，
使她不曾用梭子一直纺织到尽处[38]。
她对我说道，“完美的一生和崇高的功德
曾使一个女人位于天上更高的地方[39]，
她在你们下面的尘世奉行的原则，让她穿戴修女的面纱与衣裳，

以求至死都要与那位新郎作伴[40]，
不论是白昼苏醒还是夜晚安眠，
那新郎能接受任何出于仁爱、迎合他的欢心的誓愿[41]。
为了追随她，我在青春年少时就逃离世俗，
用她的衣衫把我自身裹住[42]，
立志走她的教派的道路。
后来，一些男人更多地使用恶行，而不是善举，
把我劫出了那温馨的隐修之地，
上帝知道后来我的生命落到何等结局[43]。

康丝坦扎皇后

在我右边向你显示出的
这另一片光辉，放射出我们
这一重天的全部光明[44]，
我所谈有关我的事情，也是指她本人[45]：
她生前曾是修女，同样也曾被人
从她的头部夺去那神圣头巾的阴影[46]。
但是，既然她不得已重返红尘，
违反她的意愿，违反良好的民风，
她则始终不曾揭掉心中的纱巾[47]。
这便是那伟大的康丝坦扎的光芒[48]，
她从索阿维的第二个狂飙中[49]，
生下了第三个狂飙、也是最后一个掌握大权的人[50]。”
她就是这样与我谈话，随后则开始唱道：
“万福玛利亚”，一边唱着，一边销声匿迹[51]，
犹如重物沉入深暗的水底。
我的视线竭尽所能，把她跟紧，
直到她消失在我眼里，
这时我转过身来，面向那使我抱有更大渴望的标记[52]，
我把全部注意力都汇集在贝阿特丽切身上，

但是,那一位却对我的视线大放光芒,[53]
以致我的视力起初无法承当;
这令我推迟提问,慢把口张。

注释

①这里用“太阳”比喻贝阿特丽切:她从青少年时期起,就曾用“情爱”烘暖但丁的心,如今则像用光和热普照人类的太阳般,以真理的光辉照耀但丁。

②这里继续前一首有关月球斑点问题的论述。但丁在诗中借用了经院哲学论述问题方法的两个阶段:即“批驳”(riprovando)和“验证”(provando),但是把原来的次序弄颠倒了。他在《筵席》第四卷第二节第十五至十六句段中就说:“这种方法是人类理性大师亚里士多德所坚持采用的,他总是先与真理的敌人论争,然后,在使对方信服后,说明真理。”其实,Riprovando e provando,按诗中的意思是“批驳与验证”,是作为经院哲学的讨论方法,但后来,则成为伽利略弟子们的一个座右铭,是1657年由莱奥波尔多·德·梅迪契(Leopoldo de' Medici)在佛罗伦萨建立的齐门托学院(Accademia del Cimento)提出来的,因为该学院是以研究实验科学为宗旨(莱奥波尔多本人先为亲王,后为枢机主教),这句话也便有了新的含义:即“试验再试验”。

③这里用了“恰如其分”,即是指在适当的程度上,以求对贝阿特丽切不致有所不敬。

④这里用洁净的玻璃反映形象作比,十分贴切而生动,即是说,这样反映出来的形象是不很清晰的,犹如不深的水面所反映的形象也同样如是。

⑤“雪白额上的珍珠”是指当时流行的妇女头饰:即头戴环状冠饰或网罩,悬有一颗珍珠,垂在额前;这种装饰在中世纪的绘画和壁画上是常见的;由于珍珠的颜色与前额的“雪白”贴近,显得虽不十分鲜明,却仍依稀可见。波斯科-雷吉奥注释本认为,“雪白的额”的说法显然是指中世纪对女性美的一种“理想类型”。

⑥这里的“面庞”是指上帝安置在月球天的享有天福的“精灵”。“相反的错误”是指与希腊神话中因“自恋”而堕水而死、化为水仙花的美男子那西索斯(参见《地狱篇》第三十首及有关注释)相反的错误:那西索斯是看见自身在水中的倒影,以为是“实体”,想与之拥抱,从而淹死在水中,但丁则是把“实体”(即“面庞”)当作反映的“形影”。

⑦“它们”指“许多面庞”。

⑧这里是说,但丁既然以为这些“面庞”是“镜子中反映的身影”,这些人就想必站在他的身后,因此,他掉转目光,向后看。

⑨“温柔的向导”指贝阿特丽切。

⑩这里是说,但丁作为凡人,仍过分信赖可以感觉到的外表,而不能根据显示出的真理来作理性的判断,所以陷于错误而徒劳的假设之中。诗中形象地用“脚”(lo piè)来比喻推理,因而有人认为,这是采用《圣经》的说法,把“心灵的活动”比作“脚”。

⑪波斯科-雷吉奥注释本认为,瓦努齐(Vannucci,1810—1883)分析诗中用“像经常发生的那样”(come suole)作为插话,是说明贝阿特丽切又一次责怪但丁走上歧途:即但丁未得到神学的辅佐,因而看待事物犹如儿童一般;瓦的看法“也许并不错”。

⑫“真正的物体”,原文是 vere sustanze,是经院哲学所用的术语。这里是说,凡在人世间许愿而未还愿的魂灵,都要“被贬”(rilegate)到月球天(参见本篇第一首注①),而但丁原以为,所有享天福者在天国都待遇相同,都位于“净火天”,但后来通过在几重天的亲身体验,他发现享有天福也有程度之分。由于头三重天(即月球天、水星天、金星天)中的精灵生前都受有关的天体所施加的影响而有不同的负面倾向,死后也便被分配到与各自有关的天体中;这三重天也称作“低级天体”(cieli inferiori),因为在它们影响下产生的各种不良倾向本应由人的意志加以克服的。

⑬这里是说,应当相信这些形影所说的话,都是真实的,是真理,因为能满足它们的一切愿望的神的光辉,不容许它们在任何时候远离这一光辉,亦即“真理”(萨佩纽)。

⑭“真正的光辉”即是指上帝的光辉,它即代表绝对真理。

⑮“远离它自身”即是指远离上帝的光辉。

⑯“永恒生活的温馨”即是指天堂的幸福。

⑰因为这些形影轮廓模糊,它们的愉快心情只能通过双眼放射出带有“笑意”的光彩来表现。

⑱这里是说,享有天福者的仁爱来自神的仁爱,其形式也与神相同,因为神要求他的“朝臣”与他“类似”(第44—45句),因此,享天福者的“仁爱”就与神的“仁爱”一样,时刻准备满足正当的请求(“不会向正当的愿望把门关紧”),并从满足这些请求当中,得到自娱。

⑲说话的享天福者是皮卡尔达·多纳蒂(Piccarda Donati),她是西莫内的女儿,科尔索和佛雷塞的胞妹(参见《炼狱篇》第二十四首及有关注释)。她很年轻时就有了十分虔诚的宗教信仰,因而进入佛罗伦萨的圣基亚拉修道院(convento di s. Chiara)做修女。但其兄科尔索为佛市黑党头目,或许在他先后充当波洛尼亚市最高行政官和护民官时(即1283年至1293年间),出于政治考虑,企图使其妹与性格粗暴的黑党分子罗塞利诺·德拉·托萨(Rossellino della Tosa)成婚。为此,他率领一帮打手前往佛市,用暴力将其妹从修道院中抢出,威逼她与罗塞利诺结为夫妇。据古代编年史家和注释家称,皮卡尔达刚被劫出修道院不久,便卧床不起,旋即香消玉殒。另有人称,皮卡尔达做修女时的名称为“康丝坦扎”(Costanza),近代注释家福比尼(Fubini)则认为,这是根据但丁的有关诗句给皮卡尔达的生平添加的一个内容。

⑳这里是说,皮卡尔达死后升入天国,比在人世时变得“更加美丽”,犹如《炼狱篇》第三十首谈及贝阿特丽切的情况一样。

㉑“旋转最慢的天层”即是指月球天:它位于九重天中最低层,环绕地球旋转最近,圆的半径也最小,因而运转速度最慢。

㉒这里的“情感”指受神的仁爱影响下变得炽烈如火的情感,如诗中所说,这“只是因为得到圣灵的欢心”(也有人诠释为:“只是为了得到圣灵的欢心”);此段最后一句则说明,尽管这些

享天福者被放在最低一重天体,却对上帝的宇宙安排是感到“不胜庆幸”的。

㉓这里所说的“处境低下”,是指在月球天享有的天福是在九重天当中最少的,其原因在于:这些享天福者生前未坚持不渝地信守自己的誓言。

㉔这里是说,这些享天福者目前的面貌,与生前比较,已变得令人认不出来。

㉕“变得更为亲近”,原文为 più farvi amici,直译为“变得更为友好”,这里是指享天福者是否想升到更高的天体,以求能把上帝“看得更清”,与上帝“更为亲近”。这里反映出,但丁的疑问仍植根于“尘世”观点,即以为,既在天堂,想必享有充分而完善的天福,而无“等级”之分;因此,月球天的享天福者想必会感到“不平等”,至少渴望改善现有处境。下句的“莞尔一笑”正说明这些享天福者与但丁的感觉不同。

㉖“首要的爱之烈火”,原文为 primo foco d'amor,系指上帝的爱之火,因为任何具体的爱都来自上帝,而上帝的爱又是所有的爱中最火热的。但也有人把这种爱比作“初恋时女人的爱”;布蒂则把它诠释为“像是第一颗星辰放射的光芒似的火在燃烧”:萨佩纽注释本认为,上述第一种比喻尚可采纳,第二种解释似不符原意,因为这里所说皮卡尔达双眼放射的爱的火光是与贝阿特丽切的“神圣目光”相应的;波斯科-雷吉奥注释本则不同意比喻“初恋”的诠释,认为这种说法“过俗”,不适用于天堂中享有天福的魂灵。

㉗这里是说,“仁爱的德性”已满足我们的愿望,使我们只渴望得到我们已有的东西,不再“渴求其他东西”。

㉘“那位”指上帝。

㉙“仁爱的本性”,按经院哲学的提法,即是要努力永远使“爱人的人”的“意愿”符合“被爱的对象”的“意愿”,圣托马索的《神学大全》第二卷第二章中提及这一点。

㉚这里是说,要使每个享天福者的“心愿”统一起来,形成“一条”,都与“神的意旨”相符。

㉛这里的“王国”指天国;“这层”和“那层”指各重天体,同时也比喻享受天福的不同程度,如阶梯一样,一级高于一级。

㉜这里的“国王”即是指上帝。此句是说,上帝使我们希望得到符合他的心愿的东西。

㉝“安宁”是指我们的一切期望能依靠上帝而得到实现,趋于平静。

㉞这里说明造物主与造物之间的“直接”关系和造物与自然的“间接”关系;诗句把上述两种关系比作“大海”:一切造物,不论是直接地由上帝所创造,还是间接地从“第二个原因”即自然中产生,都像一切水流(“万流”)既来自大海、又回归大海一样。

㉟这里是说,天上每个部分都充满天福,尽管上帝的恩泽对每个部分的分配程度有所不同。这种思想与圣托马索《神学大全》第三卷附册的有关论述大体相似:“达到最高目的的不同方式,可以被称为不同的房间;因此,房屋的统一性恰恰符合客体一方(即上帝)所赐予的天福的统一性;房间的多种多样则恰恰符合享有天福者一方在得到天福的方面的差异性。”

㊱“至善”(sommo bene),或称“最高的善”,指上帝。

㊲兰迪诺对此曾作过如下明确诠释:“一个疑问澄清之后,他却仍感到饥渴,亦即渴望澄清另一

个疑问,这就犹如吃饭一样,一餐吃饱,却仍'贪食'(原诗的 gola),亦即贪得无厌,正因如此,就要求得到不曾得到的这个,感谢已经得到的那个。"这里用"吃饭"来形容但丁渴望贝阿特丽切为他解答一个又一个的疑问,这种比喻是十分"生活化"的,令人感到亲切而生动。

㊳这里又运用一个比喻来形容皮卡尔达生前未能把自身奉献于上帝的誓愿贯彻到底:犹如织布未能完成。

㊴这里所指的"女人"是克拉雷会(Clarisse)创始人圣克拉雷·德·阿西西(Santa Chiara d'Assisi,1194—1253)。她出身贵族,自幼崇奉上帝,立志终身为修女;她与圣方济各(San Francesco,1182—1226)同时,又是同乡,信奉方济各会教规,并于 1212 年成立由修女组成的克拉雷会(该会即以其名命名)。该会很快就扩展到全意大利。由于她坚决拒绝婚嫁,皈依教门,一直到死,因而得以"位于天上更高的地方"。

㊵这里的"新郎"是沿用《圣经》的提法,指耶稣:《旧约·雅歌》相传是公元前十世纪的以色列王所罗门所作,其中已影射到"新郎"与"新娘"的情爱,尤其第五章"俊美新郎"一段:"王:我亲爱的,我的新娘子啊,我已经来到自己的园子里了";但更明显地提"新郎"的是:《新约》的《马太福音》第九章第十五句:"耶稣说:'新郎(指他自己)还在的时候,朋友难道该愁眉苦脸吗? 但新郎离开之后,他们就要禁食了……'";第二十五章第一句:"那时候,天国正像有十个伴娘,提着灯去接新郎",第五句:"新郎迟迟未来,她们等得倦了,便在打瞌睡,而且睡着了";第二章第十九句:"耶稣反问他们:'新郎还在的时候,朋友可以在婚宴中禁食么? ……'";《路加福音》第五章第三十四、三十五句:"你们有没有看见过婚筵上的宾客在新郎面前禁食呢? 不过新郎一旦离开,他们就要禁食了";《约翰福音》第三章第二十九句:"娶新娘的是新郎,站在旁边的朋友,只要听见新郎的声音,就会欢喜快乐,照样我现在也满足了。"

㊶圣托马索《神学大全》第二卷第二章说:"誓愿是对上帝所做的诺言……倘若某个人所作的诺言并非上帝所喜欢的,那么这个诺言就是白作了。既然每种罪过都是对上帝的违背,任何行为,若不是有德性的,也不会讨得上帝的欢心,因此,绝不应在誓愿中奉献不合法或无动于衷的内容,而只应奉献有德性的行为。"

㊷这里的两个"她"都是指圣克拉雷·德·阿西西。

㊸这里,皮卡尔达叙述其兄派人把她劫出修道院,威逼她成婚的悲惨情节。波斯科-雷吉奥注释本指出,这里的话语并非带有"怨恨",而是透露对劫持者的疯狂之举感到某种"悲凄",对世道丧失理性的邪恶感到"悲伤",因为她此时已是身心平静的精灵,是抱着怜悯的心情,看待尘世的堕落生活了,但是,依然不免略微显示出对自己身受暴力后的不幸遭遇的记忆。

㊹这"另一片光辉"是指康丝坦扎(Costanza,1146—1198):诗句说她放射出月球天的"全部光明",有人据此认为,这是因为她为"皇后"或"德性更为崇高";萨佩纽和波斯科-雷吉奥两注释本都不赞成这种说法,认为:只是康丝坦扎听到皮卡尔达提起她时,感到十分高兴,因而仿佛自身被包含其内的光辉显得比其他享天福者更亮。

㊺这里是说,康丝坦扎皇后的遭遇与皮卡尔达相似。详见注㊽。

㊻诗中的“同样”亦是指用暴力;“神圣头巾的阴影”是指修女所戴面纱:波斯科-雷吉奥注释本认为,这里所指的“阴影”既有“物质”含义又有“精神”含义。

㊼这里是说,康丝坦扎皇后虽被人用暴力劫出修道院,但其心灵仍保持作为修女对上帝、对自身所发誓言的忠诚。

㊽康丝坦扎为诺曼(normanno)国王威廉二世(Guglielmo II)之侄女,西西里王鲁杰罗·德·阿尔塔维拉一世(Ruggero I d'Altavilla)之女,是统治普利亚(Puglia)和西西里的诺曼王国的最后继承人;1185年,德国施瓦本家族的亨利六世(Enrico VI)原企图用武力攻占意大利南部,未能如愿,便娶康丝坦扎为妻,从而终于如愿以偿(亨利六世为著名的德国皇帝“红胡子”腓特烈 Federico Barbarossa 之子,这实际上是一次“政治婚姻”)。1194年,康丝坦扎生下后来被称为“反基督分子”(Anticristo)的腓特烈二世(Federico II),1197年,亨利六世去世,康丝坦扎以贤明政治代子摄政(曾被但丁誉为“伟大的诺曼女人”),直到1198年与世长辞。临终前,她任命教皇英诺森三世(Innocenzo III)为腓特烈二世的监护人,但为时很短。关于她身入空门,后又被强迫与亨利六世成婚的问题,现经证实,并无此事,而是反对腓特烈二世的归尔弗派凭空捏造的:他们硬说,康丝坦扎是违背其心愿而充当修女的,后来又被帕莱摩(Palermo)大主教从修道院中抢出,让她还俗,与亨利六世成婚,当时她已五十二岁;他们借以诬蔑腓特烈二世是由一个做过修女的女人所生,而该修女又已年岁很大,本不能生育,因此,是违反神与人世的一切法规的。其实,康丝坦扎从未做过修女,嫁于亨利六世时年仅三十一岁。萨佩纽和波斯科-雷吉奥两注释本都认为,但丁在诗中虽借用了归尔弗派所捏造的传闻,却剔除了其中的消极部分,把康丝坦扎作为“政治阴谋和暴力”的“牺牲品”;诗中说她身上放射出月球天的“全部光明”也正表明但丁对康丝坦扎的崇敬;在但丁眼中,她始终是一个具有“高度道德和政治意义”的人物。《炼狱篇》第三首中,康丝坦扎的孙子曼弗雷迪曾提及她,可参考有关诗句及注释。

㊾“索阿维”(Soave)即是施瓦本家族(Svevia),为意大利古文对德文“施瓦本”(Schwaben)简称。“第二个狂飙”是指作为施瓦本家族第二个皇帝的亨利六世;之所以用“狂飙”一词,是因为要说明他虽有傲视一切的强大权力,却为时不长。

㊿“第三个狂飙”系指腓特烈二世,因为他是施瓦本家族的第三个皇帝,也是如但丁在《筵席》第四卷第三节第六句段中所说,是“罗马人的最后一位皇帝”,即神圣罗马帝国的最后一位皇帝:自他于1250年死后,神圣罗马帝国,在但丁看来,一直没有皇帝,直到1312年,亨利七世才当选为神圣罗马帝国皇帝。

51“万福玛利亚”原文系用拉丁文 Ave Maria。

52这里的“标记”有“目的”、“对象”之意,即是指贝阿特丽切。

53“那一位”仍指贝阿特丽切。

第四首

但丁的疑问（1—27）
享天福者的所在地——天国（28—63）
誓愿未偿（64—117）
但丁的新疑问（118—142）

但丁的疑问

就像有选择自由的人处在两种饭食之间，
两种饭食同样刺激他的胃口，距离他同样远，
他在把其中一种送入口之前，便因饥饿而先把性命送断；
同样，也像一只小羊处在两头想要把它吞食的恶狼之间，
它对任何一头都怕得心惊胆战；
一只处在两头梅花鹿之间的狗的光景也是这般：
因为在我的种种疑问以同一种方式推动下，
我若是缄口不言，我既不会把自己责怪，也不会把自己称赞，
既然这是必不可免[1]。
我一声不响，但我的渴望却显露在我的脸上，
通过面部来提出问题，
其渴望热切的程度远远胜过用言语来明确宣讲。
贝阿特丽切所做的恰好与但以理所做的一样[2]，

尼布甲尼撒曾在盛怒之下，
对他雷霆大发，把他冤枉；
她说道：“我清楚地看出，
一个又一个渴望如何把你敦促，
以致你的急切心情作茧自缚，不敢向外表露。
你曾这样论述：‘既然善良的愿望持续不变[3]，
又是根据什么理由，
他人的暴力竟然把我的功绩程度削减[4]？’
另一点也令你产生疑问：
依照柏拉图的定论，
灵魂仿佛应返回星辰[5]。
这些便是在你的意愿中，
以同样的方式把你催逼的问题；
因此，我首先要把那个苦胆较多的问题来谈论[6]。

享天福者的所在地——天国

撒拉弗当中最靠近上帝的那位[7]、
摩西、撒母耳以及任你挑选的那个约翰[8]，
我还要说，不可把玛利亚抛开不算[9]，
他们的座位并非在另一重天上，
那重天与你如今所见的这些精灵的住所不一样[10]，
他们享受天福的岁月也并非有短有长[11]；
而是大家都处在那最高一重旋转的天体，
他们的甜蜜生活有所差异，
因为他们对那永恒灵气的感觉程度深浅不一[12]。
他们在这里出头露面，
并非因为他们命定要待在这一圈，
而是为了显示这是天国之中最低的一重天[13]。
这样讲述才适宜于你们的智力[14]，

因为那智力了解事物，只能凭感觉，
然后，事物才由心智来理解[15]。
为此，《圣经》才屈就你们的能力，
把足与手赋予上帝，
并使之别具含义[16]；
圣教会在《圣经》中也用人的形象
来描绘加百列和米迦勒
以及使托卑阿恢复健康的另一个[17]。
《蒂迈俄斯论》论述有关灵魂的那个内容[18]
与在这里所见的情况并不雷同[19]，
因为看来，他的感觉与他所说的话不差毫分[20]。
它说，灵魂要回归它的星宿，
因为它认为，那灵魂是从那里离去，
而这时，自然则使它具有某种形式[21]；
或许，它的定论是别有所指，
是它的言论不曾显示，
也可能是它抱有意图，不被别人讥刺[22]。
倘若他指的是：影响的荣光和谴责[23]
要返回这些旋转的天体，
也许他的弓箭射中某些真理之的。
这个原理，由于被人误解，
已使几乎整个人世都步入邪道[24]，
竟至用宙斯、墨丘利、玛尔斯来为星辰命名，向它们拜倒[25]。

誓愿未偿

另一个困扰你的疑虑毒害较小，
因为它那险恶用心不会把你
引到别处，与我分离[26]。
我们的正义在凡人的眼里[27]，

仿佛是非正义，
这是证明信仰、而不是证明异端邪恶之举的问题[28]。
但是，既然你们的精明使你们
能很好地洞悉这个真理[29]，
我将像你所渴望的，使你感到满意。
如果说，那个遭受暴力的人，
不曾给予那个施加暴力的人以任何辅助，
这才算是暴力，那么，这些灵魂就不会得到宽恕[30]；
因为倘若不愿从命，意志就不会软化，
而是会采取如自然促使烈火向上燃烧那样的做法，
即使暴力上千次要把它压下[31]。
因为倘若意志屈服，不论其程度大小，
都是助长武力；而这些灵魂正是这样做的，
她们本可逃回那神圣之地[32]。
倘若她们的意愿是坚定不移，
就该像洛伦佐坚持在铁篦上挺立[33]，
也像穆丘对待他的手那样严厉[34]，
这样，对方就会把她们推回到原来把她们拉出的那条道路上，
一旦她们争得解放；
但过于罕见的也正是意志如此坚强。
根据这些论述，倘若你像诸神那样，
把这些论述领悟，原有的论据就可以消除[35]，
不然，它还会多次把你纠缠，令你厌恶。
但是，现在又有一道关口横亘在你的眼前[36]，
单靠你自己，你是无法出关：
因为在出关之前，你已会疲惫不堪。
我曾把如下一点作为确定无疑的事，灌输在你的心中：
享有天福的灵魂不会说谎，
因为他总是侍立首要真理的身旁[37]；
再者，你曾听到皮卡尔达所讲的话：

她说康丝坦扎保持住对面纱的感情[38]，
她在这一点上似乎与我的说法有矛盾。
兄弟，过去曾发生过多次这样的事：
为了从危险中脱身，
人们违背心愿，做出不该做的事情；
就像阿尔克梅翁尼，在他的父亲请求下[39]，
杀死了自己的亲生母亲，
为了不致丧失孝道，他才变得如此残酷无情。
谈到这里，我但愿你能想到：
武力与意愿混在一起，干出这样的事，
这样触犯天怒的行为不能恕饶[40]。
绝对的意志不会向恶行听命俯首；
但是，它之所以这样逆来顺受，
是因为害怕：倘若抗拒就会陷于更多烦忧。
因此，皮卡尔达说明那一点时，
她指的是绝对意志，而我指的则又是另一种意志[41]；
以致我们两个都讲的是真情实事。”
神圣溪水的波浪就是这样流动潺潺[42]，
它流出那水泉，而那水泉又正是任何真理之源；
这就平复了一个又一个求知欲念。

但丁的新疑问

我接着说，“哦，首要的爱人心爱的人，哦，神的造物[43]，
您的言谈把我烘暖，把我冲洗[44]，
令我日益充满活力，
我的情感还没有如此之深，
足以用感恩来报答您的鸿恩；
但是，无所不见和无所不能的那位会对此作出反应[45]。
我很明白，我们的心智永远不会感到满足，
倘若真理不把它照亮[46]，

而除去这个真理之外，任何真理也就无法存在。
一旦心智获得真理，就栖息在它的怀中，
犹如野兽伏卧在窝洞；而且，做到这一点，确有可能：
不然，任何渴望都会落空[47]。
正因为有那样的渴望，疑问
才像嫩芽一样，从真理的树根下产生；
正是自然把我们一层一层地推上顶峰[48]。
这一点把我推动，也令我抱有自信[49]，
夫人，我怀着尊敬的心情，
向您请教另一个真理，因为我尚未把它弄清。
我想知道，一个凡人是否能使你们满意：
用其他善举来把未偿的誓愿代替，
这些善举在你们的天平上也并非小到不值一提[50]。”
贝阿特丽切用那充满爱抚光辉的双眼把我注视，
那双眼是如此神圣，竟压倒我的视力，
逼它向后逃避[51]，
我几乎感到惊慌失措，把双目垂低。

注释

①本首开头三段三行韵诗，用选择两种“饭食”、小羊处于两头恶狼之间、狗处于两头梅花鹿之间等三例，来形容但丁此刻为两个疑问所困扰的心情，即是说，他在犹疑未决，不知应先提哪一个。萨佩纽和波斯科-雷吉奥两注释本都认为，其中第一个例子系取自圣托马索的《神学大全》第2卷第一章，而圣托马索用此例是为了批驳持如下论点的人们的：即“任何选择都是必然的”；与此同时，他们又认为，诗中所举三例与“布里达诺之驴”（Asino di Buridano）的说法类似：布里达诺为十四世纪的法国经院哲学派哲学家，主张“唯名论”；“布里达诺之驴”说的是一头驴处于两堆干草之间，干草数量同样多，与驴的距离同样大，但是，它犹豫不决，不知该吃哪一堆为好，布里达诺用此例来解释：一个人摇摆于两个具有同样刺激力的原因之间，不知如何行动。诗中借用此三例说明一个理论：即作为理性自由判断的自由意志，由于不曾摆脱欲望，在行动上则会举棋不定；换言之，正如近代注释家纳尔迪（Nardi）所说，“人的行动只能由理性的判断来决定”，纳据此认为，但丁在此问题上的观点更接近于阿威罗伊斯学派。

②但以理(Daniello,即 Daniele):公元前五世纪的著名智者和先知。诗中用典取自《旧约·但以理书》第二章第一至四十六句:巴比伦王尼布甲尼撒战胜了犹大王约雅敬,并把上帝殿中的圣物掳到巴比伦的示拿,“放在他们神的宝库里”。尼布甲尼撒从以色列王室贵族中选出四个少年,令他们在宫中学习,其中就有但以理,上帝赐给这四个少年聪明智慧和高度能力,特别使但以理有能力解释各种异象和梦兆。一夜,尼布甲尼撒做了一个噩梦,非常恐惧,立即召见术士、巫师、占星家和迦勒底人来释梦,但又不先把噩梦告知他们,当他们对他说“不将梦告诉臣仆,臣仆怎能解梦呢?”时,他勃然大怒,要把包括但以理及其同伴在内的巴比伦所有智者均处死。但以理出面要求缓刑并请求晋见尼布甲尼撒,因为当晚,上帝已在异象中把尼所做的梦告诉但以理。但以理对接见他的尼布甲尼撒说:“没有智者、占星家、术士或巫师可以解释陛下的梦,只有天上的主能启示奥秘,他已把将来要发生的事在梦中告诉陛下了……微臣知道陛下所做的梦,并不是因为微臣有什么超越的智慧,乃是因为上帝顾念陛下而启示给微臣的。”于是,但以理便向尼布甲尼撒释梦:“陛下梦见一个金碧辉煌、甚为宏伟的大像站在面前,状甚恐怖,它有金的头、银的胸和双臂、铜的肚和腰、铁的腿和半铁半泥的脚。陛下正在观看的时候,有一块不是人手凿出的石头,打在大像的半铁半泥的脚上,把双脚砍碎,整座巨像就随即轰然塌下,成为一大堆金、银、铜、铁、泥的碎砾……打碎这像的巨石却变成一座大山,遮盖整个世界。”但以理说,这梦说明“天上的主上帝将王国、权力、军力、尊荣都赐给陛下,陛下就是那纯金的头,上帝已将世人所居之地、连野地的走兽、天空的飞鸟,全交给陛下管理。在陛下之后,必另有一稍弱的王国兴起,以后还有第三个王国,代表铜的肚腹,他也要治理天下;跟着的第四王国,像铁一般坚硬,能击碎一切。陛下所见半铁半泥的脚和脚趾,代表一个分裂的王国,有部分强,有部分弱,因为它是泥和铁相混杂的,故此仍有铁一般的坚硬。此外,它还表示国民彼此混杂通婚,可是不能成功,正如铁和泥无法混合一样。在列王统治的时候,天上的主必设立一个没有人能篡夺、毁灭的永恒的国;这个国要粉碎列国,收拾残局,然后自己却永远坚立。这就是陛下所见那块不是人手凿出来的巨石,从山出来,粉碎一切金、银、铜、铁、泥的意思。伟大的上帝已经将未来的事启示陛下,这梦和它的解释都千真万确,绝无错误”。尼布甲尼撒听罢,便立即伏在但以理面前,向他下拜,并吩咐送礼给他。诗中用这一典故说明:贝阿特丽切也是从上帝那里得知但丁未加明言的疑问,从而能助他释去疑团,平息他心中的不安情绪。

③这里的“善良的愿望”也是指皮卡尔达和康丝坦扎所立下的誓言。

④这里是说,别人对我施加的暴力(如皮卡尔达和康丝坦扎被人拉出修道院)为何削减我的功绩,从而把我贬谪到天体中最低一层,享受较少的天福?

⑤这里引述了柏拉图在《蒂迈俄斯论》(*Timeo*)第四十一段对话中所阐述的论点:即柏拉图认为,灵魂在化为肉体之前,是栖息在星辰当中的,在肉体死亡后,则又返回星辰,如此不断往返反复。柏拉图的这篇对话在中世纪是十分知名的,公元四世纪的新柏拉图主义哲学家卡尔齐迪奥(Calcidio)曾把该书译为拉丁文,因此,萨佩纽注释本估计,但丁可能是通过卡尔齐

迪奥的译作“直接”了解柏拉图的这一观点的,也可能是通过阿哥斯蒂诺、大阿尔贝托、西塞罗、玛喀比等人的有关著述“间接”了解的;然而,波斯科-雷吉奥注释本则认为,但丁究竟是否“直接”了解,难做定论(它认为,可能是从上述其他来源“间接”了解),但它承认,卡尔齐迪奥的拉丁文译本是但丁时期柏拉图唯一为人所知的著作;它强调,柏拉图的这一理论显然是与天主教正统观点背道而驰的,因为天主教认为,每个灵魂都是由上帝创造的,并注入肉体之内,早在肉体尚在母体之中时即是如此。

⑥“苦胆较多”,原文为 più ha di felle,其中的“苦胆”(felle,即今文的 fiele),有刻毒、毒害之意;在诗中,即意谓“毒害更大”,亦即指柏拉图关于灵魂之说,这一主张曾在公元 540 年君士坦丁堡公会议(concilio di Costantinopoli)上被教会宣布为“异端邪说”,因为它与天主教正统理论相对抗(参见注⑤,《炼狱篇》第二十五首曾谈及有关问题)。

⑦“撒拉弗”(Serafini),即“上品天使”,系天使中最高级的天使,又称“六翼天使”,而众天使每个级别中,又进一步区分等次,这里是指最高级天使中“最靠近上帝”的“那位”,显然是上品天使中为首的,但诗中未指明(但丁的《筵席》第二卷第五节第六句段也曾提及这一点)。

⑧摩西(Moisè,即 Mosè):生活于公元前十三世纪,是以色列人的立法者,上帝曾在西奈山上授予他“十诫”(据说是上帝亲自把诫命刻在两块石板上)。他曾率领以色列民众离开埃及,返回祖国,即迦南、巴勒斯坦(详见《旧约》的《出埃及记》、《民数记》、《申命记》),最后死于尼波山上,享年一百二十岁;著有《摩西五书》(*Pentateuco*),即《圣经》前五卷。

撒母耳(Samuel,即 Samuele):著名的先知,最后一位“士师”(Giudice),在以色列建立帝制的奠基人。曾使以色列人摆脱非利士人的奴役;先为以色列人立王,即扫罗,扫罗死后,立大卫为王。生活于公元前十一世纪;据说《旧约》的《士师记》和《列王记》为其所作(详见《旧约・撒母耳记上下》)。《旧约・耶利米书》第十五章第一句,上帝曾把他与摩西并提:“主对我说:‘就算摩西和撒母耳站在我面前,我的心仍然不顾惜这些人民……’。”

这里所说的“约翰”为两个:一是被《圣经》称赞为“从母腹中生的人”当中最伟大的,即施洗的约翰(见《新约・马太福音》第十一章第十一句);一是耶稣最喜爱的门徒即福音书作者约翰,他是众门徒中唯一一个站在耶稣被钉的十字架脚下的,曾由基督亲自托付给圣母作为义子(《新约・约翰福音》第十三章第二十三句:“西门彼得向耶稣所爱的那个门徒点头示意,意思是叫他问耶稣,出卖他的到底是谁?”“耶稣所爱的门徒”即是指福音书作者约翰;同样的提法可见同书第十九章第二十六句)。

⑨圣母玛利亚是造物中最崇高的。

⑩这里是说,上一段三行韵诗中所列举的上帝所造的最崇高造物,也都像皮卡尔达和康丝坦扎一样,都居于净火天,即天国,享有永恒之福。

⑪这里强调,这些最崇高的造物与皮卡尔达、康丝坦扎在天国享受天福不分时间长短,这一点又与柏拉图的立论相反:柏拉图认为,灵魂返回星辰后,在那停留时间的长短要依其功绩大小而定。

⑫“最高一重旋转的天体”指净火天。“甜蜜生活”是指享受天福，而在这方面的“差异”，是出于各精灵对圣灵在人与上帝之间引起的炽烈仁爱之情的感觉，有深有浅。“永恒灵气”，原文为 etterno spiro，即是指圣灵，亦即代表爱的上帝。

⑬“这里”是指月球天。此段三行韵诗的主要意思是：这些出现在月球天的精灵，并非“命定”要分配到那里，而是前来迎接但丁的，是来显示：他们所享有的天福在天国中是最低的。第39句中的“一重天”，各版本所采用的词汇不同：有的用 celestiale（天体），如波斯科-雷吉奥注释本，有的则用 spirituale（精神境界），如萨佩纽注释本；主张后者的是近代注释家帕罗迪（Parodi），其依据是《神学大全》第三卷第九十三章的一段话：“圣者将享受天福的那个地方，不是什么物质的境界，而是精神境界，也即是说，指上帝，他是独一无二的……虽然精神境界只有一个，但是，接近这个精神境界的程度则是不同的”；但佩特罗基（波-雷本即以他的注释本为依据）认为，“天体”一词更为可靠，因为是手抄本一贯采用的。

⑭这里是说，只有用可感觉的标记，才能适合人类（“你们”）的智力，才能使之了解事物。

⑮人类先要感觉事物，然后再用“心智”来认识和理解事物，这是亚里士多德和经院哲学的基本原理之一：即“心智中没有一件东西不是首先存在于感觉中的”，正是从感觉“才开始我们的认识”，但丁在《筵席》第二卷第四节第十七句段中曾提及上述论点。

⑯这里是说，《圣经》为了适应人类要先凭感觉了解事物的“能力”、“智力”，便采用了隐喻写法，使神形象化（“把足与手赋予上帝”），并以寓意形式说明神的精神特征（“使之别具含义”）。圣托马索在《神学大全》第一卷中就说：“人要通过可感觉的事物达到可理解的事物，这是很自然的。因为我们的每一种认识都来自感官。因此，在《圣经》中，精神事物就以物质的隐喻手法加以陈述。在《圣经》中，就赋予上帝以形体特征，依照的是某种相似性，并根据他的行为而定。例如，眼睛的行为是看；这样，在谈及上帝时，眼睛就意味着视觉官能，这并不是就感觉而言，而是就心智而言；对其他部位，情况也类似。”

⑰加百列（Gabriele）和米迦勒（Michele）以及这里所说的“另一个”（指拉斐尔 Raffaelle），都是天使长，因而也是智慧之神；拉斐尔曾治愈托卑阿（Tobia）双目失明（见《托卑阿书》第三章第二十五句和第六章第十六句），加百列曾向圣母玛利亚宣告她将生育耶稣（见《炼狱篇》第十首第三十四句等），米迦勒曾战胜叛逆天使、后成为地狱之王的卢齐菲罗（见《地狱篇》第七首第12句）。

⑱“蒂迈俄斯论”（Timeo）是柏拉图的对话录，对话的对象是蒂迈俄斯：他是公元前五世纪希腊洛克利斯（Locri）一地的著名哲学家，据说他是柏拉图的老师，该书即以其名作为书名。柏拉图在该书中即谈及灵魂原居于星辰，后进入肉体，肉体死后，又复归星辰（见本首第23句及注⑤）。

⑲这里即是指柏拉图有关灵魂之说，与但丁在月球天所见情况（即灵魂只是在此出现，并非居于月球天）不同。

⑳这里是说，柏拉图所想的正如他所说的。

㉑这里的“形式”，即是经院哲学所用的术语“实质形式”，亦即肉体。

㉒波斯科-雷吉奥注释本就此句诠释说，《炼狱篇》第二十五首有关灵魂起源的理论，显然是但丁取自大阿尔贝托的《论自然与灵魂起源》(*De natura et origine animae*)，因此，柏拉图有关灵魂要回归星宿的说法可能并非直接取自《蒂迈俄斯论》，而是取自大阿尔贝托的上述论著第二卷第七章，因为其中恰恰提及《蒂迈俄斯论》，但丁从中还看出有可能对柏拉图的有关学说并不完全、绝对地加以否定：大阿尔贝托在其中曾说，对于包括柏拉图在内的那些持灵魂在人死后复归星宿的论断的人，“应当探讨他们究竟想要确切地说明什么，在他们的言论中，究竟有什么是对的，什么是错的”。但丁在《筵席》第四卷第二十一节第二、三句段中也说，“柏拉图与其他人认为，它们(指灵魂)是来自星辰……倘若每个人都维护各自的意见，可能会发生这样的事：即从所有的意见中会看出都有真理”。因此，波-雷本和萨佩纽注释本认为，这几句诗重申：有可能使柏拉图的理论与基督教正统学说调和起来。

㉓“影响”是指各天体对人的灵魂所施加的影响；“荣光和谴责”是指这种影响有好有坏；因此，此段三行韵诗的意思是：倘若柏拉图的灵魂之说是指天体对灵魂的影响，不论好坏，都要复归天体，那么，他的“定论”也许会触及某些真理(“弓箭射中某些真理之的”)，因为但丁是接受有关星辰、天体对人的影响的理论的，这一点可参见《炼狱篇》第十六首第73—78句通过马可·隆巴尔多之口所申述的论点。

㉔这里用“几乎”一词，是指除犹太人民以外，因为他们信奉的是一神教。“步入邪道”是指其他人民则信奉多神教。

㉕这里是说，正因为对星辰影响世人的学说产生误解，就把星辰加以“神化”：用宙斯(Giove)、墨丘利(Mercurio)和玛尔斯(Marte)命名星辰“木星”、“水星”、“火星”，并向他们顶礼膜拜。诗中的“命名”一词，原文为nominare，但有人主张应将此词读成numinare，即“神化”。

㉖这里是说，但丁的另一个疑问不致使但丁远离象征神学的贝阿特丽切，而陷于异端邪说。

㉗“我们的正义”指天国的正义，亦即上帝的正义。

㉘此句中的“问题”，原文是argomento，本意是“论据”；古今注释家对此词的含义诠释不同：前者理解为有“证明”、“说明”之意；后者则理解为“造成”、“促使”之意。前一种理解是说明：“上帝，从定义、因而也是从‘信仰’来说，是最高正义，但他的裁制，却又是为凡人所无法测知的，因此，神的某个举措看来是非正义的，但也恰恰因此而证明信仰的真切，亦即神的安排是不可测知的”；后一种理解则是说明：“某些神的安排表面上是非正义的，也恰恰因此而促使凡人要相信，而不是不相信；因为这表明：有一种奥秘，是人所不能洞悉的，有一些原因和理由只能在首要的原因和无限的理由(指上帝)中变得清晰而明确。但是，贝阿特丽切又说，这里所涉及的并非这种不可洞悉的真理，因此是可以而且正在作出人所渴望的解释的。”波斯科-雷吉奥注释本同意前一种解释，萨佩纽注释本则接受后一种解释。

㉙“你们的精明”指凡人的智慧；“真理”指那些向暴力让步、从而不能信守誓言的灵魂所享受的天福要少，因为他们的功绩被削减了。

㉚这里是说，暴力本身是来自外部，不能触动遭受暴力者的自由意志，倘若他真的愿信守誓言，就不会投降，就会像一些殉道者和英雄那样抵抗；因此，这样的灵魂就不得宽恕，哪怕他们在最小限度上屈服于暴力。

㉛这里又一次用火的本性是朝上燃烧为例，对比遭受暴力者，既恰当又鲜明。

㉜“神圣之地”即是指修道院。诗句中的“逃回”，原文为 rifuggire，但许多手抄本为易读起见，写成 ritornare（“返回”）。近代的万戴利曾对此句提出质疑：“康丝坦扎于 1197 年便一直守寡，她还有可能返回修道院吗？而皮卡尔达呢？”因此，他认为，但丁可能了解某些细节，是我们所不知的，所以才有可能提及康、皮二人；但波斯科-雷吉奥注释本认为，万戴利的上述假设是“过于冒失”了：也许，但丁意在说明康、皮二人不该面对暴力而逆来顺受，因而在暴力停止之后，本可返回修道院，不接受婚姻，正如火在风停止之后，就不再往上升一样。另一位近代注释家波雷纳也说，但丁是不相信，当时传说皮卡尔达在遭暴力后不久，即染上鼠疫，随即死去，从本篇第三首第 108 句中就可看出。

㉝洛伦佐（Lorenzo），即“圣洛伦佐”（San Lorenzo），在最初保护基督徒、后又迫害基督徒的罗马皇帝瓦莱里亚诺（Valeriano）的统治下，于公元 258 年 8 月 10 日被判火刑，被置于铁篦上活活烧死。

㉞穆丘（Muzio，公元前六世纪初），全名为卡佑·穆丘·谢沃拉（Caio Muzio Scevola）其中 Scevola，为其绰号，等于今文的 Mancino（意即“左撇子”），为罗马一青年，在埃特鲁斯王波尔塞纳（Porsenna）围攻罗马时，试图行刺波尔塞纳，未成功，被捕；波令其将右手置于燃烧的火炭上，他面不改色，并向波说道：在罗马，有数百青年都能像他一样忍受火刑，甚至更严酷的非刑，只要能把波杀死。波尔塞纳惊其坚定果敢的意志，将他释放（“左撇子”绰号由此而生），并自动撤去对罗马的围攻，时在公元前 507 年。但丁在《筵席》第四卷第五节第十三句段和《帝制论》第二卷第五节第四句段中都曾盛赞过穆丘。据说，当时还有两人的英勇不屈精神感动了波尔塞纳：一是“独眼龙贺拉斯”（Orazio Coclite），为一勇敢的罗马士兵，他曾独自一人捍卫台伯河上通往罗马的大桥；一是罗马妇女克莱丽亚（Clelia），她曾与其他一些罗马妇女作为人质，送往波尔塞纳王处充当奴仆；为争得自由，她游泳通过台伯河，但又被罗马人送回波处，波被其勇敢而大胆的精神所动，释放了她，罗马元老院为她立了献与第一位女性的纪念碑。

㉟这里的“论据”即是指第 19—21 句所说的问题，其中反映但丁的看法：即神的命令从表面上看，是不公平的。

㊱这里的“关口”，意谓“通道”，在诗句中则形象地比喻“困难”。

㊲“首要真理”指上帝，因为他代表着“绝对真理”。

㊳这里所说的皮卡尔达谈及康丝坦扎的话，即是指本篇第三首第 117 句：“她（康丝坦扎）则始终不曾揭掉心中的纱巾”，这就是说，皮认为，康在心中则是坚定遵守誓愿的意志的。因此，贝阿特丽切认为，皮的说法看来与她所说的有关皮、康二人意志不够坚定、未把誓愿贯彻到

底的话相抵触。

㊴阿尔克梅翁尼因为其母爱丽菲勒斯向波吕涅克斯之妻泄露了其父安菲阿拉俄斯为躲避七王参加围攻特拜的战争而藏匿之处，致使其父果然在战争中丧命，便手刃了其生身之母（详见《炼狱篇》第十二首及有关注释）。奥维德在《变形记》第五章中曾描述阿尔克梅翁尼这样做，"既表现出孝道，也表现出残忍"。萨佩纽注释本诠释说，阿的做法不是出于"绝对意志"（volontà assoluta），否则他会无论如何逃避手刃其母；他的行为是出自"相对意志"（volontà condizionata 或 relativa 或 respettiva），即只考虑要向其父表示孝道，尽到子报父仇的所谓责任。波斯科-雷吉奥注释本认为，诗中说阿尔克梅翁尼杀母是"在他的父亲请求下"进行的，这种说法并不确切，因为阿此举并非由"他的父亲请求"所致，而只是为了替父报仇；它认为，但丁可能忘记安菲阿拉俄斯死时的情节，据斯塔提乌斯《特拜战记》第七章的记载，安死前是希望并预言其子将会为他复仇，奥维德《变形记》有关章节也有同样的描述。

㊵这里是说，外来的暴力与遭受暴力者的相对意志被迫联合起来（"混在一起"），造成对上帝的触犯，这种行为是不可饶恕的，即使遭受暴力者是出自害怕会发生更为严重的事，才这样使施暴力者得逞，他也要负共同责任。圣托马索曾根据亚里士多德的《伦理学》中的论点，在《神学大全》第二卷第一章中就提出："出于害怕而采取的行动，就等于在某种程度上参与害怕者的意志"，而亚里士多德在《伦理学》第五章第一节的论点是："凡是因害怕而做出的事情，都掺混着自愿和非自愿的因素。"

㊶"另一种意志"即是指"相对意志"。

㊷这里用隐喻的笔法，用"神圣溪水"比喻贝阿特丽切的论述：这"溪水"是从"真理之泉"潺潺流出的，因此，诗中说："那水泉又正是任何真理之源。"这里用"波浪……流动潺潺"形容贝阿特丽切的"侃侃而谈"，是异常生动贴切的。

㊸"首要的爱人"（primo amante）指上帝，因为上帝象征"首要的爱"（或"最初的爱"Primo Amore）。

㊹这里用"冲洗"一词，仍沿用第 115 句比喻"神圣溪水"的写法。

㊺"无所不见和无所不能的那位"指上帝。这里是说，但丁对贝阿特丽切澄清他的疑问虽然感激（"情感"）很深，但因受到凡人的灵魂的限制，不能向贝表示与其给予但丁的恩泽相适应的感谢之意，而上帝则能给贝阿特丽切以奖励。

㊻这里的"真理"指神的真理。

㊼本维努托认为，诗中用野兽伏卧窝洞来比喻人的心智栖息在上帝的真理之中，是一种"绝妙的形象"，因为野兽曾在丛林中长时间觅食，后则疲惫不堪，返回洞内休息，这正如人的心智在经过思辨、默想之后，只能在自己所达到的目的地中，才能得到平静。"任何渴望都会落空"一句是说：人是确实可达到获得最高真理的目的的，不然，人的心智中所存在的求知欲就会成为枉费心机（"落空"）。

㊽这里的"渴望"，即是指达到最高真理的渴望。这里又用"嫩芽"和"树根"来形容和比喻人如

何从疑问而一步步达到真理：即疑问如树木的根蘖一样，从已达到的每个真理中又发芽生长，被促动去争取获得新的真理，直到达到最高真理（“顶峰”）。但丁在《筵席》第四卷第十二节第十三至十七句段中也阐述了这一追求真理的思想。诗中的“自然”是指人所具备的自然推动力。

㊾对诗中的“这一点”，萨佩纽和波斯科-雷吉奥两注释本的诠释有所差异：前者认为，是指对疑问是达到真理的必要工具的“意识”，这意识推动但丁，并使但丁有勇气（“抱有自信”）去提新的问题，因为他确信这不会引起贝阿特丽切厌烦；后者则认为，只是表明：确信人可以一步一步地达到真理。还有人认为是指“这种对认识真理的自然渴望”。

㊿这里又用了一个隐喻性笔法，询问：尽管誓愿未偿，可否用其他善举来代替，从而得到宽恕：这些善举在神的“天平”上会称出一定分量，而不是微不足道，不足以请神作出判断。波斯科-雷吉奥注释本特别指出，此段不是针对贝阿特丽切一人说的，而是针对整个天庭，因为人的誓愿是向上帝而发的；因此，这里指的是上帝及享有天福者，把他们作为一个整体。

(51)这里的“向后逃避”，原文是 diè le reni，是军事术语，指向后掉转身躯，逃之夭夭。这里显然是指贝阿特丽切的目光强烈，逼得但丁不得不避开她的目光。

第五首[1]

关于誓愿的理论(1—63)
对基督教徒的告诫(64—84)
升入水星天(85—139)

关于誓愿的理论

“如果说,我是用爱的炽热火光把你照亮[2],
而那明亮的程度又超出尘世所见的情况,
这就使我把你的视觉能力挫伤,
你不必感到惊奇;因为这是来自完美的视力[3],
这样,正如它所理解到的,
它能朝它所理解的善的方向,迈出步履[4]。
我看得如此清晰,
那永恒的光芒如何已经辉映在你的心智里[5],
一旦见到这光芒,也只有它才能永远把爱燃起[6];
而倘若有其他东西把你们的爱引诱过去,
那无非是那永恒光芒留下的某些痕迹,
这些痕迹竟被误解,照耀在这里[7]。
你想知道是否可以用其他效劳
来偿还未竟的誓愿,

从而使灵魂安宁，避免争端[8]。”
贝阿特丽切就这样开始这首歌[9]；
就像是一个人不曾打断她的谈话，
那神圣的论述照样继续叙说：
“上帝在造物时，出于他的慷慨大度，
曾赐予最丰厚的礼物，这礼物
既是他最欣赏的那个东西，又与他的善心相符，
这便是意志的自由；
所有那些智慧造物过去和现在都获得这个赠品[10]，
也只有它们独自享有。
倘若你由此来推论[11]，
你就会明白誓愿的崇高价值，
只要这誓愿的发出是在你同意时，上帝便同意你的誓[12]；
因为在上帝与人订立的契约当中，
犹如我说的这个珍贵之物要变为牺牲品[13]；
而做到这一点要依靠它自身的行动[14]。
因此，又能拿什么东西来作为补偿[15]？
倘若你认为还可以把你已献出的那个东西善加使用[16]，
那么，你就是想用不义之财来把善事完成。
你如今已把最重要的一点明确[17]；
但是，既然圣教会在这问题上作出特许[18]，
这看来与我向你揭示的真理相对立，
你还应当在餐桌上暂坐片刻[19]，
因为你所吃的这顿饭食坚硬难消，
它还要求有人助你把它消化掉。
你该向我对你说明的那个内容敞开心灵，
把它牢记心中；因为已经理解不等于学问，
倘不把它铭刻在心。
这种牺牲的基因要由两件东西构成：
一件是所做的那件事情[20]；

另一件是信守合同[21]。
这后一点绝不能一笔勾销,
除非已经切实做到;
上面已经如此明确地谈道:
因此,以色列人必须做出献祭[22],
尽管某些祭品可以更替,
正如你想必知道的[23]。
另一点是曾向你解释为物质问题[24],
它完全可以做到这种程度:
即使用其他物质来更换,也不致有过犯[25]。
但是,你切不可听凭你的任何心意,
随便更换你肩上的负重[26],
倘若没有那白色钥匙和黄色钥匙的转动[27];
你该把任何这样的更换看成轻率之举:
倘若那放弃的东西不曾包含在那代替物里,
正如四本应包含在六里[28]。
因此,不论何物,因为它的价值而分量极大,
竟至把任何天平都压垮,
也不能用其他东西来替换它[29]。

对基督教徒的告诫

世人都万不可轻易许愿:
你们该忠于誓言,
不可像耶弗他那样,别有用心地对待他那第一个祭献[30];
就他而言,他更应当说“我做错了”,
他在奉献时,做得更错[31];
你可以发现那位希腊人的大统帅也是同样不加斟酌[32],
因此,伊菲吉尼亚才哀哭她那美丽的面庞,
也使不分智愚的所有百姓都为她而哭啼,

因为他们闻听谈到要做这样的祭礼。
基督教徒们啊，你们要更加稳重地行动：
你们切不可像羽毛随风飘零[33]，
也不可认为，任何水能把你们洗净[34]。
你们拥有《新约》和《旧约》[35]，
又有教会的牧者来把你们引导[36]：
对你们来说，这就足以使你们获得解脱[37]。
倘若邪恶的贪婪向你们发出另一种喊叫[38]，
你们就该作为人，而不可成为疯疯癫癫的绵羊，
这样，你们当中的那个犹太人就不致把你们耻笑[39]！
你们切不可像离开母乳的羊羔那样行事，
幼稚天真，又顽皮淘气，
随心所欲地与自己相斗不已[40]！”

升入水星天

贝阿特丽切就是像我们写的这样宣讲；
随后，她又满怀渴望，
转向那片宇宙显得更为明亮的地方[41]。
她沉默不语，容貌变得格外艳丽，
她令我那贪求的心智也保持静默[42]，
尽管我那心智已提出新的问题；
犹如一枝利箭早在弓弦静止之前[43]，
就把标的射中，
我们就是这样迅速地飞驰到第二重。
在这里，我的贵妇人是如此容光焕发地观望我，
就仿佛沉浸在那重天的光辉里面，
这星球变得比过去更加晶莹灿烂[44]。
如果说这星辰自身起了变化，并且露出笑颜[45]，
那么，仅仅出于我那多变的本性，我对一切印象都很敏感，
我自身又会有怎样的改变！

我也正是看见整整有一千多个光辉闪烁，它们朝我们这边移来。（第五首第103
104行）

犹如在一片平静而清澈的鱼塘，
鱼儿在把那外来之物追逐，
只要它们估计这是它们的食物，
我也正是看见整整有一千多个光辉闪烁，
它们朝我们这边移来，从每个光辉中都可以闻听：
“看这便是必将增长我们的仁爱之心的人[46]。”
正因为每个光辉都向我们迎面走来，
可以看出那形影充满欢快，
形影在那明亮耀眼的光芒之中，而那光芒又是从欢快中放射出来[47]。
读者啊，请想一想：倘若这里开始谈论的那个问题
不继续进行下去，
你又怎能更多地感到那令人焦虑的空虚[48]；
你靠你自己也必将看出：我是多么渴望从这些精灵中，
闻听他们的处境，
既然我的眼睛已把他们看清。
“哦，生来幸福的人[49]，
恩泽赏赐予你，竟在抛弃生命之前[50]，
就能把永恒胜利的一个个宝座看在眼中，
我们身上放射着普照整个苍穹的光芒[51]；
因此，你若想弄清我们的情况，
你尽可随意提问，并可满足你的愿望。”
那些慈悲为怀的精灵中的一位，就这样对我言讲；
贝阿特丽切也说道：“说罢，放心地说罢，
你该相信他们，就像相信诸神一样[52]。”
“我清楚地看到，你是如何笼罩在自身的光辉里面，
而你又使这光辉来自双眼，
因为每逢你在微笑，它就烁烁闪闪；
但是，我不知你是谁，也不知你何以，
高贵的魂灵，被安排在这层天体[53]，

由于有其他光线，这层天体就向世人把自身遮掩[54]。”
我把此话对那方才与我谈话的光芒说出；
这一来，它就变得更加晶莹明亮，
远远胜过它原来的模样。
正如太阳由于过度的光亮，
把它自身隐藏，
就像炽热销蚀了厚重水气的缓和力量[55]；
那神圣的形象出于更加欢喜，也正是这样把我躲避，
把自身藏匿在它的光线里；
它就这样自我严密封闭，
以下一首诗歌吟诵的方式，回答我的问题。

注释

①从本首第85句起，一直延续到第六、七两首，都是描述但丁随贝阿特丽切来到第二重天即水星天的情况，而又以与从公元527年起任东罗马皇帝、部分地恢复罗马帝国的统一、以立法而声名卓著的朱斯蒂尼亚诺皇帝的相遇为主导内容，这一情节是《神曲》全诗最重要、最著名的情节之一。关于朱斯蒂尼亚诺皇帝，请参阅《炼狱篇》第六首及有关注释。

②这里的“爱”是指神的仁爱：本首一开头便继续前一首最后几句的含义，描述享天福者身上所发射的光辉，都是在觐见最高真理即上帝时所点燃起的仁爱之光。

③萨佩纽和波斯科-雷吉奥两注释本对“完美的视力”(perfetto vedere)的诠释有所不同：前者虽然解释前一段三行韵诗所阐述的结果是来自贝阿特丽切在心智上能直接察觉至善即上帝的“视觉”，但又依据古代注释家布蒂和兰迪诺所提出、后为托马塞奥、德尔·隆哥等一些近代注释家所接受的解释，把“完美的视力”归给但丁：因为“我们的心智愈是远离对尘世事物的感知，就愈变得明察秋毫，愈能理解天上事物”；总之，但丁的视觉能力已经臻于完善，在他的眼里，贝阿特丽切的光芒也便显得更加辉煌灿烂；萨本认为，这种解释的好处并不在于符合《圣经》中描述摩西觐见上帝后面上发出耀眼的光辉，而在于与诗中所叙主题完全相符。后者则认为，“完美的视力”是指贝阿特丽切的视力，因为享天福者的视力愈是深邃，就愈是能洞悉作为至善的上帝，这视力也便用爱点燃起魂灵，他们身上的光辉也便变得更为强烈；波-雷本认为，这才是“最妥善的诠释”，并以《天堂篇》的其他段落以及摩西见上帝的情况为证，参见《旧约》的《出埃及记》第三十四章第二十九等句和《申命记》第三十四章第十句，其中说：“后来，摩西手里拿着两块约版就下西奈山了，可是他却不知道自己因为与主说过话，面孔就发出光来”；“从此以后，以色列再没有像摩西这样的先知了，因为他曾经面对面地与主

说话”。它认为,把“完美的视力”归于但丁是“欠妥”的。

④这里是说,“完美的视力”既然能察觉善,也便能逐步深入理解业已认识到的上帝的爱。

⑤“永恒的光芒”指最高真理即上帝的光芒。

⑥这里是说,只有上帝的光芒才能永远引起人类心中对上帝的爱。但也有人把标点符号移位,从而把此句的含义变为“只有看到上帝的光芒,才能永远引起对上帝的爱”。

⑦“误解”是指把这些东西当作是善,其实,并非如此。“照耀在这里”意谓“照耀在世上”。

⑧贝阿特丽切在这里概述了但丁在第四首第136—138句中提出的疑问:“其他效劳”即是指“其他善举”。“争端”是指与上帝、神的正义对抗。但也有人理解为“良心的谴责”,是与良心对抗,是因未信守誓言而懊悔。萨佩纽和波斯科-雷吉奥注释本都认为,前一种解释最佳。

⑨托马塞奥认为,这一段三行韵诗“看来是没有什么用处的,但它却为诗人想要使人对下面所说的事给予重视作了准备”;波斯科-雷吉奥注释本则认为,“歌”(canto)一词在此用得不妙,也许是为了押韵而不得不用的“少数情况之一”,除非是把它理解为一种“极为大胆的隐喻”,即是指贝阿特丽切的话语犹如一首优美的歌曲。

⑩“智慧造物”(creature intelligenti)系指天使和人,因为他们有“智慧和爱”;因此,这是其他动物所无法享有的。这里用了“过去和现在”(原诗是用过去时和现在时表示的),是指自由意志是在上帝造物时以及在亚当犯了原罪之后一直由上帝赐予一切“智慧造物”的,无一例外。

⑪“由此推论”是指以自由意志是上帝赐予人的最大礼物一点为前提,从中得出结论:因为正是从自由意志的无与伦比的宝贵价值中,才能衡量出誓愿的巨大意义,换言之,誓愿是人的一个自由行动:通过这个行动,人自由地把自身的自由奉献给上帝。

⑫本首有关誓愿的理论,总的说来,是遵循圣托马索的有关学说:誓愿只有在形式上和内容上都是上帝同意接受的,才有“崇高价值”,同时,发誓者也要迫使自己的意志服从其所许诺的内容。这里特别强调的是:如宗教法规学者(canonisti)和神学家所提出的,誓愿是否有效,要以上帝是否接受为必要条件,亦即是说,上帝接受的誓愿内容是某种美德,而不是轻率或渎神的行为(参见《神学大全》第二卷第二章)。波斯科-雷吉奥注释本还指出,但丁比圣托马索更加突出强调:发下誓愿要表现为对自身自由意志的牺牲,这隐含着对宗教法规的放纵主义的批评,指出神学家与宗教法规学者之间的对立:即前者严格,后者放任自流,尽管他们在许愿内容须为上帝接受一点上是意见一致的。

⑬“珍贵之物”即是指自由意志。

⑭这里再次说明,“牺牲”自由意志也须通过自由意志本身的行动,从而指出:牺牲自由意志是发下誓愿的特征。

⑮这里是说,既然自由意志是上帝赐予人的最宝贵之物,而人在发下誓愿时又已把它自由地献给上帝,那又有什么其他同样宝贵之物来代替自由意志呢?波斯科-雷吉奥注释本认为,但丁的有关论点是“斩钉截铁”、“不容做任何妥协”的,这也便是他批评宗教法规学者的基础(参见注⑫)。

⑯这里是说，自由意志业已奉献给上帝，就不再属于发誓者了。不然就等于剥夺别人钱财去行善事。

⑰“最重要的一点”即是指誓愿本身是不可补偿的。

⑱这里是说，教会在誓愿内容方面是有“特许”（dispensa）的，即：或是取消所立誓言，或是更替誓言。这看来与贝阿特丽切所说的“真理”相矛盾。

⑲这里又用“饭食”隐喻聆听教诲，解决比作求知欲的“饥渴”问题。但丁的著作《筵席》原文为Convivio，即是与诗中所说的“餐桌”（mensa，本意为“公共食堂”）有关，其本身就有“哲学训导工作”之意：其第一卷第一节第七句段中就说，“哦，坐在那张餐桌上的少数人真有福啊！那张餐桌上，可以吃上天使的面包”。

⑳这里的“牺牲”即是指“发下誓愿”，换言之，“对自身意志的牺牲”。“所做的那件事情”即是指自愿作出牺牲的那件事情，如守贫、贞洁等等。布蒂曾把此说法诠释为奉献之物：“如果所许诺的东西是蜡烛或节食或钱财，即称之为物质（materia）。”

㉑“信守合同”原文是convenenza，本意是“契约、条约”，布蒂曾解释说，“亦即自由意志必须承担的诺言……这便是誓愿的形式”（参见注⑫）。

㉒这里用典出自《旧约·利未记》第二十七章第一至三十三句：其中上帝通过摩西之口，告诉以色列人必须如何在许愿之后向上帝献祭：献祭之物包括人、牲口、房子田地等。

㉓上注《旧约·利未记》第二十七章中提及有些祭品可以更换，有些则不可更换，上帝对此都作了明确规定。但丁对《圣经》是熟悉的，因此，诗中说：“你想必知道的。”

㉔“物质问题”，亦即“内容”问题，参见注⑫、⑳、㉑。

㉕这里是指：倘若更换誓言的内容，必须依照严格规定的具体条件：《最佳评注》曾就此指出，更换誓言必须具备两个条件：一是“牧者”（亦指《利未记》中所说的“祭司”，亦指教皇）的“权威”，即由他决定如何更换，任何人都不能擅自更换誓愿；一是立誓奉献之物，即更换之物必须要比原立誓奉献之物要多。但丁在诗中所述的更换原则，部分地类似圣托马索在《神学大全》第二卷第二章所阐述的原则，但更为严厉：如圣托马索指出，在某些条件下，可全部免除誓愿，此项原则诗中则没有；但丁和圣托马索都认为贞洁的誓言是不可更换的，但理由不同；圣托马索认为，行使誓愿，可补加善行，这会使上帝更喜欢，但丁则强调，不可滥用誓愿，特别是宗教人士，立誓要谨慎，行使誓言不可草率行事，立誓要真诚，不可抱有贪婪或其他不良动机。萨佩纽注释本与波斯科-雷吉奥注释本一样，也认为，但丁在这方面的主张，主要是批评宗教法规学者（参见注⑫）。

㉖“负重”是隐喻誓愿的“物质”或内容。

㉗这里用“白色”和“黄色”两把钥匙的“转动”来比喻祭司的同意和首肯。关于金银两把钥匙，可参阅《地狱篇》第二十七首和《炼狱篇》第九首及有关注释。圣托马索在《神学大全》第二卷第二章中也作过类似的阐述：“在更换和免除誓愿方面，要求有高僧的权威，由他来以上帝的名义，决定能使上帝喜欢的问题。”

㉘这里是述及调换奉献物的一个数学标准,亦即调换之物要比原来许诺之物为多(参见注㉕),《旧约·利未记》第二十七章第十三、十五、十九、二十七、三十一句就提出上帝规定的类似原则:即不论许愿奉献给上帝的是牲畜、房子田地、头生牲口,若要更换或赎回,便要"在祭司评定的价值之外,再加付价值的五分之一",诗中用数字"四"应包含在"六"里作比,来说明此问题。当然,但丁在此并非提出一个大于《利未记》中所谈的"更换"数据,正如波斯科-雷吉奥注释本所说,这只是表明,在更替誓言方面,他要比摩西的律条和圣托马索所指出的内容更为严格("四"包含在"六"里,也是《最佳评注》为说明此问题而举出的一个例子)。

㉙这里又进一步说明,倘若许愿奉献之物价值很大,超过任何天平的度量,无法找到分量与之相对称之物,那就不能更替誓言。萨佩纽和波斯科-雷吉奥两注释本都认为,这里是指教士所做的贞洁誓愿,是不能用其他奉献物来代替的。萨本还指出,圣托马索虽在此问题上与但丁所见是一致的:即僧侣所发誓愿不可免除或更替,但他又进一步阐明此问题,指出"宗教奉献物的不可磨灭性",即:"奉献给主的东西不能另做他用。"

㉚㉛关于耶弗他向上帝许愿献祭的事,见《旧约·士师记》第十一章第三十至四十句:耶弗他(Ieptè,即Iefte),为以色列人的士师(领袖、元帅),他率军去攻打亚扪人(Ammoniti),"他向主起誓:倘若上帝帮助以色列人战胜亚扪人,他平安凯旋回来的时候,就把第一个从家门出来迎接他的归给上帝,当作燔祭献给主。于是,耶弗他就领兵攻打亚扪人,主让他得到胜利……耶弗他凯旋返回在米斯巴的家园,他的独生女儿摇着鼓、踏着舞步、欢天喜地出来迎接他。他一见到女儿,便呼天抢地地撕裂衣袍,喊着说:'哎呀! 我的女儿啊,你真使我苦恼,太叫我为难了。我向主所起的誓,是绝不能收回的啊!'他的女儿答道:'父亲啊,您向主许下的诺言是必须履行的,因为他帮助您打败您的仇敌亚扪人,但我求您让我到山上去,跟我的同伴哀哭两个月,以哀悼我终身不嫁吧。'他说:'你去吧。'于是,她便到山上为自己的厄运跟同伴哀哭了两个月。然后就回到父亲那里。她的父亲就履行自己所许的愿,使她终身不嫁。自此以后,以色列的少女都守一个习俗:每年都离家四天,去为耶弗他女儿的命运哀哭"。关于耶弗他轻率许愿的事,也见于圣托马索《神学大全》第二卷第二章有关发誓许愿的论述。这里值得注意的是:诗中提及耶弗他"在奉献时,做得更错",因为他履行对上帝所作的诺言,错上加错,杀死女儿,将她真的作了"燔祭";圣托马索在谈及此事时曾引圣吉罗拉莫(San Girolamo)的话说:"起誓时轻率……履行誓言时则残忍。"据萨佩纽注释本称,教会的神甫和神学家都曾一致谴责耶弗他所发的誓愿;圣托马索也曾主张区别对待发誓奉献之物:他认为,"某些东西是在任何情况下都是好的,如德行善举;其他一些东西,则在任何情况下都是坏的,如各种罪过,这些东西就不该作为起誓之物;还有一些东西本身是好的,可以作为誓愿,但可能会有坏的结局;那么,这样的东西就不该履行,耶弗他的情况正是如此";但丁之子彼特罗也曾引述塞维利亚的伊西多罗的话说:"在做出不好的许诺的情况下,你就该打破信仰,如果誓愿是卑鄙的,就该改变你的决定,不该做出你轻心大意地许下的诺言。确实,用犯罪来履行誓言是渎神的。"看来,诗中也是遵循上述说法,即认为,耶弗他最后杀死了自己的

女儿,而这是与前面所引《圣经》的有关耶弗他女儿"终身不嫁"的结局大相径庭的。波斯科-雷吉奥注释本的注释也是说,耶弗他"为了信守誓言,令人杀死了她"。

㉜"希腊人的大统帅"是指米凯奈(Micene)和阿耳戈(Argo)国王阿加门农(Agamennone),希腊人攻打特洛伊城时当选为希腊大军最高统帅;当希腊舰队在奥利斯(Aulide)启程前往特洛伊时,为求得上天保佑舰队顺风而行,向月神狄安娜许诺,将其当年所生下的最美丽的儿女献祭;后誓言果得满足,经占卜家卡尔卡斯(Calcante,参见《地狱篇》第二十首及有关注释)建议,将其女伊菲吉尼亚(Efigenia,即 Ifegenia)献祭给月神。奥维德《变形记》第十二章和维吉尔《埃涅阿斯记》第二章都叙述了这个故事,但丁则可能以西塞罗的有关著作为依据。这里也是指责他许愿"不加斟酌",轻率行动。

㉝"羽毛随风飘零"即是指不加思索地轻率行动。

㉞波斯科雷吉奥注释本认为,此句意义含糊,因而有多种解释。它与萨佩纽注释本都认为,最佳诠释应是:"不可认为任何水能把你们洗净,就像用洗礼的水可以洗净原罪,圣水可以洗净轻微的罪过;不可幻想许愿就足以赎清所犯罪过,保证你们得到拯救。"总之,此段着重说明发誓许愿不可轻率,其精神可参见《旧约·传道书》第五章第一至四句:"进入上帝的殿时要庄重严谨,不要像愚昧人一般忙于献祭,却要靠近主前,留心倾听;愚昧人因为不这样做,就冒犯了上帝也不自知。在上帝面前,不要冒失发言,也不要轻率许诺;因为他高高在上,你只不过是渺小的人。所以,你说话总不要喋喋不休;因为工作多,夜来必多梦;言语多,就容易显出愚昧。你向上帝许愿,不可迟迟仍不实践,总要从速偿还,因他不喜欢这样的愚昧人。与其许了愿而不偿还,倒不如不许愿。"

㉟波斯科-雷吉奥注释本指出,其实,《新约》并未谈及许愿发誓问题;《旧约》倒是有多处涉及此问题,除《利未记》外,还有《创世记》第二十八章第二十至二十二句,《诗篇》第七十六篇第十一句和第一百一十六篇第十四、十八句,《传道书》第五章第一至五句。

㊱"教会的牧者"指教皇:但丁《帝制论》第三卷第十六节第十句段即有此提法。

㊲波斯科-雷吉奥注释本认为,此句如基门兹所说,已超出了许愿发誓问题的范围,即是说,贝阿特丽切有关发誓不可轻率大意的论述已扩大到在宗教问题上不可轻率行动的更为广泛的问题,实际上是谴责许多基督教徒在赎罪和诠释自身所负的宗教责任方面的"轻率"和"肤浅"。

㊳关于"邪恶的贪婪",本维努托和《最佳评注》都作过如下诠释:"贪求复仇和贪求胜利曾分别推动阿加门农和耶弗他作出盲目的许愿,正如贪求获利也会推动贪财者许愿一样";"有一些人为了他们的羊、驴、牛和商品,也作出许愿,却不去好好信守誓愿"。因此,诗句的意思就是:一些仓促许下的誓愿,不是出于虔诚的感情,而是出于疯狂的激情,从而引导和阻碍人的理性。但也有人认为,这里是指教会中有些恶劣的僧侣为个人利益而令人许愿,企图用取消或更改誓愿的办法来直接或间接牟取私利,这种有关教会腐败风气的诠释,甚而也来自但丁之子彼特罗,因而萨佩纽注释本认为,不可排除这种解释,尽管它与波斯科-雷吉奥注释本都

认为,这样的解释与本段意义不大相符。“发出另一种喊叫”即是指推动起誓许愿者采取另一种做法,即作出轻率的许愿。

㊴“疯疯癫癫的绵羊”指丧失理智的“绵羊”,此典出自《新约·彼得后书》第二章第十二句:“……这些假教师实在像没有理性,天生给人捉去宰杀的畜牲一样……”;但丁在《筵席》第一章第十一节第九句段中也写道:丧失谨慎的人“应叫作绵羊,而不应叫作人”。诗中所说的“那个犹太人”不是指叛徒犹大,而是指在许愿问题上明确遵守规定的“犹太人”:本维努托曾就此解释说:“这个以色列人只有《旧约》,他兢兢业业地信守旧的律条的各项规定……确实,那些犹太人对基督教徒感到非常奇怪,当看到他们如此亵渎地诅咒基督时,他们就讥笑那些基督叛徒”;但丁在《书信集》第十一章第四句段中也说:“唉!真令人痛心:那些渎神的支持者,撒拉逊和异教徒犹太人,竟然嘲笑我们的星期六,正如有人所说,他们竟然慨叹道:他们的上帝在哪里呢?”

㊵这里用顽皮地离开母乳的羔羊来比喻放松按圣教会的学说行事的基督教徒(布蒂);十四世纪的塞拉瓦尔(Serravalle)认为,这个比喻是很妙的,因为这羊羔本仍需要母乳,但它却把母乳抛弃了,因而放纵行事,到处乱跳,最后落入狼口,“那些远离母亲即教会的基督教徒也正是如此,他们到处游逛,最后则落入魔鬼之手”。用羊羔来作比喻,在基督教语言中是屡见不鲜的,信徒即如羊群,耶稣则如善良的牧羊人;但波斯科-雷吉奥注释本认为,诗中说羊羔“与自己相斗不已”,意义不明确,尽管布蒂曾解释说,它是在“乱蹦乱跳和用角顶来顶去”,因此,可能是指:它这样的疯狂行为最终会使自己受害。

㊶“那片地方”(quella parte)的解释有多种多样:布蒂、《最佳评注》、兰迪诺等认为是指“东方”;本维努托认为是指“水星天”;达尼埃洛(Daniello)则认为是指“天体赤道部分”;也有人认为是指“日球”的。近代注释家也依据上述古代注释家的不同主张而有不同的诠释。萨佩纽和波斯科-雷吉奥两注释本的理解大体一致:即认为,诗中主要是笼统地说,贝阿特丽切在“朝上方”观望,因为春分时节,太阳恰好位于天体赤道一带天空;既然贝阿特丽切是要上升到第一重天,不论是朝太阳观看,还是朝天体赤道观看,再或是朝笼统的天体观看,都是目光朝上,因为月球天乃至随后的水星天、金星天,都是位于日球天乃至其他各重天体之下的。但丁在《筵席》第二卷第三节第十五句段中也有类似的说法。

㊷“贪求”指求知;“保持静默”是指但丁虽有新的疑问,但一时不敢提出。

㊸这里又用射箭来形容但丁随贝阿特丽切升入第二重天即水星天速度之快:但诗中所采用的形象则是新颖的,即“利箭”射中箭靶,弓弦尚在颤动(“在弓弦静止之前”),就在这瞬息之间,但丁与贝阿特丽切已抵达水星天。

㊹“星球”即是指作为行星的水星。

㊺这里是说,星辰的本性是永不变化的,但因为它在“露出美颜”,就变得比过去更为明亮:但丁在《筵席》第三卷第八节第十一句段中就说:“笑容倘若不是灵魂喜悦的闪光,也就是说,不是内心情感向外表露的光芒,又会是什么呢?”这里是用人的多变性来与天体的不变性作对比:

意在说明，星辰因微笑而变得更为灿烂等印象，都与但丁此时此刻的心情和感觉有直接关系。

㊻十六世纪的维路泰洛（Vellutello）把此句解释为："此人将增加我们身上的仁爱德行，因为我们在解决他的疑问时将可以利用我们的仁爱之心"；这是近代多数注释家都接受的诠释。但也有人解释为：但丁死后，也将会在这些精灵中占有位置，因为这些精灵与他一样，在人世时也享有荣誉和声名。还有人认为，这里只是指贝阿特丽切。

㊼这里说明包拢着各重天体中的精灵的光芒与他们的欢快心情的关系。

㊽这种向读者发出呼吁的写法是中世纪基督教文明中广泛使用的笔法。这里的"空虚"即是指"求知欲"。

㊾这里是指但丁仍然活着，却能携带肉身，来到天上，类似的说法见于《炼狱篇》第五首第60句。

㊿这里，"抛弃生命"中的"生命"，原文为 milizia，本意为"战斗"，此典盖出自《旧约·约伯记》第七章第一句："人生在世的经历，就是士兵的经历"。因此，诗中用此词表示：基督教徒活在世上，是像"士兵"一样要"战斗"的，他们的"教会"也是"战斗的教会"，这恰恰与享天福者的"胜利的教会"（"永恒的胜利"）成为鲜明的对比。

(51)"光芒"指仁爱之光。"宝座"指获得永恒胜利的享天福者在天国中所占有的席位。

(52)说话的"精灵"即是朱斯蒂尼亚诺皇帝。这里把各精灵比作"诸神"（dii），因为享天福者分享神的光荣，分享上帝的智慧和善心，犹如圣托马索在《神学大全》第一卷第十三章中所说，就"有了上帝的形式，亦即是说，与上帝相类似"；《旧约·诗篇》第八十二篇第六句也曾有过类似说法："我曾称你们为'神'，为'至高者的儿子'"；《新约·约翰福音》第十章第三十四句也说："耶稣说：'你们的律法书不是记着⌊我曾说，你们都是神。⌉么？'"。

(53)"这层天体"指水星天。

(54)水星离太阳最近，因而太阳的光线（"其他光线"）就把它遮掩了：但丁在《筵席》第二卷第十三节第十一句段中就这样说道：由于水星旋转的轨道距太阳极近，它就"比任何其他星辰更被太阳的光线所掩盖"，金星也同样如此，因为它与水星位置都偏低，金星距太阳的角度为四十八度，水星则为二十九度左右。因此，人们也称水星为 sidus dolosum：即"骗人的星"。

(55)这里是说，有"厚重水气"时，能"缓和"太阳的光线，使人能眼望太阳，但当太阳的热气"销蚀"了这些水气时，太阳的强光就令人不能看到它了。

第六首[1]

朱斯蒂尼亚诺(1—33)
帝国的历史和作用(34—111)
罗米欧·迪·维拉诺瓦(112—142)

朱斯蒂尼亚诺

“在君士坦丁令那老鹰逆着天体流程飞转之后[2]
——而那老鹰又本是追随那位夺走
拉维娜的古人顺应这个流程而遨游[3],
一百年、又是一百多年过去了,
上帝的神鸟就一直在欧洲那一端停留,
靠近那带山麓,它以前也正是从那里飞走[4];
在那神圣的羽翼庇荫下[5],
他在那里管理世界,从一道手转到另一道手[6],
就这样改朝换代,直到我的手把世界左右。
我曾是凯撒,如今则是朱斯蒂尼亚诺[7],
我根据我所感受的首要之爱的意旨[8],
从法律条文当中,把多余和无用之处剔除[9]。
在我从事这项工作之前[10],
我曾相信,基督身上只有单性,没有更多[11],

我对这个信仰感到知足常乐；
但是，该受祝福的阿加皮托，
他曾是至高无上的牧者[12]，
他用他的话语引导我把纯正的信仰获得。
我相信他的话语；而从对他的信仰中所获得的一切，
我如今看得如此清晰，正如你所看到的：
任何矛盾都是一面是伪，一面是真[13]。
一旦我与教会一道迈开步伐[14]，
上帝便降恩，满心欢喜地启示我从事那项崇高工作，
我也把自己全身心地奉献给它；
我把军队交给我的贝利萨尔率领[15]，
上天的右手也助他屡建战功[16]，
这迹象表明：我该停下手来，等待和平。
谈到这里，我针对那第一个问题
作了回答；但是，这回答的内容
又迫使我继续作一些补充，
为的是让你看出：究竟有多少理由，
采取反对这无上神圣的标志的行动[17]，
不论是把它据为己有的人，还是与它誓不两立的人。

帝国的历史和作用

你可以看出多少德政使它值得令人尊敬；
而从帕兰特死后使它继承王位时起[18]，
它就开始声威大振。
你知道，它把它的栖息之所安置在阿尔巴[19]，
达三百余年之久，直到最后，
三武士与三武士仍在为它争夺不休[20]。
你知道，它在七代王朝统治下，
既给萨宾妇女带来危害，又给路克蕾齐亚造成苦痛，
还把周边的邻国居民战胜[21]。

你知道,它在才能卓著的罗马人带领下,
抵御过布雷诺,抵御过皮鲁斯[22],
还抵御过其他君主与共和[23];
正因如此,托尔夸托和奎因齐奥——他曾被称为不加修饰的卷毛[24],
德齐和法比两家族的那些人[25],
才获得我全心全意使之流芳万古的声名[26]。
它曾挫败阿拉伯人的傲气[27]:
他们跟随汉尼拔越过了阿尔卑斯的山崖[28],
波河啊,你正是从那里一泻而下[29]。
在它的麾下,西庇阿和庞培
虽则年少,却大获全胜[30];
而在你诞生的那座山丘上,它却备受苦痛[31]。
接着,在那个时代邻近时:
整个苍天都指望,使世界变得与它一样晴朗,
凯撒遵从罗马的意志,把它夺持在手上[32]。
它的那个业绩从瓦尔河一直扩展到莱茵河[33],
它看到了伊萨尔河与埃拉河,也看到了塞纳河,
看到了一切河谷,罗讷河把那里的水流汇集在一处。
在它离开拉维纳、飞越鲁比贡河之后,
它所做的事便是尽情翱翔[34],
舌尖与秃笔都无法把它跟上。
它指挥大军,转向西班牙[35],
随即又进军都拉斯,力挫法尔萨利亚[36],
以致使人在炎热的尼罗河畔闻听噩耗传下[37]。
它又重见安坦德罗和西莫恩塔[38],
而它本是从那里飞出,在那里,赫克托尔也曾倒下;
后来,它又振动羽翼,为托洛密带来了恶煞[39]。
从那里,它又电掣般地飞落在犹巴身上[40];
由此,它便掉转身躯,飞向你们的西方[41],

因为那里可以听到庞培的喇叭声响。
它伴随后继举旗者所做的那些事情[42]，
布鲁都与卡修斯一起，正在地狱中为此而狂吠[43]，
摩德纳和贝鲁加也曾为此而伤悲[44]。
那不幸的克丽奥帕特拉还在为此嚎啕[45]，
她在它前面奔逃，却为毒蛇所咬，
猝然而悲惨地玉殒香消。
它伴随此人一直驰骋到红海岸边[46]；
伴随此人使世界呈现太平景象一片，
竟至使贾诺把他的殿堂紧闭关严[47]。
但是，令我谈论的那个标记[48]，
先前已做的和以后将做的那些事迹，
都是为处于它统治之下的尘世王国所完成的业绩，
这些事迹会在表面上变得微不足道，黯淡无光，
若以明亮的眼光和纯正的心情
来把它落入第三位凯撒之手后的所作所为注意观望[49]；
因为那激励我的强烈正义[50]，
在我所说的那人的手中，
竟使他享有为正义的愤慨报复的光荣[51]。
谈到此处，你从我现在对你所作的补充中，定会感到惊奇：
它随后又追随提图斯，跑去
报复对旧日罪过所作的那个报复[52]。
当隆哥巴尔迪人的牙齿[53]
把圣教会咬住不放时，
查理大帝曾在它的羽翼下，救援教会，奏凯回师。
今后你可以判断那一帮人[54]，
我曾在上面指责他们的错误，
而这些错误正是造成你们众人痛苦的祸根[55]。
一方是用黄色百合花与公众的标记相对抗[56]，
另一方则把这标记据为己有，为党派服务[57]，

102 以致很难看出谁犯下更大的错误。
吉伯林派尽可放手去干,但他们该在另一个旗号下去
　　把诡计施展;
因为以恶劣的方式追随那个旗号的人,
105 总是要把他自己与正义离分;
这位新的查理切不可以为能与他的归尔弗派一起[58],
把它打倒,但却是该畏惧那双鹰爪,
108 因为这鹰爪曾拔掉更凶猛的雄狮的毛[59]。
过去,儿子们曾多次
为父亲的罪过而哭泣[60],
111 他却不可以为上帝会用他的百合花来改换军旗[61]!

罗米欧·迪·维拉诺瓦

这小小的星辰有一些善良的精灵来点缀[62],
他们生前曾力图进取,
114 以求随之而来的是声名和荣誉:
既然这些欲望是立足凡界,
这就使他们走上歧途,那真爱的光辉
117 也就必然不会强烈地朝上照耀[63]。
但是,我们享有的那部分欢欣,
正在于使我们所得赏赐要与功德相应,
120 因为我们看不出那赏赐有大小之分[64]。
因此,强烈的正义充分缓和我们胸中的感情[65],
以致它永不会扭曲,
123 使任何不公正之感产生。
不同的声音构成美妙的音调;
同样,在我们的生活中,
126 不同的等级也使这些旋转的天体之间发出美妙的谐音[66]。
在现在这颗宝石中[67],
放射着罗米欧的光芒[68],

他那伟大美好的业绩却得到恶劣的报偿。
但是，那些曾反对过他的普罗旺斯人[69]，
却不曾笑口常开；因此，
凡把他人的善行当作伤害其自身的人，都走错了路径。
拉蒙多·贝林基耶雷有四个女儿[70]，
每位千金都做了王后，
而这都要归功于卑微而居无定所的人——罗米欧[71]。
随后却恶语相伤，
向这个正直的人要求算账[72]，
而此人曾把七加五交给他们，作为十的增长。
他随即离开那里，年老力衰，一贫如洗；
倘若世人知道他有怎样的心肠，
尽管他点点滴滴乞讨，苦度时光，
现在也会对他大为称道，将来还会对他加倍赞扬[73]。”

注释

①波斯科-雷吉奥注释本指出，古今注释家都一致认为，《神曲》三部曲各自的第六首，在结构上有一种对称关系，即其部分段落都是以谴责党派之争给意大利带来灾难为共同内容，而且是“逐步升级”：亦即从《地狱篇》第六首第58—75句的揭露佛罗伦萨，到《炼狱篇》第六首第79—84句扩及意大利的每个城市，再到本篇第六首第97—111句进升为名义上拥护帝制和反对帝制、实际上则各为一党之私的吉伯林派和归尔弗派的斗争，换言之，即进升为“帝国”。该注释本认为，从后两首内容看，都反映了但丁的主要政治思想，即指出“帝国的权威”为医治意大利顽症的“唯一良药”，故实际上并没有什么“逐步升级”。

本首全部为朱斯蒂尼亚诺皇帝的谈话，这在《神曲》中是独一无二的。

②这里说话的人，即是第五首第121句所提及的那“一位”，即朱斯蒂尼亚诺皇帝。“君士坦丁”即指君士坦丁一世(274—337)；“老鹰”系罗马帝国的国徽，这里是说，君士坦丁在拜占庭古国废墟上，兴建君士坦丁堡，并把首都罗马东迁于此。“逆着天体流程”是指君士坦丁迁都是由西向东，而天体运动则是由东向西，因而诗中含义可能是认为，君士坦丁此举是违反自然秩序的，而自然秩序又是与上天对历史变迁的安排相一致的，换言之，“天体流程”亦即上帝的神秘规划，国都东迁也便违反了上帝的规划。一般认为，君士坦丁皇帝的东迁是与他对教皇西尔维斯特罗的“赏赐”有关(参见《地狱篇》第十九首)，诗中似无此意。

③这里是说，作为罗马帝国象征的“老鹰”原是追随“古人”即埃涅阿斯顺乎天体流程由东向西

“遨游”的：因为埃涅阿斯在特洛伊被攻陷、焚烧后，向西逃往意大利，并娶拉齐奥王之女拉维尼亚（即诗中的“拉维娜”Lavina）为妻（详见《地狱篇》第四首、《炼狱篇》第十七首及有关注释）。

④这里是说，代表帝国的“老鹰”在“欧洲那一端”即拜占庭停留了二百余年：诗中用“上帝的神鸟”，即是指《炼狱篇》第三十二首中所说的“宙斯的神鸟”，是上帝意欲作为罗马帝国的标记的，亦是帝制的象征。“欧洲那一端”是指拜占庭位于欧亚交界处，靠近小亚细亚，特洛伊所在的特罗阿德（Troade）地区恰在此地：埃涅阿斯正是从那里逃出的；“那带山麓”亦即指小亚细亚一带山岭。这里值得注意的是：从君士坦丁皇帝于 330 年迁都到朱斯蒂尼亚诺于 527 年当选皇帝登基，实际上并不足二百年：萨佩纽和波斯科-雷吉奥两注释本都认为，但丁在此所依据的史料有误；他们估计，诗中所用史料来自但丁的老师布鲁内托·拉蒂尼（参见《地狱篇》第五首及有关注释）的《宝库》一书，其中就提及：迁都为 333 年，朱斯蒂尼亚诺登基为 539 年，相隔恰好为二百零六年，而拉蒂尼的材料则又可能取自十三世纪波兰历史学家马蒂诺·迪·特罗帕乌（Martino di Troppau），又称“波兰人马蒂诺”（Martino Polono）的有关著述。有人为圆此说，曾认为，这里时间的计算是从迁都算到重新征服意大利；波斯科-雷吉奥注释本指出，此说不确，因为诗中是算到朱斯蒂尼亚诺掌握皇权，再者，即使在征服意大利后，国都仍在拜占庭即君士坦丁堡。

⑤“羽翼庇荫”的说法来自《旧约·诗篇》第十七篇第八句：“求你保护我，就像保护你眼中的瞳仁一样，使我在你的翅膀下得到荫庇。”

⑥“他”指君士坦丁皇帝；“在那里”指在东方；“从一道手转到另一道手”即是指从一位皇帝转到另一位皇帝。

⑦这里的“凯撒”是泛指皇帝，因此，此句的意思是：“我生前曾是皇帝，死后则世间的尊严也随之而去，留下的则是个人的本质。”

朱斯蒂尼亚诺（诗中用古称 Iustiniano，即今称 Giustiniano）。《炼狱篇》第六首曾简略提及此人。全名为佛拉维奥·朱斯蒂尼亚诺（Flavio Giustiniano，482 或 483—565）；自 527 年起至去世，一直为东罗马皇帝。在位时，经济、政治、军事、立法等方面政绩卓著，特别是立法：据《梅尔齐百科全书》称，他于 530—534 年，曾委任特里伯尼亚诺（Triboniano，475—545）组成委员会，修订罗马法，汇编为《民法大全》（*Corpus Iuris Civilis*），至今仍为民法立法依据。其妻泰奥多拉（Teodora）对其辅佐甚力。但丁把他理想化，作为皇帝的典范，认为他施政贤明，与教会配合默契，从异教徒变为基督徒，因而得到上帝的恩助，战功显赫，疆土扩大（占据非洲，征服意大利，部分地恢复罗马帝国的统一，只是在与波斯交战中失利）；赞赏他曾指出，帝制的主要任务即是把正义建立为公民秩序和进步的基础。萨佩纽和波斯科-雷吉奥两注释本都认为，但丁对朱斯蒂尼亚诺的评价可能来自当时流行的一些疏漏失实的史料，或则但丁根本不了解朱斯蒂尼亚诺在位时的一些恶劣行径，或则有意加以掩盖，从而把他作为“用贤明法律管理的帝国的象征”。

⑧“首要之爱”(primo amore)指圣灵。

⑨这里是说,朱斯蒂尼亚诺把法典中因时光流逝和习俗变更而不合时宜(即“多余”)和条文本身自相矛盾(即“无用”)之处,从中删去。

⑩“这项工作”即是指立法工作。

⑪这里是说,朱斯蒂尼亚诺在皈依基督教之前,曾相信希腊异端分子欧提克斯(Eutiche,378—453)所倡导的耶稣“单性说”(dottrina monofisita),即认为:耶稣基督只有“神”性,而无“人”性,从而否定耶稣基督同时是有“人”、“神”两性。此说于451年曾遭卡尔切多尼亚主教会议(concilio di Calcedonia)谴责。

⑫阿加皮托(Agapito或Agapeto):自533年至536年任教皇,称阿加皮托一世,被封为“圣徒”。据中世纪传说,他曾前往君士坦丁堡,为哥特人(Goti)国王特奥达托(Teodato)与东罗马皇帝朱斯蒂尼亚诺议和,并劝说朱承认信仰错误,从而皈依基督教正统。这里的“牧者”仍指教皇。

⑬这里是说,在两个相互矛盾的命题中,一个必然是伪,一个必然是真;这一说法来自亚里士多德的“非矛盾原理”(principio di non contradizione),亦即亚里士多德逻辑学基本假设之一。但目前,有许多注释家(如斯卡尔塔齐尼-万戴利)认为,此句应诠释为,“这便是阿加皮托的正确信仰的内涵”;萨佩纽和波斯科-雷吉奥注释本都不赞成这种解释。波斯科-雷吉奥注释本还指出,中世纪有关朱斯蒂尼亚诺曾相信异端邪说的史料是错误的;关于朱斯蒂尼亚诺先有信仰异端之说的材料,但丁可能又是取自拉蒂尼的《宝库》一书,因为其中说:“起初,他(即朱斯蒂尼亚诺)犯有异端错误,最后,接受阿加皮托的训教,承认其错误。”

⑭这里是说,在533年之后,朱斯蒂尼亚诺皇帝因为皈依正统,便与教会取得一致。波斯科-雷吉奥注释本认为,这里在年代上又发生类似朱斯蒂尼亚诺犯有相信异端邪说之说法的错误:因为朱斯蒂尼亚诺委派特里伯尼亚诺组成委员会修订立法是528年,立法工作完成时则是533年,恰是阿加皮托一世当选教皇的一年;它与萨佩纽注释本都认为,但丁在此所依据的材料又是拉蒂尼在《宝库》中所援引的“波兰人马蒂诺”的著述(但在年代上,萨本与波-雷本所说的时间,与其他资料如《梅尔齐百科全书》也是有出入的,见注⑦)。

⑮贝利萨尔(Belisar),即贝利萨里奥(Belisario,490或500—565),为朱斯蒂尼亚诺皇帝手下的一位战功显赫的名将。他生在色雷斯(Tracia)和达尔马提亚伊里利克(Illirico)两地之间的地区,死于君士坦丁堡。他于532年战胜波斯,534年将汪达尔人(Vandali)逐出非洲,535—549年在意大利歼灭哥特人,曾在哥特王国垮台后,建立了拉维纳总督管辖地(Esarcato di Ravenna),其中包括拉维纳、波洛尼亚、斐拉拉、阿德里亚(Adria)等地;559年还击败围攻君士坦丁堡的保加利亚人。他的战功和受宠受到大臣们的嫉妒,他们向朱斯蒂尼亚诺频进谗言,他晚年失宠,据说,还被朱下令弄瞎双眼,最后落得沿街乞讨,穷困潦倒而亡,由此曾产生一句谚语:“落到贝利萨里奥的下场”(Essere ridotto alle sorte di Belisario),这些都曾记载在维拉尼《编年史》第二章第六节和其他人的著作中;波斯科-雷吉奥注释本认为,即使上述情节

有失实之处，但贝失宠和朱对贝的伤害毕竟并非无中生有。它和萨佩纽注释本都认为，也许但丁对朱斯蒂尼亚诺伤害贝利萨里奥的事并不知悉，且把朱作为以法治国的皇帝典范，因而才在诗中说贝的战功乃得到神助，并亲切地称之为“我的贝利萨尔”（但波-雷本也猜测，这可能也是一种“事后的懊悔”）。

⑯“上天的右手”（destra del cielo）即有上天“赞助”之意。

⑰“无上神圣的标志”是指代表帝国的“老鹰”。“把它据为己有的人”是指吉伯林派，因为他们名义上拥护帝制，实际上则以此来掩盖和攫取一党之私；“与它誓不两立的人”是指公开反对帝制的归尔弗派。

⑱帕兰特（Pallante）系在台伯河岸建立帕兰泰奥（Pallanteo）王国的埃万德罗（Evandro）之子；埃涅阿斯逃亡到意大利后，埃万德罗就热心接待他，成为他的盟友。埃涅阿斯与鲁图利斯王图尔努斯（见《地狱篇》第一首及有关注释）为争夺拉维尼亚而进行战争时，帕兰特曾为盟友埃涅阿斯英勇作战牺牲，埃涅阿斯在战胜图尔努斯后便继承帕兰特的王位，为罗马帝国奠定了初步基础。诗中内容大抵取自《埃涅阿斯记》，但维吉尔的诗作中未详细阐述罗马帝国“开始声威大振”即如波斯科-雷吉奥注释本所说：帕兰特是“为未来的罗马帝国最后胜利而牺牲的第一个阵亡者的象征”（诗中则以“老鹰”为象征）的由来，但丁后则在其《筵席》第四卷第五节、《帝制论》第二卷第十、十一、十二节中对此作了补充和记载，然而，他是从宗教角度来阐述罗马历史和帝制价值的，如在《筵席》第四卷第五节第十、十八句段中就说，罗马历史变迁得到“上帝的亲手襄助”，它的发展过程“不仅靠人力，而且靠神力”；《帝制论》第二卷第十二节第七句段也说：帝制的正当合法性是得到基督“从他战斗一生的开始和终结”的最高承认的。

⑲阿尔巴（Alba）：即是指埃涅阿斯之子阿斯卡尼奥斯（Ascanio）所建的阿尔巴隆加（Albalonga），在那里，埃涅阿斯的后裔绵延王位达三百余年。这里追述的是罗马帝国史前时期的状况。

⑳这里的两个“三武士”是分别指代表罗马城的奥拉齐（Orazi）家族军队的三武士，与代表阿尔巴城的库里亚齐（Curiazi）家族军队的三武士：他们在两军对峙的面前决斗，胜者则决定该城作为国都。在第一轮较量中，三个库里亚齐武士受伤，但三个奥拉齐武士中也有两个阵亡。第三个奥拉齐武士佯作败逃，结果却反败为胜，将三个库里亚齐武士相继杀死，因而罗马军大胜，决定定都罗马。据说，当时的国王为图洛·奥斯蒂利奥（Tullo Ostilio），他是自公元前673年至641年的第三位罗马国王。奥拉齐和库里亚齐两军战斗后，他下令摧毁了阿尔巴。诗中的“直到最后”即是指代表帝国的“老鹰”结束了在阿尔巴隆加的栖息之所，而开始只定居罗马。根据英国注释家托因贝（Toynbee）在其1902年《但丁研究与探索》（*Dante Studies and Researches*）一书推测，但丁所据史料可能来自布鲁内托·拉蒂尼，近代注释家马里奥蒂（Mariotti）则认为，来自维吉尔；后者还指出，“老鹰”在阿尔巴隆加和罗马各居住一百余载，看来并不奇怪，因为阿尔巴人（Albani）和罗马人的根子原本都是特洛伊。

㉑这一段三行韵诗是叙述自罗马第一位国王罗莫洛(Romolo)历经七代王朝的时期所发生的一些史实:罗莫洛及其弟雷莫(Remo)是一对孪生兄弟,父为牧羊人法乌托洛(Fautolo),母为阿卡·洛伦齐亚(Acca Lorenzia),以凶悍著称,被称为“母狼”(Lupa);罗莫洛与雷莫兄弟创建了罗马,故至今罗马首都标志仍为一母狼肚下喂乳一对幼儿。罗马建立后,罗莫洛就将其弟杀死,独自称王(公元前753年),他曾战胜联合起来反对他的周边各国人民,又与萨宾人国王蒂托·塔丘(Tito Tazio)联合执政。他后被元老院所杀(公元前715年),扬言他被战神玛尔斯掠到天上,故罗马人用萨宾语称他为“魁里诺”(Quirino),即战神玛尔斯。在他连续七代王朝的统治下,做了不少坏事:位于意大利中部的萨宾人,在罗马人掠夺萨宾妇女(“给萨宾妇女带来危害”)后,曾与之交战,后又与之交好,一部分人移居罗马,公元前三世纪时被征服。

路克蕾齐亚(Lucrezia,见《地狱篇》第四首及有关注释),科拉蒂努斯(Collatino)之妻,传说为罗马身材高大的美丽贵妇人。她遭罗马最后一位国王“暴君”塔尔昆纽斯(Tarquinio il Suberbo)之子塞克斯图斯·塔尔昆纽斯(Sesto Tarquinio)奸污,自杀于夫前,其夫怒而与布鲁图斯联合,掀起人民起义,推翻王政,将皇帝逐出罗马,成立了共和国(公元前510年)。

㉒从这一段三行韵诗起,连续下面三段,都叙述了代表罗马标徽的“老鹰”在共和时期的历史:

布雷诺(Brenno):一般在历史上以此词代表高卢人(Galli)的公爵,其中最知名的是塞诺尼(Senoni),他于公元前390年,曾战败罗马人,并把罗马付之一炬,最后则被罗马独裁官卡米洛(Camillo)所击败。

皮鲁斯(Pirro)指马其顿地区的厄皮鲁斯王皮鲁斯;他曾企图建立包括大希腊(Magna Graecia)和西西里在内的希腊西部帝国,占领塔兰托,与罗马人交战十五年之久(公元前280—前275年);后被罗马人击败,撤回本国,可参见《地狱篇》第十二首及有关注释。罗马人征服塔兰托为公元前272年。

㉓“其他君主与共和”指当时各自割据一方的王国和共和国。

㉔托尔夸托(Torquato),原名蒂托·曼利奥(Tito Manlio),“托尔夸托”系他的绰号,因他在与高卢交战中,杀死一名高卢人,取其“项链”(法文为 torques),Torquato 即意谓“获取项链者”。他于公元前337年任执政官,治军严明,曾因其子在战争中不服从命令而大义灭亲,处死其子;并曾当选独裁者,曾战胜高卢人和拉丁尼人。

奎因齐奥(Quinzio),全名为卢契奥·奎因齐奥·钦齐纳托(Lucio Quinzio Cincinnato);但丁在《帝制论》第二卷第五节第九句段中曾说明,其姓“钦齐纳托”(Cincinnato)有“卷毛”之意,因而有人以为是他的绰号,意谓“不加修饰的卷毛”,包括彼特拉克,也都对此有过误解。他出身罗马贵族,元老院任命他为独裁官时,他正在犁地耕田。他就职后不久,仅在数日之内就战胜了埃奎人(Equi),时在公元前458年。但胜利之后,他又卸甲归田,重操旧业。

㉕德齐(Deci)家族是指父普伯利奥·德齐奥·穆雷(Publio Decio Mure)于公元前340年在维苏威战役(Vesuvio)中,与拉丁尼人交战时阵亡;其子与父同名,于公元前295年,在森蒂诺战

役(Sentino)中,与萨姆尼人(Sanniti)交战牺牲;其孙于公元前279年在阿斯科利战役(Ascoli)中,与皮鲁斯王交战战死。但丁在《帝制论》第二卷第五节第十五句段中曾盛赞过这祖孙三代。

法比(Fabi)家族,为罗马贵族,在维佑战争(Veio)中有三百人丧生;这里也是指该家族两名出色将领:奎因托·法比奥·鲁拉诺(Quinto Fabio Rullano),他在公元前325—前322年以战胜萨姆尼人而出名,并战胜高卢人、翁布里亚人(Umbri)、马尔西人(Marsi)。奎因托·法比奥·马西莫(Quinto Fabio Massimo),为前者之孙,绰号"见机行事者"(il Temporeggiatore),他善用"以逸待劳"的策略,打垮敌人;公元前233年当选执政官;第二次布匿战争中罗马军受挫后,他被任命为独裁官,曾战胜汉尼拔。后元老院不同意他与汉尼拔订立交换战俘的协议,他为遵守诺言,卖掉个人财产;公元前203年去世,享年一百岁。

㉖"使之流芳万古"的原词为动词mirrare,来自名词mirro,即"没药",古代用此药涂抹尸体,以求防腐,诗中显然有永远保持其荣誉之意;但丁之子彼特罗、拉纳、佛罗伦萨无名氏、《最佳评注》都作此解,但布蒂等则认为,此词原为miro,为"赞扬"之意,为了押韵,才多加了一个r。

㉗这里的"阿拉伯人",是指北非的一些民族,亦即迦太基人。据萨佩纽和波斯科-雷吉奥两注释本分析,这里又是一处违反史实的说法:因为在但丁时代,阿拉伯人曾占领一度为迦太基人所居住的非洲海岸,用阿拉伯人指迦太基人是不妥的,这与《地狱篇》第一首说维吉尔的父母以及他的语言都是伦巴第地区的一样,都与史实不符。

㉘这里是说,汉尼拔曾率领迦太基人(即诗中的"阿拉伯人")越过阿尔卑斯山西部。

㉙波河(Po)为意大利最大的河流,发源于阿尔卑斯·科齐埃(Alpi Cozie)山麓的蒙维索群山(Monviso)。

㉚西庇阿(参见《炼狱篇》第二十九首及有关注释):他极为年轻时就开始其军旅生涯;在不到二十岁时,便参加了蒂齐诺(Ticino)和卡纳(Canna)的战斗,三十三岁时在扎马(Zama)战胜了汉尼拔。庞培极年轻时便与罗马名将之一马里奥(Mario,公元前156—86)作战,二十五岁时即战胜了他。

㉛这里的"山丘"指俯瞰佛罗伦萨市的菲埃索莱市(Fiesole,参见《地狱篇》第十五首及有关注释)的山丘,正因如此,诗中说"在你诞生的那座山丘上",尽管不十分确切,因为但丁是佛罗伦萨人。这里所说的"备受苦痛"是指中世纪传说:在罗马与阴谋建立独裁政权的贵族党首领卡提利纳的战争中,菲埃索莱市的居民被围困和摧残;参加这次战争的罗马军将领有庞培(维拉尼《编年史》第一章第三十六节)。关于菲埃索莱市的传说可参阅《地狱篇》第十五首。

㉜这段三行韵诗叙述的是:根据上天的意旨,这时,使世界变得统一而有秩序("与它〈苍天〉一样晴朗")的时代临近了;这里的"罗马的意志",是指"罗马人民"的意志,凯撒掌握了帝国旗号,即"老鹰"。

㉝这一段三行韵诗追述了凯撒在阿尔卑斯山北部向高卢发动的胜利战役:瓦尔河(Varo)和莱茵河(Reno)是分别标志东(西?)部和北部边界的两条河流;伊萨尔河(Isara)即伊塞尔河

(Isère);埃拉河(Era)可能即是卢瓦河(Loira),有人认为是指阿拉尔河(Arar),即萨欧尼河(Saône),不确;这些河与塞纳河(Senna)一起,都汇入罗讷河(Rodano)。这里所据资料可能来自卢卡努斯的《法利萨里亚》第一章第395—434句,因为其中出现了但丁诗中所说的所有河流,但顺序则是散乱的。

㉞这里是说代表帝国的"老鹰"随着凯撒"离开拉维纳",越过位于拉维纳与里米尼之间的小河即鲁比贡(Rubicon,即鲁比科内河 Rubicone)。该河为意大利与阿尔卑斯山南高卢(Gallia Cisalpina,今意大利北部)之间的边界,当时,规定军事首领不能率军渡过此河,否则即以叛国罪论处。库里奥内(Curione,或称"小库里奥"),向凯撒献计,怂恿其过河,从而导致内战的爆发(参见《地狱篇》第二十八首及有关注释,其中述及小库里奥作为挑拨不和者被打入第八层"恶囊"中的第九个恶囊)。诗中是说,凯撒渡河之后,事态急剧发展,口笔都无法把这些事态一一详尽描述。萨佩纽和波斯科-雷吉奥两注释本都认为,从但丁本人对此事件来看,凯撒发动的反对庞培及其党羽的内战,是令人遗憾的(参见《地狱篇》第二十八首),但他又认为,这是上帝安排建立帝制的结局,属天意,因而标志帝制的老鹰从一开始便位于凯撒一边,况且,如第55—57句一段三行韵诗所述,凯撒执掌皇权,是遵从罗马人民的意志的。因此,但丁在诗中有意避免提及凯撒与庞培是进行内战,特别是在第52—53句中又曾赞美庞培年少而获战功。但波斯科-雷吉奥注释本又指出,但丁之所以不认为凯、庞二人是进行内战,是因为凯撒掌握大权是出于民意,庞培本应服从,而不该抗拒,凯撒掌权实际上意味着帝国的建立,而不是暴力行为的结果,因而是正当合理的。

㉟这里是说,象征罗马帝国的"老鹰"率军攻击庞培在西班牙的党羽:佩特雷尤(Petreio)、阿弗拉尼奥(Afranio)和瓦罗内(Varrone)。佩特雷尤,名马可(Marco),支持庞培的罗马将领,曾在皮斯托亚击败卡提利纳。公元前46年,在非洲塔普索(Tapso),被凯撒战败,自杀。瓦罗内,名马可・泰伦齐奥(Marco Terenzio),生于公元前116年,死于公元前27年,原为庞培的代理长官,后与凯撒和解;他还是位博学家和讽刺诗人。

㊱都拉斯(Durazzo 或 Durezze),位于达尔马提亚海岸,今属阿尔巴尼亚。凯撒曾在此登陆,追击逃往色萨利的庞培。

法尔萨利亚,即"法尔萨洛"(Farsàlo),位于色萨利,在此,凯撒与庞培进行了最后决战,彻底击败庞培。

㊲庞培在法尔萨利亚战败后,逃往埃及,投靠埃及王托洛密十二世(Tolomeo XII,名"狄奥尼索" Dioniso,公元前52—前48年在位),但托洛密权衡利弊,最后在凯撒威逼利诱下,杀死了庞培。这里所说"闻听噩耗传下"即是指庞培被害的消息。

㊳安坦德罗(Antandro)为佛里吉亚的一个港口,埃涅阿斯曾从那里登舟启碇。据卢卡努斯在《法尔萨利亚》第五章中称,凯撒在法尔萨利亚大获全胜之后,继续追击庞培,但他绕道小亚细亚,来到特罗阿德(见注④),意欲参观特洛伊城旧址。卢卡努斯和公元二世纪的罗马历史学家佛洛罗(Floro)是但丁追述凯撒事迹时依据最多的两位史学家。

西莫恩塔,诗中用中世纪的写法 Simeonta,即 Simoenta:为流经特洛伊附近的一条河流,据说,特洛伊英雄赫克托尔的坟墓即在此处。

㊴这里的“托洛密”指埃及王托洛密十三世(公元前 48—前 44 年在位),凯撒先将克丽奥帕特拉嫁他为妻,后又唆使克逼他逊位并将他杀死,由克继任王位。

㊵“从那里”是指从埃及;“犹巴”(Iuba)即“朱巴”(Giuba),为支持庞培的毛里塔尼亚国王,被凯撒胁迫退位,在塔普索(参见注㉟)战役后死亡。波斯科-雷吉奥注释本认为,毛里塔尼亚位于埃及西方,本不应用动词 scese 即“飞落”(因西高东低),或则是但丁不清楚地理位置,或则是诗中无意描述从一地到另一地的移动,而是把“老鹰”作为“飞禽”而不是“标志”,描绘它像闪电般俯冲到该地区,而不是俯冲到犹巴王身上(萨佩纽注释本则诠释为降落到犹巴王身上)。

㊶“西方”指西班牙;这里是指凯撒乘胜追击庞培残部,最后在蒙达(Munda)把他们全部歼灭。

㊷“举旗者”即指高举“老鹰”旗号的罗马皇帝,“后继”意谓继凯撒后称帝的,即罗马第二位皇帝屋大维·奥古斯都。

㊸布鲁都和卡修斯(参见《地狱篇》第三十四首及有关注释),都是刺杀凯撒的凶手,屋大维和安东尼后将他们全部剿灭。他们死后被打入地狱第九层的最低一环即“犹大环”。

㊹这里是指安东尼为与屋大维争夺继承权而进行的摩德纳战役,以及屋大维与安东尼之弟进行的贝鲁加战役:马可·安东尼(Marco Antonio,公元前 83—前 30 年),凯撒之代理长官和好友,他曾建议凯撒向庞培发动战争。凯撒被刺后,他曾发表激烈的演说,鼓动罗马民众将凶手布鲁都和卡修斯逐出罗马。但他又企图与凯撒之养子、权力继承者屋大维争权,公元前 43 年,双方发生战争,他在摩德纳战役大败,摩市因此也罹受劫难;后他又与屋大维和解,组成“后三巨头”,即屋大维、安东尼、莱皮多(Lepido)联合执政,并娶屋大维之妹屋大维亚(Ottavia)为妻(后又将她抛弃,与克丽奥帕特拉结合),安东尼与屋大维联合讨伐布鲁都和卡修斯、并将他们歼灭于腓力比(Filippi)之后,三巨头分割疆土,安东尼分得东方,并与埃及女王克丽奥帕特拉堕入情网,企图执行脱离罗马、称霸东方的政策,从而又与屋大维反目,双方发生战争,安大败于阿克兴角(Azio)海战,时为公元前 31 年,随后自杀。

贝鲁加战役是指马可·安东尼之弟卢契奥·安东尼(Lucio Antonio)及其妻福尔维亚(Fulvia)逃往贝鲁加后,屋大维率军进攻,对贝市大肆烧杀劫掠(福尔维亚曾受马可·安东尼唆使,用短剑刺死宿政、大演说家西塞罗):卢卡努斯在《法尔萨利亚》第一章曾提及“贝鲁加的饥馑和摩德纳的磨折”,盖即指屋大维与安东尼兄弟所进行的两次战役。

㊺这里是说,克丽奥帕特拉在安东尼兵败阿克兴自杀之后,悲痛万分,也用毒蛇自寻短见,详见《地狱篇》第五首及有关注释;维吉尔《埃涅阿斯记》第八章也对此有叙述。

㊻“此人”指屋大维;诗中是说,屋大维在征服埃及之后,来到“红海岸边”(lito rubro)。

㊼这里是说,由于屋大维征服列国,罗马与各国人民和平相处,一片升平景象。“贾诺”(Giano),传说为拉齐奥之王,为日神阿波罗与林泽女神克雷乌斯(Creuse)所生之子,上天赐予他

预知未来、行事谨慎之天赋。在罗马,有祭祀他的一座殿堂,只有在战时才打开。这时,罗马已呈现太平景象,因而贾诺的殿堂也严密紧闭起来。一般把他的形象作为两面神、有时则作为四面神出现,其职能类似我国的"门神",亦即家门的保护神(ianuae),后一月份就成为祭祀他的月份,称"一月节"(Ianuaris)。

㊽"标记"仍是指象征帝国的"老鹰"。

㊾这段三行韵诗是说,以"老鹰"为标志的罗马帝国尽管已经完成并将继续完成的光辉业绩,但若以不带偏见和冲动的心情("明亮的眼光和纯正的心情")来看待这些业绩,这些业绩到了第三位皇帝即蒂贝里奥(Tiberio,公元前 42 年—公元 37 年)时期,就显得"黯然无光"了,因为正是在蒂贝里奥的统治下,把耶稣基督处死。诗中所说的"先前"和"以后"都是指在蒂贝里奥"之前"和"之后"。

蒂贝里奥,全名为 Tiberio Claudio Nerone,即蒂贝里奥·克劳迪奥·尼禄,是继屋大维·奥古斯都之后任罗马皇帝的。他本是屋大维·奥古斯都的养子,奥还把自己的女儿朱利亚(Giulia)嫁他为妻。他曾在达尔马提亚等战役中战功显赫。公元 14 年,奥古斯都去世,他继任皇帝,起初曾施行德政,并在日耳曼和亚细亚扩大势力,后实行极为残酷的暴政与专制,据说是受其大臣塞伊亚诺(Seiano)所撺掇,并曾差人将其妻朱利亚杀害。后退位,隐居卡普里岛(Capri),过着极度骄奢淫逸的生活。

但诗句实际上却别有一番更深刻的含义,从而可以看出,中世纪乃至但丁本人的一些基本思想:中世纪整个历史学认为,人类的历史是以"救世"为中心的,因此,基督的牺牲就是人类历史的思想中心问题。基督的死固然是通过全球帝国代理人、罗马总督蓬齐奥·彼拉多(Ponzio Pilato)造成的,但也证实全球帝国的合法性和合理性(但丁在《帝制论》第二卷第十二节第五句段中就指出这一点),换言之,"第三位凯撒"即蒂贝里奥掌握"老鹰"后所做的事情,说明"神的正义"通过基督的牺牲,给他以"报复的光荣"(见第 52 句),即为上帝因亚当所犯的原罪而感到的"愤慨"进行"报复"(这里的"报复"即是指"正义的惩罚"),就这一点而言,"以前"和"以后"的"业绩"都不如蒂贝里奥时期的"业绩"意义重大。

㊿"强烈正义"即是指"激励"朱斯蒂尼亚诺的"上帝的正义"。波斯科-雷吉奥注释本认为,"强烈"有"真正"之意。

51"那人"即是指蒂贝里奥。"正义的愤慨"即是指上帝对亚当所犯罪过的愤慨,而神的愤慨所进行的"报复",即是基督之死,亦即拯救人类的罪过:但丁在《帝制论》第二卷第十二节第二句段中就说:"倘若通过基督的死,我们感到对那个罪过(即亚当的罪过)心满意足,那么,我们就会仍将是(上天)愤慨的子孙。"

52这里是说,代表罗马帝国的"老鹰"通过基督受难,对亚当所犯的原罪作了正义的处罚("报复"),随后则又随提图斯(参见《炼狱篇》第二十一首及有关注释),于公元 70 年摧毁了耶路撒冷,从而对这一"报复"进行了"报复"(参见《炼狱篇》同一首材料)。朱斯蒂尼亚诺认为,这番话定会使但丁感到"惊奇":本维努托对此作解释说,因为这件事似乎很矛盾:即既然对耶稣的处死是对亚当原罪的正义惩罚,从而给罗马帝国带来光荣,那么又怎能认为,罗马帝国本身在以色列人身上来惩罚处死基督是正义的呢?萨佩纽注释本还补充说,况且在《炼狱篇》第二十一首第82—84句中又提及提图斯摧毁耶路撒冷是得到上帝辅助的。但丁的疑问和上述矛盾将由贝阿特丽切在下一首第19—51句来加以解决。波斯科-雷吉奥注释本说,在但丁时期,有人是认为,提图斯在摧毁耶路撒冷时曾意识到对用十字架钉死耶稣的报复,但又有人持否定意见;波-雷本据此认为,"报复"不仅限于摧毁耶路撒冷,而且还在于后来以色列人的散居各地。

(53)这里又进一步引述了又一件罗马帝国的史实:隆哥巴尔迪王国(Longobardi)最后一代皇帝德西代里奥(Desiderio,公元756年起在位),率领隆哥巴尔迪人反对教会,幸有法兰克王查理大帝(参见《地狱篇》第三十一首及有关注释)前来救援,在"老鹰"的旗帜下取得了胜利。德西代里奥原为布雷夏(Brescia)贵族,任隆哥巴尔迪王后,意欲与查理大帝和好,将其妹德西代拉塔(Desiderata)配与查理大帝。公元773—774年,查理大帝为维护教会与德西代里奥交战,德在帕维亚闭关不出,经短暂抵抗后,被俘,查理大帝获胜,将德囚禁于科尔比亚(Corbia)修道院,最后,德瘐死院中,隆哥巴尔迪王国历经二百零六年后也随之灭亡。诗中提及公元773—774年查理大帝获胜的事,是为了说明旧罗马帝国与新神圣罗马帝国之间在权利上的连续性;尽管查理大帝只是在公元800年才被宣布为神圣罗马帝国皇帝,但从他为维护教会时起,就成为象征帝国的"老鹰"的代表,就被上帝注定为恢复和管理帝国的人。近代注释家托马塞奥、隆巴迪就曾指出,早在公元800年之前,教皇阿德里亚诺一世(Adriano I)就赋予查理大帝以"选举教皇和安排传教地址的权力以及享有帝王的尊严"。关于"牙齿"的说法取自《旧约·诗篇》第三篇第七句:"他(上帝)就要掴他们的脸,打掉他们的牙齿";第五十七篇第四句:"我被猛狮包围,他们的牙齿锋利如矛箭";第一百二十四篇第六句:"那没有让敌人用牙齿吞吃我们的主是当受称颂的。"

(54)"那一帮人"指归尔弗派和吉伯林派分子。"在上面"是指本首第31—33句。

(55)这里的"祸根"是指各城镇、各地方、各王国之间发生的种种斗争和战争。

(56)这里的"一方"是指归尔弗派,他们用代表法国王室的徽记金色百合花作为旗号,来反对象征帝国的"老鹰",而后者本应是众人的共同旗号。法国王室当时在意大利的利益是由霸占那不勒斯的安茹家族代表的。

(57)"另一方"指吉伯林派,他们出于一党之私而把"老鹰"的旗号"据为己有"。

(58)"新的查理"是指安茹的查理二世(参见《炼狱篇》第五、七、二十首及有关注释),他于1285年起任那不勒斯王,死于1309年。他曾与归尔弗派一起,反对帝国(即诗中的"老鹰")。

(59)"更凶猛的雄狮"是指比安茹的查理二世更为强大的君主。

(60)这里是泛指的预言,取自《旧约》的《出埃及记》第二十章第五句:"……倘若你们不听从我的话,我就惩罚你们,父债子偿,直到第三四代……"《耶利米哀歌》第五章第七句:"我们的祖先犯了罪,如今已经死了,他们的罪责却要我们承担。"但也有人认为是指安茹的查理二世,即他将要为其父即安茹的查理一世的罪过偿债：因为安茹的查理一世曾从曼弗雷迪手中掠夺意大利南部王国（参见《地狱篇》第十九首及有关注释）。布蒂则认为，安茹的查理二世本身并未遭惩，遭惩的是其子塔兰托的腓力浦，他曾被阿拉贡王（参见《炼狱篇》第三首及有关注释）捕获下狱；还有人认为是指安茹的查理二世的另一子查理·马尔泰洛（Carlo Martello），他死于1295年，未能继承王位。

⑥1这里的“他”指安茹的查理二世。全句的意思是：上帝不会容许罗马帝国权力转入法国王室手中，亦即用金色百合花来取代“老鹰”的旗帜。此句也是朱斯蒂尼亚诺回答但丁问他是何人这第一个问题的结束语。

⑥2朱斯蒂尼亚诺从此段起开始回答但丁所提第二个问题：即他何以被安置在水星。“小小的星辰”即指水星，但丁在《筵席》第二卷第十八节第十一句段中就说：水星是“天上最小的星”。被安置在水星上的魂灵虽在生前做过善事，但他们却是为了追求“声名和荣誉”，换言之，即是指存有私心杂念。

⑥3这里是说，追求声誉是尘世之欲望，这就使人离开了追求最高目的即上帝的道路，使“真爱的光辉”即对神的事物的热爱，遭到削弱，而不能朝上空照耀。关于这类问题，圣托马索在《神学大全》第二卷第二章也有阐述，其中说：有些人“只是为了取得荣誉才做善事或避免邪恶”，这些人不能说是真正具有美德的人。

⑥4这段三行韵诗所阐明的道理与本篇第三首皮卡尔达所说的话相同：即分配到不同星辰的精灵所享受到的天福，是与其功德相适应的。这里的“欢欣”即是指“天福”。因此，这些精灵意识到这种做法是神的完美正义的表现，他们的意志也是与上帝的意志完全一致的，没有什么赏赐上的厚此薄彼之分。

⑥5“强烈的正义”仍指神的正义；“缓和”感情亦即“净化”感情，使之不致产生恶念，嫉妒别的精灵享有更大的天福。

⑥6这里用多声部合唱来形容天堂中享有不同程度的天福的精灵之间在仁爱精神的激发下所产生的感情谐调。波斯科-雷吉奥注释本特别指出：多声部合唱（polifonia）或称为“复调歌唱”，在但丁时期已开始确立自身的地位，逐渐取代了长期在中世纪占优势的教皇格雷高里奥一世（Gregorio I，540—605）所倡导的“格雷高里奥式”（gregoriano）的“齐唱”或单音合唱（omofonia）。

⑥7这里的“宝石”，原文为margarita，意谓“珍珠”，但也泛指“宝石”。这里是指水星。

⑥8罗米欧（Romeo），来自形容词romeo，意谓中世纪赴罗马的朝圣者，其人原名罗米佑·迪·维莱纳夫（Romieu di Villeneuve），曾做过普罗旺斯伯爵莱蒙多·贝伦加里奥四世（Raimondo Berengario IV）的家臣和大总管，大约生于1170年，1250年死在家乡。莱蒙多死后，曾为其女贝阿特丽切（Beatrice）的监护人，并掌管伯爵领地的家产，后贝阿特丽切嫁安茹的查理一世，他则一直管理伯爵领地到去世。但丁时期曾盛行有关他的传说，维拉尼在《编年史》第六章中也有详细记述，所有古代注释家都认为传说属实，但丁也便采纳了此说法：据说，罗米欧原

是一个卑微的、来历不明的罗马朝圣者，被接纳到贝伦加里奥府邸，因他为人聪明能干，诚朴忠厚，甚得伯爵宠信，成为其家臣和总管。他操持伯爵家业，勤勤恳恳，兢兢业业，为伯爵家产收入增加一倍，并在他撮合下，莱蒙多的四个女儿都与王侯结婚。但他的得宠遭人忌恨，向伯爵频进谗言，伯爵信以为真，要他交待账目；他说明情况，证实自身清白后，虽经伯爵再三挽留，却仍坚持离去，去时与来时一样，一贫如洗；他离开普罗旺斯后，不知去向，踪迹全无。罗米欧的不幸遭遇与但丁被诬陷放逐，有不少相似之处，这就使但丁满怀伤感与同情，对待这个人物，因而诗中插入这一情节，看来不是偶然的。

⑲指挑拨他与莱蒙多伯爵关系的人。这里显然是影射莱蒙多伯爵的这些家臣最后终于得到报应：由于他们的恶行，最后从莱蒙多的良政转为安茹家族的暴政：本维努托曾解释说，他们"哀痛地哭泣，经常怀念罗米欧；因为法王和安茹的查理的军官们对他们没有如此善意和慷慨，像莱蒙多伯爵和罗米欧子爵过去对他们那样"；拉纳也说："罗米欧使他们丧失了理性，而法国王室的那些人……则令他们丧失了肉和骨。""走错了路径"是指走上自取灭亡的错误道路。

⑳"拉蒙多·贝林基耶雷"(Ramondo Beringhiere)即莱蒙多·贝伦加里奥。这里说，莱蒙多的四个女儿都做了王后(莱无子嗣)，是指：玛格丽塔(Margherita)，于1234年嫁与法王路易九世；爱莱奥诺拉(Eleonora)，于1236年嫁与英王亨利三世；桑齐亚(Sancia)，于1243年嫁与里卡多·迪·科尔诺瓦利亚(Riccardo di Cornovaglia)，里卡多于1257年，当选为罗马王；贝阿特丽切(见注⑱)，为普罗旺斯伯爵领地继承人，嫁与安茹的查理一世。这些婚姻都是罗米欧一手促成的。

㉑这里是说，出身"卑微"、"居无定所"的罗米欧，作为普罗旺斯伯爵莱蒙多·贝伦加里奥四世的宠臣，除为国家增加一倍收入外，还使伯爵的四个女儿都成为"王后"；"罗米欧"(romeo)一词本身就有原诗所用的"居无定所"(peregrino)之意。尽管有关他的事迹多属传言(维拉尼和古代注释家则认为实有其事)，但丁仍对他满怀"同病相怜"之情，将"传言"采用于诗内。

㉒"要求算账"指令罗米欧汇报管理家产工作状况。"把七加五交给他们，作为十的增长"是指，在罗米欧的掌管下，莱蒙多的家产从"十"增为"十二"("七加五")，意谓增加不少，从而证明罗米欧把莱的家产并未管坏。

㉓这里是指"称道"、"赞扬"罗米欧的宽宏大量和高尚精神，尽管他被人恩将仇报，最后落于乞讨之中。这实际上也是但丁自身的写照：但丁在佛罗伦萨虽施善行，却被本家乡的人恩将仇报；同时，在他被放逐期间，求人援助时，他也能保持坚定的尊严，而不是低三下四，本首正是以这样对自身苦痛经历的影射，结束了有关象征帝国与正义的"老鹰"的壮丽诗篇。

第七首

但丁的疑问(1—24)
化为肉身和基督受难(25—120)
结论(121—148)

但丁的疑问

“和散那,众军的神圣上帝,
你以你那灿烂的光芒高高普照着
这些天界的幸福之火[1]!”
我觉得,那个灵魂就是这样讴歌,
一边随着他的歌声旋转舞蹈,
有两束光辉在他身上相映聚合[2]:
这个灵魂和其他灵魂各自翩翩起舞[3],
几乎像是点点火星跳跃飞速,
他们越跳越远,顿时在我的眼前形迹全无。
我满腹疑问,我在内心里说道,“跟她说罢,跟她说罢!”
我所说的“跟她说”是指说给我的那位贵妇人听,
她能用她那甘甜的水滴,把我的干渴消除干净[4];
但是,那种崇敬的心情把我完全主宰,
单只闻听“贝”和“丽切”[5],

这心情就使我像一个困睡的人那样，把头低垂下来。
贝阿特丽切不忍心见我处于这种状态，
她向我满面堆笑，焕发出夺目的光彩，
这笑容甚至会使受烈火煎熬的人也感到幸福飞来，
她开始说道："根据我那不会有错的看法，
令你产生疑惑的问题是：
正义的报复何以又受到正义的惩罚[6]；
但是，我将会很快就澄清你的心灵；
你要好好地倾听：因为我的话语
会以伟大的真理向你相赠。

化为肉身和基督受难

由于不愿承受于他有利的
那种遏制他的意志力的阻力，
那不是由妊娠而生的人，在伤害自身的同时，也伤害他的所有后裔[7]；
因此，体虚力弱的人类才在多少世纪里[8]，
堕入严重错误的深渊，
直到上帝之子情心乐意降落人间[9]，
在那里，他只不过依靠他那永恒的爱所起的作用，
便把自然之性与他自身融为一体，
而这自然之性又曾从它的造物主身边远远离去[10]。
这种与它的造物主相融
的自然之性，本是完好和纯真，
与它被创造时相同[11]；
但是，出于它本身之过，
它被驱逐出天庭，
因为它离开真理之路，离开它的生命[12]。
因此，倘若把十字架带来的刑罚
与所采纳的自然之性相衡量，

从未有过任何刑罚,能处理得如此公平得当[13];
同样,任何刑罚也不曾有过如此不公平,
倘若观看一下那受刑的人,
而又是在此人身上,结合了这自然之性[14]。
因此,从同一个行动中,产生了不同的事情:
同一个死亡使上帝和犹太人都感到欢欣[15];
因为这死亡,大地震动,苍天开恩[16]。
今后,你不该再感到难以弄懂,
若有人说,正义的报复
后来竟遭公正的法庭严惩[17]。
但是,我看出,思虑重重
结成一团,把你的头脑束紧,
热切期望把这症结释清。
你说道:‘我对我所听到的解释是一清二楚;
但是,我依然感到晦暗不明:
上帝何以只想用这种方式来拯救我们[18]。’
这种旨意,兄弟,在众人眼里,
都是莫测高深,
因为他们的才智都并非在爱的火焰中长成[19]。
然而,既然世人十分注意这个迹象,
却对此了解得微乎其微,
我将说明,这种方式何以更加适当[20]。
神的善心把忌妒之情从自身中剔除干净[21],
它在自身中燃烧着烈火,光芒四射,
把永恒的美丽到处传播[22]。
从神的善心中不凭中介而产生的一切[23],
是那样无尽无穷,
因为当它盖上印章时,它的痕迹也不会移动。
从神的善心中不凭中介而降落的一切,

是那样彻底自由，
因为它们不受那些新的东西的能力左右[24]。
这一切愈是与神的善心相符，因而也就愈是令它欢畅；
因为普照万物的神圣火光，
对愈是与它相像的东西，便照得愈是明亮。
享有这一切馈赠的是属人的造物[25]，
倘若其中一项馈赠短缺，
就必然要降低它的高贵之处[26]。
只有罪孽才是那剥夺它的自由的东西，
使它与至善产生差异[27]；
因此，它得到至善的光照才又少又稀[28]；
它永不能恢复它那尊严状态，
除非填补那罪过造成的空虚[29]，
用正确的痛心思过来对抗那罪恶的欢愉[30]。
你们的自然之性完全是在它的种子中犯下罪愆[31]，
这才使它丧失了这些尊贵特点，
正如使它远离那天堂乐园；
倘若你好好观察仔细，
通过任何道路也无法复原过去，
除非要经过这些途径之一[32]：
要么是单凭上帝宽宏大量，
饶恕罪过，要么是世人依靠自身，
来把他的胆大妄为加以纠正。
现在，你该注目观看
那永恒告诫的万丈深渊[33]，
你该尽力密切注意我的言谈。
世人能力有限，永不能纠正自身，
因为他不能随后谦恭卑顺，
屈身俯就，服从指令，
正如他原先企图傲然挺立，抗命不遵[34]；

这也便是世人何以丧失可能，
102 依靠自身来纠正罪行的原因。
因此，必须由上帝来通过他的路径，
使世人恢复他完满的生命[35]，
105 我说的是使用其中一条，或是两条都一并使用[36]。
但是，一个行动愈是显现
它据以产生的那心灵的善，
108 它就愈是使从事它的那个人感到喜欢，
因此，为世界打上印记的神的善心，
就高兴通过它的所有路径，
111 重新向上扶植你们。
在最后的黑夜与最初的白昼之间[37]，
过去不曾有、或者将来也不会有如此崇高或是如此壮丽的行动，
114 不论是对一条路径而言，还是对另一条路径而言，情况都是这般：
因为上帝大发慈悲，自我牺牲，
使世人能有足够的力量拯救自身，
117 而不是单靠上帝自身来饶恕罪行；
所有其他方式都嫌效力微弱，
无法使正义得到满足，
120 倘若上帝之子不谦卑到化为肉身的程度[38]。

结论

现在，为了充分满足你的渴望，
我还要回到某个问题上，向你宣讲，
123 以求令你把那个问题看得与我一样。
你说道：‘我看到水，我看到火，
我看到空气和土地以及所有这些东西的混合，
126 都会腐朽败坏，而且持续时间不多；

这些东西也都是造物，
倘若所说的全是真理，
那么，它们就本该安然无恙，不致腐败消泯[39]。’
兄弟，天使和你如今所在的净土[40]，
都可以说是完完全全的造物，
正如他们本就是这样的面目；
但是，你所列举的那些元素，
以及由它们混合而成的那些东西，
则是由被造的能力形成的物体[41]。
它们所具有的物质来自创造；
形成物体的那种能力也来自创造，
这能力遍布在这群星的天体，而这些天体又环绕它们转来转去[42]。
神圣光辉的射线和转动[43]，
从那有潜力的复合物中，
摄取每个禽兽和种种植物的灵魂；
但是，至善却是不经中介灌输你们的生命，
它使这生命对它产生如此热恋之情，
以致这生命随后对它也便总是渴求不停[44]。
你也可以由此进一步推论
你们的复活，倘若你重新
考虑一下，人的肉体当初是如何形成，
那时，两位最早的亲属曾使自己成形[45]。”

注释

①本首开头这段三行韵诗是但丁依照弥撒圣歌自行编写的，原文为拉丁文：

“Osanna，sanctus Deus sabaoth，
superillustrans claritate tua
felices ignes horum malacoth！”

“和散那”是赞美上帝的欢呼之词，参见《炼狱篇》第十一首第 11 句和第二十九首第 51 句。superillustrans（“高高普照”）的动词原动式为 superillustrare，波斯科-雷吉奥注释本认为是但丁自造的，因为古典拉丁文和中世纪拉丁文中本无此词，只有 superillustris 一词，且是形

容词,是作为"至为尊敬"的书信称呼。"幸福之火"的"火"(ignes),意谓"光辉",这里是指天使和享有天福的精灵。

②"那个灵魂"仍指朱斯蒂尼亚诺皇帝。这里的"灵魂"一词的原文为 sustanza,本意为"实质",此处是按照哲学上的习惯用法,指"灵魂",即 sostanza spirituale(直译为"精神实质",是与"物质"相对而言的)。古代注释家对诗中的"两束光辉"的解释各有不同。有人解释为:一是上帝的仁爱之光,一是精灵本身(即"幸福之火")所散发的光;布蒂的解释则是:"出于仁爱的热烈之情,一种新的光辉便加在灵魂常有的光辉之上。"本维努托、拉纳和《最佳评注》认为,这两束光辉都发自朱斯蒂尼亚诺皇帝身上,因为"朱斯蒂尼亚诺在天上也发射着两种荣耀的光芒,正如他在人世也有两种光荣一样,这既是由于他有益地汇编种种法律,又是由于他贤明地管理用武器的力量恢复的帝国";在《法学阶梯》(*Istituzioni giustinianee*)的序诗中就指出:"武器和法律是帝国权威的装饰物",即是说,他发射的是"立法者的光芒和武士的光芒"。也有人认为是指"学问之德与武器之德";还有人认为是指享有天福之光和帝王尊严之光:近代注释家中许多人就认为,除享有天福的精灵共有的光辉之外,朱斯蒂尼亚诺与其他精灵不同,他还反射出"帝国权威"之光,或是他作为"法律的汇编和整理者"的光芒。但丁之子彼特罗认为,一是指上帝的光,二是指接受上帝的光芒照耀而反射出来的光,犹如镜子的反射一般。萨佩纽注释本似乎倾向于本维努托等的解释,但又认为,彼特罗的解释也是"值得注意"的;波斯科-雷吉奥注释本则认为,立法者和武士两种光芒的解释"最佳"。"相映聚合"的原文是 s'addua,是但丁用数字 due("二")自创的新词,类似的情况在《天堂篇》中还出现不少。

③这里描述朱斯蒂尼亚诺和其他享天福者"翩翩起舞",原文用的是 a sua danza,萨佩纽和波斯科-雷吉奥两注释本都认为,此说法有两种解释(萨本甚至认为,此说法"不清楚"):一是包括朱斯蒂尼亚诺在内的所有精灵都开始跳起舞来(因为他们的舞蹈一度中断);一是其他精灵的舞蹈是随着朱斯蒂尼亚诺的舞蹈节奏进行的。波-雷本认为,前一种诠释更佳,因为但丁经常把单数的 sua(他的)和复数的 loro(他们的)混用,再者,所有精灵都因享有天福而载歌载舞,而不是有什么"领唱领舞者"(corifeo)。

④这里生动地描述但丁的内心活动,并用滴滴甘泉比作贝阿特丽切的话语,能解决但丁如饥似渴的求知欲。

⑤此句的"主宰"一词,原文是 s'indonna,又是但丁创造的新词,主要描写一个人在女人魅力面前神魂颠倒的"着迷"状态,在但丁的《新生》中也有类似的写法。诗中用单只听到贝阿特丽切(Beatrice)名字的头一个音节"贝"和最后一个发声部分"丽切"(原文为 ice,译为中文,不易理解,故译为"丽切"rice),就使但丁陷于又敬又爱的"昏迷"状态,是十分细腻而贴切的,犹如托马塞奥所解释的,这就像拨动一下某个乐器,立即就令人想起"整首长长的优美旋律"一样。

⑥这里的"正义的报复"指通过耶稣受难,上帝对亚当所犯的原罪进行"报复";"正义的惩罚"

则是指提图斯血洗耶路撒冷，对处死耶稣的以色列人的“惩罚”，详见本篇第六首第 82 至 93 句。

⑦这里的“阻力”是指上帝对亚当的“意志”的遏制和约束（即不让他吃禁果），而这对亚当本身是有利的。“不是由妊娠而生”即是指亚当是上帝创造的，而不是由母体中生育下来的；“后裔”是指全人类。但丁在《论俗语》第一卷第六节第一句就说，亚当是这样一个人，“他没有母亲，也不须喂奶，他既无童年，也不须长大成人”。

⑧“体虚力弱”原文是 inferma，是指肉体上和精神上都十分虚弱的人类，因而会病会死，会犯错误和罪过；这是因为上帝赋予亚当的那种超自然的能力，已经丧失，人类具有了人的本性所固有的腐朽、败坏的能力，正如但丁在《帝制论》第三卷第四节第十四句段中所说的“犯罪的虚弱性”（infirmitas peccati）。

⑨“上帝之子”的“子”，原文是 Verbo，指“三位一体”的第二位，即“圣子”。此用法见于《新约・约翰福音》第一章第一句和第十四句：“未有万物之先已经有了基督，他在太初的时候，就已经与上帝同在，他就是上帝”；“基督成为一个人，住在我们中间，充满了恩典和真理。我们也曾看见他的荣耀，正是父独生子的荣耀”（《圣经》中译本把 Verbo 直接译为“基督”，法译本则用 Parole 一词）。诗句是说，圣子为了拯救人类，情心乐意下降凡尘。

⑩“在那里”指在人世，也有解释为“在玛利亚的处女下腹部”的。“自然之性”（natura）指人性，“永恒的爱”指“圣灵”；这里是说，只是依靠圣灵的能力，基督便把“人性”与自身的“神性”结合起来，“融为一体”，从而化为肉身。诗中特别提及：这“人性”是由于亚当所犯“原罪”而“远离”了上帝（“造物主”）的。这段三行韵诗主要说明，“圣子”是兼备人性与神性的人，圣托马索《神学大全》第三卷就提及这一点：“这种结合是体现在肉身上，而不是体现在本性上。”

⑪这里是说，人性体现在耶稣的肉身上，本是与上帝相结合的，因而是“完好和纯真”，没有罪恶的污迹，就如同上帝所创造的第一个人即亚当身上原有的那种“人性”。

⑫诗句的说法取自《新约・约翰福音》第十四章第六句：“耶稣说：‘我就是道路、真理、生命，没有人是不靠我而可以到父上帝那里去的。……’”

⑬这里是说，基督作为人，是清白无辜的，没有亚当所犯的罪过，但他所采纳的人性，依然属于引起上帝愤怒、必遭惩罚而才能赎过的那种人性，正如但丁之子彼特罗所说，“与神性结合的人性，在那种特殊情况下（即指在耶稣身上）是纯真而完好的，尽管如此，从它的整体来看，则仍是有罪的”，因此，基督受到被钉在十字架上的刑罚，是正义的，是与罪过的严重性相适应的，如诗中所说，是任何刑罚都没有“如此公平得当”的。

⑭这里又用辩证的笔法写出：若考虑到这刑罚是施于像耶稣这样既有人性又有神性的人身上，就没有任何刑罚能像它那样“不公正”了。

⑮“同一个行动”指耶稣受难；“不同的事情”指两种不同的结果：一是使上帝“感到欢欣”，因为这满足了上帝的正义，从而解救了人类；一是使处死耶稣的犹太人“感到欢欣”，因为他们对

一个无辜者发泄他们非正义的仇恨。

⑯根据上注所说的情况,从上帝的旨意来看,耶稣受难是“最高的正义”,也是上帝对人类大发慈悲,使人类有登上天国之可能,如诗中所说“苍天开恩”;而从犹太人方面考虑,他们处死耶稣是犯下滔天大罪,因此,“大地”也为之“震动”(《新约·马太福音》第二十七章第五十至五十一句就说:“耶稣又大喊了一声,就断了气。忽然,圣殿里的幔幕,从上到下裂成两半。只见地动山摇,岩石崩飞……”),这便触动天怒,后来才发生耶路撒冷的被毁和以色列人的流离失所。

⑰“公正的法庭”是提图斯;古代注释家都解释为“合法的罗马法庭”,亦即指罗马帝国鹰旗下的提图斯摧毁耶路撒冷。近代注释家如托马塞奥等则解释为“上帝的法庭”;萨佩纽和波斯科-雷吉奥注释本都认为,应是指提图斯,亦即指上帝的正义,但不该笼统地说是“上帝的法庭”。

⑱“这种方式”是指圣子的化为肉身和受难死亡。这个问题曾是神学家和教会神甫讨论很久的问题,但丁在诗中所提出的解决办法,乃是奥斯塔的圣安塞尔莫(Sant'Anselmo d'Aosta,1033—1109)在这问题上所作的带有转折性意义的答案,后为教会所接受;《神学大全》第三卷谈及此问题。

⑲布蒂曾对此句作过这样的诠释:“凡没有仁爱的热烈之心的人,就不能了解上帝的业绩,而这业绩是全部充满仁爱的。”萨佩纽注释本也据此指出:尤其是因为“救世的业绩是神的爱的最高证明”。

⑳“这个迹象”是问题的这一点。“这种方式”仍指基督化为肉身和受难死亡。

㉑这里是说,“神的善心”完全只有爱,因为它摒弃一切有违仁爱的东西:此说法来自波伊提乌斯的《哲学的慰藉》第三章,其中谈到“摆脱任何忌妒之情的至善”;布蒂曾引公元四世纪新柏拉图主义者卡尔齐迪奥所译的柏拉图《蒂迈俄斯论》(见本篇第四首第49句及有关注释)中的一句话:“这便是至善,任何忌妒之情都从至善中被排除掉。”

㉒这里是说,“神的善心”通过造物,把“永恒的美丽”广为传播,因为造物本身就是一种爱的行动,它表明:上帝希望把自身最美好的东西分配给所有造物。

㉓“不凭中介”原文是 senza mezzo,即意谓“直接地”,没有次要起因:这里所说的上帝直接创造的一切东西,如天使(“智慧之神”)、天体、理性灵魂、低级物质等,能永恒地存在,因为这些造物身上有上帝“盖上”的“印章”,这印迹是永不磨灭、永无变更的(“不会移动”),换言之,上帝直接创造的各种基因是不死、不朽的。

㉔这里是说,上帝直接创造的各种基因,由于不受各天体的次要起因的影响,是“彻底自由”的:诗中之所以把各天体作为“次要起因”,是因为上帝是“首要起因”,与上帝比较,这些“次要起因”便是诗中所说的“新的东西”(cose nove)。

㉕这里的“一切馈赠”是上帝赐予上帝最初所造的人的种种超自然能力:如不死性、彻底自由、与上帝的相符性。

㉖“高贵之处”即是指属人的造物所享有的特殊优惠条件。

㉗人犯了罪，就丧失上帝赐予的自由，也便与上帝不再相符（“与至善产生差异”）。

㉘由于上述状况，上天恩泽之光就很少照在人的身上，换言之，人因犯罪而丧失了神的恩泽。

㉙“尊严状态”与前句的“高贵之处”一样，都是指人所享有的特殊优惠条件；“空虚”指人因犯罪而丧失了善，因而必须通过赎罪来弥补这一“空虚”。

㉚“罪恶的欢愉”是指人在犯罪时所感到的“欢快”。

㉛“自然之性”仍指人性，贝阿特丽切如今已只有“神性”，所以才说“你们的自然之性”。“种子”指亚当，因为他是“人类的种子”。

㉜“这些途径”（questi guadi）实际上是指两条途径：要么是由上帝大发慈悲，饶恕人所犯罪孽；要么则是人依靠自身来悔罪赎罪。下一段三行韵诗正是用来说明这个问题。

㉝这里把神的旨意（“永恒告诫”）比作深不可测的“万丈深渊”。

㉞这里是说，原罪本身就表现在人类狂妄自大，企图上升到上帝的地位，从而使自己变得与上帝一样，兰迪诺曾诠释说：“上帝的崇高是无限的，但是，人们也发现：任何俯身屈就的态度也并未终结。”

㉟这里是说，要使人类充分恢复其原始状态，亦即犯原罪前的状态。

㊱这里所说的“一条”、“两条”都是指解救人类的“途径”，亦即“正义”和“慈悲”，参见注㉜。

㊲“最后的黑夜”指“世界的末日”，“最初的白昼”则指“创世的第一天”，诗句的意思是指创世以来的整个时间：波斯科-雷吉奥注释本说，“世界的全部历史就是起源和终结衔接的一点”。但是，在诗中，为了韵脚，上述两个极点次序颠倒了。

㊳这里的“谦卑”说法取自《新约·腓立比书》第二章第八句：“既然有了人的样子，他（指基督）就自我谦卑，完全服从，甚至于死，而且死在被人视为羞耻的十字架上。”萨佩纽注释本曾引法国十一、十二世纪巴黎圣维托雷修道院的维托雷派代表人物之一里卡多的《论圣子化为肉身》（*De Verbi incarnatione*）第八章的话，来说明诗中的这一概念：“在犯罪时愈是妄自尊大，在赎罪时就愈是要自我谦卑，这是必要的。因为上帝位于理性实质的最高点，而人则位于最低层。当人狂妄自大对抗上帝时，这便是一种企图使自己从最低点提高到最高点的行为。因此，为了赎罪，所要采用的方法就是要从最高点谦卑到最低点，这才是正确的。”

㊴这里贝阿特丽切所引述但丁的疑问即是涉及由上帝直接创造之物与通过“次要起因”而创造之物二者的区别。诗中所说的“空气”和“土地”都是元素，它们的“混合”即是指这些元素在不同程度上混合形成的物体。但丁的疑问在于：既然这些东西都是上帝创造的，本该不致腐朽，倘若如第68句所说，上帝“不凭中介”而创造的一切都是“无尽无穷”的。

㊵“净土”的原文是 paese sincero，根据本维努托的解释，即是指纯净而没有混杂之物的天体。波斯科-雷吉奥注释本曾进一步注释说：“天体的‘物质’不是上述四个元素（水、火、空气、土地）的物质，而是纯净而透明的（即第五个基因）。”

㊶“被造的能力”（creata virtù）即是指天体，其所形成的物体，即是指受各重天体影响下、亦即

通过“次要起因”而形成的物体,换言之,不是上帝直接创造的。此段三行韵诗中的“元素”一词,佩特罗基注释本用 alimenti(本意为“食品”),据他说,该词有“元素”之意,是十三、十四世纪语汇中十分普遍的形式,波斯科-雷吉奥注释本沿用此词;萨佩纽注释本认为,但丁在这一部分十分讲究修辞的诗句,似乎不可能脱离拉丁文原有形式,故仍采用 elementi。

㊷这里是说,各天体是环绕水、火、空气、土地等范围旋转的。波斯科-雷吉奥注释本就此解释说:依照当时的科学概念,每个元素都有各自的范围(土地、水、空气和火都有自己的范围),而各重天体则是在这些范围之上运转的;因此,上帝“不凭中介”创造了天使和天体,在其之下,万物都是在天体影响下通过中介而创造出来的,这也便是它们之所以会腐朽败坏的缘故,相反,除天使与天体外,原质和人的灵魂也是上帝“不凭中介”创造的,因而也是不会腐朽败坏的。

㊸“神圣光辉”指星辰。“有潜力的复合物”(complession potenziata)是指有“成形”潜力的物质,正是从这一物质中,在天体的影响下,产生了禽兽与植物的灵魂,这种灵魂与上帝直接创造的人的灵魂不同,是哲学上所说的“感觉灵魂”和“植物灵魂”,是由“次要起因”造成的,因而是会腐朽败坏的。

㊹这里是说,上帝作为“至善”把人的灵魂直接灌注到肉体中去,从而使灵魂对上帝本身产生“热恋之情”,总是渴望与其造物主汇合一起,这也便是人的灵魂不死的原因。诗中的“生命”即是指人的灵魂。

㊺这里是说,从灵魂不死也可进一步推论“肉体的复活”。“两位最早的亲属”即是指亚当和夏娃,他们原是上帝直接创造的,并赋有永远不死的特殊优惠条件,但因犯原罪,失去这一条件,经救世主即耶稣基督的牺牲,则又有可能恢复这一条件,因此,目前肉体的腐朽性只是“暂时”的,待到世界末日,人的肉体仍会复生,与灵魂重新结合起来。

第八首

金星天（1—30）
查理·马尔泰洛（31—84）
人之天性（85—148）

金星天

世人曾往往相信她有这样的危险：
那美丽的塞浦利妮亚把狂热的爱照射人间，
而她自身则在第三层天轮中旋转[1]；
因此，旧日的人们曾犯下旧日的错误，
不仅向她顶礼膜拜，供奉祭品，
发出许愿立誓的呼声；
而且他们还供奉狄奥妮和丘比德，
这位是她的生母，那位是她的亲儿[2]；
他们还说什么后者曾在狄多的小腹部前落座[3]；
我正是从她身上开始我的讴歌，
旧日的人们也是从她那里把这颗星辰的名字取摘，
而太阳则时而从后边，时而从前面向她献媚求索[4]。
我并未发觉已登到她的身上；
但是，我的那位贵妇却使我确信已来到那星辰之上，因为我见她变得更加美貌非常[5]。
正如从火焰中看到火星点点,
正如从声音中辨出声音相伴[6],
这时,一个声音静止下来,另一个声音则时隐时现,
我从她的光芒当中,看到有其他光辉闪闪,
它们在旋转飘动,有快有慢,
我想,这是根据它们的内在视力的强弱深浅[7]。
凡是看到那些神光向我们迎面而来的人,
都从未见过从寒冷的云雾中如此迅疾地降下阵风,
这阵风或是可见,或是无形[8],
竟像是不受阻碍,而且急不容缓,
把原来在那些崇高的撒拉弗所在之处[9]
开始的旋转动作撇开一边;
在最前边出现的那些神光里面,
响起“和散那”的歌声,那歌声是如此婉转,
以后我绝不会不想再听一遍。

查理·马尔泰洛

这时,有一位走近我们[10],
他单独开言道:“我们都已准备好,
讨你的欢心,使你能通过我们而感到高兴。
我们在这里与天国的普林西们一起旋转[11],
在同一层天轮,用同一种旋转节奏,抱同一种渴求[12],
你早在人世间就曾对他们言谈:
你们是用智力推动这第三重天[13];
我们都如此充满热爱,为了令你喜欢,
即使略微停顿,也不会变得不够温馨[14]。”
我把我那尊重的目光投向我的贵妇人,
于是,她便使这双目光
变得因为她而感到欣慰和自信[15],

并且转向那如此满怀热情的光芒[16]，
“请问，你们是何人[17]？”
这便是我那洋溢十分亲切之情的声音[18]。
当我说话时，我看到那光芒
因为新的喜悦而变得多么更加扩大，更加明亮，
这新的喜悦似乎在随着它原来的喜悦而增长！
它变得如此之后对我说：“我在尘世只活了很短时光；
倘若我能活得更久，
本不会有后来发生的许多祸殃[19]。
我的欢乐把我遮掩，使你无法得见[20]，
它从我的周身放射光芒，同时也把我隐藏，
使我几乎就像被自己的丝裹住的那个动物一样[21]。
你曾十分钟爱我，而且你这样做很有道理；
因为倘若我仍活在人世，我本会向你
远不只用枝叶表示我的爱意[22]。
那道被罗讷河冲洗的左岸
——此时，罗讷河已与索尔加河混成一片[23]，
还有那奥索尼亚的角尖[24]
——那里建成巴里、加埃塔和卡托纳等重镇[25]，
从那里，特隆托河和维尔德河流入海中[26]，
这两个地方都久已企盼我来做它们的主人[27]。
那片土地的王冠早已戴在我的额上[28]，
而多瑙河在舍弃德意志的悬崖绝壁之后，
就在这片土地上流淌。
那美丽的特里纳克里亚浓烟弥漫，
在帕基诺和佩洛罗两角之间，
俯瞰那经受来自欧罗的更大困扰的海湾[29]
——这滚滚浓烟并非出自提弗俄斯，而是出自新生的硫磺，
这个地方也本会仍然期望，
从我身上衍生的查理和里道夫的后代成为它的国王[30]，

这两个地方都久已企盼我来做它们的主人。(第八首第63行)

倘若那一直在折磨子民的劣政
不曾把帕莱摩推动，
促使它发出‘死吧，死吧！’的吼声[31]。
倘若我的兄弟对此有先见之明[32]，
他早就该躲避加泰洛尼亚的那帮既贪又穷的人[33]，
以求这不致给他带来伤损；
因为不论他还是别人都确实应当采取有力措施，
不要在他那负荷很重的舟楫，
装载更多的东西[34]。
他的本性竟是从宽厚中传得悭吝[35]，
因而才需要这样的军人：
他们并非一心只想把钱装进箱中[36]。”

人之天性

“正因为我相信，我的大人，
你的言谈话语给我注入莫大欢欣，
这欢欣被你看出，恰与我的所见相同，
而你是从那一切善的开始与终结之处一眼看明[37]，
这令我感到格外高兴；而且我还珍惜这种感情，
因为你是在注视上帝的同时，把它看清。
你使我感到庆幸，从而使我变得眼亮心明，
因为你用言语促使我产生这样的疑问：
甜蜜的种子怎能把苦果结成[38]。”
这便是我对他所说的话；于是，他对我说：
“既然我能向你指出一个真理，
你就将面向你所提的那个问题，正如现在你背向它[39]。
善使你登上的整个天国不住旋转，快乐无比[40]，
它使它的旨意
变成这些伟大天体中的能力[41]。
在那本身臻于完美境界的脑海中[42]，

不仅安排好种种天性，
而且随同天性，也安排好它们的命运；
因此，不论这张弓射到什么东西，
它也必定落到安排就绪的结局，
正如射出的箭必然中的[43]。
倘若并非如此，那么你所行走的天体
就会产生这样的效果：
这效果不会是技艺，而是废墟[44]；
这样的事不可能发生，
倘若推动这些星辰的智慧并无缺陷，
有缺陷的则是原动者，是它使这些智慧不曾达到完美之境[45]。
你是否希望，把这个真理进一步向你说明？”
我于是答道：“当然不必；因为我认为，在那必须做到的事情上，自然之物
不可能疲于迈步[46]。”
于是，他又说道：“现在，你说说看：世上的人若不是文明的人[47]，
这是不是再糟不过的事情？”
“是的，”我答道，“在这个问题上，我不要求论证[48]。”
“但他能成为这样的人么？倘若在世间，由于职能不同，
各自的生活不是以不同的方式进行[49]。
不能，倘若你们的老师为你们写得很清。”
他一直把推论进行到这里；
接着，作出结论：“因此，产生
你们结果的那些根源也应不同[50]：
因此，一个生为梭伦，另一个生为塞尔瑟，
再有一个生为麦基洗德，还有一个生为那个：
他在凌空飞翔时，把儿子失落[51]。
自然的旋转是打在世人的蜡上的印章[52]，
它很好地运用它的技能，
却不把这一家和那一家加以区分[53]。

因此，才有这样的事情：
以扫从种子中就与雅各产生差异[54]；
魁里诺来自如此无足轻重的父亲，有人竟将他归于战神[55]。
被生育的天性总是会走
与生育者类似的路径，
倘若神的意旨不占上风[56]。
现在，原来位于你后面的问题，已位于你的前面[57]，
但是，为了让你知道，我从你那里获益匪浅[58]，
我还愿意向你提出一个结论，把内容增添[59]。
倘若天性发现命运与它本身不相协调，
它就总是要遭殃，
犹如任何其他种子离开属于它的地方[60]。
倘若世人在凡尘
考虑天性所奠立的基础，
根据这基础而行事，那就会是善良的人们[61]。
但是，你们却硬要使生来本该腰系宝剑的一个人
去献身宗教，而又使本该布道传经
的一个人去称王为君：
这一来，你们的行程就错走了路径[62]。”

注释

①“第三层天轮”即指第三重天，亦即“金星天”。有人曾认为，真正的天堂只是从第八首，亦即从金星天才开始，因此，前两重天就是“天堂外界”（Antiparadiso），这正与《地狱篇》中有“地狱外界”，《炼狱篇》中有“炼狱外界”一样，其原因在于：他们总是想从诗篇的结构上探讨“类似”和“对称”之处，波斯科-雷吉奥注释本认为，这种看法的“依据”是“薄弱”的；但也有一些人认为，“天堂外界”也应把金星天包括在内，另有一些人则认为，在头两重（或三重）天与其他几重天之间，是隔裂开来的，因为这头两（三）重天还掺杂着“尘世”的东西，波-雷本认为，这种看法也不足信，但其依据并不像前一种看法那样薄弱。

诗中的“她”是指金星，亦即爱神维纳斯；“塞浦利妮亚”（Ciprigna）是维纳斯的别名，来自她的出生地塞浦路斯岛（Cipro）。这里的“危险”，是指在异教盛行时期，人类有自取灭亡之“危险”，因为他们“陷于偶像崇拜的危险谎言”，拉纳、佛罗伦萨无名氏等都作这样的解

释;布蒂、《最佳评注》和兰迪诺等则认为,这是指"不承认真正的造物主是有理性的产物,那就不能不陷于危险,遭到谴责"。

本首一开始就表明但丁随贝阿特丽切已来至第三重天(同样,未描述登上新的一重天的过程);前四段三行韵诗,即从第1句至第12句,可视为全首的"序诗":一方面,批判异教对爱神(即"金星")的错误认识,把她看成是把"狂热的爱"(folle amore)亦即"肉爱"洒向人间,其实,金星天"照射人间"的爱,是如但丁在《筵席》第二卷第五节第十三至十四句段中所说的"来自圣灵的爱"的"仁爱";另一方面则为全首的更重要的主题(集中在后一部分,即从第85句开始)作了铺垫:天体对人的天性的影响。

②这里所说的"旧日的错误"即是指崇拜偶像、信奉多神的异教:异教徒不仅把爱神灌注世人的心灵的爱看成是肉爱,并由此而供奉祭祀她,用她的名字命名星辰,而且还把她的母亲和儿子也作为供奉对象。狄奥妮(Dione)为天神(Etere)与地神(Terra)之女,为宙斯的情人,与宙斯生下维纳斯;"丘比德"(Cupido),即生有双翼、手持专射情侣的弓箭的小爱神;"丘比德"为拉丁文,相当于希腊的"爱罗斯"(Eros),为维纳斯与玛尔斯或伏尔甘(参见《地狱篇》第十四首及有关注释)所生之子,其兄弟为婚礼之神伊梅尼奥(Imeneo),妹妹为美丽欢乐之女神(Grazie),其女伴有"沉醉"(Ebrietà)、"竞争"(Contesa)、"恶感"(Inimizie)、"焦虑"(Angosce)诸神,其情人为心灵女神普西凯(Psiche)。

③这里引述了维吉尔《埃涅阿斯记》第一章中的一个情节:即维纳斯派遣她的儿子丘比德化作埃涅阿斯的儿子阿斯卡尼奥斯(Ascanio)的模样,坐到狄多(参见《地狱篇》第五首及有关注释)的怀中,并别有用心地燃起狄多对埃涅阿斯的热恋之火;但丁在《筵席》第二卷第五节第十四句段中谈及金星天对世人的影响时也提到这一情节:"因为古人发现,那重天是向尘世灌输爱情的起因,他们于是便说,爱神(指丘比德)是维纳斯(即金星)之子,正如维吉尔在《埃涅阿斯记》第1章所证明的……奥维德在《变形记》第五章也对此作了证明。"

④诗句的意思是:金星出现的时间,随不同时期而有早有晚:在晚间出现时,被称为"埃斯佩罗"(Espero),在早晨出现时,被称为"卢齐菲罗"(Lucifero):前者是在太阳之后,因而说太阳"从后边"追求她,后者是在太阳之前,因而说,太阳"从前面"追求她;但丁之子彼特罗对诗中的coppa("后边")和ciglio("前面")都注释为是指太阳的后一面和前一面,即:"太阳时而从自己后面看到它(金星),时而从自己前面看到它",但也有人认为是指金星的后一面和前一面的:因为金星在地球与太阳中间运转,它总是看到太阳的同一面,而太阳则可以从两方面看到它。诗句中的关系代词che,也与上述情况一样难以确定:因而可以作两种解释:或诠释为代表作为"主语"的太阳,或诠释为代表作为"宾语"的太阳(后一种诠释就应是金星追求太阳了);萨佩纽和波斯科-雷吉奥两注释本都采用前一种诠释,尽管多数注释家都倾向于后者,萨本认为,前者更符合托勒密天文体系的情况。波-雷本还指出,金星虽有几种不同名称,但古代早已知悉"埃斯佩罗"和"卢齐菲罗"都是指金星,这也便促成了有关天轮的理论(金星沿着同一个天轮公转两次)。但有些近代注释家误解:金星在早晚间的出现是在同一

天,其实,正如但丁在《筵席》第二卷第二节第一句段中所说:“金星在它的圆周(即天轮)中,依照不同时期,正是这圆周使它在晚间和早间出现。”诗中用动词“献媚求索”(vagheggiare)是十分生动的,是指追求女人,而太阳用自身的光芒,从前后照射金星,犹如追求金星一般。

⑤这里是说,贝阿特丽切随着逐渐向天国上升,容貌焕发出日益鲜明美丽的光彩,这也便成为但丁发现自身来到新的更高一重天的唯一标志(因为上升的过程都已略去了,而且上升的速度之快,令人无法察觉)。

⑥这里用视觉和听觉来描述金星天的状况:在总的金星光辉背景下,有不少光芒在活动,犹如“火焰”中的“火星点点”;同时又从声音中“辨出”还有其他声音“相伴”,反映出一种复调乐曲的动人情景,也是天堂固有的一种“统一中的多样化”现象。

⑦这里的“光辉闪闪”是指来到金星上的享天福者魂灵。波斯科-雷吉奥注释本指出:从这重天起,但丁就不再看到享天福者的人形,他们都显现为一团团光芒,只是到了净火天,才能又辨认出人的形象。“内在视力”(viste interne)是指这些享天福者觐见上帝的不同程度;换言之,这些享天福者的动作快慢,从外部表现出他们享有天福的程度,而从内部来看,这程度又是与他们觐见上帝的程度相吻合的,后者则又占主导地位。

⑧这里用从“寒冷的云雾”中迅疾降下的阵风来对比“迎面而来”的享天福者的“神光”的不可思议的速度。“可见”的“阵风”可能是指“燃烧的蒸气”,亦即闪电或流星,“无形”的“阵风”则可能是指真正的风或旋风;这种说法都来自亚里士多德的物理学:这些“可见”或“无形”亦即“不可见”的阵风都产生于干热的蒸气与“寒冷的云雾”的碰撞,即是说,当“干热的蒸气”上升到大气层的第三界中时,遇上“寒冷的云雾”,前一种与之摩擦,燃烧起来,成为“可见”的闪电;后一种则根据兰迪诺的说法,因为在晴空中,或未曾燃烧,就无法看见,而成为“无形”。也有人认为,“可见”的“阵风”也是指肉眼可以看到其结果的“阵风”,如树叶的摇动,尘土的飞扬。

⑨“崇高的撒拉弗”(alti Serafini)指六翼的上品天使,是天使中最高级的,但丁认为,他们是推动第九重天即原动天旋转的智慧之神,他们与享天福者一起都居于天国,并位于最靠近上帝之处。但萨佩纽和波斯科-雷吉奥两注释本对此句的诠释略有不同:萨本认为,各天体围绕不动的地球所做的旋转运动首先来自撒拉弗所推动的原动天,这些前来迎接但丁的享天福者的旋转动作也便依照推动金星天的天使动作而进行,这也是本维努托的诠释,但它认为,这种旋转运动早在净火天即天国中就开始了,一直继续到降临金星天,此刻见到但丁,才中断。波-雷本则认为,这种旋转运动最初始于原动天(因为撒拉弗所推动的正是原动天),一直到金星天为止;它认为,大部分注释家把“那些崇高的撒拉弗所在之处”诠释为“在净火天”是不妥的:这是因为享天福者在天国中都是静坐在各自的座位上,觐见上帝,根本谈不上舞蹈,除非设想,他们只是离开静谧的天国之后才开始旋转的。

⑩这个精灵即是安茹的查理·马尔泰洛(Carlo Martello d'Angiò),详见注⑲。

⑪“普林西”原文为Principati,意谓“王子”,为“三品天使”,又称“统权天使”,在诗中是用智慧

推动第三重天运转的天使,这是但丁根据希腊的杜内修·亚略巴古(Dionigi Areopagita,死于公元95年)的理论写出的。

⑫这里是说,这些精灵在禀性上是受金星天影响的(本首后一部分将详细阐述此问题),因而处于与司管第三重天的天使完全相同的条件:在同一个空间,用一种舞蹈节拍,抱同一种对上帝的渴求。

⑬此句原文用斜体,因为是但丁在《筵席》第二卷第五节第十三句段中评论的一首歌曲的开头部分;但这时,但丁所指的司管第三重天即金星天的天使不是Principati(普林西),而是依据大格雷高里奥(Gregorio Magno,540—605)的次序划分,指另一些"三级天使",即Troni(德乐尼,意谓"宝座"),只是在写《神曲》时,他才开始遵循杜内修·亚略巴古的理论。

⑭"略微停顿"是指暂时停止歌舞,以便与但丁讲话。诗句的意思是:对上帝的渴慕使这些精灵载歌载舞,但这并不排除他们对邻人的热爱,并从中得到营养,得到新的力量,与这种爱融为一体(萨佩纽)。

⑮这里是说,但丁见贝阿特丽切默许而从眼光显示出"欣慰"和"自信"。

⑯"满怀热情的光芒"指与但丁讲话的精灵,即查理·马尔泰洛,因为他热情地主动要满足但丁的求知欲。

⑰此句问话,萨佩纽和波斯科-雷吉奥两注释本都用:Deh, chi siete?,意谓"你与其他灵魂",但许多手抄本都把提问的语气词Deh("喂"或"请问")写成dí("说一说"),从而成为dí,chi siete?;另有一些人认为,此句应为单数,即但丁只问的是查理·马尔泰洛,故用dí,chi sé tu?。

⑱这里诗句有意强调但丁与查理·马尔泰洛的谈话要涉及二人的友谊问题,尽管但丁尚不知对方是何人。

⑲查理·马尔泰洛自我介绍说,他很早就离开人世,因为他生于1271年,死于1295年,年仅二十四岁。他是绰号"跛子"的安茹的查理二世(Carlo d' Angio lo Zoppo)和匈牙利王斯特潘五世(Stefano V)之女玛丽亚(Maria)所生的长子。他曾娶德国皇帝哈布斯堡的鲁道夫(Rodolfo d'Asburgo)之女克莱门扎(Clemenza)为妻,生有一男一女:儿子查理·罗贝托(Carlo Roberto),又简称为"卡罗贝托"(Caroberto,有"亲爱的罗贝托"之意),曾任匈牙利王;女儿克莱门扎(Clemenza),后嫁与法王路易十世。1292年,查理·马尔泰洛在其舅拉迪斯劳四世(Ladislao IV)死后,曾被选为匈牙利王(因其母将匈牙利王权转让与他);因他去世过早,未能继承安茹家族的其他王位:如普罗旺斯和那不勒斯王国。1294年,查理·马尔泰洛前往佛罗伦萨会见由法返意的双亲,约在佛市停留二十天左右。当时欢迎安茹家族这位亲王的佛市代表团由佛市白党首领贾诺·迪·维埃里·德·切尔基(Giano di Vieri de'Cerchi)率领,成员可能有但丁,因而但丁可能正是在此时与查理·马尔泰洛结识的,并由于彼此对文学志趣相投,结成深厚友谊;查理·马尔泰洛在开始谈话时引用但丁在《筵席》所评论的一首歌,也可证明二人感情甚笃。维拉尼在《编年史》第八章中对查理·马尔泰洛访问佛市,曾有详细记载,提及佛市市民接待他十分隆重,而他对佛市市民的热爱也赢得"大家的欢迎"。

诗中所提“祸殃”可能是指查理·马尔泰洛之父,特别是其弟罗贝托(Roberto)所实施的“劣政”,下面第76—84句以及第145—148句较详细地陈述了这个问题。

⑳这里的“欢乐”指查理·马尔泰洛所享有的天福,这表现为包拢在他周身的光辉,因而但丁无法把他认出。

㉑这里又用蚕(“那个动物”)被茧(“自己的丝”)所包裹的生活实例来比喻光芒笼罩查理·马尔泰洛。

㉒这里用“枝叶”比作“言语”,亦即是说,查理·马尔泰洛若在人世活得更久些,本会不仅用“言语”,而且还要用“行动”、亦即用与“枝叶”相对的“果实”来表达他对但丁的深厚感情。

㉓从本段三行韵诗起,一连数段,都用委婉曲折的笔法描述地理环境,从而表达出自亲王口中的一种高雅修辞风格:首先描述的是位于罗讷河左岸的普罗旺斯;索尔加河(Sorga)系普罗旺斯的一条小河,靠近阿威农,是罗讷河左面的一条支流。

㉔奥索尼亚(Ausonia)即意大利,是诗人与作家赋予意大利的古称。“角尖”(corno)系指意大利南部的极点,亦即指那不勒斯或普利亚王国,那里几乎呈一三角地带,即包括巴里(Bari)、加埃塔(Gaeta)、卡托纳(Catona),它们分别位于亚得里亚海、第勒尼安海和爱奥尼亚海的滨海之处。

㉕“建成……重镇”的原文是s'imborga,该动词又是但丁自创的词汇,由名词borgo(城镇)变来,对此词有两种解释:布蒂认为是指市镇,另有人认为是指德语的burg(城堡),因为当时,巴里和加埃塔都曾是城堡,卡托纳今日为位于卡拉布里亚大区南端的一乡村,当时则筑有一瞭望塔,曾是安茹的查理一世及其盟友招兵买马、准备于1282年进攻西西里之地,归尔弗派军队有运输船只八十艘曾在此地被焚毁。近代注释家波雷纳主张解释为“市镇”,即那不勒斯王国的外围城镇,地理位置重要。

㉖特隆托河(Tronto)为位于马尔凯和阿布鲁佐两大区的河流,全长九十三公里,东流入亚得里亚海,曾为那不勒斯王国北部与教皇管辖的拉齐奥地区接壤的边界线;维尔德河(Verde)可能即是萨科河(Sacco)、利里河(Liri)或加里利亚诺河(Garigliano),该河流入第勒尼安海,与特隆托河一样,当时都标志那不勒斯王国的北部边界:二河西与拉齐奥地区划分开来,东则与马尔卡·安科尼塔纳(Marca Anconitana,属马尔凯地区)划分开来。但丁在描述地理位置时,是擅用河流来说明的。

㉗普罗旺斯与那不勒斯或普利亚王国都是安茹家族的势力范围,查理·马尔泰洛作为安茹的查理二世的长子,本该继承王位的,但他却死于其父之前:其实,其祖父安茹的查理一世于1285年死后,查理·马尔泰洛就掌管普罗旺斯和那不勒斯王国,因为安茹的查理二世当时在西西里晚祷起义中被俘,但查理·马尔泰洛年幼,由一摄政委员会辅佐治理,因而其君主地位只是名义上的;1289年,安茹的查理二世获释,重掌王国,查理·马尔泰洛又早逝,因而诗中说,两地“久已企盼我来做它们的主人”。

㉘“那片土地”指匈牙利。1290年,匈牙利王拉迪斯劳四世去世,因无嗣,王位归于外甥查理·

马尔泰洛,1292 年在爱克斯(Aix)举行加冕,但查理·马尔泰洛并未在场,因此,查理·马尔泰洛实际上并未真正掌握王权。诗中说多瑙河在“舍弃德意志的悬崖绝壁之后,就在这片土地上流淌”,是指该河离开奥地利之后便流入匈牙利。

㉙“特里纳克里亚”(Trinacria)即西西里,犹如奥索尼亚指意大利一样,这里用此罕用之词来“美化”诗句;“帕基诺角”(Pachino)即今“帕塞罗角”(capo Passero,或称“麻雀角”),“佩洛罗角”(Peloro)即今“法罗角”(capo Faro,或称“灯塔角”)。上述三词可能取自奥维德《变形记》第五章和维吉尔《埃涅阿斯记》第三章,但“特里纳克里亚”一词也许是但丁有意影射这一史实:即安茹家族在西西里晚祷起义中被腓特烈·德·阿拉贡(参见《炼狱篇》第三首及有关注释)战败,1302(1303?)年,不得不与腓特烈签订卡尔塔贝洛塔(Caltabellotta)和约,承认腓特烈为“特里纳克里亚”即西西里的国王,安茹家族则名义上为“西西里”国王,直到腓特烈去世。诗句说“特里纳克里亚”被浓烟笼罩,并非由于神话所说,是从被宙斯用雷电劈死后葬于此处的巨人之一提弗俄斯(参见《地狱篇》第三十一首及有关注释)口中喷出的“烟雾”,而是由于“新生的硫磺”,即从埃特纳火山(Etna)喷出的硫磺岩浆。诗中所说的“海湾”即今卡塔尼亚海湾(golfo di Catania),在中世纪,意大利半岛被描绘成从西北方向东南方倾斜,西南方有第勒尼安海,东北方有亚得里亚海,因此,布蒂曾指出:sinus Adriaticus 即当时被称作“威尼斯湾”(golfo di Venezia)的“亚得里亚海”,常被人与爱奥尼亚海混为一谈,该海一直绵延到西西里的东海岸;萨佩纽注释本认为,诗中的“海湾”即是指西西里东面的那带海面,波斯科-雷吉奥注释本还指出,由于第勒尼安海和亚得里亚海分别位于西南方和东北方,当时就认为,是墨西拿海峡(stretto di Messina)把二海相连起来的。诗中 的“欧罗”(Euro)指东南方;“更大困扰”则是指从撒哈拉吹向地中海的“焚风”即西洛可风(Scirocco)。

㉚这里的“查理”指查理·马尔泰洛的祖父安茹的查理一世,曾实际统治西西里,正是由于他的“劣政”,引起西西里晚祷起义;“里道夫”(Ridolfo)指查理·马尔泰洛的岳父德王哈布斯堡的鲁道夫一世(见注⑲),1287 年,查理·马尔泰洛与其女克莱门扎结婚,而双方的家族早在他们年幼时就订下这门婚事,据说,其政治意义十分重大,正如近代注释家托马塞奥所说,这门婚事“把吉伯林派的血液与归尔弗派的血液结合在一起”了,曾使人们对消弥两派斗争抱有很大希望。波斯科-雷吉奥注释本指出,这里有一个费解之处一般未被发觉:即查理·马尔泰洛谈及普罗旺斯、意大利南部和匈牙利时,只谈他自己,而此时述及西西里时,却又只提及其“后代”。该注释本认为,查理·马尔泰洛的谈话意在说明:倘若没有西西里晚祷起义,“我和我的后代”本可维持对西西里的统治,仍意谓第一人称,而从上下文看,但丁是不认为,西西里会仍由安茹家族来控制,而他也确实不曾看错。

㉛这里引述的正是西西里人民发动晚祷起义,反对安茹的查理一世的暴政:帕莱摩是西西里首府,1282 年 3 月 30 日,由于一名法国士兵在复活节星期一的晚祷时分为非作歹,激起帕莱摩居民愤慨,发动了反对安茹家族统治的武装起义,维拉尼在《编年史》第七章中曾有详细描述:“所有的人立即群聚城内,男人们武装起来,高喊:‘让法国人去死吧!’”专门从事西西里

晚祷起义史实研究的著名西西里历史学家米凯莱·阿马里(Michele Amari,1806—1889)曾指出,但丁准确地把握住起义的人民性,而不像有些近代史学家认为的那样,把它说成是有利于实现阿拉贡家族的“野心”的反安茹家族的阴谋政变。

㉜“我的兄弟”指查理·马尔泰洛之弟罗贝托(见注⑲);“先见之明”指对施行劣政的后果有所预见或考虑。罗贝托于1309年继其父任那不勒斯国王,大诗人彼特拉克对他十分赞扬,近代史学家也认为,他并非像但丁在诗中所写的那样贪婪、吝啬,而这种评价则来自古代编年史家、注释家和诗人,尤其是拥护归尔弗派的人,甚至赞美他的维拉尼在《编年史》第十二章中也不得不承认,“后来他开始衰老了,贪婪也便毁了他”,意在设法减轻他的“贪婪”程度。

㉝对此句的 avara povertà di Catalogna,主要有两种不同诠释:一是认为是指罗贝托本人,即是说,他贪婪成性,如同一个加泰洛尼亚人一样;一是认为是指由他提拔的一些加泰洛尼亚的朝臣,他们用苛捐杂税,重利盘剥臣民,从而激起人民的愤慨,因此,此段三行韵诗是与前段三行韵诗叙述安茹的查理一世的“劣政”引起西西里晚祷起义,是相呼应的。持这种看法的有《最佳评注》、本维努托、布蒂乃至维拉尼等,当时一些史料也证明,这些外籍军官和雇佣士兵行为不轨;萨佩纽注释本及大部分其他近代注释家,如前所注,也都赞成这一说法,他们依据的是,某些古代注释家称:1288—1295年间,罗贝托曾作为人质,囚禁在阿拉贡的阿尔封索(Alfonso d'Aragona,参见《炼狱篇》第七首及有关注释)处,以赎回被俘的父亲安茹的查理二世;就在此期间,罗贝托与加泰洛尼亚一些贵族结成友谊,后又把他们带回那不勒斯,为他们加官进爵,委以重任,而他们则残酷盘剥压迫罗的臣民。波斯科-雷吉奥注释本不同意上述诠释,而主张把此句作上述第一种解释,因为:一,说罗贝托重用这些加泰洛尼亚的朝臣不符合事实,编年史料只提及有西班牙一些亡命徒组成的加泰洛尼亚军队,即“阿尔莫加维里分子”(Almogaveri),而并未提及有什么朝臣;二,罗贝托作为“人质”被隔离,况且年纪太小(他生于1278年),本不可能与加泰洛尼亚一些贵族结交。该注释本提及:早在安茹的查理一世起,那不勒斯王国就雇用一些加泰洛尼亚军队(维拉尼《编年史》第八章有此记载),其中有两名指挥官是受罗贝托雇用的,一名迪耶哥·德·拉·拉特(Diego de la Rat),一名吉贝尔托·德·桑蒂利斯(Gilberto de Santillis),此二人都以“贪得无厌”著称。此外,该注释本还提及,诗中的“早该躲避”(già fuggeria)也不宜解释为是指罗贝托身边的加泰洛尼亚宠臣,而应指:查理·马尔泰洛告诫罗贝托从此时起就该摆脱贪婪与吝啬,不然就会遭到“伤损”;但丁的天堂之行是在1300年,罗贝托也不可能在九年之后才将“躲避”他的“既贪又穷”的加泰洛尼亚朝臣(他是1309年才继任国王的)。关于“既贪又穷”的说法,本维努托曾作过较透彻的诠释:“贫穷会使人盗窃和掠夺,贪婪则会使人想方设法去寻求形形色色不合法的收入。”

㉞萨佩纽注释本对此句的诠释是:当时,那不勒斯王国已因罗贝托的贪婪陷于困境(“负荷很重的舟楫”),罗本人或其他人都应想尽办法,不要在他的贪婪上再加上加泰洛尼亚朝臣们的“贪得无厌”(“装载更多的东西”),否则“舟楫”就要倾覆了。波斯科-雷吉奥注释本则认为,

理解这段三行韵诗的困难倒不在于文字含义，而是在于编年史上的说法不一：即有人认为，罗贝托是“贪婪成性”的，近代历史学家则否认这一点，况且，罗只是1309年才登基的，而查理·马尔泰洛的谈话却是在1300年。它还就此进一步指出：有人试图消除编年史上的这种“不一致”，认为查理·马尔泰洛的谈话是带有预言性的，因为他作为“享天福者”，能从上帝身上预见未来，这在但丁笔下是司空见惯的，但诗中所述，并非如此，因此，许多评注家才感到“困惑”。波-雷本还指出：用“舟楫”来比喻国家，是历来通用的隐喻写法。

㉟对此句的诠释也各不相同：萨佩纽注释本认为，罗贝托的本性从上辈的“宽厚”继承下来（“传得”）的却是“悭吝”，而这上辈的“宽厚”本性仅能是其父安茹的查理二世的，但《炼狱篇》第二十首却把安茹的查理二世激烈地谴责为“贪婪”；它提及法国近代注释家佩扎尔（Pézard）曾认为，此句应诠释为罗贝托从其“祖辈”的宽厚本性上“传得”吝啬、猥琐的本性，而罗的祖先中只有安茹的查理一世以“慷慨大度”而享名，但丁对此人的评价也不那么严厉，但毕竟应把此句理解为对《炼狱篇》第二十首乌哥·卡佩托对法国王室的谴责的“继续”和“补充”，“奇怪的似乎是：它竟间接地否认了法国王室的最突出的特点之一（即“贪婪”）”。波斯科-雷吉奥注释本认为，应将此句理解为：罗贝托身上缺乏一个做过国王的灵魂本应具有的政治品质，即“慷慨”与“宽厚”，它提及布蒂、《最佳评注》、但丁之子彼特罗都曾认为，安茹的查理二世对其子民仍是十分宽厚的，“但是，罗贝托国王则在这方面，脱离了他家人的作风”。波-雷本还指出，从这段三行韵诗起，为本首论述人的天性的第二部分作了铺垫。

㊱这里的“军人”，原文为milizia（本意为“民兵队”或部队），萨佩纽注释本解释为盘剥臣民的官员，即加泰洛尼亚朝臣，波斯科-雷吉奥注释本则认为是指自安茹的查理二世起就用钱买动的“雇佣军”。

㊲“一切善的开始与终结之处”是指上帝，即是说，查理·马尔泰洛是从上帝身上看出：但丁听到他所讲的一番话之后感到“莫大欢欣”，正如但丁从自己身上看出的一样，因而但丁无须用言语表达出来；但丁之所以感到“格外高兴”，是因为他由此得知，他的朋友此刻已成为享天福者了。

㊳这里是说，但丁的疑问产生于把这位朋友的话与《圣经》的话作了对比：即后者曾说，“好树只会结好的果实，而不会结坏果；坏树只会结坏的果实而不会结好果”（见《新约》的《马太福音》第七章第十七至十八句；《路加福音》第六章第四十三句、《雅各书》第三章第十一至十二句也有类似的话）。因此，这里是指：好的祖先怎能生长出坏的后裔。

㊴这里用“面向”和“背向”来说明、比喻把问题从“尚未弄懂”到“弄懂”：即是说，你就将“弄懂”（“面向”）那个你现在“尚未弄懂”（“背向它”）的问题，因为“面向”意谓把问题“看个仔细”，而“背向”则意谓把问题“看不到眼里”。

㊵“善”即是指上帝。

㊶这里是说，上帝使他的意旨变成这重重天体本身的影响人世的能力，即是说，上帝是通过重重天体的影响，把自己的意旨间接地传达、贯彻到人世的。

㊷“本身臻于完美境界的脑海”指神的脑海;“命运”是指不同天性所注定要达到的目的和结局。关于上帝通过各天体的影响来间接地实现这一意旨的理论,在《神曲》中多次提及,这是但丁神学思想体系中的一个组成部分。

㊸这里又用“射箭”来比喻天体射出的箭必然要射中上帝事先安排好的结局即箭靶:诗中的“弓”即指各天体影响下界的能力,“不论射到什么东西”即指不论把什么东西注入人的天性之内。

㊹“技艺”是指像从事艺术工作那样有条不紊的、按理性行事的东西,“废墟”则是指混乱不堪、非理性的东西;诗句的意思是:若是天体的影响不是事先由上帝的意旨安排好的,那么一切就会乱了套,对世人也会极为有害,而这样的假设是不可能的,是荒谬的。

㊺这段三行韵诗是继续前段的推论,说明何以这种假设是“荒谬”的理由:因为果真如此,那就证明:推动天体(“星辰”)运转的“智慧”即天使是完美无缺的,而有缺陷的却是“原动者”即上帝,因为他使这些“智慧”未臻“完美之境”。关于各天体对人的天性的影响,波斯科-雷吉奥注释本曾作了较详细的介绍,指出,中世纪的一些思想家认为,九重天体各有专门的天使来司管,因而天使亦分成九级,但九级的划分,随不同的思想家而有差异,但丁本人在《筵席》第二卷第五节第六句段所遵循的九级次序,在《神曲》中就有所改变,改为依照杜内修·亚略巴古的理论来划分(参见注⑬),九级的顺序是:Angeli(天使)司管月球天,Arcangeli(天使长)司管水星天;principati(普林西,即统权天使或三品天使)司管金星天;Potestà(波特塔,德威天使)司管日球天;Virtù(德能天使)司管火星天;Dominazioni(德权天使)司管木星天;Troni(德乐尼,三级天使)司管土星天;Cherubini(基路伯或知识天使)司管恒星天;Serafini(撒拉弗或六翼天使、上品天使)司管原动天。

㊻此句的意思是:“自然之物”不达到为它安排好的目的,绝不罢休。这一思想出自亚里士多德的《论灵魂》第三章,其中说:“自然之物不会徒劳无益地去做任何事情,也不会在必须做到的事情上望而却步。”但丁在《筵席》第四卷第二十四节第十句段、《帝制论》第一卷第十节第一句段及第二卷第六节第二句段中都曾论述这一经院哲学思想,尤其是在《水与陆地问题》(*Quaestio de aqua et terra*)第四十四句段中曾这样写道:“应当知道,普遍的自然之物绝不会放弃其目的;因此,虽然特殊的自然之物有时由于物质的不顺从,放弃其所追求的目的,然而,普遍的自然之物是绝不能逃避它的意向的。”布蒂认为,诗中所说的“自然之物”(natura),既包括“创造自然之物的自然之物”(natura naturante),即上帝,也包括“被创造成自然之物的自然之物”(natura naturata),即各种造物。

㊼“文明的人”原文为cive,即今civile,在这里是指愿意生活在一个以文明方式组织起来的社会中的人。

㊽这里涉及的问题也是亚里士多德最常见的思想之一:即“人就其天性来说是文明的动物”(也有译为“政治的动物”、“合群的动物”的),参见《政治学》第一卷第一节第二句段;但丁在《筵席》第四卷第四节第一句段和第二十七节第三句段、《帝制论》第二卷第七节第三句段中曾多

次论述此问题。

㊾这里再次涉及亚里士多德《政治学》中的另一条定理：即生活在一个文明社会里，要求各人具有不同的禀性和职能（该书第一卷第一节第二句段，《论灵魂》第三章第九句段中也有论述）；但丁在《筵席》第四卷第四节第一至二和第五句段也提及此问题。诗中的"老师"显然是指亚里士多德。

㊿这里是说，既然世人在社会生活中要有不同职能，每个人的身上也就必然要有不同的禀赋（"根源"），以便能实践各自的特有活动（"结果"），而这些"禀赋"或天性，首先是受天体影响所制约的，换言之，人的不同倾向都是由天体影响所决定的。

51梭伦（Solone，公元前640？—前558）：雅典著名立法家、哲学家、战略家、诗人；曾任雅典九大执政官之一，于公元前594年负责改革雅典宪法，削减贵族特权，容许公民依所拥地产多少担任国家职务。著有不少哀歌，其中最著名的为洋溢爱国热情的《萨拉米纳》（*Salamina*），至今存留该哀歌的片断。

塞尔瑟，即波斯王塞尔瑟一世（Serse I，公元前485—前465年在位，《炼狱篇》第二十八首曾提及他），据称曾率五百万大军征服埃及；曾侵占希腊，火焚雅典城；公元前480年，在萨拉米纳（Salamina）战败，被迫撤军。后被其近卫军队长阿尔塔巴诺（Artabano）杀害篡位。

麦基洗德（Melchisedech），撒冷（Salem，即耶路撒冷）的祭司和国王，与亚伯兰（即亚伯拉罕，参见《地狱篇》第四首及有关注释）同时，《旧约·创世记》第十四章第十八句曾提及他：亚伯兰大败基大老玛，奏凯荣归，所多玛王到王谷来迎接，"至高无上的祭司撒冷王麦基洗德也带着饼和酒出来相迎……"

"在凌空飞翔时，把儿子失落"的"那个"是指戴达罗斯，参见《地狱篇》第十七首及有关注释。

本段的意思是：上述这些人之所以分别成为立法家、骁勇善战的国王、至高无上的祭司和能工巧匠，都是因为这是他们各自的天性和禀赋决定的。

52"自然"（natura）在这里是指作为"次要起因"的天体影响（"首要起因"是上帝）。全句的意思是：天体在旋转的同时，把各自的能力像"印章"打在"蜡"上那样，印在世人身上，赋予他们不同的天性和禀赋，使他们从事不同的职能。

53"运用技能"是指各天体可以完成其按照既定的结局分配给世人的禀赋和职能的任务。"把这一家和那一家加以区分"是指各天体在完成上述任务时却不能考虑世人出生的所属环境和家族。

54这里借用《旧约·创世记》第二十五章叙述以撒的一对孪生兄弟以扫和雅各本性不同来论证上段三行韵诗所提出的论点：即以扫与雅各在其母怀孕期间（"从种子中"）就在天性上"产生差异"，《创世记》曾指出："两个胎儿在她腹中彼此纠缠。"

55"魁里诺"（Quirino）为罗马第一位国王罗莫洛的别称（参见本篇第六首注㉑），其生身父亲为一牧羊人（"如此无足轻重的父亲"）；公元前715年，他被元老院所杀，为掩人耳目，佯称他被战神玛尔斯掠到天上;“魁里诺”一词即意谓战神玛尔斯,因他出身低微,与其身为君主不相称,故罗马人即用萨宾语,称其为“魁里诺”,与其父战神玛尔斯一样,亦为“战神”。

(56)这里是说,儿子的天性总是与父亲一样的,但一旦二者有所不同,那是由于天意造成的:即上帝通过天体影响使父子在天性和倾向性方面产生不一致,换言之,是“神的意旨占了上风”,否则,则是神的意旨未占上风。此思想也是圣托马索《神学大全》第二卷第二章的观点:“在自然物体中,被生育的物体形式总是在某种程度上沿袭生育的物体形式。”

(57)此句与第96句的含义一样,意谓但丁此刻已把问题看清、弄懂。

(58)此句再次暗示查理·马尔泰洛与但丁的亲密关系:查理·马尔泰洛对与但丁谈话感到十分高兴,因为这对他是有益的。

(59)这里用动词ammantare,本意是在衣服上加上一件大衣或斗篷,简言之,即是补充一点结论。

(60)这里是说,如果天性发现“命运”使之处于与它不相协调的外部条件,它就要“遭殃”:犹如种子播种在不适于它生长、发展的土壤之中,换言之,如果硬要取消世人的天性,亦即让他违背自己的天性而行事,其结果对他本身乃至对社会都会是很坏的。

(61)“基础”意谓“倾向性”,即天性使人具有的倾向性。“善良的人们”意谓“有作为的人们”,因为他们能按照天性赋予他们的任务而行事,他们的行动会取得成果。

(62)“腰系宝剑”是指天性倾向于从事军旅生涯的人,特别是指佩带宝剑的国王形象。古代注释家认为,此处所举的两个人是查理·马尔泰洛的两个兄弟:一是卢多维科(Lodovico),一是罗贝托(见注㉜)。前者出家为僧,后成为土鲁斯主教,1317年死后不久,还被封为“圣徒”;后者则继任王位(见第76—84句)。依照但丁的看法,前者理应成为国王,因为他为人比罗贝托强,而罗贝托则是不适于作为国王的,从本首诗中提及他之处,可见一斑。但也有人认为(其中包括萨佩纽注释本),卢多维科皈依教门,充当修士,本是他真正的天性,因为他信奉方济各会是广为人知的。至于罗贝托,他对于神学研究的兴趣,也是众所周知的,并且作为“文化人”,曾得到彼特拉克、薄伽丘、维拉尼等人的赞许:维拉尼在《编年史》第十二章中就称他为“极其伟大的神学大师和至高无上的哲学家”;据说,他作为国王,曾有兴趣著述许多布道文,至今传留下来的有二百八十九篇,并曾是由他亲自在宫廷中朗诵的。波斯科-雷吉奥注释本认为,但丁在诗中用“布道传经”一词是带有讽刺、轻蔑意味的;它还引述十四世纪归尔弗派讽刺诗人法伊蒂内利(Faitinelli)所写的一首政治十四行诗,其中称罗贝托为“懒惰的国王”,说他“时而布道传经,时而念诵晨祷经和三时经”,认为这是对本段诗句“最好的评注”。

但丁通过查理·马尔泰洛之口提出的这最后一点结论性的补充,显然是他认为十分重要的:即人生在世,只可顺天性而动,不然其后果是不堪设想的,广而言之,不可逆天意而行,因为“天性”本身是上帝通过天体影响而赋予世人的,顺逆天性实际上也即是顺逆天意的问题,这正是贯串《神曲》的一个重要思想。

第九首[1]

查理·马尔泰洛的预言(1—12)
库妮查·达·罗马诺(13—36)
库妮查的预言(37—63)
马赛的佛尔凯托(64—108)
喇合(109—126)
对贪婪僧侣的谴责(127—142)

查理·马尔泰洛的预言

美丽的克莱门扎啊,你的查理[2]
在澄清我的疑问之后,又向我讲述
他的后裔必将遭受的骗局[3];
但是,他却说:“你要缄默,且让岁月流过[4]。”
这样,我如今也只能提及
继你们的损失之后将会激起的顺乎天理的哭泣[5]。
这时,那神光包拢的生命已经转向太阳[6],
那太阳在把它充分照亮,
正如那至善足以满足万物的愿望[7]。
唉,受骗的灵魂和罪孽的造物啊,
你们竟然使心灵背离这样的至善,

竟然抬起你们的双鬓，仰望那过眼云烟[8]！

库妮查·达·罗马诺

看，那些光芒中又有一个向我走来，
从那明亮的光辉外射中，
显示出它有意令我感到欢快。
原来一直凝视着我的贝阿特丽切的双眼
像方才一样使我确信：
她对我的渴望表示亲切的赞成。
我说道，“喂，幸福的精灵，
请快些让我如愿以偿，并向我表明：
我可以从你那里得到我所考虑的那个问题的反映[9]！”
于是，我还不曾相识的那个光芒，
从它方才歌唱的亮光深处，立即对我言讲[10]，
就像一个人乐善好施一样：
“在那腐败的意大利国土的那带地方[11]
——它位于里阿尔托岛
与布伦塔和皮亚瓦两河的泉源之间[12]，
矗立着一座小山，这山并不高耸挺拔[13]，
从那里曾有一束熊熊火炬冲下[14]，
对这带地方大肆掠抢烧杀。
从一个根子上生下我和它：我名叫库妮查[15]，
我在这里发光闪烁，
是因为这颗星辰的光辉曾战胜我[16]；
但是，我原谅造成我的命运的起因，
正是它使我享有天福，而且这也并不令我苦痛，
对你们这些凡夫俗子来说，这也许显得令人难懂[17]。

库妮查的预言

这更靠近我身边的明亮

而又珍贵的我们天国的宝石之光[18]，
曾把卓著的声名留在世上；
在这声名消逝之前，这第一百个年头还要把五倍增添[19]：
你可以看一看，是否应当成为出类拔萃之人，
使前世能让后世留传[20]。
如今住在以塔利亚门托河和阿迪切河为界之地的人群[21]
并不考虑这一点，
他们也不为受到打击而后悔万分[22]；
但是，由于这些人抗拒履行职责，
这样的事将会为期不远：
帕多瓦将把沼泽地中浸润维钦察的河水改变[23]；
而在西莱河与卡尼安河结伴合流的地方[24]，
此人在称王称霸，趾高气扬[25]，
别人则早已为捕捉他而布下罗网。
菲尔特罗将会为它那狠毒的牧者的背信弃义而哭泣[26]，
这种背叛行为将是如此严重，
甚至无人曾因犯有类似罪行而进入地牢之中[27]。
接受那些斐拉拉人的鲜血的木桶
将会过大，那个一两一两地称量鲜血的人
也将会累得腰酸背痛，
这个慷慨大度的僧侣将赠送的正是这样的礼品[28]，
为的是显示他为党派效忠[29]；
而这样的赠品也将会符合这个地方的生活民情[30]。
在上面，是一副副明镜，你们说是德乐尼[31]，
判断善恶的上帝通过那里将光辉普照我们；
这就使这些话语也因而显得真实可信[32]。”

马赛的佛尔凯托

说到这里，她沉默不语；她那表情令我感到，
她是把心思转到其他地方，

因为她又开始婆娑起舞，像方才一样。
另一个快乐光辉，我已注意到它就像一件珍贵之物[33]，
这时则在我眼前闪烁，
犹如一颗纯真的红宝石被太阳照射[34]。
它在天上获得光辉，因为它享有天福，
正如在人间，因幸福而满面笑容；
但在尘世，外在形影也会面色阴沉，因为它心情悲痛[35]。
我说道，“幸福的精灵，上帝看到一切，
而你的视线也渗透在他身上[36]，
以致任何欲望都不能在你面前躲藏。
上天总是用那些虔诚的火光[37]
使你的声音变得欢快异常，
而这些火光又把六只翅膀变成僧装，
那么，你为何不用这样的声音满足我的愿望？
倘若我是你，正如你是我一样[38]，
我早就不会等待你提出要求再讲。”
于是，他开始说出他的话来，
“在那最大的谷地里，环绕陆地
的那片海洋的海水流出，四下冲击[39]，
这谷地在两带对峙的海滩中间[40]，
逆着太阳，向前伸展[41]，
在原先形成地平线的地方，构成子午圈[42]。
我就是这片谷地的海边生人，
就在埃布罗河与马科拉河之间，
后一条河有一段短短的流程，使杰诺维塞与托斯卡诺离分[43]。
布杰阿与我出生的那片土地[44]
几乎处在日落日出同一个时辰[45]，
而我的那片土地曾用它那鲜红的热血，把海港烘热染红[46]。
这带居民称我佛尔科[47]，
对他们来说，我的名字是尽人皆知；

这重天有我的痕迹，正如我生前也有过它的痕迹[48]；
因为贝洛斯的女儿也并不比我更加热情似火[49]，
——她曾给希凯斯和克雷乌萨带来辱没[50]，
我那似火的热情一直燃烧到适于我的发色的时刻[51]；
罗多佩山的女人也不如我[52]，
她曾因德莫封特斯而灰心丧气，
阿尔西德也不如我，尽管他把伊奥莱紧锁在心里[53]。
我们并不因此而在这里后悔不已，而是满面笑意，
我们并不后悔所犯罪孽，因为它不再返回我们的记忆，
而是欢庆所得的德能，因为它把一切都安排和准备就绪[54]。
在这里，我们观看那技艺在如此有效地把万物装点[55]，
还可以看清那善，
正是根据它，上面的世界才使下面的世界运转[56]。

喇合

但是，为了充分满足
你在这重天产生的所有愿望，
我还应当继续往下讲。
你想知道在这光芒当中的究竟是谁：
这光芒就在我这身旁，如此闪烁明亮，
犹如阳光射进清水中央。
现在，你该知道，喇合就在那里面，恬静安详[57]，
她已会合到我们这一层次，
她所打上的印迹最为辉煌[58]。
她在基督的胜利解救其他灵魂之前[59]，
就被接纳到这重天[60]，
正是在这重天，你们人世投下的阴影形成它的尖端[61]。
把她留在某层天体是恰到好处[62]，
这就证明那伟大的胜利，
而这胜利曾用这个和那个手掌来夺取；

这是因为她曾协助约书亚
在圣地获得首战告捷的光荣[63]，
而教皇对圣地已记不甚清。

对贪婪僧侣的谴责

你的城市是那一个所种的树木：
他起初曾背叛他的造物主[64]，
他的嫉妒心引起多少滚滚泪珠[65]；
正是这个城市制造和散发那该诅咒的花朵[66]，
把绵羊和羊羔引到歧路之上，
因此，才把牧者变为恶狼[67]。
由于这个，福音书和教会大师才被束之高阁，
只是热衷把《宗教法规》钻研透彻[68]，
从这些书页的边缘也可看出钻研心热。
教皇和枢机主教所追求的正是这个[69]；
他们的心思不朝拿撒勒特去想[70]，
而加百列曾在那里张开翅膀[71]。
但是，梵蒂冈和罗马的其他精选地区[72]，
都曾是追随彼得的
那批士兵的葬身之地[73]，
这些地方很快就会把那通奸行为清除出去[74]。"

注释

①本首是全诗中风格上最为精雕细琢的诗篇之一，其中多次运用拉丁语表达方式和但丁自行创造的新词，加之，人物众多，情节跌宕，用韵罕见，语气多变，形象精细，结构复杂，都显示了但丁笔下的功力和特色。

波斯科-雷吉奥注释本认为，本首是《神曲》中少数可以确有把握地判断撰写日期的诗篇之一，因为其中述及1314年至1315年发生的史实，这证明，本首写于这些事件发生后不久，总之，是写于这两年中间，萨佩纽注释本也有类似的看法。

②古代注释家对诗中的"克莱门扎"有两种解释：一是说她是指查理·马尔泰洛的妻子（但丁之子彼特罗、本维努托、塞拉瓦尔），一是说她是指查理·马尔泰洛的女儿（拉纳、布蒂、佛罗伦

萨无名氏、兰迪诺);持后一种说法的人认为,查理·马尔泰洛的妻子在其夫去世不久就死去(1295 年),因此,但丁不可能在诗中呼叫她,这里应指当时仍活在世上的女儿克莱门扎,她嫁给了法王路易十世,于 1328 年才逝世;持前一种说法的人则认为,从诗中的语气和内容看:如用"你的查理",称查理·马尔泰洛的"后裔"将遭受"骗局",赞克莱门扎"美丽"等,只能证明这适用于查理·马尔泰洛之妻,而与其女关系不大,况且,但丁本人可能于 1281 年时结识过克莱门扎,当时,她路过佛罗伦萨前往那不勒斯与查理·马尔泰洛完婚,时年十三岁,而诗中特别提及"美丽的克莱门扎",这一方面说明但丁曾见过她(据说,当时她曾受到佛市居民的欢迎),另一方面也表明诗人对她年轻早逝(终年二十七岁)的惋惜。萨佩纽和波斯科-雷吉奥两注释本都主张采用前一种解释。

③这里的"后裔"是指查理·马尔泰洛之子查理·罗贝托;"骗局"是指:查理·罗贝托按长子权原应继承的那不勒斯王位,被其叔罗贝托所篡夺;尽管罗贝托继任王位是 1296 年由其父安茹的查理二世确认的,并经教皇博尼法丘八世的赞同,然而,但丁仍认为这是罗贝托采取的一种诈骗行为。据说,1309 年,查理·罗贝托曾就此提出抗议,却遭当时的教皇克莱蒙特五世的否决。

④这里是指但丁对于查理·马尔泰洛的预言要保持"缄默",不可泄露天机,从而显示查理·马尔泰洛的预言的神秘不可测。

⑤"损失"是指罗贝托篡夺其侄的王位,从而给查理·马尔泰洛及其妻带来的"损失"。"顺乎天理的哭泣"(pianto giusto)意谓理应得到的惩罚或报应,这里可能是指 1315 年蒙特卡蒂尼战役(Montecatini)中,罗贝托及佛罗伦萨归尔弗派军队大败,罗贝托之弟彼特罗(Pietro)和其孙卡洛托(Carlotto)阵亡;有人据此推断:本首诗可能写于 1315 年 8 月之前,萨佩纽注释本还认为,不可能再靠前,因为下面第 46—48 句所涉及的史实,是发生在 1314 年,而但丁本人致枢机主教们的信件也是 1314 年写成的,其中一些观点和语句都反映在本首第 133—135 句中(详见有关注释)。

⑥"生命"(vita)在这里指"魂灵";"太阳"则指上帝。

⑦这里是说,上帝作为"至善",是无穷尽的,可以满足一切事物的要求。

⑧"受骗"在此意谓被世间财物引入歧途;抬起"双鬓"即是指抬起头或头的上部再或前额,在诗中可理解为抬起脸或下巴或视线,这也是但丁惯用的"转喻"(metonimia)笔法。"过眼云烟"(vanità)指尘世间诸如荣华富贵等一切虚妄的东西。

⑨这里把精灵比作一面镜子,但丁的思虑可以从中反映出来,而无须但丁用言语来表达。

⑩这里是说,方才从精灵周身散发的光芒的深处曾唱出"和散那"的歌声(见本篇第八首第 28—30 句),这时则立即转为向但丁谈话。

⑪这里的 terra prava italica 是指整个意大利国土都已腐败,而不是像有些注释家所说,是指波河-威尼托平原。"那带地方"大致是指马尔卡-特雷维加纳(Marca Trevigiana),包括维罗纳、帕多瓦、特雷维索(Treviso)、巴萨诺(Bassano)、菲尔特雷(Feltre)、贝卢诺(Belluno)等市;十

至十三世纪曾为科林斯(Corinzia)公国的意大利部分,其后又为僭主埃泽利诺·达·罗马诺(Ezzelino da Romano)家族的领地,该家族属吉伯林派。

⑫这里,但丁又用他惯常的笔法,用河流、山脉等地理位置暗示马尔卡-特雷维加纳:里阿尔托岛(Rialto)是威尼斯众岛屿中最大的,威尼斯本身就建立在该岛上,是该市的最古老、最重要的核心地区,直到十一世纪为止,威尼斯市也被称为"里沃阿尔蒂市"(Civitas Rivoalti);布伦塔河(Brenta)为意大利北部的河流,全长一百六十二公里,《地狱篇》第十五首曾提及它,皮亚瓦河(Piava)即皮亚维河(Piave)为威尼斯的河流,全长二百二十公里,二河的发源地为特仑蒂诺(Trentino)和卡多雷(Cadore)两地区的阿尔卑斯山麓(布伦塔河来自瓦尔苏加纳阿尔卑斯山 Alpi della Valsugana 的二湖:卡尔多纳佐湖 Caldonazzo 和莱维科湖 Levico,皮亚维河则来自卡尔尼凯阿尔卑斯山 Alpi Carniche),故马尔卡-特雷维加纳的地理位置是南有威尼斯共和国的领土,北有阿尔卑斯山麓。

⑬此山即罗马诺山(colle di Romano),该山距巴萨诺·德尔·格拉普(Bassano del Grap)四公里,山上建有埃泽利诺家族祖传的城堡。该山约比周围平原高出八十来米,故"并不高耸挺拔"。

⑭"熊熊火炬"(facella)在这里比喻僭主埃泽利诺三世(Ezzelino III),即《地狱篇》第十二首所说的暴君"阿佐利诺"。据说,他曾把他的残暴统治超越马尔卡-特雷维加纳地区范围,扩及威尼托大部分地区,直至特伦托(Trento)和曼图亚。用"火炬"形容为非作歹、涂炭生灵的人最初见于希腊神话:特洛伊王后赫枯巴就曾在生育帕里斯时梦见生下一束熊熊火炬;关于埃泽利诺三世,也曾有类似的传说;但丁之子彼特罗在特雷维索居住时就曾收集到这样的传闻:"埃泽利诺的母亲在临近分娩时曾梦见生下一束熊熊燃烧的火炬,这火炬把整个马尔卡-特雷维加纳烧成一片火海,这正是他施行他那可怖的暴政所做到的。"

⑮"从一个根子生下"即是指由"同一对父母"所生:父为埃泽利诺二世,母为阿德拉伊德·德利·阿尔贝蒂·迪·曼哥纳(Adelaide degli Alberti di Mangona)。

库妮查(Cunizza)为马尔卡-特雷维加纳僭主埃泽利诺·达·罗马诺二世和阿德拉伊德的最小女儿,其兄即是达·罗马诺家族最臭名昭著的埃泽利诺三世和特雷维索僭主阿尔贝里科(Alberico)。她生于1198年左右,1279年死于托斯卡纳。1222年,她嫁给维罗纳僭主里查多·迪·圣博尼法丘(Rizzardo di San Bonifacio),这是一桩为消除达·罗马诺与圣博尼法丘两大家族不和的政治婚姻;后游吟诗人索尔戴洛(见《炼狱篇》第六、七、八首及有关注释)因热恋她而把她虏走,两家重又陷于不和。她与索尔戴洛同居数载,此时,索已被逐出达·罗马诺宫廷。根据帕多瓦史学家罗兰迪诺(Rolandino)于1260年所写的《编年史》(*Cronica*),库妮查又爱上了特雷维索的骑士、法官恩里科·达·博维奥(Enrico da Bovio),并与他私奔,双双长期流窜在外,花天酒地,后又返回特雷维索,直到博维奥被人暗杀。1253年后,据说她又在里查多·迪·圣博尼法丘死后,与维钦察伯爵内梅里斯·迪·布雷甘泽(Nemeris di Breganze)结婚,随后与一维罗纳人结婚。据罗兰迪诺记载,她嫁给维罗纳人是在埃泽利诺三世死后，即在1259年后，此时，她已年近花甲，波斯科-雷吉奥注释本认为，这可能失实。1260年后，达·罗马诺家族势力衰落，据1265年和1279年史料证明，她迁居佛罗伦萨，专心从事慈善事业。1279年，她曾立遗嘱，将其财产留给亚历山德罗·德利·阿尔贝蒂伯爵（见《地狱篇》第三十二首及有关注释）的几个儿子。萨佩纽和波斯科-雷吉奥两注释本都估计，但丁可能在年轻时见过她，她当时已年纪衰迈，献身于慈善、宗教工作。古代注释家对她的生活作风几乎都有不少微词，只有本维努托对她作出不同的评价，说她“的确是维纳斯的女儿，因为她一直追求爱情，但与此同时，她又是虔诚的，善良的，慈悲为怀的，对穷苦人充满怜悯之心，而她的哥哥则对这些人是残酷虐待的”。看来，本维努托道出了但丁在诗中对库妮查的处理的用意。

近代注释家中有人对但丁选择“声名狼藉”的库妮查以谴责马尔卡-特雷维加纳的做法感到不解，波斯科-雷吉奥注释本曾就此指出：库妮查出身反对教皇的吉伯林派家庭，其先人埃泽利诺·达·罗马诺又曾是神圣罗马帝国皇帝腓特烈二世的积极拥护者（只是在腓特烈二世死后，达·罗马诺家族才施行暴政，反对帝制），因此，它同意近代注释家波雷纳的说法，认为尽管此说“有一点夸张”，却肯定有一定真理：即“如果库妮查的两位兄长即埃泽利诺（三世）和阿尔贝里科，不是那么凶残的暴君的话，也许对他们的地区执行死刑的角色该由他们两位来扮演。正是他们的恶劣行径使但丁让这位妹妹享受天福”。

⑯这里是说，在库妮查生前，金星天的影响在她身上曾居主导地位。

⑰“造成我的命运的起因”（la cagion di mia sorte）系指金星天的影响使库妮查遭受的际遇，亦即最初因天生的追求恋情倾向，使之陷于肉欲的激情，后则走上正轨，成为仁爱和对上帝的爱，正是这种爱，使她如今得以“享有天福”，即使被安排在较低的层次，也“并不感到苦痛”。这里，库妮查再次显示出天国中享天福者的共同心理：尽管待遇有所不同，但都是享有天福，追求共同的神圣目的，因而毫无怨言。这对于习惯评价世间事物的凡人来说，是费解的。

⑱这里是指另一束光芒，它散发着“珍贵”宝石般的“明亮”光辉：诗中的“宝石”，原文为gioia，本意有“快乐”和“宝石”两种含义，萨佩纽和波斯科-雷吉奥注释本都注为gioiello即“宝石”；看来诗中有意用此词表示该精灵生前人品出众，这从下句即可看出。这里的“靠近……身边”和“明亮”，原文分别为propinqua和luculenta都是拉丁文表达方式。

⑲“把五倍增添”的原文为s'incinqua，是但丁从数字“五”cinque中自行创立的新词，下面还有几个。这里是说，在该精灵的声名从人世间消逝之前，还要再过“五百年”（“第一百个年头”的“五倍”）。诗中之所以说“第一百个年头”，是因为冥界之行是在1300年，即正是一个世纪的最后一年。

⑳这里的“前世”指尘世，“后世”则指死后时间，亦即死后流芳百世之意。这里的“留传”一词，原文为relinqua，本意是“留下”，又是一个拉丁文表达方式。近代注释家对于此两句涉及尘世声名的诗竟出自享天福者之口，感到有些“奇怪”，因为《炼狱篇》第十一首第100—101句曾把尘世声名比作“阵风”，波斯科-雷吉奥注释本就此指出，这也正是“向但丁真正认为必须

指出的问题自然而又必要的过渡”,即揭露马尔卡-特雷维加纳的腐败,同时又更好地说明:在但丁笔下,库妮查主要是起“诗人所关心的伦理-政治问题的作用”的。

㉑这里又用水文角度暗示马尔卡-特雷维加纳地区:塔利亚门托河(Tagliamento)属威尼斯和乌迪内两地的河流,全长一百七十公里;阿迪切河(Adice),即阿迪治河(Adige,见《地狱篇》第十二首及有关注释);两条河流分别从东、西方将马尔卡-特雷维加纳地区界定下来。这里即是指该地区的居民(“人群”)。

㉒诗中的“打击”意谓天谴、神的惩罚,这里影射暴君统治和战乱灾祸。

㉓这段三行韵诗是库妮查向但丁所做的第一个预言:即由于马尔卡-特雷维加纳居民不愿履行本身原应承担的拥护帝制、消弥党派斗争的职责,帕多瓦人(代表该地区的居民)用自己的鲜血染红了位于维钦察附近、由巴基利奥内河(Bacchiglione,参见《地狱篇》第十五首及有关注释)淤积的沼泽地里的河水。诗句可能是指 1314 年 12 月 17 日,帕多瓦归尔弗派与安茹家族组成的联军攻击维钦察吉伯林派与维罗纳僭主坎格兰德·德拉·斯卡拉(Cangrande della Scala)组成的联军,结果遭到惨败,维拉尼的《编年史》第九章对此有记载。也有人认为,此句“改变”河水是指维钦察人为对付帕多瓦人,把巴基利奥内河的河水“改道”,而帕多瓦人也作为战争行动,相应地也把布伦塔河的河水改道,使之流到布鲁塞加纳(Brusegana)沼泽地附近。萨佩纽和波斯科-雷吉奥两注释本都不同意这种解释,因为库妮查把这次战争作为神对帕多瓦所属的马尔卡-特雷维加纳居民的惩罚,只是一次河水改道的战争行动并不足以说明帕多瓦人遭到大规模屠杀的严酷性。

如前所述,波斯科-雷吉奥注释本曾估计本首或其相当大一部分是写在 1314—1315 年间,萨佩纽注释本对此也有类似见解(参见注①和注⑤)。当时,但丁正二度投奔维罗纳僭主,受到坎格兰德·德拉·斯卡拉的热情接待,但丁对他十分感激,特别是二人在政治主张上志同道合,都拥护帝制,尤其是拥护亨利七世,为求消灭党派之争,实现和平;亨利七世死后,但丁甚至把希望寄托在坎格兰德·德拉·斯卡拉身上,即使在某个地区实现他的宿愿也好。因此,诗句通过此例,反映但丁拥戴坎格兰德·德拉·斯卡拉,反对包括帕多瓦在内的马尔卡-特雷维加纳的抗拒帝制、坚持党派斗争的政治立场,是异常鲜明的。

关于“维钦察”的拼写法,波斯科-雷吉奥注释本沿用佩特罗基版本的做法,采用古代手抄本的通俗写法,印为 Vincenza,即“文钦察”,而不是 Vicenza(维钦察);萨佩纽注释本则印为“维钦察”。

㉔西莱河(Sile)为特雷维索市(Treviso)的一条河流,长八十五公里;卡尼安河(Cagnan),即卡尼亚诺河(Cagnano),即今博特尼加河(Botteniga),是流经特雷维索的又一条河流,汇入西莱河。这里,但丁又用二河合流之处暗示特雷维索。

㉕这里,库妮查又向但丁提出第二个预言:“此人”系指里查多·达·卡米诺(Rizzardo da Camino),他是特雷维索僭主“好人”盖拉尔多(buon Gherardo,参见《炼狱篇》第十六首及有关注释)之子,为人十分傲慢和残暴,1306 年继其父为特雷维索僭主,推行暴政,为有名的暴君,民

怨沸腾,后又因他突然从归尔弗派立场转为吉伯林派立场,引起归派贵族不满,1312 年,阴谋唆使其园丁趁其弈棋时用剪枝刀将他刺死("为捕捉他而布下罗网")。波斯科-雷吉奥注释本认为,诗中此段均用动词现在时,而里查多只是从 1306 年才成为僭主,1300 年但丁冥界之行时,盖拉尔多尚为特雷维索僭主,更谈不上阴谋杀害,似费解;萨佩纽注释本则认为,可能早在 1300 年,里查多就与其父分掌政权,共管特市。

㉖这是库妮查向但丁所说的第三个预言:这里的"牧者"是指特雷维索人亚历山德罗·诺维洛(Alessandro Novello),他自 1298 年至 1320 年任菲尔特罗(Feltro)的主教;1314 年 7 月,他在安茹家族的代理人、斐拉拉主教皮诺·德拉·托萨(Pino della Tosa)的要求下,将斐拉拉的德拉·封塔纳(Della Fontana)家族的一些流亡分子,其中有安东尼奥洛(Antoniolo)、兰齐洛托(Lancillotto)、克拉鲁丘(Claruccio)等,交给皮诺之手,而这些流亡分子本是逃到他那里,并受到他的保护的。皮诺得到这些人之后,立即将上述三人斩首,据本维努托说,另有许多同谋,均被处以绞刑,因此,诗中谴责诺维洛"背信弃义"。波斯科-雷吉奥注释本认为,此段并未说明菲尔特罗市遭到上天的惩罚,但说明但丁对教会上层人士的劣行是深恶痛绝的。

㉗"地牢"原文为 malta,有些版本也用大写 Malta,即"马耳他";佩特罗基版本不主张用大写,萨佩纽和波斯科-雷吉奥两注释本都循此例。该词一般用来指黑暗而泥泞的地牢,古代注释家对此词有几种说法:一是指库妮查之兄、马尔卡-特雷维加纳的暴君埃泽利诺三世命人于 1251 年在帕多瓦地区(Padovano)建立的齐塔德拉城堡(Citadella)地窨里的一座伸手不见五指、泥泞不堪的水牢,用来随意终身囚禁"犯人";二是指马耳他的博尔塞纳湖上的马尔塔纳岛(Martana)一座塔楼下面的地牢;三是博尔塞纳湖上的另一座小岛即比桑蒂纳岛(Bisantina)的地牢,据说是教皇用来囚禁"犯有不可赦免的重罪"的僧侣的;四是指靠近维泰博(Viterbo)的马尔塔(Marta)的一座地牢;五是指 1255 年建于维泰博本市的一座地牢,也是专用来囚禁僧侣的;六是指罗马的一座地牢。近代注释家有许多人倾向于关于囚禁僧侣的地牢或关于埃泽利诺三世所建的齐塔德拉地牢的说法,但迄今无最后定论。诗句的意思是:即使因犯"重罪"而被囚禁地牢的人当中,也不曾有人犯过类似亚历山德罗·诺维洛那样的罪。

㉘"慷慨大度的僧侣"指亚历山德罗·诺维洛,"慷慨大度"一词是带有讽刺意味的,"赠送""礼品"即指该主教先是"慷慨"收留那些斐拉拉的流亡分子,后则又背信弃义地出卖了他们。

㉙"他的党派"指亚历山德罗·诺维洛所属的归尔弗派。

㉚这里把这个背信弃义的主教个人所犯罪行扩及整个马尔卡-特雷维加纳地区的居民的风俗习惯,语气是十分辛辣的。

㉛"在上面"指在天国、净火天。"明镜"是指天国的智慧之神即天使,意谓通过他们,反映永远公正的审判者上帝的光辉。但丁在《书信集》第十三章给坎格兰德·德拉·斯卡拉的信中也说:"显然,每个基因和美德都来自首要基因和美德(即上帝),下级的智慧之神几乎都是从放射光芒的神那里接受上层对下层所射出的光芒,并把这光芒再反射出来,犹如明镜一样。"这里的"德乐尼",即"三品天使"(参见第八首注⑬和注㊺),即仅次于撒拉弗、基路伯两级的天

使,据神学家称,上帝是通过“三品天使”来实施正义裁决的。

㉜这里是说,上帝的光辉从犹如“明镜”般的三品天使身上反映出来,又照到享天福者身上,因此,享天福者所说的话(这里则是库妮查所说的话)都是“真实可信”的,即使听起来似乎显得残酷无情。

㉝“珍贵之物”指宝石,参见第37—38句,即是指另一个享有天福者放射的光芒犹如红宝石一般(见第69句)。

㉞这里的“红宝石”原文为balasso,或直译为“巴拉索石”,即玫红尖晶石(balascio),其名来自产地:波斯的巴拉斯卡姆(Balascam),即今土库曼斯坦的巴达克散(Badakhshan,原为波斯一省份)。据马可·波罗在其《马可·波罗游记》(*Milione*)中记载,该红宝石系从该地输入意大利的。

㉟此句是对比天国享有天福者因快乐而放射光辉、人间则因快乐而面露笑容,但也随即指出:人间并非只有快乐和笑容,世人有时也因“心情悲痛”而“面色阴沉”,这也是“天上”与“人间”的根本区别。但由于诗句用là sù(直译为“在那上面”)和qui(直译为“在这里”)来分别指“天国”和“人间”,特别是下句又出现giù(直译为“在下面”),近代注释家对后一句便有不同看法:波雷纳、马塔利亚以及萨佩纽注释本都认为“在下面”是指“人间”,因为“人间”是“泪谷”,除“欢笑”外,还有“哀哭”;波斯科-雷吉奥注释本则认为,前句已把天国享有福与人间的欢笑作了比较,因而下句理应是把天国与“地狱”作比较:前句已用“在这里”形容“人间”,后句显然要拉大距离,“在下面”不可能再重复形容“人间”了。它主张此句应解释为:在地狱,其他灵魂由于身心都很悲苦,因而“面色阴沉”。

㊱这里,但丁又自行创造了一个动词:inluiarsi,即“渗透到他身上”,系从代词lui(他)演变而来;在本篇第二十二首第127句,他还用了另一个类似的动词inleiarsi,则系从代词lei(她)演变而来。此句的意思是,上帝能明察秋毫,“看到一切”,精灵的“视线也渗透到他身上”,便也可把一切尽收眼底(“任何欲望都不能在你面前躲藏”)。

㊲“虔诚的火光”指上品天使撒拉弗,因为《圣经》把他们描绘成生有六翼,所以诗句说他们把“六只翅膀”收拢起来,犹如穿上“僧装”、袈裟一样:《旧约·以赛亚书》第六章第二至三句就说:“在他(上帝)上面有撒拉弗侍立一旁,撒拉弗都有三对翅膀,他们用一对翅膀遮面,一对翅膀遮脚,一对翅膀飞翔。他们彼此唱和着:‘圣哉,圣哉,圣哉,万军之主;他的荣光普照大地。’”

㊳这里又是但丁创造的两个新词:intuarsi(是你),inmiarsi(是我),但它们不是从代词te(你)和me变来,而是从形容词属有格tuo(你的)和mio(我的)变来。

㊴这里的“最大的谷地”指地面冲积而成的洼地即内海中最大的,即是指“地中海”,其海水来自“环绕陆地的那片海洋”。

㊵“两带对峙的海滩”即是指欧洲与非洲的海滩,从地理、民族和宗教来看,这两带海滩都是相对立的。

㊶“逆着太阳”指由西向东，即逆着太阳运行的方向。

㊷“原先形成地平线的地方”指地中海的东极即耶路撒冷（“地平线”意谓“日出”），在这里，恰是天体的子午圈，即“日中”；相反，在地中海的另一极即西极，指直布罗陀海峡的“海格立斯的石柱”，或指加的斯（Cadice），该子午圈则为地平线，即“日出”：但丁时期认为，地中海延伸的经度为九十度，因此，诗中的意思就是：地中海由西向东延伸，即从加的斯子午圈（耶路撒冷地平线）一直延伸到耶路撒冷子午圈（加的斯地平线），其经度恰好是九十度；其实，地中海的延伸面积不过是四十二度。这里，但丁显然有意从详细描述地中海的地理位置，使诗句风格朝高雅方面转变，为已经出场的另一个特殊人物的自我介绍作了铺垫。

㊸“谷地”如注㊴一样，指内海，即是指地中海。“埃布罗”（Ebro）、“马格拉”（Magra）分别指西班牙伊比里亚半岛的埃布罗河入海口和意大利西海岸的马格拉河入海口；这条海岸线呈弓字形，囊括西、法、意三国沿地中海的海岸：即从加泰洛尼亚的托尔托萨角（capo Tortosa）到斯佩齐亚（Spezia）海湾东南方的比安卡角（punta Bianca）。马格拉河有一小段将利古里亚地区（Liguria）的“杰诺维塞”（Genovese）（即“大热那亚”Genovesato）与“托斯卡诺”（即托斯卡纳地区）分开，划定两地区的分界。这里要说的就是马赛。

㊹布杰阿（Buggea）即今“布吉”（Bougie），位于阿尔及利亚海岸；“我出生的那片土地”即是指法国马赛。

㊺这里的“日落”、“日出”原文分别为 occaso 和 orto，又都是拉丁语。诗中说，布杰阿与马赛日落日出时间几乎相同，因为两地在经度线上差距极小，据托勒密估计，只差二度半，但萨佩纽注释本也就此指出，但丁所说的那种情况只是在春分时期才有。

㊻这里所指的是布鲁都曾在凯撒与庞培的内战期间，为凯撒夺占马赛，当时屠杀许多马赛人，血流成河，卢卡努斯在《法尔萨利亚》第三章对此有详细记载，如说：“鲜血在浪涛上高高地翻着泡沫，海水也由于血流过多而暴涨了。”

㊼这里的“佛尔科”（Folco）即是指十二世纪末至十三世纪初的著名游吟诗人佛尔凯托·达·马赛（Folchetto da Marsiglia），法文名“佛尔盖·德·马赛”（Folquet de Marseille）或“马赛的佛尔盖”；他原籍热那亚，十二世纪下半叶生于马赛，死于 1231 年；大诗人彼特拉克在《爱神的胜利》（Trionfo d'Amore）第四章中曾有诗句说他：“佛尔科，在马赛，人们给他起了这个名字，而在热那亚，人们又给他去掉这个名字。”其父是热那亚一个商人。他曾先后在马赛子爵巴拉尔·德·博（Barral du Baux）、土鲁斯伯爵莱蒙多·贝伦加里奥六世（Raimondo VI Berengario di Tolosa）、阿奎塔尼亚的阿尔封索二世（Alfonso II d'Aquitania）和“狮心理查”（Riccardo Cuordileone）等宫廷中侍奉，甚得宠爱。他擅长写情诗，曾热烈歌颂巴拉尔子爵之妻阿扎莱伊丝·德·罗科马丁（Azalais 或 Azaleis de Roquemartine）；阿扎莱伊丝死后，他十分伤心，于 1195 年左右，出家为僧，成为本笃会一支西多会（cistercense）修士，但也有人说，他是因热恋阿扎莱伊丝而不得不离开子爵府的。1201 年，成为托罗内修道院（Torronet）院长；1205 年任土鲁斯主教，以严酷迫害异端分子阿尔比派（Albigesi，该派反对教会拥有世俗权力）而闻名，

甚至不放过曾是其父恩人的莱蒙多六世(他支持阿尔比派)。他曾帮助圣多明我(San Domenico)成立多明我会,并于1216年伴他赴罗马参加拉特兰公会议(Concilio Laterense)。他还倡导成立土鲁斯大学(Università di Tolosa)。但丁曾在《论俗语》第二卷第二节第五至六句段中盛赞他的诗作,但在《神曲》中对此却着墨不多,主要则提及他在宗教上的一些作为。

㊽"这重天"指金星天。"痕迹"是指"影响"、"印迹",在诗中是指金星天从佛尔凯托的光芒中受到影响,同样,佛在人世时也受过金星天的"爱"的影响。

㊾贝洛斯(Belo),提罗斯(Tiro)国王,他的女儿即狄多(参见《地狱篇》第五首及有关注释)。

㊿希凯斯(Sicheo):狄多的丈夫,狄多原向他表示要永远忠于他,但他死后,狄多又爱上了从特洛伊城逃出的埃涅阿斯;克雷乌萨(Creusa),特洛伊王普里阿莫斯和王后赫枯巴之女,埃涅阿斯之妻。特洛伊城陷被焚,埃涅阿斯与她一起,携父带子,逃出城来,不料,中途失散,她不幸身亡。诗句的意思是说,狄多一方面背叛对丈夫许下的诺言,另一方面又夺去克雷乌萨的丈夫的爱,因而"辱没"了他们二人。

51"燃烧到适于我的发色的时刻"原文是 infin che si convenne al pelo,萨佩纽和波斯科-雷吉奥两注释本都采用了本维努托的诠释,即:"直到头发开始变白的时候",换言之,青春时代是适于谈情说爱的季节;这一思想来自奥维德的诗句:"这个年纪适于战争,也适于维纳斯;那老士兵是猥亵的,老年的爱也是猥亵的。"

52"罗多佩山的女人"原文为 Rodopea,由 Rodope 即罗多佩山变来:这里是指色雷斯(Tracia)国王西托尼斯(Sitone)之女腓丽斯(Fillide),因为国王的宫殿就位于罗多佩山附近;奥维德的诗作也有"罗多佩山的腓丽斯"(Rhodopeia Phyllis)的说法,其中谈到腓丽斯爱上了特修斯之子德莫封特斯(Demofoonte);德围攻特洛伊城归来后,二人结了婚,后德前往雅典,但未按时返回,腓丽斯以为被他抛弃,悬梁自尽,变为杏树。

53"阿尔西德"(Alcide)即海格立斯,此名字系从其祖父阿尔西奥斯(Alceo)演变而来。伊奥莱(Jole)系埃卡利亚斯(Ecalia)国王欧里托斯(Eurito)之女(也有人说,欧是色萨利国王),海格立斯爱上了她,海之妻德伊阿妮拉(Deianira)十分嫉妒,让他穿上沾染半人半马的涅索斯的鲜血的毒衣,将海害死(德伊阿尼拉和涅索斯,均参见《地狱篇》第十二首及有关注释)。"紧锁在心里"是指海格立斯对伊奥莱爱得发狂。

54这里的"德能"指神的德能;"把一切都安排和准备就绪"意谓把天体对世人的消极影响(在金星天,则是把金星天对世人的消极影响)变为积极地享有永恒的天福。这里,佛尔凯托进一步阐述了库妮查在第34—36句所谈到的神学问题,并作出了结论。简言之,包括金星天在内的各天体对世人的种种消极影响,在天国则又积极地化为享有天福,化为善,正如库妮查所说的,这对凡人来说,是很难理解的,特别是涉及金星天对世人的消极影响,即从肉爱升华为对上帝的爱和仁爱。

55"技艺"指神的技艺;"如此卓有成效地把万物装点"即是指上帝用完美的安排来"装点"他创造万物的工作。但萨佩纽注释本以及大部分近代注释本都与以佩特罗基注释本为依据的波斯科-雷吉奥注释本(前者一般以1921年版本为依据)在诠释乃至词句上有所不同:前者采用的原文为 cotanto effetto,即"如此有效地";后者则采用 cotanto affetto,意谓"如此满怀深情地",因为佩特罗基认为,上帝创造万物是从"爱"即"深情"出发的。上述用词的不同主要原因在于古代手抄本用词互异。

(56)此句亦有一些词句意义含糊,因而造成注释家的不同解释,一是"上面的世界"与"下面的世界"(后一个"世界"系用代词 quel),即:mondo di sù 和 quel di giù,但也有人(如布蒂)主张用 modo 即"方式",亦即成为"上面的(运作)方式"和"下面的(运作)方式";二是动词 tornare 的确切含义,这与前一个问题即 mondo 抑或 modo 也是相关联的。拉纳和《最佳评注》认为是指 volgere,即"转动和主宰下面的世界";安德雷奥利(Andreoli,1823—1891)则认为是指"影响";本维努托和兰迪诺乃至布蒂都认为是指"变成"(其主语即是"下面的世界",而不是"上面的世界");波斯科-雷吉奥注释本则赞成近代的波雷纳的解释,认为此动词相当于佛罗伦萨词汇 torniare,即用车床加工,亦即"形成",即"上面的世界"使"下面的世界"得以形成。尽管各种诠释五花八门,但看来其中心思想则是基本一致的:即认为,"上面的世界"即上天对"下面的世界"即尘世施加影响,使之运转,成为与它类似的模样,达到善的目的。

(57)喇合(Raab)系耶利哥城(Gerico,今译"杰里科")的妓女,她的事迹在《旧约・约书亚记》第二章第一至二十四句和第六章第十五至二十五句中有记述:约书亚奉上帝的吩咐,率领以色列人夺回约旦河以东的地方,作为定居的家园;他派遣两名间谍去河对岸刺探敌情,特别是侦察耶利哥城的情况。两名间谍投宿妓女喇合家中,敌军闻知消息后前来搜索,喇合知夺取耶利哥城是上帝的旨意,设法保护、隐藏他们,并使之逃出城去,要求他们在攻陷耶利哥城后不要杀害她的全家。后约书亚攻占了耶利哥城,用火焚毁全城和城内一切东西,将金银铜铁器皿放在上帝的宝库里,"妓女喇合因为救过那两个间谍,约书亚也就饶了她和她一家人的性命,并且让他们住在以色列人当中,直到今天"。《新约》的《希伯来书》第十一章第三十一句也说:"作妓女的喇合,也因着信心善待以色列的探子,而不至于与那些不服从上帝的人一同灭亡";《雅各书》第二章第二十五句同样指出:"还有那个妓女喇合,她接待那些使者进屋里去,又送他们从别的路逃生,这不也是透过行动而被称为义人吗?"

(58)此句原文是 di lei nel sommo grado si sigilla,其中的 di lei 的 lei(她),有人也主张用 lui(他或它),即指上句的 ordine(层次),意思虽然不变,但语法结构上则不是 sommo grado di lei(她的〈光辉〉最高程度),而是 sommo grado di lui(层次的最高一级),亦即"她的光辉印迹打在这一层的最高一级"了。波斯科-雷吉奥注释本认为,这句意思不是"十分清楚"。

(59)这里的"基督的胜利"可作两种解释:一是基督对地狱的胜利,即基督曾从地狱中的林勃救出一些灵魂(见《地狱篇》第四首第52—63句);二是基督胜利下的享天福者整体,即是指依靠救世主的这一功绩,已经并且将要得到解救的所有灵魂。看来,萨佩纽和波斯科-雷吉奥两注释本都倾向于第一种解释,尽管萨本认为可作"广义"和"狭义"的理解,即前一种为"狭义",后一种为"广义"。这里,但丁显然是要强调:在曾在尘世受到金星天影响的众灵魂中间,喇合是最早得到解救的。

(60)此句的原文是 Da questo cielo … fu assunta,因而就是说,喇合被“这重天”(即金星天)接纳了;其实,她并非被金星天所接纳,因为所有享天福者的灵魂都是在天国即净火天,只不过享天福的层次各有不同,喇合的层次则相当于金星天罢了。波斯科-雷吉奥注释本认为,这是一种“简化表达方式”(brachilogia)。

(61)这里引用了阿拉伯古代天文学家阿尔夫拉加诺(Alfragano)的一个理论,即认为:地球的投影为圆锥体,其“尖端”恰好在金星天一层终结。波斯科-雷吉奥注释本认为,但丁对阿尔夫拉加诺的论述想必很熟悉,并引近代注释家波雷纳的话来说明但丁借用阿的有关论点的意图:“现在,我们知道,地球的圆锥体投影约为一百五十万公里,金星天是并不存在的,金星在运转到与地球较近时,距地球约有五千万公里。但丁从他所相信的这一天文现象中,肯定看到能说明他所臆造的道德事实的一个很好的象征,即头三重天的灵魂都是被尘世弱点所遮掩的。”萨佩纽注释本对此也有类似的见解。

(62)“某层天体”,即“这层”天体,亦即八重最低的天体之一;“伟大的胜利”是指基督的胜利,而不是指攻占耶利哥城;“手掌”(palma)在这里象征基督被钉在十字架上的双手,即是说,基督是依靠被钉在十字架上的双手来战胜魔鬼的。诗中用喇合来证明基督胜利,是因为《圣经》的一些基督教诠释家常把喇合作为教会的象征。

(63)“圣地”(Terra Santa)为巴勒斯坦的古称,也称“乐土”(Terra promessa)或“迦南”(Canaan)。约书亚取得的一系列胜利中,攻占耶利哥城正是其“首战告捷”的胜利。诗句在这里为下面谴责教皇等贪恋世间财物而把夺回圣地置诸脑后的内容作了铺垫。

(64)“那一个”指先是天使、后因背叛上帝而被打入地狱、成为地狱之王的卢齐菲罗(参见《地狱篇》第三十一首及有关注释);“树木”这里指产物。

(65)卢齐菲罗的“嫉妒心”是指他嫉妒亚当和夏娃在伊甸园中的“幸福”,因而引诱他们犯下原罪,从而给全人类造成众多痛苦。本段主要是说明佛罗伦萨是魔鬼卢齐菲罗一手制造的产物,是一切罪恶和腐败的渊薮。

(66)“该诅咒的花朵”系隐喻佛罗伦萨的金币弗罗林(fiorino),因为金币的一面印有百合花图案。

(67)这里用了一系列比喻:“绵羊和羊羔”指基督教徒,“牧者”即为教会上层人士,“恶狼”则象征贪婪。

(68)“由于这个”指“由于贪财”;“教会大师”(dottor magni)这里指教会中封为“圣徒”的一些教皇或神甫的著作;“宗教法规”(Decretali)为汇集教皇敕书或训令的法规汇编。这里是谴责教会中人只求谋得财富,而热衷于研究法规,却不注意用福音和神学著作,提高本人的修养和素质,因而《宗教法规》的书页边缘,或写满评注,或久读磨损,由此可见一斑。但丁约在1314 年 7 月前写给意大利枢机主教的一封信件中就曾提到此问题:他在《书信集》第十一章中曾指出,“唉,最最慈悲的母亲,基督的新娘啊(指教会)……你的格雷高里奥正躺倒在蜘蛛网里,安布罗吉奥则躺倒在被僧侣们抛弃的贮藏室里,阿哥斯蒂诺、狄奥尼西奥、达马谢诺和贝达，都躺倒了，被遗弃了；他们相反却一味朗诵什么《通鉴》（即威廉·杜兰特所编的宗教法规教材）和伊诺钦佐（指宗教法规倡导者、教皇伊诺钦佐四世）以及那个奥斯蒂亚人（指另一个宗教法规倡导者、奥斯蒂亚枢机主教恩里科·迪·苏萨）的著作。为什么不这样做呢？前一种人曾是寻求上帝，把上帝作为追求的目的和至善，后一种人则在牟取财富和利益”。

波斯科-雷吉奥注释本在谈及但丁的上述信件时曾介绍当时的历史政治背景：教皇克莱蒙特五世（参见《地狱篇》第十九首及有关注释）于1314年4月逝世后，曾举行选举新教皇的枢机主教秘密会议，由于“难产”，该会议一直拖到1316年8月才再次选举法国的约翰二十二世为新教皇，这一来，教皇宫邸仍为法国的阿威农，因此，但丁致意大利枢机主教的信函中，曾要求他们严格履行他们作为“牧师”的神职责任，选举一位能将教皇住地从阿威农迁返罗马的新教皇，有人曾就此称赞此信可与《神曲》相媲美。

69“这个”指“积累财富”。

70拿撒勒特（Nazarette）即拿撒勒（Nazareth）：即天使长加百列向玛利亚宣告“不久你要怀孕生子；你要替他起名叫耶稣”（见《新约·路加福音》第一章第二十六至三十一句）的地方。这里以它象征和代表圣地。

71“张开翅膀”表示尊敬和庆贺。传统的《圣告图》（*Annunciazione*）就把加百列画成这样的姿态。

72梵蒂冈（Vaticano）：为罗马的七丘之一，圣彼得即在此殉道，被钉上十字架，死后葬于此地，为纪念他，在此建立了闻名于世的梵蒂冈圣彼得大教堂；这里也是早期基督教徒的墓地。“罗马的其他精选地区”是指早期基督教殉道者受难和埋葬的“著名”地点。

73“彼得”即圣彼得；“追随”他的“士兵”即指继圣彼得后殉道的基督教士。这段三行韵诗总的是说“罗马教会”。

74“通奸行为”（avoltero），即今文 adulterio，因为教会比作基督的“新娘”，而为了金银而亵渎教会的行为，犹如“通奸”。《地狱篇》第十九首第2—4句也有类似的用法。萨佩纽和波斯科-雷吉奥两注释本都认为，这里所作的预言很含糊，不具体；萨本猜测是指教皇博尼法丘八世于1303年死去。

第十首

世界的秩序(1—27)

日球天(28—63)

学识渊博的精灵(64—81)

托马索·德·阿奎诺与第一花环中的学者(82—148)

世界的秩序

那首要的、难以言传的权力[1]
满怀着爱,把他的儿子观望[2],
而正是他与他的儿子把这爱永恒地吹送四方[3],
这权力把脑海中、空间里运转的一切
安排得如此秩序井然,
凡是注意观察这一切的人,都不能不对他有所体验[4]。
因此,读者啊,请与我一起抬起视线,
注视那高高在上的一个个轮盘[5],
那里正是一种运动与另一种运动相互碰撞的地点[6];
可从那里开始观赏那位大师的技艺[7],
他在内心深处对这技艺是如此热爱,
甚至片刻也不把眼光从它那里移开。
你可以看到,那携带众星宿的斜圈[8]

如何从那里分道扬镳[9]，
为的是满足召唤这些星宿的世人的需要[10]。
因为倘若这些星宿的道路不是那么弯曲[11]，
天上的许多能力就会变为徒劳无益，
下面尘世的几乎所有潜能也会成为一片死气；
而倘若距那直圈偏离得多些或少些[12]，
世间秩序的上面和下面
也会变得大为欠缺。
现在，读者啊，你且留在你的长凳之上[13]，
然后再想一想让你先尝为快的佳肴美餐，
倘若你愿意早在疲倦之前，先感受到意畅心欢[14]。
我已把饭菜摆在你的面前：如今你且自行品味一番；
因为我把全部注意力都放在那个课题上面[15]，
而且我已经成为它的抄录员。

日球天

那自然的最大朝臣[16]
把上天的威力印上凡尘，
并且用它的光芒来度量尘世的时辰，
它与上面提到的那个部分联接起来[17]，
依照一条条螺旋线转个不停，
而且越来越早地出现在这些螺旋线中；
我这时已经与它待在一起；
但是，我却不曾发觉向上飞去，
只不过像一个人在初步思想形成之前，就发觉它已经出现[18]。
如此突然地带领从善境
升入更善之境的那位，是贝阿特丽切，
而她的行动不是从时间上延伸[19]。
那些在我已经进入的太阳之中的精灵，
本身射出的光芒该是多么辉煌！

他们的显现不是由于色彩，而是由于光亮[20]。
不论我怎样求助才华、技艺和经验[21]，
我都无法说，能否想象出那光辉是如何耀眼；
但是，可以相信这一点，而且也该切望亲眼得见。
倘若我们的想象力很低，
不能仰望这样高的天际，这也不足为奇；
因为能超越太阳的不是视力[22]。
崇高天父的第四个家族在这里，就是这般模样[23]，
天父总是在满足它的愿望，
显示他如何生子，如何吹送四方[24]。
贝阿特丽切这时开言道："感谢吧，
感谢那众天使的太阳[25]，
它赐予恩泽，把你升高到这个可感觉的日球之上。"
世人的心灵从未像我听到这番话语后所作的反应，
是如此情心乐意向上帝表示虔诚，
如此迅速地满怀感激之情，
向上帝献出自身；
我的全部爱心都放在他的身上，
这竟使贝阿特丽切变得黯淡无光，被人遗忘[26]。
这并未使她扫兴；她却因此而满面笑容[27]，
她那双含笑的秀目的光芒，
把我那专一的心思分散在更多东西上[28]。

学识渊博的精灵

我看到更加强烈、更加夺目的光辉闪闪[29]，
把我们圈在中央，为它们自己则编成一个花环，
声音是那样甜美，胜过眼中的光芒灿烂：
我们有时看到拉托娜的女儿就是这样光带缠腰[30]，
这时，空气浸满了水气，
它留住光线，织成光晕一条。

在那天国的朝廷之中——我正是从那里返回尘世，
有许多珍贵而美丽的宝石，
甚至无法从天国中把它们一一取出展示[31]；
那一团团光芒的歌唱正是来自那些异宝奇珍；
凡未生双翅、能飞上九天的人，
就不必期待哑子诉说那里的新闻[32]。
接着，那些火光熊熊的烈日[33]，
就这样一边歌唱，围绕我们旋转三次，
犹如星辰靠近固定不动的两极旋转不止[34]，
我觉得，它们就像并未中止舞蹈的女人，
却默默地暂停下来，一边侧耳倾听，
直到她们重又听出奏起新的乐音；

托马索·德·阿奎诺与第一花环中的学者

我听到其中一个里面有声音开始说道[35]：
“真正的爱依靠天恩的光芒燃起[36]，
而通过这爱，天恩的光芒则又会增长不息，
既然这样的光芒把你加倍照亮，
它就引导你把那天梯登上，
而没有任何人沿着天梯走下，却又不再重新登上[37]；
凡是拒绝用瓶里的美酒为你解渴的人，
必是无法自由行动，
这无非是像水不能泻入大海之中[38]。
你想知道这花环是用哪些植物编成[39]，
它围绕在那位美丽的贵妇身边爱慕观望[40]，
正是这位贵妇在鼓励你登上天堂。
我曾是那神圣羊群的一头羔羊，
多明我带领它们，沿途牧放，
沿着这条途径，若不是贪恋虚荣，本可变得十分肥胖[41]。
这位在右边更靠近我的，曾是我的兄弟和师长，

他是阿尔贝托，是科隆人[42]，
我则是托马斯·德·阿奎诺[43]。
倘若你想了解所有其他几位，
你可以用视线跟随我的言谈，
顺着那幸福的花环，在上面转动一番[44]。
那另一束火光来自格拉齐安的笑容[45]，
这一座和那一座法庭对他大有帮助[46]，
使他在天堂受到欢迎。
那另一位随后装点我们歌咏队的，
就是那位彼特罗，他曾与那个穷苦的妇人一道，
向圣教会献上他的珍宝[47]。
第五个光芒在我们中间最为美丽[48]，
它吹送着这样强烈的爱：尘世中的芸芸众生
都热切渴望知道他的消息：
他身上有崇高的头脑，那里放进如此深邃的智慧，
倘若真理确是真理，
那就不会生出第二个人能把事物看得如此仔细[49]。
随后，我看到那枝蜡炬在闪闪发光[50]，
他在尘世还有肉身时，就曾
更深刻地看出天使的本性与职能。
在另一个小小的光亮中
微笑的是基督教时期的辩护人[51]，
奥古斯丁曾利用他的拉丁文[52]。
现在，你若把你心灵的眼睛
跟随我的赞扬之声，从一个光明移转到另一个光明，
你就渴望把那第八个弄清[53]。
因为得见众善，那圣洁的灵魂[54]
才能在光辉之中享受欢欣，
而他曾向那些愿听他议论的人把那虚妄的尘世说明。
如今，他被驱逐出他的肉体[55]，

那肉体则安息在“金天”的地上[56]；
而他是经过殉道和流放才来到这太平之乡[57]。
你再往前看：伊西多罗、贝达和里卡多[58]
的炽热精灵在放射着火光，
而里卡多在静心修道方面，超越一个凡人之上[59]。
这一位——你的视线从他那里回到我身上[60]
——是这样一个精灵的光芒：
他曾为严重的思虑所苦，竟觉得自己迟迟不得死亡[61]：
这便是西基耶里的永恒之光，
他曾在草料街开课授讲[62]，
推论引起嫉恨的真理主张。”
接着，正像钟表在这样的时辰把我们唤醒：
上帝的新娘起身，
为赢得新郎的爱而把晨曲向他歌颂[63]；
这钟表把这部分机件和那部分机件撞击、牵引，
发出叮叮当当的响声，
音调如此甜美，使那位乐善好施的精灵顿时洋溢仁爱之情；
我正是这样看到那光荣的轮盘不断移动[64]，
此唱彼和地响起和谐而甜美的歌声，
这样的歌声真是闻所未闻，
除非是在那个地方：那里的欢乐是无穷无尽[65]。

注释

①“首要的、难以言传的权力”指上帝。本首开头几段三行韵诗看来似是离题，其实是为日球天和日球天中前来与但丁会面的“学识渊博的精灵”的出场作了铺垫，同时也把本首与前九首间隔开来，因为：前九首所叙述的是所谓“低级”的天体，即其中的精灵受天体的影响还是“负面”的，自日球天起，天体对精灵的影响就开始完全是“正面”的了。因此，从第1句到第27句，可以看作是本首的“序诗”。

②“爱”、“他的儿子”分别指“圣灵”和“圣子”；这第一段三行韵诗正是用来说明上帝以及作为“三位一体”的上帝创造世界：“三位一体”即是指代表“权力”的“圣父”，代表“智慧”的“圣子”，代表“仁爱”的“圣灵”。

③这里说明“三位一体”中的“三位”之间的互相关系：托马索的《神学大全》第一卷中指出：“正如神的本性一样——尽管这本性是三位所共有的，然而仍须使他们依照一定的秩序排列（因为圣子是从圣父那里接受神性，而圣灵又是从圣父和圣子二者那里接受神性），创世的能力也是如此，尽管这能力是三位所共有的，但仍须使他们依照一定的秩序排列，即：圣子从圣父那里接受这能力，圣灵又从圣父和圣子二者那里接受这能力……赋予圣父的正是他所固有的权力，它最大限度地表现在创世上，因此，人们说，圣父是造物主。赋予圣子的是智慧，造物主依照智慧来工作，因此，人们谈及圣子时就说：通过圣子，万物被造出了。赋予圣灵的是善心，主宰万物正取决于善心，也正是善心引导万物走向其结局，赋予圣灵的还有力量，正是这力量使万物得以生存。”

④注释家对“脑海中、空间里运转的一切”说法不一：有人（如本维努托）认为，“脑海”是指“思维的东西”，“空间”是指“实际的东西”，因此，诗句是指上帝所创造的整个宇宙；有人则认为是单指天体，因为天体是依照天使的智慧所从事的纯属思维的活动（即“脑海中”）而在“空间中”运转的。萨佩纽注释本采用前一种说法，波斯科-雷吉奥注释本则采用后一种说法：前者认为，后一种说法与本文所要解释的问题难以衔接，因为诗人所要论述的是：“上面和下面的世界秩序”（见第20句）在经过上天的有秩序地安排后，变得完美无缺；后者则认为，诗中是要以天体的“和谐”和“有秩序”对比世间的杂乱无章，况且“运转”（si gira）一词不能指地球，因为地球是不动的，因而应理解为：在起推动作用的智慧之神的头脑中（即“脑海中”）、因而也便是在“空间中”运转的一切。

⑤这里的“轮盘”是指旋转的各层天体。

⑥诗中所说的两种“运动”（moto），是指所有天体由东到西围绕赤道的周日运动（moto diurno）和各星球由西到东围绕黄道带的周年运动（moto annuo）。前一种运动是以最大速度在天体赤道中沿着其子午线运转，后一种运动则是由各星球遵循各自略有不同的轨道、但又都包含在黄道带之内来运行（其子午线为黄道）；两种运动“相互碰撞的地点”，即是指赤道与黄道交叉之点：即是说，赤道与黄道两平面之间形成的角度为二十三度半，二者在两个二分点上交叉，这恰好相当于太阳在春分和秋分时的位置，诗中显然是指春分点。

⑦“大师”指上帝；“技艺”指创世的工作。

⑧“斜圈”（oblico cerchio）指黄道带：太阳和其他星球的轨道正是在黄道带中运行。这里的“斜”是指黄道带平面对天体赤道平面的倾斜度，即二十三度半左右。但丁在《筵席》第三卷第五节第十三至十四句段中就说：“日球天自西向东运转，它并非直对周日运动（即白昼与黑夜）的，而是斜对这个运动；因此，它的半圈（对等地处在其两极之间，太阳本体也正在其中）便把最初两极所形成的圈分为两个对立部分，亦即白羊座的开端与天秤座的开端，又由它按照两条弧线把这两部分分开，一个朝北，一个向南。这两条弧线的中间点再在每个部分，以二十三点一强的度数，从第一圈对等地延伸开来。”波斯科-雷吉奥注释本指出，其实，黄道带并非“圈”，而是宽有十八度的“带”，在其中，太阳和其他星辰按各自轨道运行着：黄道带分

为十二个对等部分,每个部分都相当于一个星座(宝瓶座、双鱼座、白羊座等),大约从春分点开始(3 月 21 日),每个月算是一个星座,因此,"携带众星宿"的黄道带,就如同一条带动星宿来来去去的"道路"。

⑨"从那里"即是指从两种运动的会合点,亦即从春分点;换言之,两种运动在二分点上会合,同时又"分道扬镳"。

⑩这里是说,地球上的生活条件要靠季节的变化才有可能具备,而季节的变化又取决于黄道(eclittica)即黄道带(Zodiaco)对天体赤道的倾斜度:据萨佩纽注释本的解释,这一倾斜度的计算是根据能否保存地球生命而定,因此,太阳和其他星球在运行中不可能总是停留在地球赤道上,而是要逐渐移至地球其他地域(地球赤道的北部和南部)的天顶之上。下面的诗句对此作了详细解释。

⑪"弯曲"即是指黄道带对天体赤道的倾斜度。这里是说,倘若黄道带对天体赤道不保持一定的倾斜度,天体中的许多降至地球的能力就会变得"徒劳无益",地球上的物质中的潜在能力,因为缺乏天体影响,也便无法体现,变成"一片死气";换言之,鉴于季节的变化取决于黄道对天体赤道的倾斜度,倘若黄道与赤道总是相连一起,就会只有一个季节:在赤道地区,将会永远是夏季,其热量的积聚将会使人和植物都不可能生存;在温带,将会永远是春季,果实也将会永不能成熟,在南北极地区,则会永远是冬季和漫漫长夜。

⑫"直圈"在这里指赤道,是与"斜圈"即黄道相对的,但丁在《筵席》第二卷第三节第五句段中就称"赤道"为"直圈";诗中的意思是:如果黄道与赤道分离得过多或过少,"世间秩序的上面和下面"就会变得有缺陷和不完善;亦即是说,太阳轨道的倾斜度稍有变化,就会打乱世间的上下秩序,造成季节、昼夜、气候的混乱。对于"世间秩序的上面和下面",原文是 giù e sù de l'ordine mondano,萨佩纽和波斯科-雷吉奥两注释本的诠释不一:前者认为是指"宇宙的秩序"(ordine universale),即地上和天上;后者则认为是指地球的南北两半球,因为"世间秩序"的"世间"(mondano),只能指地球,除非把它理解为"宇宙"(universale)才能解释为"天上"、"地上",而该形容词并无此义。

⑬"留在你的长凳之上"(sovra 'l tuo banco)有两种解释:一是根据诗中涉及的内容是用餐,认为是指在"餐桌"上;一是根据中世纪常见的词汇用法,认为是指"学习",因而是指学生坐的学习"长凳"(banco)。

⑭这里是说,因为接触到真理而感到十分欢畅,甚至忘记长时间辛勤学习的疲倦。本维努托曾就此解释说,这"仿佛是在说,做这样的调查研究虽然十分辛苦,然而却令人感到十分欢畅,使人的心灵不致感到疲倦;确实,(求知)欲望变得越来越热切,因为寻求真理总是给那些愿意了解事物原因的人带来美妙绝伦的欢畅"。对于但丁及其同时代人来说,星宿运行规律是与神学有关上天安排的问题论述紧密相关的,但丁在《书信集》第十二章第九句段中就曾谈到对有关问题的思辨的乐趣:"难道我不是到处都可以看到太阳和其他星辰的光芒吗? 难道我就不能思考苍天之下到处都存在的极其甜美的真理?"他在《筵席》第三卷第五节第二十二

句段中还就黄道倾斜运动的“神的安排”问题作出结论说，“哦，不可言传的智慧啊，你竟作出这样的安排，我们的头脑又是多么贫乏，无法理解你啊！我所写的东西对你们会有好处，会给你们带来乐趣，因为你们是在盲目地生活，不把眼睛抬向天上，去看这些东西，却用眼睛凝视着你们那愚蠢的泥潭！”

⑮“课题”指但丁的天堂之行。

⑯“自然的最大朝臣”是指太阳。十四世纪的塞拉瓦尔曾指出：“虽然所有行星都是自然的朝臣，太阳作为最美好的世界的眼睛，却是普照万物的，这一点其他行星和其他星辰都做不到”；本维努托也说，“太阳在天之中央，犹如国王在王国之中央，它主宰整个天体，也指挥万物”。“自然”既是指“创造自然的自然之物”即上帝（因为太阳是服从上帝的），又是指“被创造的自然的自然之物”，亦即全部天体影响，因为天体的影响是对“被创造的自然的自然之物”产生，而太阳又是天体影响中最大的，它能把上天威力的印章更直接地打在月球之下的尘世上（布蒂、兰迪诺）。《旧约·创世记》第一章第十六句也说，“上帝造了两个大光体，较大的管白昼，较小的管黑夜，又造了星宿”。萨佩纽注释本引述了但丁在《筵席》第三卷第十四节第三句段的类似论点：“太阳把它的光线投落在世间，使万物发射出与它类似的光辉，万物可以依据它们各自的天赋，从太阳的能力中接受它们所能接受的光辉”；但丁的《韵律集》第八十三章第九十九至一百零一句中也提道：“（太阳）以它的美丽光线，将生命和能力注入尘世的物质之中，正如该物质所乐于接受的那样。”但波斯科-雷吉奥注释本认为，“把上天的威力印上凡尘”一句含义“不十分清楚”，因为“上天的威力”（valor del ciel）可有两种含义：或是指日球天的具体影响（因为它是给尘世以“最大威力”的行星，使尘世可以有生命），或是指各重天体的影响，日球天则是其中最大的；此外，“凡尘”（mondo）一词也“模棱两可”，因为可把它理解为“尘世”或“所有造物”。

⑰“那个部分”指第8—9句提到的春分点，因此，也便是说，太阳与白羊座“联接起来”。这里所说的“螺旋线”（spire），是指由于周日运动和周年运动相结合的影响，太阳的运行轨道即呈螺旋状，托勒密天文体系也对此作了定论；太阳正是在这种一上一下的“螺旋线”中，在六个月之内，从一个回归线向另一个回归线缓缓运行的。在春分至夏至这一期间，太阳以螺旋状从赤道向北回归线运行，因此，北半球日升的时间“越来越早”：越近夏季，白昼也便越长。但丁在《筵席》第三卷第五节第十四句段中，曾把这种运行比作“螺丝钉”（vite）状。

⑱“与它待在一起”：“它”指太阳，即是说，但丁此时已来到日球天。这里像前三重天一样，未详细描述但丁随贝阿特丽切飞升的过程，而是用比喻笔法形容这一过程是极其迅速，不知不觉的。“初步思想”（primo pensier）指突如其来的思想，即是说，前此没有任何思想准备，俟发现有此思想，此思想已在我们的脑海之中。《神学大全》第三卷附册第八十四章曾说，享天福者的运动是“有一段时间，但由于十分短促，是觉察不出的”。

⑲“从善境升入更善之境”（di bene in meglio）指从一重天升入另一重天。“她的行动不是从时间上延伸”，意谓贝阿特丽切的行动不是用时间来计算的，参见前注。

⑳这里是说,这些精灵在太阳光的衬托下显现,之所以可以辨出,不是由于颜色与阳光不同,而是由于光芒比阳光更为强烈。但是,古代注释家都一致认为,诗句所指的辉煌光芒,是指贝阿特丽切,而不是指其他精灵。

㉑“经验”的原文为 uso,本意为“使用”、“习惯”,这里是指写作经验。

㉒这段三行韵诗说明亚里士多德的一个基本原理:即人的想象力不能超越感觉经验,换言之,人的想象力只能在感觉经验的限度内形成;既然人的视力无法经受太阳的强烈光芒,要但丁描述一种超越有关太阳光芒的感觉经验的光芒,那是不可想象的,因而做不到这一点也是“不足为奇”的。

㉓“第四家族”(quarta famiglia)指第四重天的享天福者:这些享天福者生前是受日球天的影响,因而具有学识渊博的天分;但丁在日球天所遇到的“学者精灵”(spiriti sapienti)有神学家、哲学家、神秘主义者、学者等。

㉔这里是指上帝从三位一体的奥秘中显示自身:即圣父生圣子,圣父与圣子又把圣灵“吹送四方”。诗句从神学上概括说明了本首第一段三行韵诗所阐述的主题。

㉕“众天使的太阳”指上帝:布蒂注释说,上帝是“照耀众天使和众享天福者的太阳”;但丁在《筵席》第三卷第十二节第七句段中也说,“整个世界中没有任何一个可感觉的东西,比太阳更配得上作为上帝的范例了。太阳用那明显的光辉先后照耀所有天体和物质;上帝也正是这样,先是用智慧之光照耀自身,然后又照耀天上的造物和其他有心智的造物”。波斯科-雷吉奥注释本认为,但丁有意在此以上帝与“物质的太阳”(sole materiale)亦即诗中所说的“这个可感觉的日球”(questo sensibile)作对比。

㉖有的注释家把这几句诗理解为:贝阿特丽切所代表的神学毕竟是有局限性的,因而正像本维努托所分析的,“作者在告诫学者:有时要把对《圣经》的思考放在一边,而去做祈祷”。

㉗萨佩纽注释本引兰迪诺的诠释说:“因此,《圣经》的所有戒律容许甚至命令我们把对神的爱放在任何其他的爱之前。”

㉘萨佩纽和波斯科-雷吉奥两注释本对诗中的“更多东西”(più cose)理解不同:前者认为,但丁原来把心思集中放在上帝身上,这时见了贝阿特丽切的“含笑”目光,则又分散到上帝和贝阿特丽切的笑容上;后者则认为是分散到上帝、贝阿特丽切以及但丁面前的所有享天福者身上。

㉙“夺目”的原文是 vincenti,本意是“战胜”,在诗中是指“战胜”阳光,因而亦即是“战胜”人的视力(萨佩纽)。

㉚拉托娜(Latona)是巨人希俄斯(Ceo)的女儿,她与宙斯生下了日神阿波罗和月神狄安娜;这里即是指月神狄安娜,亦即月亮。这里是说,空气极其湿润时,“水气”就把月光“留住”,从而形成围绕月亮的光晕,犹如闪闪发光的“腰带”一般。

㉛这里的“珍贵而美丽的宝石”是指闪烁着宝石光彩的享天福者,这样的比喻在第九首也用过。

㉜这里用展翅飞翔的比喻源自《旧约·以赛亚书》第四十章第三十一句,其中说,那些仰望上帝

的人“好像鹰一样展翅上腾,他们奔跑不致困倦,行走也不会疲乏”,但在诗中则是把“翅膀”比作个人的“德行”和“热忱”,诗句的意思是:人若不能依靠自己的德行和热忱自行“飞上九天”,就不必指望“哑子”(即但丁本人)来介绍天堂的情况。

㉝这里又把享天福者的光芒比“火光熊熊的烈日”,意谓比烈日还要光亮。

㉞这里是说,这些享天福者围成以但丁和贝阿特丽切为中心的一个花环(见第65句),旋转得很慢,犹如靠近南北两极旋转不止、但速度也很缓慢的星辰一般,《炼狱篇》第八首第87句也有类似的写法,把旋转的缓慢速度比作靠近车轴部分的车轮。但丁在《筵席》第二卷第三节第十三至十四句段中曾较详细地叙述这一天文现象:“应当知道,水晶天以下的各重天都有涉及自身的固定不动的两极;第九重天(即水晶天)的两极也是静止而固定的,从任何方面看都是一成不变。各重天,第九重与其他几重均是一样,都有一圆圈,可称作本重天的赤道;每重天在其运转的各个部分,都距各极一般远近……这个圆圈在运动上比该重天的一些部分都更迅速……每个部分愈是靠近它,运动就愈快;愈是远离它,愈是靠近两极的一极,运动则愈是迟缓。”

㉟“其中一个”指“火光熊熊的烈日”(见第76句)中的一个。

㊱“真正的爱”指对上帝的爱。

㊲诗中所说的登“天梯”即是指从一重一重天升上去,直到天国。本段三行韵诗最后一行,萨佩纽和波斯科-雷吉奥两注释本都在不同程度上认为是指但丁将来必将再次登上天堂(此刻则是但丁蒙受特殊的天恩,得以携肉身登上天堂),亦即说话的精灵预言但丁必将得救;波-雷本还认为是指但丁和圣保罗,并指出:托拉卡认为是指所有离开天国前来迎接但丁的享天福者,圣托马索认为是指享天福者和天使可以降落凡尘,这两种诠释都是不妥的,特别是后者。

㊳这里用了双重比喻:一是用“拒绝用瓶里的美酒为你解渴”比喻“拒绝满足你的求知欲”,而这是违背享天福者所固有的仁爱天性的,除非是遇到某种障碍而不能“自由行动”;一是用“水不能泻入大海之中”比喻上述比喻,因为水的天性是流向大海,若不能如此,想必是遇到障碍。

㊴这里又用了一种比喻说法:第65句已提及这些在日球天与但丁会见的享天福者围成以但丁和贝阿特丽切为中心的“花环”,因此,诗句再进一步用“植物”(piante)来代替享天福者精灵。

㊵这里用动词 vagheggiare 有男人爱慕和追求女人之意,因此,从字面和寓意上看,诗句都意在说明这些精灵生前都是致力于研究神学、默思上天揭示的真理的:确实,如前所述,这些精灵大多数都是神学家和学者,而贝阿特丽切又是象征神学。

㊶“神圣羊群”指多明我会(Dominicani),该会又称“布道兄弟会”(Predicatori),或“黑衣兄弟会”,为天主教四大托钵修会(mendicanti)之一,主张默念苦修,甘于清贫。1215年,由西班牙僧侣圣多明我(San Domenico)成立于土鲁斯。与方济各会同时发展,但以坚决反对异教著称。教皇格雷高里奥九世(Gregorio IX)于1236年圣多明我死后,将第十一届宗教裁判所交

该会管辖。该会的学者被称为“托马斯主义者”(Tomisti),因为他们信奉圣托马索·德·阿奎诺(Thomas d'Aquino,即 Tommaso d'Aquino)的学说,而圣托马索也是该会最著名的神学家。该会出了许多圣徒,五位教皇,六十位枢机主义,一千余位主教,都是以学识渊博闻名于世。诗中所说“若不是贪恋虚荣,本可变得十分肥胖”,是指若不脱离圣多明我所制订的教规而去追求尘世虚荣,本可在精神上变得“富有”(“肥胖”),功德无量。第 99 句表明:说话的精灵正是托马索·德·阿奎诺,因此,他是在谴责该会内部的腐败现象而盛赞圣方济各乐于清贫,不为尘世虚荣所惑。

㊷阿尔贝托(Alberto,1193—1280),即大阿尔贝托(Alberto Magno):出身博尔斯塔特(Bollstadt)伯爵家族,生于拉文根(Lauingen 或 Lavingen),死于科隆(Cologna 或 Colonia)。1223 年,在帕多瓦加入多明我会,充当修士,经学习,自 1228 年起,先后在科隆、希尔德斯海姆(Hildesheim)、佛里堡(Friburgo)、拉提斯博纳(Ratisbona)和斯特拉斯堡(Strasburgo)任教。1245 年至 1248 年,执教于巴黎,后返科隆,领导研究工作。在巴黎期间,可能教过圣托马索·德·阿奎诺,但肯定在科隆期间,曾是圣托马索的老师。1254 年,当选多明我会省会长,1260 年当选拉提斯博纳主教。1930 年 9 月,教皇庇护九世(Pio IX)敕封他为“圣徒”。他是第一位试图把亚里士多德的思想与基督教主义协调起来的神学家和哲学家,并系统整理了基督教哲学。神学、哲学和自然科学著述颇多,因而获“全能博士”(doctor universalis)之美称,并被加上 Magno(大、伟大)的称号,称为“大阿尔贝托”。但丁对其著作很熟悉,因此,注释家经常把他的论点作为但丁的思想渊源来加以引述;近代注释家纳尔迪认为,近代注释家往往把但丁的哲学思想归结为主要受托马斯主义的影响,是“过甚其词”了,因为但丁的哲学修养更多是来自大阿尔贝托,而不是圣托马索。

㊸托马斯·德·阿奎诺,即托马索·德·阿奎诺(参见注㊶),出身阿奎诺伯爵家族,1225 年或 1226 年生于罗卡塞卡(Roccasecca)。开始在蒙特卡西诺(Montecassino)的著名的本笃会修道院学习,1243 年,不顾家庭反对,加入多明我会,充当修士。先后在巴黎和科隆学习,曾是大阿尔贝托的弟子。1248 年开始在科隆任教,后又转至著名的巴黎大学授课多年。后又到那不勒斯大学教神学;1269 年,重返巴黎,这时,他开始与西基耶里·迪·布拉班特(Sigieri di Brabante,参见注61)论战,写成《论心智的统一》(*De unitate intellectus*)一书。1272 年返意,两年后,应教皇邀请,前往参加 1274 年的里昂公会议(concilio di Lione),但中途在佛萨诺瓦修道院(Monastero di Fossanova)暴卒,据传是被人毒死的(《炼狱篇》第二十首曾述及此事)。1323 年被封为“圣徒”。为十三世纪最伟大的哲学家,有“天使般的博士”(doctor angelicus)之美称;曾在亚里士多德理论基础上系统整理基督教思想,其哲学思想至今仍为天主教会的“官方哲学”。著有许多评注亚里士多德思想和有关神学问题的论述,最有名的为两部“大全”(Summae):即《神学大全》(*Summa theologica*)和《反异教徒大全》(*Summa contra Gentiles*);该两部著作是但丁广为借鉴和引述的。波斯科-雷吉奥注释本认为,纳尔迪虽然缩小了托马斯主义对但丁哲学思想的影响,然而,但丁的哲学思想仍无疑是大部分来自托马斯主

义；萨佩纽注释本也认为，圣托马索的著作是“但丁哲学的主要渊源之一”。

㊹这里是说，圣托马索请但丁“用视线”，紧随他的一一介绍，辨认“花环”中的各个人物，具体地说，从大阿尔贝托的右边开始。

㊺格拉齐安(Grazian)，即格拉齐亚诺(Graziano，诗中省去了字尾元音)：他名叫佛兰切斯科(Francesco)，十一世纪末生于奥尔维耶托(Orvieto)的卡拉里亚(Carraria)或基乌西(Chiusi)，大约死于1160年。他曾是本笃会的一支卡马尔多利会(camaldolese)僧侣，曾在波洛尼亚任教；1139—1151年间，曾撰述名著《格拉齐亚诺教规汇编》(*Decretum Gratiani*)或称《教规异同一览》(*Concordia discordantium canonum*)，其中收集、整理、总结了教会的各项教规、经文、大师著作、教皇敕令、主教会议决定等有关教会法规问题的文件共四千篇，从而为教会法典奠定了基础。在1917年教会颁行教会法典以前，该书一直是天主教法规全书的第一部分，各大学教授教会法均以它为教材。波斯科-雷吉奥注释本认为，该书突出说明教规不一致之处，力图调和来源不同的法规之间的矛盾与分歧，并指出删除这些差异的可能性，因此，这可能是但丁在日球天赞颂格拉齐亚诺的原因，意在突出表明该书的价值所在，特别是“协调和实现世俗生活与宗教生活二者之间的平衡”，这与第九首谴责对教规的滥用并不矛盾。

㊻“这一座和那一座法庭”的原文是 l'uno e l'altro foro，萨佩纽注释本指出，这一提法“含义不清”，注释家对此诠释不一：拉纳认为是指格拉齐亚诺的著作符合“理性与正义”；但丁之子彼特罗和布蒂认为是涉及世俗法律和教会法律的协调一致问题；还有人认为是指教会法典的两个部分，即教会法庭的两个法庭，亦即“内庭”(foro interno)即悔罪(penitenziale)和“外庭”(foro esterno)即审判(giudiziale)。但认为指世俗和宗教两种法律的居多，因为正是格拉齐亚诺率先区分自然和神的法律与人类的法律的。不同意上述最后一种诠释的注释家认为，格拉齐亚诺本人著作中并无“内庭”和“外庭”之说；针对这种意见，持相反意见的人则指出，圣托马索著作中曾有这样的说法，格拉齐亚诺本人尽管未用这样的词汇，但却明确地区分教会的两种权力：即圣事和审判。

㊼“彼特罗”(Pietro)即彼特罗・隆巴尔多(Pietro Lombardo)，1090年至1095年间生于诺瓦拉(Novara)地区的拉梅洛尼奥(Lamellonio)。可能曾在波洛尼亚学习，1133年或1134年，由圣贝尔纳多(S. Bernardo，1091—1153)介绍，入圣维托雷(S. Vittore)修道院，时年约四十岁。后又在巴黎主教堂学校任教，一直到1159年；是年，当选巴黎主教。1160年去世。他的著述颇丰，他的名著为写于1153年的《教父名言集》四卷(*Libri quattor Sententiarum*)，其中论述了上帝、创世、赎罪、末日等神学问题。该书在《圣经》的基础上汇集和总结了基督教的学说，为后世许多著名神学家所评注和借鉴。关于与“穷苦的妇人”一道向教会献“珍宝”一事，是指他在所著《名言集》一书的序言中所写的几句话，其中提及出自《新约・路加福音》第二十一章第一至四句中一个“穷寡妇”奉献两枚铜钱的故事：“耶稣抬头一望，看见很多有钱人拿捐项投进奉献箱里；跟着又注意到一个穷寡妇将两枚小铜钱投下，他就说：‘我确实地告诉你们：这寡妇所献的，比其他人还多。因为他们丰衣足食，所献的不过是自己剩余的金钱；但这穷

寡妇却献出了她全部的财产。'"

但丁在他的著作中只提过彼特罗・隆巴尔多一次,旨在批驳他的某个观点(见《论帝制》第三卷第七节第六句段)。

㊽这个"光芒"即是大卫王之子、后继任以色列王的所罗门。"这样强烈的爱"是指《旧约・雅歌》,据传为所罗门所作,中世纪认为,这部充满神秘色彩的情诗是象征性、预言般地歌颂基督与其"新娘"即教会的婚姻;《旧约》的《箴言》、《传道书》等据传也是他的作品。诗中所说世人"热切渴望知道他的消息",是指神学家对所罗王死后的归宿争议颇多,有人甚至认为,他暮年时荒淫无度,死后被打入地狱:《旧约・列王记上》第十一章第一至九句就提及所罗门嫔妃众多,并违背上帝意旨,与外族人通婚,崇拜他神:"除了埃及公主以外,所罗门还娶了许多外邦女子……虽然主曾经告诉以色列人不可跟外族人通婚,因为以色列人会受这些外族人的引诱,随从别的神祇。可是,所罗门却把主的训令抛诸脑后。他的七百个妻子都是外国的公主;他又有三百名嫔妃。这些女子终于把所罗门的心诱离主。尤其是在所罗门年老的时候。她们竟然怂恿他转拜她们的神。所罗门没有像他父亲大卫一样,忠心顺服主……虽然主曾经两次向所罗门显现,但他却仍然离弃主,所以主非常愤怒。"

㊾"倘若真理确是真理"是指在上帝启示下写成的《圣经》全部都是真理,这里用"假设"、"怀疑"的口吻,只是"形式上"的。下一句诗是指《旧约・列王记上》第三章第十二句上帝对所罗门说的话:"我必应允你,赐给你无与伦比的聪明智慧。"关于所罗门的情节,本篇第十三首还要进一步阐述。

㊿这里用"蜡炬",是象征"教会的光芒"(斯卡尔塔齐尼)。诗中所指是《新约・使徒行传》第十七章第三十四句中所说的"亚略巴古的官杜内修"。"杜内修"原文为 Dionisio 或 Dionigi,曾在希腊雅典的亚略巴古(Aeropago)做过士师(即法官),所以《圣经》中称他为"亚略巴古的官"。经史上,一般称他为"亚略巴古人圣杜内修"(San Dionigi l'Aeropagita),亚略巴古的形容词 Aeropagita,有时作为姓,放在名字后面,有时则作为"人"加指示冠词 l'Aeropagita(参见本篇第八首注⑪和㊺)。在圣保罗的引导下,他皈依了基督教,曾任雅典的第一任主教;公元 95 年 10 月 9 日殉道。有许多著作曾认为是出自他的手笔,但目前则认为是五世纪一位信奉新柏拉图主义的基督教徒所作,其中有《论天国等级》(*De coelesti hierarchia*),该书即是论述诗中所说的"天使的本性与职能"。但丁在《书信集》第十一章第十六句段和第十三章第六十句段中曾提及他,并采用了他划分天使等级的做法,从而对原来在《筵席》中所做的划分作了纠正(参见本篇第八首注⑪和㊺)。

(51)对于此句的"辩护人"究竟指谁,古代注释家说法不一:但丁之子彼特罗认为是指圣安布罗乔(Sant'Ambrogio,330—397),他是拉丁教会最著名、最博学的神甫之一,正是依靠他的"拉丁文",亦即依靠他的布道和书信,圣阿哥斯蒂诺(Sant'Agostino,354—430)从原来信奉摩尼教(manicheismo)的异端邪说转而皈依基督教,成为"伟大的基督教徒";也有人(如布蒂)认为是五世纪的西班牙历史学家保罗・奥罗西欧(Paolo Orosio),因为据说圣阿哥斯蒂诺为了他的名著《论上帝之城》(*De civitate Dei*)一书,曾建议他撰写《异教徒史》七卷本(*Historiarum libri VII adversus Paganos*),以证实该书的论点;近代注释家也看法不同:有说是指三、四世纪文化修养很高的基督教支持者拉坦齐奥(Lattanzio)的,也有说是指二、三世纪迦太基的基督教支持者特尔图利亚诺(Tertulliano),或诺拉主教圣保利诺·达·诺拉(San Paolino da Nola,353—451)的;布斯内利(Busnelli)则认为是指四世纪皈依基督教的非洲演说家马里奥·维托利诺(Mario Vittorino),他是位学识渊博的哲学家,曾把柏拉图的对话译成拉丁文,因此,圣阿哥斯蒂诺曾利用他的译本了解柏拉图的思想。萨佩纽注释本认为布斯内利的推测“最可信”,因为诗中说“小小的光亮”(piccioletta luce),指名气小些的马里奥·维托利诺更为合适;波斯科-雷吉奥注释本则认为,“最可信”的是奥罗西欧,因为奥在其《异教徒史》序言中就提及此书是圣阿哥斯蒂诺建议他写的,但丁显然借鉴过奥的这部名著,在《筵席》、《论帝制》和《论俗语》等书中都引述和盛赞过他,但它也认为,在许多被推测的人选中,马里奥·维托利诺是“唯一可以接受”的。

㊾奥古斯丁(Augustin)即是指圣阿哥斯蒂诺(见注㊿)。他是拉丁教会最著名的神甫,最卓越的天主教哲学家之一。354年,生于北非的努米底亚(Numidia)的塔加斯特(Tagaste),曾先后在迦太基、罗马、米兰学习,并教授修辞学。最初曾信仰异端的摩尼教,后又成为新柏拉图主义者和怀疑论者,最后在其母圣莫妮卡(Santa Monica)影响下皈依基督教,384年,由圣安布罗乔(见注㊿)施洗。后又重返非洲,从事僧侣生涯,任伊波纳(Ippona)主教;426年,死于该地(一说是430年)。作为思想家和活动家,他积极献身于反对异教的斗争,著有《论上帝之城》、《忏悔录》(*Le Confessioni*)等。死后,遗骨葬于帕维亚的“金天圣彼得主教堂”(Basilica di San Pietro in Cielo d'oro)。他曾在伊波纳医院亲自成立“奥古斯丁修女会”(Agostiniane);据说,天主教四大托钵修会之一奥古斯丁会(Agostiniani)也是他建立的,该会推行隐修戒律,十二世纪一度分裂成几个派系,1256年又联合成一个整体,但又分为若干地方团体,如1503年在萨克森(Sassonia)成立了宗教改革派代表路德所属的萨克森修会。

㊿包括说话的托马索·德·阿奎诺在内,这时已介绍了七位“花环”中的人物,因此,该介绍第“八”位了。

54“圣洁的灵魂”系指罗马元老院议员波伊提乌斯,他的全名是阿尼丘·曼利奥·托尔夸托·塞维里诺·波伊提乌斯(Anicio Manlio Torquato Severino Boezio)。他是罗马贵族,约生于480年,在东哥特(Ostrogoti)国王特奥多里科(Teodorico,457—526)占领意大利(499年)后,深受特的器重,历任元老院议员、执政官等要职;后特奥多里科怀疑他反对东哥特人统治意大利,使他失宠,并下令将他投入帕维亚的监狱,最后于525或526年将他杀害。他在狱中写了传世名著《哲学的慰藉》(*De consolatione Philosophiae*),其中揭示了尘世荣华富贵的虚妄。萨佩纽和波斯科-雷吉奥两注释本认为,他在把古代思想文化传递到中世纪的基督教新哲学方面起着极其重要的作用,在中世纪被誉为“圣者”和“殉道者”,被说成是“罗马人的最后一人”

和"经院哲学家的第一人",在对西欧形成起着关键作用的时代,是"头等重要的人物"。他的《哲学的慰藉》和西塞罗的《论友谊》(*De amicitia*),曾是但丁因贝阿特丽切之死而感到极大悲痛时爱不释手的两部书,而他的书又是但丁所读的第一部哲学著作,使但丁在痛苦之余得到极大安慰,并产生学习哲学的愿望:但丁在《筵席》第二卷第十二节第二句段和第十五节第一句段中就曾说,他的书是最早一些以"温馨的话语"使但丁产生"对哲学的爱"、亦即要"学习哲学"的书籍之一。但丁不仅在《筵席》中多处引述他,而且在《论帝制》、《书信集》中也曾援引他的论点。

(55)"被驱逐出他的肉体",含有"施用暴力"之意,因为波伊提乌斯是被斩首的。

(56)这里"金天"的原文是 in Cieldauro,即 in Cielo d'oro,亦即帕维亚的"金天圣彼得主教堂"(见注(52)):波伊提乌斯死后被埋葬在这里,至今仍有他的石棺。

(57)"经过殉道和流放"是指波伊提乌斯因暴力而死;"流放"则是指他被放逐出尘世生活,而尘世是人的"真正故乡"(萨佩纽)。波斯科-雷吉奥注释本指出,波伊提乌斯虽是在中世纪被看成是圣者和殉道者,但他对基督教的信仰在历史上则是未加肯定的。"太平之乡"指天国。

(58)伊西多罗(Isidoro),也被称作"塞维利亚的伊西多罗",因为他做过西班牙塞维利亚(Siviglia)的主教。他于 560 年或 570 年左右生在西班牙的卡尔塔赫纳(Cartagena),636 年去世。著有许多历史、文法、神学作品,最著名的是百科全书式的二十卷本《词源学》(*Etymologiarum*),为后世模仿的典范,尽管有人怀疑但丁是否真的读过他的著作。另著有《名言录》(*Sententiarum*)三卷本,论述神学问题。

贝达(Beda),又称"令人尊敬的贝达"(Beda il Venerabile),为英国僧侣,674 年生于威尔穆斯(Wearmouth),735 年死于贾劳(Jarrow)。留有许多历史、宗教著作,较著名的为《盎格鲁人教会史》(*Historia ecclesiastica gentis Anglorum*),该著作对了解英国基督教历史具有十分重要的价值。

里卡多(Riccardo),又称"圣维托雷的里卡多"(Riccardo di San Vittore),因为他自 1162 年起任法国巴黎圣维克托修道院(Abbazia di Saint Victor)院长,直到他于 1173 年去世;为神秘主义维克托派的代表人物之一,被誉为"伟大的静修者"(Magnus contemplator),他的原籍可能是苏格兰。他有不少神学著作,坚决反对理性主义,但丁在《书信集》第十三章第八十句段中曾明确提及他的名著《论静修》(*De contemplatione*)。

(59)这里是说,里卡多在默念静修方面,几乎像是天使,超过"凡人"。"凡人"一词的原文是 viro,即"男人",用法来自拉丁文 vir。

(60)"这一位"是指最后一位该介绍的精灵,他位于"花环"的终端,即是在托马索·德·阿奎诺的左侧,因而托马索请但丁"把视线从他那里回到我身上"。

(61)这位精灵即是西基耶里·迪·布拉班特(见注㊸)。西基耶里·迪·布拉班特(1226—1283)为巴黎大学艺术系教员,也是所谓"拉丁阿威罗伊斯主义"的主要代表人物。生于日耳曼帝国的布拉班特公国,自 1266 年至 1276 年,成为轰动巴黎大学艺术系的争论的中心人物;也自

1226 年起，他因这场争论而得以扬名。他置正统的基督教学说于不顾，宣扬激进的亚里士多德主义，主张宿命论，否认创世、灵魂不死和自由意志，尽管又提出双重真理的学说，即作为信教者，他背叛他在哲学上所坚决捍卫的理论。因此，他的教学遭到圣托马索的抨击；为反对阿威罗伊斯主义，圣托马索写了《论心智的统一》一书（见注㊸）。1270 年 12 月 10 日，巴黎大主教斯特法诺·当皮埃（Stefano Tempier）公开谴责西基耶里的错误，当时，圣托马索已开始与西基耶里论战，大阿尔贝托也在多明我会教士埃吉迪奥·迪·莱西内斯（Egidio di Lessines）的推荐下，批驳了西基耶里的十三个阿威罗伊斯主义论点。1276 年 11 月，法国宗教裁判所代表西蒙·杜·瓦尔（Simon du Val）传讯西基耶里及两位他的信徒，西不得已前往意大利，向教皇提出上诉。1277 年，巴黎大主教当皮埃严厉谴责西基耶里教学中的二百一十九个命题，其中有些则是圣托马索的。此期间，西基耶里被扣留在教廷，遭到严密监视。1283 年，在奥尔维耶托（Orvieto）被派来服侍他的一名修士杀害（据说此人患有疯病）。但据称是但丁青年时期之作的《花朵》（*Fiore*）第九十二章第九至十一句段中证实当时的传闻：西基耶里的被害是出于托钵修会的阴谋策划。

诗中所说的西基耶里“为严重的思虑所苦”，恨不得早死以求解脱（“竟觉得自己迟迟不得死亡”），注释家说法不一：许多人认为是指西基耶里的敌人对他迫害，波斯科-雷吉奥注释本则认为是指他本人在哲学上的苦思冥想，因为他摇摆于双重真理之间，换言之，他的心灵“被分割在理性力量和信仰需要二者之间”。

㉜“草料街”（Vico de li Strami），法文为 rue du Fouarre，是巴黎设有哲学学校的一条街，因为上学的学生须携带干草作为“板凳”来听课。

㉝“这个时辰”指拂晓。诗中用钟表轮件的转动和晨钟的声响来形容享天福者的“花环”的动作和歌声，从而把视觉和听觉巧妙地结合起来；同时又用“新娘”（即教会的象征）清晨起身，向“新郎”（即基督的象征）歌唱“晨曲”（即晨祷的象征）来比喻享天福者要保存基督的爱，形象真切而清新。歌唱“晨曲”的原文为 mattinare，原文是指情郎在拂晓时到自己所爱的姑娘的窗下歌唱，就像唱“夜曲”一般，此处则加以颠倒，变成“新娘”唱给“新郎”听了。

㉞“光荣的轮盘”指享天福者的“花环”。

㉟“那个地方”指天堂。“无穷无尽”的原文为 s'insempra，又是但丁自创的新动词，系由副词 sempre（永远）变来。

第十一首[1]

尘世事物的虚妄与天国的荣光(1—12)
但丁的疑问(13—27)
对圣方济各的颂扬(28—117)
多明我会的堕落(118—139)

尘世事物的虚妄与天国的荣光

哦,芸芸众生的毫无意义的操劳,
那些让你拍动翅膀、向下飞去的论调,
是多么站不住脚[2]!
有的追求法学,有的追求警句格言[3],
有的把祭司的职位紧追慢赶,
有的靠武力或诡辩独揽大权,
有的偷盗行窃,有的把公私事兼管[4],
有的耽于肉欲之乐,疲惫不堪,
有的则无所事事,游手好闲,
而这时,我则不为所有这些琐事所缠,
受到如此荣光的欢迎,
与贝阿特丽切一道,登上青天。

但丁的疑问

既然每个精灵已回到原来所待的圆圈位置[5]，
他们就静止下来，
正像蜡烛插上烛台[6]。
我听到方才与我讲话的那束光芒里面，
有声音开始微笑发言[7]，
而那光芒也变得更加明亮耀眼：
“正如我从他的光辉中得到光亮，
在我观看那永恒光明的同时，
我也便得知你何以产生这些思想[8]。
你对我前面所说的话有怀疑，
而且你也希望我用如此明确而详尽的语言来讲述，
使你听起来感到平易，
我曾说‘本可使自身变得肥胖’，
还曾说‘不会生出第二个人’[9]；
在这方面，必须很好地分清辨明[10]。

对圣方济各的颂扬

上天用他那主张统治凡尘，
一切造物的目光
在透析这主张之前就被战胜[11]；
他为了让那一位的新娘[12]
走向她所欢喜的对象
——而那一位曾大声呼喊，以神圣的鲜血与她结为鸾凰[13]，
让她更加自信，也更加信任那位新郎，
曾为她派来两位亲王[14]，
他们从这边和那边为她导向[15]。
一位完全像撒拉弗那样热情似火；
另一位则像基路伯那样灿烂辉煌，
用智慧之光把世间照亮[16]。

我将要说的是其中的一位[17]，
因为只须以敬重的口吻谈到两位中的一位，而不问你
　　选择的是谁，
42 这是因为他们的工作都共有一个目的要奋起直追[18]；
在图比诺与那条河水之间
——那河水从幸福的乌巴尔多所选中的山丘流泻，
45 一道肥沃的山坡从高山上向下倾斜[19]，
从那里，贝鲁加的太阳门一带得知冷暖[20]；
从背面，诺切拉与瓜尔多一起，
48 又因被压上沉重的羁轭而哭声不断[21]。
就在这山坡打断它那陡峭坡度的地方[22]，
一轮红日诞生在人世上[23]，
51 正如从恒河有时升起的太阳[24]。
因此，有人要谈起这个地方，
就不要说阿谢西，因为这样说意义不大[25]，
54 而应当说东方，倘若想要出言恰当。
距他升起的时间尚不很远[26]，
他就开始令大地
57 感受到他那伟大德性的一些慰藉[27]；
因为他十分年轻时就为了这样一个女人，
曾与父亲进行战斗，
60 无人会向这女人，正如向死神一样，敞开欢迎之门[28]；
在他那神职的法庭面前，
当着父亲的面，他便与她喜结良缘[29]；
63 后来，他更加热爱她，一天胜似一天。
这女人在失掉第一个丈夫以后[30]，
一直被冷落，被忽视，无人过问达一千余年之久，
66 直到此人前来追求[31]；
既不值得向人叙说：那个曾令全世界都闻风丧胆的人[32]，
发现她与阿米克拉特一道，

听到他的声音却依然从容镇定；
也不值得显示自己是如此坚定和刚毅：
在玛利亚留在下面的地方，
她竟伴随基督，在十字架上痛哭流涕[33]。
但是，为了让我不致过于暧昧不明地讲下去，
你如今可以从我的详细言谈中，
把这对恋人理解为方济各和贫穷。
他们的和睦融洽和他们的快乐神情，
爱恋、惊喜和温柔的目光，
都成为神圣思想的起因[34]；
这就使那令人起敬的贝纳尔多[35]
首先赤了双足，在那如此平和的苦修生活后面奔驰追赶[36]，
尽管他奔驰不停，却仍觉得动作迟缓。
哦，无人理睬的财富啊！哦，硕果累累的财产[37]！
埃吉迪奥在脱掉鞋子，西尔维斯特罗也在脱掉鞋子[38]，
他们紧跟在那位丈夫后面，因为那位妻子是那样令人喜欢[39]。
这样，那位父亲和那位一家之主
便携带他的女人和全家动身前往[40]，
他的全家已把那谦卑的缰绳系在腰上[41]。
作为彼特罗·贝纳尔多内的儿子[42]，
又如此衣衫褴褛，令人惊奇，
这都不能令他心情懊丧，把他的睫毛压低[43]；
相反，他却堂堂正正地向伊诺钦丘[44]
陈述他那严峻的心意，
并且从对方那里，得到批准他的教派的最初印玺[45]。
后来，追随此人的穷苦人与日俱增，
他那令人赞叹的生活将会
在赞美上天的光荣中得到更好的歌颂[46]；
永恒之灵曾通过奥诺里欧[47]，
为这位大牧师的神圣心愿[48]，

加上第二顶王冠。
随后,怀着对殉道的饥渴,
在那傲慢的苏丹面前,
他把基督和追随基督的其他人大力宣传[49];
因为发现这些人过分幼稚,不肯皈依,
也为了不致枉费心机,
他便返回把那意大利草场的果实摘取[50];
在台伯河与阿尔诺河之间的陡峭山岩中[51],
他从基督那里得到最后一记印信,
他的肢体把这印信又带了两春[52]。
曾选中他、使他得到那么多善待的那位[53],
这时乐于把他提升到天上,给予奖赏,
而他也因为自命渺小,当之无愧[54],
于是,他便把他珍爱的女人[55]
托付给他的兄弟们,正像托付给名正言顺的继承人,
嘱咐他们要对她热爱至诚;
那杰出的灵魂宁愿从她的小腹部动身,
返回他的天庭,
他不愿用其他棺材来装殓他的肉身[56]。

多明我会的堕落

你现在可以想一想那位是怎样的人:
他曾作为匹配得当的同事,
把彼得的舟船保持在大海汪洋中破浪直航[57];
这便是我们的开山始祖;
因此,你可以看出,在他的掌舵下紧随他的不论是谁,
都能装载什么上好的货物[58]。
但是,他的羊群却变得贪吃新的草料[59],
这就使他们只能分头溃散,
跑到四面八方的野地荒原。

他的山羊愈是跑得五零七散，
跑得愈是离他遥远，
129　它们就愈是奶水空空地返回羊圈[60]。
然而，也有一些山羊害怕受到伤害，
紧紧靠住牧羊人；但是，它们为数如此寥寥，
132　只须很少的布料就可供应所有连衣风帽[61]。
如今，倘若我的话语并不晦涩难懂，
倘若你曾仔细倾听，
135　倘若你能把我所说的一切唤回脑中，
那么，你的愿望就会得到部分满足，
因为你将看到那树木之所以烂成碎片的缘故[62]，
138　你还将看到那纠正错误的插话[63]
如何把‘若不是贪恋虚荣，本可变得十分肥胖’一句来论述”。

注释

①本首与下一首即第十二首，看来是姊妹篇，因为从二者的结构、布局、内容等各个方面来看，都仿佛是经但丁统一构思、精心安排的：第十一首是由多明我会教士圣托马索来赞扬圣方济各和谴责自己所属的多明我会大多数教士违背其创始人的教导，第十二首则是由方济各会教士圣博纳文图拉（San Bonaventura）来盛赞圣多明我和谴责自己所属的方济各会大部分教士走上邪路；甚至连诗句的数目在有些内容上也是同等和对称的（如叙述圣方济各和圣多明我的出生地）。波斯科-雷吉奥注释本认为，但丁之所以在两个教派之间采取这种“不偏不倚”的态度，是为了要抨击二者之间的竞争，但丁可能认为，这也是它们脱离正道的一个结果，因而有意在诗中营造双方以礼相待的气氛。

②本段三行韵诗可称为本首序诗的开端：序诗旨在说明世人贪求世间财物而作出种种“无聊”的辛劳，而像但丁这样获得天恩、克服世间种种可悲条件的人，则受到上天的欢迎，登上天国。

③“追求警句格言”是指孜孜不倦学习医学：因为“警句格言”的原文为 aforismi（波斯科-雷吉奥注释本采用古代写法 amforismi），而这正是公元前五至四世纪的希腊名医、号称“医学之父”的希波克拉底（参见《地狱篇》第四首及有关注释）的名著《格言警句集》（*Aforismi*）的书名，因此，这里即是指“医学”，与前句的“法学”（iura）恰相对应，诗中所说的“法学”则是指民法和教规。

④“把公私事兼管”，原文是 civil negozio，萨佩纽和波斯科-雷吉奥两注释本都认为是指对公共

事务乃至家务的“操劳”:布蒂就说,要想文明地生活,就须掌握这方面艺术和技能;但丁在《筵席》第一卷第一节第四句段中也说到“对家事和民事的操劳”(cura famigliare e civile)是大多数人把它适当地作为自己的分内事。

⑤“每个精灵”是指组成第一个花环的十二个精灵中的“每个精灵”。

⑥这里又用“蜡烛”(candelo)形容精灵,第十首第115句中也曾用“蜡炬”(cero)形容过杜内修,看来,是但丁惯用的生动比喻,在本篇第三十首中还会有类似的写法。

⑦这里“微笑发言”的仍是圣托马索。

⑧“他的光辉”指上帝的永恒光辉。诗中是说,精灵本身的光芒来自上帝的“永恒光明”,当精灵注视上帝的光辉时,就像照镜子一样,反射出但丁这时产生的种种思想,精灵也便“得知”这些思想的起因。

⑨这里明确指出但丁的两点疑问:一是涉及圣托马索所说有关多明我会的堕落的话:即第十首第96句:“沿着这条途径,若不是贪恋虚荣,本可变得十分肥胖”;一是圣托马索谈到所罗门时所说的另一句话:即第十首第114句:“不会生出第二个人能把事物看得如此仔细”,尽管这里所用的动词不一致:原来用surse(直译为“冒出”),这里则用nacque(产生),波斯科-雷吉奥和萨佩纽两注释本都依照佩特罗基的版本,采用了大多数古代手抄本中所写的“产生”一词,即使不是原话所用的。

⑩“在这方面”,原文是qui(直译“这里”),萨佩纽和波斯科-雷吉奥两注释本都认为是指上述两点疑问,因为问题都很重要,需要用不同的详细论述来加以澄清(后一点疑问将在本篇第十三首才澄清)。但有些近代注释家则认为只是指后一点疑问,即要辨明在哪类人当中,所罗门不会有第二人与之匹敌。

⑪这段三行韵诗的意思是:上帝主宰人间事物是有其“主张”的,而这种主张又是世人(“造物”)的心智(“目光”)所无法彻底了解(“透析”)的;因此,诗中说,人类在理解上帝的意旨之前就被“战胜”了。

⑫这里又用了“新娘”(教会)和“新郎”(亦即诗中所说的“她所欢喜的对象”和“那一位”,即是指基督)的比喻。

⑬关于“神圣的鲜血”的说法,用典出于《新约·使徒行传》第二十章第二十八句:“因为教会是主用自己的血赎回来的”;关于“大声呼喊”的细节,用典则出于《新约》的《马太福音》第二十七章第五十句、《路加福音》第二十三章第四十六句、《马可福音》第十五章第三十七句:“耶稣又大喊了一声,就断了气。”“耶稣大声喊叫说:‘父亲啊,我将我的灵魂交在你的手中。’说毕,气就断了。”

⑭“亲王”(principi),亦即“领袖”(capi),是拉丁文用法;这里是指圣方济各和圣多明我。

⑮这里是说,圣方济各和圣多明我站在教会左右两边为它指引方向:圣方济各是以“仁爱”感化教会,使之更信任其“新郎”;圣多明我是以“智慧”说服教会,使之不致为异端邪说所惑(详见下段三行韵诗)。也有人把“这边”和“那边”理解为圣方济各和圣多明我所代表的东西方。

⑯这里把圣方济各的“仁爱”比作如上品天使撒拉弗一般炽热，把圣多明我的“智慧”比作如司知识的二级天使基路伯一般明亮，照耀人间。关于撒拉弗和基路伯分别代表“仁爱”和“智慧”的说法，见于圣托马索《神学大全》第一卷第六十章。

⑰圣托马索告诉但丁，他将要介绍的是圣方济各。

⑱这里是说，由于圣方济各和圣多明我所追求的目的都是一样的，即为了教会的善，赞颂其中的任何一位都是可以的，都等于赞颂两位。

⑲这里，但丁用大段的篇幅，开始介绍圣方济各的生平，而第一段三行韵诗，又是以其惯用的迂回笔法，从描绘圣方济各的出生地即阿西西（Assisi）的地理环境开始。图比诺（Tupino 或 Topino）为翁布里亚地区的基亚休河（Chiascio 或 Chiaggio）南边的支流；“那条河水”即是指基亚休河，该河长八十六公里，流入台伯河；诗中所说的山丘，为古比奥市（Gubbio）上方的奥夏诺山（Ausciano），该河即从该山上“流泻”下来。“乌巴尔多”指 1129 年至 1160 年任古比奥主教的乌巴尔多·巴达西尼（Ubaldo Baldassini），他年轻时曾进入奥夏诺山退隐。圣方济各的故乡阿西西即位于苏巴休山（Subasio，即诗中所说的“高山”）的山坡上，该山坡又界定在图比诺河与基亚休河两道河谷之间；“肥沃的山坡”即是指阿西西所在的西山坡，那里阳光充足，土质肥沃，坡度不陡，缓缓“向下倾斜”。

“肥沃”一词的原文为 fertile，波斯科-雷吉奥注释本指出，此词为拉丁文，在但丁作品中只出现这一次，但丁以前也不曾有人用过此词，因此近代注释家巴尔德利（Baldelli）推测，此词是但丁首先用于意大利文的。

⑳“从那里”指从苏巴休山；贝鲁加（Perugia）位于该山的对面（因而与阿西西也恰好遥遥相对），基亚休河和台伯河的左岸，因为与该山距离不算太远，依照不同季节，就从山的东面受到寒气或热气的侵袭：《最佳评注》就说，“在夏季，苏巴休山把酷热送下，在冬季，大雪纷飞，则把严寒送下”。“太阳门”（Porta Sole）是贝鲁加古城的城门，坐西朝东，正好位于阿西西的对面，现已塌毁，属贝市的一个市区，至今仍保留原名。

㉑“从背面”是指与苏巴休山西坡相反的东北坡；诺切拉（Nocera）和瓜尔多（Gualdo）为两座城市：诺切拉又名“翁布里亚的诺切拉”（Nocera Umbra），它们位于贝鲁加另一面，在苏巴休山后面，因而大山就像一副“羁轭”似的压在它们上面，气候条件十分恶劣，诗中就此才写出“哭声不断”，形容二城深受其苦，与该山西坡情况恰好相反。然而，古代注释家也有另一些不同的诠释：如本维努托虽与但丁之子彼特罗持上述意见，但同时又提及另一种可能：即是指贝鲁加在十三世纪末和十四世纪初对诺切拉和瓜尔多二城的专制统治；布蒂和拉纳则认为是指安茹的罗贝托（参见本篇第八首及有关注释）以苛捐杂税压榨二城。萨佩纽注释本批评前一种说法“不可信”；波斯科-雷吉奥注释本则指出，但丁做此冥界、天堂之行时，罗贝托尚未任那不勒斯王，因此，后一种说法是违反历史年代的。

㉒这里是说，山坡的“陡峭坡度”变得平缓一些。

㉓“红日”指圣方济各。把圣徒或天使比作“太阳”的写法，是有关圣方济各的传记和《圣经》中

常见的:最早为圣方济各作传的贝纳尔多·达·贝萨(Bernardo da Bessa)和托马索·达·切拉诺(Tommaso da Celano)就说:"幸福的方济各,就像太阳在世间升起那样,以其一生、学说和奇迹光芒四射";"此人(即圣方济各)就像晨星和光辉灿烂的太阳那样,在上帝的殿堂中发出光亮";《新约·启示录》第七章第二句说:"继而另外一位天使从东面冉冉上升,手里拿着永生上帝的印玺。"萨佩纽注释本还认为,但丁在诗中把圣方济各比作"红日",也是受阿西西地理位置的启发:因为圣方济各的出生地与贝鲁加的太阳门遥遥相望。

㉔这里特地用"恒河有时升起的太阳"作比,是因为恒河位于有人居住的世界的最东面,而太阳在春分时节从那里升起,是更明亮、更灿烂,据说,这个季节的阳光能给大地带来更好的影响。

㉕"阿谢西"(Ascesi)或"谢西"(Scesi)都是意大利古文,特别是托斯卡纳地区对阿西西的通称;但丁在诗中用前者,因它有"升起"(ascendere)之意(后者则意谓"下降"),亦即代表"东方",但为"东方"一词的委婉说法,因此,诗中才说:说"阿谢西","意义不大",因为它只表明"升起"之意,而说"东方",才是"出言恰当",这种诠释正是《最佳评注》所作的。本维努托还进一步解释说:"因为一个地方的名字应当与位于其中的东西相适应;因此,倘若应当把圣方济各称作太阳,阿西西就应当称作东方,既然那太阳是从那里,亦即从东方诞生的。"由此而产生了"方济各即太阳"、"阿西西即东方"的说法。

㉖圣方济各(San Francesco,1182—1226),又称"阿西西的方济各"(Francesco d'Assisi),主张仁爱与贫穷的使徒,故被称为"撒拉弗式的人"(Serafico)和"穷苦人"(Poverello),为方济各会(Franceschini)或"低级教士会"(Frati minori)等修会的创始人。生于翁布里亚地区的阿西西。父为彼特罗·贝纳尔多内(Pietro Bernardone),原籍卢卡,为羊毛商。圣方济各早于二十岁时就为保卫阿西西而与贝鲁加作战,并在圣约翰桥(Ponte San Giovanni)被俘。1203 年获释,患重病;后尚未完全康复,又赴普利亚(Puglia)参加与雅典公爵瓜尔蒂耶罗·迪·布里耶尼(Gualtiero di Brienne)的战斗(该战斗是受教皇伊诺钦佐三世指令进行的)。但在斯波莱托(Spoleto),他旧病复发,在夜梦启示下,返回阿西西。他决定出家为僧,放弃其父的遗产,1206 年,正式成为苦修的僧侣。1208 年,他在波尔琼科拉教堂(Porziuncola)主持弥撒时,受《福音书》的启发,决定成立修会,很快就有了大批追随者。1209 年,他赴罗马,要求教皇伊诺钦佐三世批准其修会,伊口头同意,未下谕旨(1210 年)。圣方济各返回阿西西,将方济各会地址设在里沃托里奥小教堂(Rivotorio)内,两年后,迁入波尔琼科拉教堂。1212 年,原为阿西西贵族的圣女克拉拉(Santa Chiara)皈依教门,圣方济各为她成立了方济各修女会(Francescane),亦称"克拉拉会"(Clarisse),会址设在本笃会(Benedettini)的一座修道院;1221 年,圣方济各又成立包括两性在内的"第三会"(Terziari)。1219 年,圣方济各赴东方传教布道,曾试图说服埃及苏丹人教。返回阿西西后,圣方济各发现方济各会一些教士开始背离苦修生活,便把主持修会的权力交由彼特罗·卡塔尼(Pietro Cattani)执掌,自身则全力投入起草正式"教规"(Regole)的工作;1223 年,该"教规"获教皇奥诺里欧三世(Onorio III)批

准，方济各会也得到教皇的圣谕认可。这时，圣方济各虽为病魔缠身，但精神上日趋成熟，曾长期在卡森蒂诺的维尔纳山（Verna）上隐修，1224 年 9 月，受到基督赐予的"神圣五伤记"（Sacre Stimmate）。圣方济各四十岁出头时，病势垂危，命人将他抬回阿西西，寄宿克拉拉会；一个阳光灿烂的下午，他命人把他抬入菜园，唱起歌颂上帝、宣扬谦卑与博爱的圣歌；晚间又为阿西西祝福，随即在波尔琼科拉教堂的光秃秃的地上与世长辞。两年后，他被教皇格雷高里奥九世（Gregorio IX）追谥为"圣徒"，遗体被迁葬"天堂山"（Colle di Paradiso，原名"地狱山"Colle di Inferno），送葬者万人空巷，教皇命在该山建立堂皇富丽的圣方济各殿堂，并由乔托（Giotto）绘制介绍圣方济各一生的壁画。

诗中"升起的时间"原文为 orto，是借鉴拉丁文 ortus 的用法，即指星辰的升起，这里继续用"太阳升起"来比喻圣方济各的"诞生"。此句的意思是：圣方济各开始其苦修生活是在1206 年春，当时他刚刚二十四岁。

㉗"慰藉"意谓"良好影响"，犹如太阳以其光辉普照大地。

㉘这里的"女人"指"贫穷"（La Povertà，在意文中，此词为阴性名词）；此段三行韵诗的意思是：世人厌恶和畏惧"贫穷"，就如同对待"死神"一样，因此，不会开门欢迎它。诗中所说的"与父亲进行战斗"，波斯科-雷吉奥注释本认为，这是把圣方济各描绘成中世纪骑士诗中为心爱的女人进行战斗的骑士，而圣方济各本人也是喜欢使用骑士般的词令的，如他把方济各会教士就称作"圆桌（骑士）朋友们"。这里引述了圣方济各传记作者广为传诵的圣方济各的一个生平事迹，其中记载了圣方济各与"贫穷"结姻的最早表现：1207 年春，圣方济各为修建圣达米亚诺小教堂（San Damiano），曾卖掉自己的一些衣服和一匹马，把换得的银钱捐献出来，其父得知后大发雷霆，把他拉往阿西西主教圭多（Guido）主持的教会法庭，要他郑重宣布放弃继承其父的财产。圣方济各不仅非常高兴地同意放弃，而且还当着主教和阿西西老百姓的面，剥掉身上的衣衫，还给其父，表示从今以后要抛弃一切世间财物，奉行福音书所说的清贫原则。关于圣方济各的"神秘婚姻"问题是十三世纪有关圣方济各的文献广泛记载的。

㉙"当着父亲的面"，原文是 coram patre，系拉丁文，教会法庭记录案卷的写法，意思较含糊，因而布蒂曾说："可理解为神职的父亲，即主教，也可理解为生身的父亲，即彼特罗・贝纳尔多内。"但圣方济各传记作者之一托马索・达・切拉诺（Tommaso da Celano）在叙述圣方济各的生平时则曾两次用过 coram episcopo（当着主教的面）的说法。

㉚"第一个丈夫"指耶稣。

㉛"一千余年"是指基督受难以来的"一千余年"。"此人"指圣方济各。

㉜这里用典出自卢卡努斯《法尔萨利亚》第五章：穷苦的渔夫阿米克拉特（Amiclate）由于穷困至极，不怕把他的破陋茅草房大开房门，尽管正在进行内战的凯撒军和庞培军的士兵不断来往奔驰在他的门前，甚至当凯撒出现他的面前时，他也从容不迫，不慌不忙。但丁在《筵席》第四卷第十三节第十一至十二句段中对此也曾提及。波斯科-雷吉奥注释本认为，诗句的意思是：光是想从贫穷得到安全感，并不足以"热恋"贫穷。"令全世界都闻风丧胆的人"即是

指凯撒。

㉝这里是用玛利亚与“贫穷”作对比：即在基督被钉上十字架后，玛利亚是在十字架下，而“贫穷”则始终追随基督，登上十字架，与基督在一起：因为十字架上的基督是赤身露体的，亦即意谓陷于极度贫困的境地。“痛哭流涕”，原文是 pianse，有受苦刑折磨之意；不少古代注释家认为该词应是 salse，即“登上”，近代一些注释家也接受这种诠释，波斯科-雷吉奥注释本则不赞成这种解释，认为这违反古代手抄本的一贯写法。

㉞此段三行韵诗的总的含义是明了的，即：圣方济各与贫穷的结合可作为所有其他人的范例，但由于第 76—77 句列举的词汇很多，从句法上看，意义不明，可做多种解释，因而注释家对此段的理解也有所不同。

㉟贝纳尔多（Bernardo），全名为“贝纳尔多·迪·昆塔瓦莱”（Bernardo di Quintavalle），出身阿西西名门望族，大约生于 1170 年。他曾模仿圣方济各的做法，将他大批家财散发给穷人；他仰慕圣方济各很久，后请圣方济各到家中，次日即随圣方济各出家为僧。1211 年曾在波洛尼亚建立第一座修道院；圣方济各垂危时亲侍左右，圣方济各死后不久，他也与世长辞。圣博纳文图拉曾认为，他是圣方济各的第一个弟子，也是圣方济各最钟爱的，因为他德性甚高；圣方济各也把他看成是自己的“长子”。他死后，被葬在阿西西的圣方济各主教堂（Basilica di San Francesco）。

㊱方济各会的教士都是“赤足”的，这也符合基督的告诫：参见《新约·路加福音》第二十二章第三十五句：“耶稣继续说：‘我上次打发你们去传福音的时候，叫你们不带钱包、背囊和鞋子……’。”因此，圣方济各的弟子是模仿圣方济各，圣方济各则是模仿基督的使徒的。

㊲这里是说，沉湎于追求世间财物的凡夫俗子，看不到“贫穷”所蕴藏的极大精神财富；“贫穷”犹如能有丰厚收益的“财产”，使人能建树功德，蒙受众多天恩，从而获得永生。“硕果累累的财产”，原文为 bene ferace，其中形容词 ferace（丰硕）为少见的拉丁文，如第 45 句的 fertile（肥沃）一样。

㊳埃吉迪奥（Egidio），为圣方济各的另一位弟子，1190 年生于阿西西，年纪极轻时就成为方济各会教士。古代圣方济各传记作者称，他是个朴实、正直，善于通过静修、从幻觉中觐见上帝的人。1262 年（或 1252 年）死于贝鲁加。

西尔维斯特罗（Silvestro），为阿西西一名僧侣，夜梦一条可怕的巨龙威胁要毁灭阿西西城，被圣方济各口中吐出的十字架所击退，因而追随圣方济各，成为他的弟子；约死于 1240 年。

㊴这里的“丈夫”、“妻子”分别比喻圣方济各和“贫穷”。

㊵这里的“父亲”、“一家之主”以及“女人”和“全家”都分别比喻圣方济各、“贫穷”和方济各会首批十一名教士。“动身前往”是指 1209 年末或 1210 年初，圣方济各携众教士前往罗马，请求教皇批准方济各会教规。

㊶“缰绳”的原文为 capestro，是用来系住马头或牛头的绳索，圣方济各为了表示“谦卑”，腰间不系皮带，而系“缰绳”，其弟子也都仿效他。

㊷彼特罗·贝纳尔多内为圣方济各之父,为一富有的商人。"彼特罗·贝纳尔多内的儿子"一句话是圣方济各为了表示自己"出身卑微"而说出的,圣方济各传记作者之一托马索·达·切拉诺曾记载过一个情节:即圣方济各一次曾让他的一名弟子羞辱他:该弟子恶意地辱骂他"粗俗"、"寄生"、"无赖",他却笑着表示赞许,答道,"上帝祝福你,因为你说的事情千真万确,听见别人说什么彼特罗·贝纳尔多内的儿子,这是多么正确啊";托马索·达·切拉诺还就此评论说:圣方济各这样说,"就是指他出身的卑微根源"。

㊸这里是说,尽管圣方济各出身卑微,而且"衣衫褴褛",但这并不使他感到羞愧,抬不起头来。

㊹伊诺钦丘(Innocenzio)即1198—1216年任教皇的伊诺钦佐三世(参见注㉗)。原名洛塔里奥·德伊·贡蒂·塞尼(Lotario dei Conti di Segni),三十八岁即任教皇,使教皇国权势达到顶峰。他最初对批准方济各会的成立曾举棋不定,后做一梦:梦见拉特兰圣约翰教堂(Chiesa di San Giovanni in Laterano)濒于倒塌,却被圣方济各用双肩支撑着,于是,口头批准了方济各会的教规。诗中未提及此细节,但在圣方济各的传记都对此有记载,阿西西上教堂(Chiesa superiore di Assisi)内还有据此所绘的壁画。"严峻的心意"指圣方济各为方济各会所订的"严峻"规划:据圣方济各传记载,甚至教皇伊诺钦佐三世最初也曾对圣方济各说:"我们觉得,你们的生活方式似乎是过于严峻刻苦了。"

㊺"最初印玺"是指口头批准。

㊻关于方济各会迅速发展的情况,圣方济各的同时代人雅科波·达·维特里(Iacopo da Vitry)曾在《西方史》(Historia occidentalis)第三十二章中曾说:"在很短时间内,方济各会教士就增加到这种程度:没有一个基督教的外省,没有方济各会的教士。"对本段最后一句,注释家诠释不同,大致有三种理解:一是许多近代注释家认为,此句应是指:歌颂圣方济各的生活,"更好的目的是颂扬上帝的光荣,而不是颂扬圣方济各的功德";二是依照《圣经》的思想,"一切人类德性的光荣都只应归于造物主的光荣";三是有些古今注释家认为,此句意谓:圣方济各的生活"与其说值得为世上的教士所齐声歌颂,倒莫如说值得为天上的天使所歌颂"。萨佩纽注释本则根据上述三种不同的诠释,提出其另一种独特的见解:即认为,这里是但丁有意让托马索作出一种"谦逊"的说明:圣方济各的生活"值得由天国中的天使和享天福者一齐来歌颂,胜过由托马索在此作详尽介绍"。波斯科-雷吉奥注释本则比较倾向于前两种诠释。

㊼"永恒之灵"指圣灵。奥诺里欧(Onorio)即是1216年至1227年任教皇的奥诺里欧三世(见注㉗),他作为圣灵在世间的代理人,于1223年11月正式发布圣谕,批准圣方济各所起草的方济各会教规(即"加上第二顶王冠",如前所注,第一次是由伊诺钦佐三世口头批准的);他在位期间,以镇压异端阿尔比派著称,1220年11月22日还曾为他的学生、神圣罗马帝国皇帝腓特烈二世加冕。

㊽"大牧师"的原文为archimandrita,该词为希腊宗教词汇,与下句"加上第二顶王冠"的动词过去分词redimita之为拉丁文,都是用来加强诗句的庄严郑重气氛的。

㊾这里是指圣方济各于1219年率领十二位门徒前往东方传教:他们先是在阿克里的圣约翰

(San Giovanni d'Acri)被撒拉逊士兵逮捕,后被解往埃及苏丹马列克-阿尔-卡米尔(Malek-al-Kamil)殿前,圣方济各向他讲道,但终无法说服其皈依基督教。诗中所说的"基督和追随基督的其他人"是指基督及其使徒,特别是指弥赛亚及使徒们的学说,亦即福音书。

㊿这里是说,圣方济各在东方传教未能成功,只好返回意大利,在那里,他的传教工作将会取得更好的结果。

51这里是指圣方济各后期隐修的维尔纳山(见注㉖)的险峻陡峭的山顶:维尔纳山属托斯卡纳地区的亚平宁山麓,介于台伯河与阿尔诺河两大河谷之间,俯瞰阿雷佐的毕比耶纳(Bibbiena)。

52"最后一记印信",原文用 sigillo,是为了与第 93 句和第 99 句衔接:即前两记印信是教皇伊诺钦佐三世和奥诺里欧三世对方济各会的认可,这"最后一记印信"则来自基督,象征基督对圣方济各所订教规的批准。实际上,基督的"印信"是指基督给圣方济各身上打上的"五伤记"(Stimmate):传说 1224 年,圣方济各来到维尔纳山上隐修、悔罪,曾要求耶稣显灵,向他证明耶稣受难时所受的痛苦。基督化为六翼天使撒拉弗,来到他面前,他的双手、双脚和一个肋部立即出现基督身上的五伤记;他带着这神圣的印记,一直到两年以后逝世。

53"那位"指上帝。

54"自命渺小"这一典故出自《新约·马太福音》第十八章第三句:耶稣说:"我确实的告诉你们,除非你们变得像孩童那样纯真,否则就不能进天国。凡真正谦逊像小孩的人,他在天国里会成为最大。"

55"女人"仍指贫穷。

56"她的小腹部"指贫穷的小腹部;即是说,圣方济各宁愿在贫穷中死去,不需要任何棺椁:如前所注,1226 年 10 月,圣方济各病势垂危,命弟子将他抬到波尔琼科拉教堂,脱光衣服,放到光秃秃的地上,最后咽了气。"杰出"一词的原文为 preclara,为拉丁文,在但丁用俗语撰写的作品中,仅在此处用过。

57"那位"指圣多明我:上帝把他选中,让他与圣方济各一起,使教会("彼得的舟船")得以安全地"在大海汪洋中",沿着正确的航道行驶。

58圣多明我是多明我会亦即布道兄弟会的创始人,因而圣托马索称他为"我们的开山始祖";"上好的货物"是比喻多明我会的教士在服从圣多明我制订的教规条件下所建树的种种功德。

59"羊群"比作多明我会;"新的草料"指与牧羊人喂养羊群的草料不同的草料,换言之,违背圣多明我的教导,追求世间财物。但古代注释家对"新的草料"具体所指,诠释不同:本维努托认为是指神职等级和荣誉称号,但丁之子彼特罗和布蒂则认为是指世俗学问,即非神学。萨佩纽注释本认为,上述两种诠释并非必然对立,因而可能都是正确的。波斯科-雷吉奥注释本则更倾向于后一种诠释,因为圣方济各和圣多明我也都身居神职高位;不可追求提升,只是"嘱咐",而非"禁止",做后一种解释也许更佳。

⑥0“奶水空空”是指脱离圣多明我的教规和范例,该会的教士就会丧失精神财富。

⑥1这里用布料缝制带风帽的袈裟来比喻和形容坚持追随和仿效圣多明我的教士的数目之少。

⑥2这里说但丁的“愿望”可得到“部分满足”,是指圣托马索只澄清但丁的两点疑问之一;对“你将看到那树木之所以烂成碎片的缘故”一句,也有种种不同解释:如有人解释为,“你将了解我所指责的那树木(即多明我会)”,从而把“碎片”理解为“指责”;波斯科-雷吉奥和萨佩纽两注释本都采用了关于多明我会之所以腐败的原因的说法。

⑥3“纠正错误的插话”,原文为 corregger,直译为“纠正错误”,其含义较含糊,因而主要有两种不同解释:萨佩纽和波斯科-雷吉奥两注释本都沿用佩特罗基版本的诠释,认为,这里是指本篇第十首第 96 句即“沿着这条途径,若不是贪恋虚荣,本可变得十分肥胖”一句中的“插话”,即“若不是贪恋虚荣”,因为它有“纠正错误”的含义,即是说,多明我会教士“若不是贪恋虚荣”,本可获得巨大的精神财富(“本可变得十分肥胖”,参见第十首注㊶)。但也有人把动词不定式 corregger 看成是从名词 correggia(皮带)变来的名词,即“腰系皮带的人”,犹如《地狱篇》第二十七首第 67 句的 cordigliero(腰系绳索的人)一样,用以区别于腰系“缰绳”的方济各会教士(参见注㊶)。

第十二首

第二个花环与圣博纳文图拉(1—30)
对圣多明我的赞颂(31—105)
方济各会的堕落(106—126)
第二个花环中的精灵(127—145)

第二个花环与圣博纳文图拉

那幸福的光焰刚刚说完
最后一句言语,
那神圣的磨盘便立即开始旋转[1];
在另一个把它圈起之前[2],
它在自身的旋转中尚未转上一圈,
这时,那第二个则与它同声歌唱,同步盘旋;
那些柔美的乐器发出的歌唱[3],
大大胜过我们的缪斯和海妖[4],
犹如最初的光芒大大胜过那折射的光芒。
正像两道彩虹弯弯透过浮云,
它们既平行,又颜色相同,
这时是尤诺命令她的使女降落凡尘[5];
那外面的一道从里面的一道产生,

就像那位回荡空中的仙女在倾诉衷情[6]：
爱恋把她折磨殆尽，犹如阳光销蚀雾气濛濛；
这两道彩虹使尘世的人们预感到，
由于有上帝与挪亚订立的契约，
世界永不会再被洪水淹没[7]；
那围绕我们的两个花环也正是这般光景，
它们是用那些永不凋谢的玫瑰编成，
外面的与里面的恰好对应。
随后，那婆娑的舞蹈，还有那另一种莫大的欢乐：
那欢乐表现为纵情高歌，
幸福与温情的光辉交相映射[8]，
两种欢乐在同一刹那，都想要暂停片刻，
就好像双眼在心愿的推动下，
不得不一齐睁开和闭合；
这时，从那些新到光芒中的一束里面，
传出一个声音，它使我立即转向发声的地点，
宛如指针被北极星吸住一般[9]；

对圣多明我的赞颂

那声音开言道："爱使我容光焕发[10]，
它促使我把另一位导师谈论一下[11]，
正是因为他，人们在此才把我的导师介绍得如此详尽不差[12]。
这样做十分恰当：在一位所在之处，另一位也必然介入[13]；
正像他们并肩战斗，宛如一人，
光荣把他们一齐照明。
基督曾以如此昂贵的代价，把他的军队重新武装[14]，
这军队却在那旗帜后面，行动迟缓，
他们疑虑重重，人员锐减[15]，
这时，始终主宰世界的那位皇帝[16]，
设法鼓舞那面临崩溃的战斗士气，

那围绕我们的两个花环也正是这般光景，它们是用那些永不凋谢的玫瑰编成，外面的与里面的恰好对应。（第十二首第19—21行）

他只是要降恩于人，并非那军旅有功堪怜；
如前所述，他派遣卫士两位[17]，
前来救援他的新娘[18]，
步入迷途的民众才在他们的言行感召下痛改前非。
在那带地区，温和的西风吹起[19]，
绽开新的绿叶青枝，
可以看到，欧洲重又着上这样的服饰，
在那距离海浪击打不远的地方[20]
——正是在这层层海浪的后面，太阳
有时因为长时间疾驰狂奔，在每个人的面前把自身隐藏，
坐落着幸运的卡拉罗加[21]，
它是在那巨大的盾牌保护之下[22]，
在盾牌里，那狮子既在下被压，又在上下压。
正是在这里，诞生了那热恋基督教信仰的情人[23]，
那位神圣的战士，
他对自家人慈善和蔼，对敌人则冷酷无情[24]。
他的头脑，正如在被创造时，
已是如此充满强大的德能，
甚至在母亲的体内，她就使它成为先知[25]。
随后，他与信仰之间的婚礼
在那神圣的水泉边举行[26]，
在那里，他们对彼此的安康作了相互保证[27]，
曾代他表示同意的那个女人[28]，
早在梦中就见过
他与继承人后来所取得的令人赞叹的成果。
为了使他成为名实相符，
从这里降下一种灵性，令人以属有格为他命名[29]，
因为他完全属于那位神。
于是他就被称作多明我；我谈到他，
就像谈到基督所选定的农夫[30]，

基督是为了他的菜园才选这农夫前来相助。
他很好地显示出，他是基督的使者和家人[31]；
在他身上所表现出的最初之爱，
正是根据基督所提的最初建议产生[32]。
他的乳娘多次发现他躺倒在地[33]，
默不作声，精神清醒，
像是在说：‘我来到世上就是为了这个[34]。’
哦，他的父亲真是‘菲利切’[35]！
哦，他的母亲也真是‘乔瓦娜’[36]，
既然诠释这名字，其含义与该词的本意竟是如此相似！
他在很短的时间内就成为伟大的学士，
这却不是为了在尘世逐利追名
——今天仍有人紧跟在奥斯提亚人和塔德奥后面，疲于奔命[37]，
而是为了对真正吗哪的爱[38]；
这样，他便开始围绕那葡萄园辛勤劳作[39]，
而倘若那葡萄种植者犯下罪恶，那葡萄园就会很快变成白色。
圣宝座过去曾更加善待穷苦的正义之人，
今朝之所以如此，原因不在于它，
而在于坐宝座之人走上邪径[40]；
正是向这样的圣宝座，他不是要求六分只赈济二分或三分[41]，
也不是要求走有肥缺便能独占的红运，
不是要求把原应归于上帝的穷人的什一税侵吞[42]，
而是要求允准对那步入歧途的世界展开斗争[43]，
争取撒子播种，
如今种子已长成二十四棵树木，把你围在其中[44]。
后来，他既以学说，又靠意愿，
还通过传教职能，采取行动[45]，
那力量几乎像从高山上的泉源迸发冲下的激流那样汹涌[46]；
他的冲力把异端的荆棘撞击[47]，
哪里抗拒得愈凶，

他也便在那里撞击得愈有力。
随后，从他那里产生条条不同小溪[48]，
正是依靠这些小溪，灌溉天主教园地，
这便使它的那些树苗长得更有生机[49]。

方济各会的堕落

倘若那战车的一个轮子是这般模样[50]
——圣教会在车上自我防卫，
并使它所进行的内战取胜在疆场[51]，
那么你就该十分明显地看出，
另一个轮子也是优越无比[52]，
在我到来之前，托马曾对它备加赞许[53]。
但是，那轮子圆周的外缘部分
所压成的车道，却被废弃不用，
以致原来有酒石的地方，如今则长满霉菌[54]。
他的家族原是脚踏他的足迹，
径直向前行进，如今则彻底逆向而行，
前脚却转到后脚的地位行动[55]。
很快就会看到那恶劣种植的收成，
这时，那稗子将会抱怨连声：
它无权往谷仓运进[56]。
我言之有理：谁想一页一页地翻阅我们的书籍，
他就总还会找到一页纸张，
上面可以读到：‘我仍是原来通常那个模样’[57]；
但是，这种人既不会来自卡萨尔，也不会来自阿夸斯巴达[58]，
因为来自那里的人都是这样对待教规：
一个是对它避而不行，另一个则是对它行之过硬。

第二个花环中的精灵

我是博纳文图拉·达·巴尼奥雷焦的魂灵[59]，
我生前在担任种种要职时[60]，
总是把对左面的关切放在后边[61]。
伊鲁米纳托和奥古斯丁也在这里[62]，
他们曾属第一批赤足的穷苦人，
这些穷苦人腰系缰绳，与上帝相爱相亲。
乌哥·达·圣维托雷也与他们一起在此处[63]，
还有彼特罗·曼加多雷和彼特罗·伊斯巴诺[64]，
后者依靠十二部书，在世上光辉闪烁；
拿单先知和大主教克里索斯托摩，
还有安塞尔莫和那个多纳托[65]：
他曾情愿着手从事第一艺术的著说[66]。
拉巴诺在这里，他从一边照耀着我[67]，
还有那卡拉布里亚的修道院主持乔瓦基诺[68]，
预卜先知的灵气为他所得。
托马索兄弟的热情似火的赞颂
和字斟句酌的拉丁文，
推动我与这位如此卓越的卫士竞争[69]；
同时，也把这些同伴与我合在一起推动[70]。”

注释

①这里把学者精灵围成的“花环”比作“神圣的磨盘”：因为花环在不住旋转，从横面角度看，恰似磨盘。但丁在《筵席》第三卷第五节第十四句段中曾假设一个人在与北极对应的城市中观望太阳，这时，他是处于地球赤道的平面上，因此，他看到太阳“像一面磨盘似的在旋转，而这磨盘又只显露了它形体的一半”；而当一个人立于天体赤道附近，从垂直角度观看太阳时，他则看到“恰好在自己的上方……但不是像磨盘，而是像车轮”。用“磨盘”来形容天体对北极的运转，是中世纪科学著作中常见的写法。

②“另一个”是指第二个花环：这里是说，在第一个花环尚未转上整整一圈时，又来了一个花环，把第一个花环围绕起来，成为两个同心圆圈：第二个按照第一个的动作与歌声节奏旋转着。

③“柔美的乐器”，原文是 dolci tube，直译为“柔美的喇叭”（“喇叭”一词在本篇第六首第 72 句

曾出现过),诗中是用以比喻歌唱着的精灵。

④这里的"缪斯"和"海妖"是比喻尘世的诗歌与音乐,也有人认为是比喻诗人和女歌手。萨佩纽和波斯科-雷吉奥两注释本都不赞成后一种说法。诗中还进一步用"光芒"来做比喻:"最初的光芒"是指直接以光源发射出来的光线,"折射的光芒"则是指这个光线的反光。

⑤尤诺是宙斯的妻子(见《地狱篇》第五首及有关诠释),"使女"是指伊丽德(Iride):伊丽德是陶曼特(Taumante)与海洋女神厄列克特拉(Elettra)所生之女,是天神的使者,被尤诺化为彩虹,据说,她身着七彩花衣,奥维德《变形记》第一章和维吉尔《埃涅阿斯记》中都谈到这情节。布蒂曾说,伊丽德作为尤诺的使者,正是以彩虹为路,下降到人间,这是诗人们所假想的。至今仍用她的名字指"彩虹"。

⑥这里的"仙女"指爱科(Eco):她是空气之神(Aria)与大地之神(Terra)的女儿,关于她,有两种传说:一是说她与宙斯有染,尤诺怒而惩罚她只能说别人所说的话,后来便用其名表示"回声";一是说她爱上生性自恋的美男子那西索斯(见《地狱篇》第三十首及有关注释),那却并不爱她,为此她十分痛苦,身形日益憔悴消瘦,最后只剩下声音和骨骼:骨骼化为石头,声音则在空中回荡,此说见于奥维德《变形记》第三章。

⑦这里用典出自《旧约·创世记》第九章第九至十三句:上帝对挪亚和他的儿子说:"看哪,现在我要跟你们,也等于是跟你们的后代立约,这也是跟那些和你们一起从方舟出来各种生物立的约。我要跟你们立约,叫一切生物不再被洪水淹没,我也再不让洪水毁灭大地";"我要给你们并你们中间各样的生物一个代表盟约的永远标记。我把彩虹放在云端,作为我跟大地立约的标记"。

⑧这里的"温情"(blande)指仁爱。

⑨这里用指北针比喻"声音"把但丁的注意力"吸"过去。这种比喻在十三世纪的情诗中是屡见不鲜的。

⑩这里的"爱"仍指仁爱。说话的精灵是第127句才自报姓名的圣博纳文图拉(San Bonaventura),全名为圣博纳文图拉·达·巴尼奥雷焦(San Bonaventura da Bagnoregio),他原名乔瓦尼·菲但扎(Giovanni Fidanza),1217年或1221年生于拉齐奥地区的巴尼奥雷焦,故其名亦可译为巴尼奥雷焦的圣博纳文图拉。1235年入法国巴黎大学,1243年获文学硕士学位。1238年或1243年入方济各会。1243—1248年在巴黎方济各会各学校学神学。1248年讲授《圣经》。1256年或1257年起任方济各会会长,任职十七年。1260年为解决会内各派矛盾和纪律松弛问题,对方济各会进行改革,并修订会章。1265年任英国约克郡(York)大主教;1273年任枢机主教。1274年逝于法国里昂。他是方济各会神秘主义派最重要的代表,被称为"撒拉弗式的博士"(Dottore serafico),其神学理论主要师承圣奥古斯丁,并将新柏拉图主义与神秘主义结合起来,主张静修内省。重要著作有《皮埃尔·隆巴尔多〈教父名言集〉注疏》(*Commentaria ai libri Sententiarium di Pier Lombardo*)、《神学概要》(*Breviloquium*)、《〈圣经〉评注》(*Itinerarium mentis in Deum*,波斯科-雷吉奥注释本认为,此书可能是但丁所熟悉

的);并为圣方济各作《大传》(*Legenda maior*)与《小传》(*Legenda minor*),其中有些段落也是但丁曾援引过的。1482 年,教皇西格斯图斯四世(Sisto IV)追谥他为圣徒;1587 年,教皇西格斯图斯五世又追谥他为教义师。

⑪“另一位导师”指圣多明我。

⑫“我的导师”即是指圣方济各。诗中的“因为他”,原文是 per cui,布蒂对此的诠释是:“由于圣灵的爱”,即是说,“圣灵的爱使我享有天福,促使我谈论圣多明我,也正是由于这种爱,人们才在此如此详尽不差地谈论我的导师即圣方济各”。波斯科-雷吉奥注释本认为,还是以传统的诠释即把有关的关系代词 cui 理解为圣多明我为宜,因为等于是说:“圣托马索赞扬了圣方济各,因为他同时也歌颂了他自己的教派的奠基人。”

⑬这里是说,只要谈到其中的一位,也就必然要提到另一位,因为圣方济各和圣多明我是为同一个事业而战斗的,因此,他们二位理应一齐享有光荣(见下一段三行韵诗)。

⑭这里是说,基督以自我牺牲为代价,解救全人类。“军队”是指战斗的教会,因为它要反对罪恶和异端邪说;“重新武装”是指救世主通过牺牲自身,使其“军队”重新掌握反对魔鬼诱惑的武器,而这些武器是亚当犯了原罪之后所丧失的。

⑮“旗帜”指十字架。“疑虑重重”是指异端分子所组成的教派当中对正统学说抱有疑虑;“人员锐减”是指追随正统学说的人已不多。

⑯这里的“皇帝”指上帝。诗中的意思是上帝前来救援“军队”,是出于慈悲,而不是“军旅有功”,值得他来救援。

⑰“如前所述”是指“如圣托马索所说的”。

⑱“新娘”指教会。“民众”指基督教徒。

⑲“西风”的原文为 Zefiro,本意是温和的微风;“那带地区”是指西部地区,这里是指西班牙伊比利亚半岛。古代诗人把 Zefiro 看成是西风,能使大地回春(见奥维德《变形记》第一章第六十四节),因此,这样的风一旦吹起,欧洲便“重又着上”青枝绿叶的新衣。

⑳这里的“地方”是指距大西洋海岸不远之处:“有时”是指夏至时节;“长时间疾驰狂奔”是指夏日白昼较长,太阳“疾驰狂奔”的时间也较长;“把自身躲藏”是指日落,诗中所说夏至时,太阳落在大西洋浪涛之后,主要用以具体说明地理位置在距瓜斯科尼亚湾(Golfo di Guascogna)不远的地方。

圣多明我,全名为圣多明我·迪·古兹曼(San Domenico di Guzman,1170—1221),西班牙人,与圣方济各同时,生于旧卡斯蒂利亚的卡拉霍拉(Calahorra)。1206 年,在林瓜多卡(Linguadoca)成立多明我修女会(Domenicane)第一座修道院;1215 年,在土鲁斯成立多明我会(见第十首注㊶),主张苦修、赤足、清贫、默念退省。创立玫瑰经(Rosario)祷文。未参与西蒙·迪·蒙弗尔伯爵(Simon di Monfort)遵从教皇伊诺钦佐三世命令对异端分子阿尔比派(Albigesi)和瓦尔德派(Valdesi)的血腥镇压,尽管他积极反对异端邪说。殁于波洛尼亚。1234 年,教皇格雷高里奥四世(Gregorio IV)追谥他为圣徒。

㉑卡拉罗加(Calaroga),即卡拉鲁埃加(Calaruega),为旧卡斯蒂利亚(Castiglia)一城市,圣多明我即诞生于此,故称该城市“幸运”。

㉒“盾牌”指卡斯蒂利亚王的王徽;该王徽分四部分:即盾牌的一半绘有一塔楼和一狮子,塔楼位于狮子之上(各占四分之一);另一半则恰恰相反,狮子位于上方,塔楼位于下方(同样各占四分之一),因此,诗中说狮子“既在下被(塔楼)压,又在上下压(塔楼)”。

㉓这里是说,圣多明我于1170年诞生于卡拉罗加。“情人”的原文是drudo,来自日耳曼语drud,有“忠实”之意,后又转用于拉丁文,从封建性词汇变为宗教性词汇,成为drudus,意谓“信徒”;但丁在《筵席》曾用此词,无贬义,指“情人”,但在《地狱篇》第十八首第134句和《炼狱篇》第三十二首第155句中都以“相好”、“情人”之意用过此词,则带贬义。波斯科-雷吉奥注释本认为,在本段有为某人服务的臣仆之意。

㉔“自家人”指好的基督教徒,“敌人”则指异端分子。

㉕“头脑”(mente)在诗中有“灵魂”之意,“在被创造时”即是指在孕育期间:根据天主教理论,人的灵魂是在怀孕期与妊娠期之间被注入胎儿体内的。这里的写法是根据有关圣多明我出生的传说:圣多明我的母亲在身怀有孕时曾梦见一只黑白两色的狗(此二色正是多明我会教士所着袈裟的颜色),口中衔着一个火把,它以这个火把焚烧世界(象征多明我会会章用善的热情影响人类);该传说内容类似有关暴君埃泽利诺和特洛伊王子帕里斯诞生前的梦境内容(参阅本篇第九首第28—30句及注⑭)。但丁撰写圣多明我的生平可能参考许多古代传记,特别是泰奥多里科·德·阿波尔迪亚(Teodorico d'Appoldia)的《圣徒行传》(*Acta Sanctorum*),因该书将前此各种传记做了综合,又是圣多明我会第七届会长穆尼奥内·迪·扎莫拉(Munione di Zamora)嘱托所写,几乎等于圣多明我的官方传记。本维努托和布蒂把诗中的代词lei,不是理解为圣多明我的母亲,而是诠释为圣多明我的“头脑”即灵魂,即是说,圣多明我的“灵魂”早在母腹中就已成为“先知”。译者认为,萨佩纽与波斯科-雷吉奥两注释本把原诗中的lei诠释为“母亲”,在句法上似更为妥当。

㉖“神圣的泉水”指洗礼泉。这里把圣多明我与“信仰”的结合比作举行“婚礼”,与前首提及圣方济各与“贫穷”的结合恰相对应。

㉗这里是说:信仰使圣多明我摆脱原罪,得到解救,圣多明我也在与异端邪说进行斗争的同时,捍卫了信仰。

㉘“那个女人”是行洗礼时的教母,即依照洗礼的仪式规定,教母要代替待受洗礼者回答施洗神甫的提问:“你愿意受洗吗?”“我愿意。”(亦即诗中所说:“代他表示同意。”)这里所说的梦境是指:圣多明我的教母梦见一个儿童,额上有一颗星,这颗星即象征圣多明我及其弟子负有引导众人走向永生的使命,这一情节亦见于前注泰奥多里科·迪·阿波尔迪亚的《圣徒行传》第一章。

㉙诗中所说的“名实相符”是指圣多明我的名字“多明我”,拉丁文为Dominicus,系上帝的属有格,意谓“上帝的”,即Dominus;但丁想必看到圣托马索《神学大全》第三卷中就说道:“dominicus来自Dominus”,另一位圣多明我传记作者巴尔托洛米欧·迪·特伦托(Bartolomeo di

Trento)在其《圣徒行传》(*Acta Sanctorum*)中也说:"'多明我'(Domenico),从字源学上看,即等于上帝的看护者或被上帝所看护的人,或则是看护上帝的律条或上帝看护他,免受敌人侵害。"诗中的意思是:为了使圣多明我"名实相符",上天启示圣多明我的父母,使之产生"灵性",为圣多明我起了有关名字。

㉚这里所用比喻借鉴于《圣经》:即《新约·马太福音》第二十章第一至十六句,其中说,耶稣把天国比作葡萄园的园主,请工人到他的葡萄园工作,讲好每天的工资是一个银币,但是,到了晚上,园主向工人发放工资,早来的工人发现:早来的和晚来的都一律只得一个银币,于是,满腹牢骚,说迟来的只不过做了一小时,而早来的干了一整天,却都拿同样的工资,很不合理;园主便对抱怨的工人说,工资讲好是每天一个银币,园主给迟来的工人是出于心甘情愿的,这也便是"领先的将要落后,落后的反而领先"。这正是耶稣教导彼得等众门徒所说的话,说明只要谁为基督抛弃房产、兄弟、姊妹、父母、儿女和田地的,都要得到百倍的报酬,而且登上天国,获得永生,不问孰先孰后,因为"现在许多领先的将要落后,落后的反而领先"。但诗中把《圣经》中的"葡萄园"改为"菜园",亦即比喻教会。

㉛"家人"原文为 famigliar,意谓忠实的奴仆,但也有理解为"门徒"的。

㉜"最初之爱"即是指圣多明我对耶稣所建议的谦卑与贫穷的崇敬。关于"基督所提的最初建议",说法不一:许多古代注释家认为是指《新约·马太福音》第十九章第二十一句所说的一段话:"耶稣告诉他:'如果你要成为完全的人,就去变卖所有的产业救济穷人,那么,你在天上就必有财宝;此外,你还要来跟随我……'"据说,圣多明我少年时,就严格奉行这条戒律,变卖了他的书籍,把所得的钱,在一次可怕的饥荒中救济穷人。另有人认为,此句是指《新约》的《马太福音》第五章第三句,即"自知灵性贫穷的人有福了,因为天国是属于他们的";《路加福音》第六章第二十句,即"耶稣举目望着门徒,对他们说:'贫乏的人有福了,上帝的国是你们的……'"萨佩纽注释本认为,后一种解释更妥善。

㉝关于圣多明我儿时的这一事迹,泰奥多里科·迪·阿波尔迪亚的《圣徒行传》第一章和十三、十四世纪的文琴佐·德·博维(Vincenzo de Beauvais)的《历史的镜子》(*Specchio istoriale*)第二十九章都有记载,后者曾说:"当他(圣多明我)还是小孩、在乳娘的监管下的时候,他经常被突然发现抛开他的床铺不睡,就仿佛是他厌恶肉体的舒适,宁可躺倒在地。"也有传记说:圣多明我经常在夜间离开床铺,跪下祈祷。

㉞这句用典出自《新约·马可福音》第一章第三十八句:耶稣说,"我们到邻近的市镇去吧,因为我出来的目的,就是要在那里传道"。

㉟"菲利切"的原文是 Felice,有"幸福"之意,是圣多明我父亲的名字,这里是说,他的名字也与他的儿子的名字一样,是"名实相符"。

㊱"乔瓦娜"(Giovanna)是圣多明我母亲的名字,同样也是"名实相符",因为 Giovanna 的希伯来文字源是"上帝的恩泽"(Domini gratia),中世纪词典学家也据此作这样释义;泰奥多里科·迪·阿波尔迪亚在记载圣多明我生平的著作中就曾把"上帝的恩泽"(grazia di Dio)作为"乔

瓦娜”的同位语并提。

㊲“奥斯提亚人”(Ostiense),原名恩里科·迪·苏萨(Enrico di Susa),著名教规学家。十三世纪初生,曾先后在波洛尼亚、巴黎,或许也在英国教授教会法规。1245年任法国西斯特隆(Sisteron)主教,1250年任法国昂布伦(Embrun)大主教;1262年任枢机主教,兼任罗马市郊奥斯提亚(Ostia)主教,“奥斯提亚人”的绰号即由此而来。1271年逝世。他的有关教会法规著作曾作为法律学校的基本教材。

“塔德奥”:有两种推测:一是认为,他是塔德奥·佩波利(Taddeo Pepoli),为与但丁同时的著名教规学家,波洛尼亚人,也是一位诗人;一是认为,此人为塔德奥·德·阿尔德罗托(Taddeo d'Alderotto),佛罗伦萨人,著名医生。约生于1215年。他曾在波洛尼亚学习医学,后又在波市授课,成立一座著名的医科学校。著作颇丰,亦被当时的医科学校采用为教材;但丁在《筵席》第一卷第十节第十句段中曾说他翻译过亚里士多德的《伦理学》,他所创办的医科学校也曾把哲学原则运用于希腊名医希波克拉底(参见《地狱篇》第四首及有关注释)和嘉伦(Galeno,129—201)的科学。1295年逝世。萨佩纽和波斯科-雷吉奥两注释本都认为,后者可能性更大。

诗中的意思是,圣多明我刻苦钻研学术,成为博学多才的“学士”,并非为了追逐名利,而现今则仍有人为名利而拼命学习教会法规和医学。

㊳“吗哪”是上帝赐予离开埃及、前往耶路撒冷的以色列人的“食物”。见《旧约·出埃及记》第十六章第十四至十五句和第三十一句:“露水蒸发以后,地上便出现了类似白霜一片片的东西。以色列人看见了却不知道是什么东西,于是,便彼此对问说:‘这是什么东西呢?’摩西对他们说:‘这是上帝给你们的食物……’”“以色列人叫这种食物做吗哪……”诗中是指精神食粮,即真正的学识。

㊴“葡萄园”象征教会,“葡萄种植者”象征教皇,即是说,倘若教皇为人恶劣,疏于职守,“葡萄园”就会荒芜(“变成白色”),教会就会走上歧途。这里的用典亦出自《圣经》:《旧约·以赛亚书》第五章第七句就说:“万军之主(上帝)的葡萄园就是以色列,犹太人便是他栽种那些美好的葡萄树”;《旧约·耶利米书》第二章第二十一句也说:上帝说:“我栽种你,期望你成为上等的葡萄,结出累累的果子,怎知道你竟背弃我,把自己接种在野葡萄的枝子上,自取败坏!”《新约·马太福音》第二十章也有类似的说法,见注㉚。

㊵“坐宝座之人”即指教皇。

㊶这里是说,圣多明我要求当时的教廷不要像许多高级教士那样贪得无厌,将用于扶困济贫的款项只拿出三分之一或一半(“六分只赈济二分或三分”)从事这项事业。

㊷圣托马索《神学大全》第二卷第二章指出:“什一税应通过教士所从事的布施工作,用于救助穷人。”但丁在《论帝制》第二卷第十一节第一至三句段中也曾谴责从穷人手中夺去什一税收入的教会人士。

㊸“世界”指“基督教世界”;这里是说,圣多明我要求教廷批准他为维护正统学说而对教会内

部的错误倾向作斗争:1205 年,圣多明我曾赴罗马要求教廷批准他展开反对异端分子阿尔比派的斗争;1207 年至 1214 年间,他又试图以布道方式,动员阿尔比派分子皈依正统学说,从未采取残酷手段和施用暴力(而他之所以成立多明我会或称布道兄弟会,也是旨在以布道对付阿尔比派),因此,1213 年 9 月 12 日教皇伊诺钦佐三世下令血腥镇压阿尔比派,进行所谓"穆雷战役"(battaglia di Muret)时,圣多明我则是在教堂里祷告。此外,圣多明我曾于 1215 年要求教皇伊诺钦佐三世批准他成立多明我会,但因拉特兰公会议曾决定禁止成立新的教派,伊诺钦佐三世只好口头应允。只是到了 1216 年 12 月,多明我会的成立才得到教皇奥诺里欧三世的正式批准。

㊹"撒籽播种"指捍卫正统学说。正是从这个"种籽"即正统学说中产生了组成两个花环的二十四位享天福者("二十四棵树木")。

㊺这里是说,圣多明我展开他的布道活动,既是依靠他的神学学识,又是依靠他的满腔热忱("意愿"),同时也有教廷对他的委任("传教职能")作后盾。

㊻"高山上的泉源",原文为 alta vena,但有人根据 alta 的拉丁文含义,认为意谓"深邃"。萨佩纽和波斯科-雷吉奥两注释本都认为,此句以理解为如从高处冲下的激流那样势不可挡为宜;萨本还认为,这种类比来自《圣经》:《旧约·以赛亚书》第五十九章第十九句就有类似的写法:"敌人要像潮水一般被主推动冲走。"

㊼"荆棘"的原文是 sterpi,也有不生果子的坏树之意。此比喻亦来自《圣经》:《新约·马太福音》第三章第十句和第七章第十九句都有类似的说法:"现在斧头已经放在树根上了,不结好果子的树都要砍下,丢在火里焚烧";"不结好果实的树,都要砍下来,丢在火里"。诗中以此比作异端分子妨碍真正的基督教徒,使之无法取得成果。当时,异端分子在法国普罗旺斯反抗最烈。

㊽"条条不同小溪",原文为 diversi rivi,有两种诠释:布蒂认为,诗句是把圣多明我比作大河,其门徒为从大河中派生出来的条条小溪;也有人认为,这是指多明我会内部的一些不同分会:如布道兄弟会(即多明我会)、多明我修女会和第三会(Terz'Ordine)。波斯科-雷吉奥注释本还推测,但丁可能是指多明我会的不同修道院及其势力范围。

㊾"树苗"指奉行天主教正统学说的忠实信徒。

㊿这里把教会比作两轮战车:圣方济各和圣多明我即是战车的两个轮子。(《炼狱篇》第二十九首第 107 句也曾把教会比作"大车"。)

(51)"内战"指教会内部进行的反对异端的斗争,因为异端分子也是基督教徒;波斯科-雷吉奥注释本认为,此提法对圣多明我是适合的,对圣方济各则不大合适,尽管圣方济各也与教会内部的敌人即"贪婪牧师"作斗争。

(52)"另一个轮子"指圣方济各(见注㊿)。

(53)"托马"(Tomma)即圣托马索的"托马索"(Tommaso)简称。

(54)这里用酒桶里的"酒石"来比喻方济各会内部的激烈斗争:据本维努托的诠释,酒石原是坚硬而芳香的东西,有助葡萄酒的保存,但如不经心照看,酒石便会滋生霉菌,葡萄酒就会腐臭变质;拉纳、《最佳评注》等古代注释家认为,但丁的用意在于说明:方济各会内部原是"博爱与团结"的(即"酒石"),由于产生了主张严格按教规行事的过激派"灵派"(spirituali)和倾向松弛纪律的"温和派"(conventuali),导致了内部的"不和和分裂"(即"霉菌")。萨佩纽注释本和意大利梅尔齐百科全书指出:这场斗争原只是在理论上的争执,后逐渐激化,最后成为灵派对方济各会全会的"反叛",而方济各会也便对灵派进行迫害和镇压。1279 年,教皇尼可洛三世曾发表圣谕,查禁灵派理论;1312 年,教皇克莱蒙特五世试图从中斡旋,未果。1317 年至 1318 年,教皇约翰二十二世则多次谴责灵派为"异端",最后将他们逐出方济各会;圣博纳文图拉作为会长,曾竭尽全力,调和双方矛盾,维持内部团结,既反对灵派的过激行为,又反对温和派的松弛教规倾向;但丁在诗中则是坚决谴责两派都背离方济各会的基本原则即谦卑和仁爱。

55对此段三行韵诗,特别是最后一句即第 117 句,注释家理解各有不同:兰迪诺认为是指,圣方济各的门徒开始是依照他的教规和范例,跟着他的足迹行动,后则掉过身去,把脚趾放到他放脚跟的地方去,"亦即走到与他的生活习惯恰恰相反的方向"。总的说,古代注释家都认为,此句意谓"向后倒退"或"向相反方向前进"。萨佩纽和波斯科-雷吉奥两注释本都认为,近代注释家巴尔比的分析"更令人信服",即:方济各会的教士"不是像那些愿意沿着他(圣方济各)的道路向前迈进的人那样,把后脚移到前脚的方向去,而是把前脚移向后脚,亦即向后倒退"。

56这里用典来自《新约・马太福音》第十三章第二十四至三十句:耶稣举"稗子"作比说:"天国正像一个农夫,将挑选过的种子,撒在麦田里。夜里他熟睡的时候,他的敌人却偷偷地把稗子撒在他的麦田里,然后走了。当麦子长苗吐穗时,稗子也一齐长了出来。仆人看到,就赶来告诉主人:'主人啊!你不是把最好的种子撒在田里吗?为什么现在田里会长出稗子呢?''一定是仇家蓄意破坏。''我们不如拔掉那些稗子吧!''不用了,因为拔稗子会连麦子也一起拔掉,所以让它生长下去,到收割的时候,我会吩咐收割的工人,先把稗子分出来,扎成一捆一捆的留着烧;然后将麦子存入谷仓。'"有人认为,诗中的意思是指离开圣方济各意旨的教士后悔犯了错误,不能升天国,也有人认为是指教皇约翰二十二世把灵派逐出方济各会;萨佩纽和波斯科-雷吉奥两注释本都认为,前一种解释更妥,因为诗中谴责的是方济各会内的两派,而不是其中的一派。

57这里的"书籍"比喻方各济会,即是说,尽管方济各会内部有两派激烈斗争,但仍有一些教士始终遵循圣方济各教导,而未卷入派系斗争。"原来通常那个模样"即是指这些教士一直遵守圣方济各所订立的教规。

58卡萨尔(Casal),全名为乌贝尔蒂诺・达・卡萨莱(Ubertino da Casale),为灵派领袖,1259 年生于卡萨莱・蒙菲拉托(Casale Monferrato),1273 年入方济各会,曾在托斯卡纳和翁布里亚两地区多年。后被派往佛罗伦萨圣十字教堂(Santa Croce),受方济各会第三会教士皮埃罗·佩蒂纳佑(见《炼狱篇》第十三首及有关注释)和灵派领袖彼特罗·迪·乔瓦尼·奥利维(Pietro di Giovanni Olivi)影响甚重,特别是后者,后者死后,他即成为灵派领袖。在佛罗伦萨期间,曾被派往巴黎大学教授神学九年。在方济各会内部两派斗争中,他极力捍卫灵派立场;曾在枢机主教科洛纳(Colonna)和奥尔西尼(Orsini)保护下,得以在阿威农逗留若干时候,后因教皇下令将灵派逐出方济各会,他不得已转入本笃会。1325 年,因他坚持灵派立场,再次被谴责为“异端”,他被迫逃亡,此后下落不明。教皇切列斯蒂诺五世(Celestino V)时,他一度飞黄腾达,著有《十字架生命树》(*Arbor vitae crucifixae*)一书,但丁想必对此书很熟悉。

阿夸斯巴达(Acquasparta),全名为马泰奥·迪·阿夸斯巴达(Matteo di Acquasparta),为“温和派”领袖。年轻时即入方济各会,自 1287 年任方济各会会长,长达二十五年,为圣奥古斯丁哲学派系的重要代表人物之一。1288 年任枢机主教;为教皇博尼法丘八世的亲信,于 1300 年和 1301 年两次被博派往佛罗伦萨调停黑白两党纠纷而未果。死于 1302 年。他任会长期间,主张对教规作温和的解释,因而但丁把他看成是方济各会内部居多数的“温和派”领袖。

(59)圣博纳文图拉的生平见注⑩。“魂灵”的原文为 vita,该词本意为“生命”。

(60)圣博纳文图拉生前历任要职,如方济各会会长、枢机主教、主教等。

(61)“左面的关切”原文是 sinistra cura;布蒂解释说:此说法是指对“世俗事物”的关切,因而是次要的。这里用典来自《新约·马太福音》第六章第三句:耶稣说:“你们行善,要暗暗地去行,右手所作的,甚至不让左手知道。”中世纪常把对世间利益和荣誉的关怀理解为“左”(sinistro)的,亦即不祥的,或次要的。圣托马索《神学大全》第二卷第二章就说:“知识和其他精神财物属于右面,世俗财物则属于左面。”

(62)伊鲁米纳托(Illuminato),系圣方济各最早的门徒之一,生于里耶蒂(Rieti),1210 年入方济各会,曾伴随圣方济各前往东方传道。

奥古斯丁,诗中用 Augustin,即阿哥斯蒂诺(Agostino),与伊鲁米纳托一样,也是 1210 年入方济各会的最早门徒之一,生于阿西西。

(63)乌哥·达·圣维托雷(Ugo da San Vittore),1097 年左右生于弗朗德勒(Fiandra)的伊普雷斯(Yprès),为巴黎附近的圣维托雷修道院院长、教会法学家,为圣奥古斯丁和神秘主义学派的重要代表人物,他的一些作品曾得到圣托马索的赞许,他的理论曾由里卡多(见本篇第十首及有关注释)继承和发扬。1141 年去世。

(64)彼特罗·曼加多雷(Pietro Mangiadore),十二世纪初生于法国特鲁瓦耶(Troyes),曾任特鲁瓦耶大教堂教长,1164 年任巴黎大学教务长,随即退隐至圣维托雷修道院,1179 年殁于院中。其名著为《经院哲学史》(*Historia scholastica*)。

彼特罗·伊斯巴诺(Pietro Ispano),波斯科-雷吉奥注释本印作“彼特罗·斯巴诺”(Pietro Spano):即彼特罗·迪·朱利亚诺·达·里斯本(Pietro di Giuliano da Lisbona),约 1226 年生于里斯本,为医生兼神学家。曾任布拉加(Braga)大主教,1273 年任枢机主教,1276 年 9

月8日当选为教皇,即约翰二十一世。1277年殁于维泰博。他生前曾著有医学和哲学作品,并在锡耶纳大学教授其医学著作;其哲学著作最有名的即是诗中所说的"十二部书",题为《逻辑学大全》(*Summulae logicales*),其中批驳了大阿尔贝托和圣托马索的新亚里士多德主义。

(65)拿单(Natan):以色列先知,曾斥责大卫王与乌利亚之妻拔示巴通奸,最后则谋害乌利亚,参见《旧约·撒母耳记下》第十一、十二章。中世纪文献中总是把"先知"与"拿单"并提的。

"大主教克里索斯托摩"(metropolitano Crisostomo)是指"安提奥基的圣约翰"(San Giovanni d'Antiochia),345年左右生于安提奥基,398年任君士坦丁堡大主教,后因谴责阿尔卡迪奥皇帝(Arcadio)朝廷腐败而被放逐,407年死于流放之中。为希腊教会最伟大的神甫之一,Crisostomo意谓"金口"(Boccadoro),为其绰号,因此有"金口圣约翰"之称。

安塞尔莫(Anselmo),1033年生于奥斯塔(Aosta),本笃会教士,1093年任坎特伯雷(Canterbury)大主教。1109年逝世。为中世纪在亚里士多德哲学盛行前的最著名神学家和哲学家之一,著作颇丰,最有名的是:《为何上帝与人同形?》(*Cur Deus homo?*)与《独白录》(*Monologium*),前者论述上帝化为肉身问题,后者阐明上帝存在的本体论(ontologia),后曾被圣托马索所批驳。

多纳托(Donato)即埃利奥·多纳托(Elio Donato),四世纪的著名文法学家,为圣吉罗拉莫(San Gerolamo,331—420)的老师,写过罗马诗人泰伦提乌斯(见《炼狱篇》第二十二首及有关注释)和维吉尔的传记和评论。他的著作为学校中学习文法的通用教材,最著名的为《文法艺术》(*Ars Grammatica*):文法在中世纪的"三学科"(Trivio,即文法、修辞、逻辑)中居首位,方济各会对文法的钻研是十分广泛的。但丁在《筵席》第二卷第十三节第八句段中曾谈及"三学科"和"四高级学科"(Quadrivio,即算术、音乐、几何、星相)也提及"文法"为七学科中的第一门学科。

(66)prim'arte即第一门学科,见上注。

(67)拉巴诺:即拉巴诺·毛罗(Rabano Mauro);生于776年,为著名的福尔达修道院(Fulda)的本笃会教士,822—842年任该修道院院长;为马贡扎(Magonza)大主教,写过许多神学和《圣经》评注的著作。"从一边"是指从说话的圣博纳文图拉的"左边"。

(68)乔瓦基诺(Giovacchino),即乔阿基诺·达·菲奥雷(Gioacchino da Fiore),约1130年生于卡拉布里亚地区的切利科(Celico),1202年逝世,享年七十余岁。曾是西多会教士,1176年任科拉佐修道院(Corazzo)院长。后退隐至西拉山林(Sila),于1189年在山上建立"鲜花圣约翰"修道院(San Giovanni in Fiore,Fiore音译为"菲奥雷",意谓"鲜花"),亦即"鲜花会"(Ordine florense);1196年,该会得到教皇切列斯蒂诺三世(Celestino III)的批准。他的著作很多,有《〈启示录〉评注》(*Espositio in Apocalypsim*)等,其中力主对教会进行社会和宗教革新,对《圣经》作神秘主义的诠释,预言"圣灵时代"(Età dello Spirito Santo)即将到来。其名著《论三位一体的统一和实质》(*Dell'unità e dell'essenza della Trinità*)以及许多观点都曾遭受教会的谴责:第一次是在 1215 年,被拉特兰公会议谴责;第二次则是在 1245 年,被枢机主教委员会谴责,但其思想仍在方济各会灵派分子中间广泛传播。诗中的"预卜先知的灵气为他所得"(di spirito profetico dotato)一句,并非但丁的创造,而是鲜花会于 5 月 29 日(定为纪念乔阿基诺的节日)晚祷时所唱的一句祷词。圣博纳文图拉是严厉打击接受乔阿基诺思想的灵派分子的,而在诗中,但丁却把他与乔阿基诺放在一起,这正如第十首把生前立场对立的圣托马索与西吉埃里·迪·布拉班特放在一起一样。

⑥⑨此句的原文是 inveggiar cotanto paladino,对其中的"卫士"即 paladino 有两种诠释:一是认为指圣托马索,亦即是说,圣托马索作为多明我会教士盛赞圣方济各,因而圣博纳文图拉作为方济各会教士也要盛赞圣多明我,动词 inveggiare 就有"竞争"之意;一是认为指圣多明我,这样,全句的意思就是:这"推动我用如此卓越的卫士(圣多明我)与他(圣方济各)媲美"。诗中的"拉丁文"(latino)指圣托马索赞颂圣多明我时所说的一番话。萨佩纽和波斯科-雷吉奥两注释本都不同意有人把 inveggiare 理解为 inneggiare(歌颂):萨本认为,这"纯属毫无根据的猜想"。

⑦⓪"这些同伴"指与圣博纳文图拉一起组成第二个花环的其他精灵。

第十三首

享天福者的歌舞(1—30)

圣托马索谈亚当与耶稣的智慧(31—87)

所罗门的政治智慧(88—111)

世人的判断(112—142)

享天福者的歌舞

凡是想要很好理解我这时所看到的
那种景象的人,可以想见
——而且在我如今讲述时,也可把这形象看成是静止不动的陡壁巉岩[1]——
有十五颗星辰,在不同的天际[2],
把苍穹照耀得如此通明,
竟盖过那空中的雾气濛濛;
可以想见那辆大车在驰骋[3],
我们天空正中的那片方寸之地就足以令它日夜奔腾,
尽管车辕不住转动,它却无法不见踪影;
可以想见那号角的嘴[4],
它恰好始自那中轴的顶端,
那第一重天体正环绕中轴旋转[5];

可以想见这三种形象把自身变成天上的两个标记[6]，
就如同米诺伊的女儿所做的一般[7]，
当时，她身感死神的彻骨冰寒；
一个星象和另一个星象的半径，都恰好相互衔接在各自里面，
两个星象都在不住旋转，
总是一个在后，另一个在前[8]；
这样想象的人对那真正的星座[9]
和那双重舞蹈的了解，几乎就会是影影绰绰，
而那舞蹈正是环绕我所在之处不住摇曳婆娑；
既然这景象距我们的习惯是如此遥远，
那超过其他各重天的天体的运转[10]，
也同样远非基亚纳河的水流所能比攀[11]。
那里，不歌颂巴库斯，也不歌颂佩阿纳[12]，
而是把共有神性的三位来歌颂[13]，
还歌颂合为一体的神性与人性[14]。
歌唱与回旋进行到最终限度[15]；
那些神圣的光芒便把注意力放到我们身上[16]，
他们从一种关切转到另一种关切，心中欢悦异常[17]。

圣托马索谈亚当与耶稣的智慧

接着，那光芒打破了[18]
行动一致的众神灵的寂静[19]，
他曾向我讲述上帝的那位穷苦人令人赞叹的生平[20]，
他说道："当一捆麦穗已经打完，
它的麦粒也已经存仓，
另一种温馨的爱又敦促我再打一番[21]。
你认为，在这人的胸膛里[22]
——从中也曾抽出一根肋骨，塑造出那美丽的面颊，
正是那面颊的口腭，给全世界带来灾祸[23]，

还有在那人的胸膛里[24]
——它曾被长矛刺穿,不论过去和未来,都令人感到心足意满[25],
以致在天秤上能压倒任何罪愆[26],
在这两个胸膛里,那威力把全部智慧灌注进去[27],
且不说人性能有多少智慧之光,
而正是这威力创造出这两个胸膛;
因此,你才对我上面所讲的话感到惊奇,
当时我说,包拢在第五个光芒里
的那个幸福精灵,没有第二个能与之相比[28]。
现在,张开眼睛,注意我对你所作的那个回答,
你将会看出你的看法和我的说法
都是万确千真,就像圆周的中心[29]。
不会灭亡的造物和可能灭亡的造物[30],
都无非是那思想的光辉,
而正是我们的主用爱把这思想孕育而出[31]:
因为那灿烂的光芒正是从他的闪光中产生,
这光芒既不会脱离他[32],
也不会脱离与他们一合为三的爱心;
由于他的善心,这光芒
把它那几乎像是镜中反光似的光线集中照在九组长存之物上,
同时又永远保持浑然一体的原样[33]。
从那里,这光芒往下一层层降落,
一直降到最后那些潜力,并且愈来愈弱,
以致它只能造出短暂的临时之物[34]。
我所说的这些临时之物,是指
那些被生育的东西,
是天体在运动中用种子和不用种子制造的物体[35]。
这些物体的蜡料和蜡料的塑造者[36],
都不是出自一种方式;因此,
在随后打上的思想印记下,这物体也多少不等地把光芒反射[37]。

这样一来，它们就发生这样的情况：
同一棵树木，根据种类，能结更好和更坏的果实；
而你们也带着不同的才智降生人世[38]。
倘若蜡料熔制得恰到好处，
天体也能把它的能力发挥到最大限度，
那印迹的光芒就会完全显露；
但是，自然总是使这光芒变得残缺不全[39]，
这就像那位艺术家一般：
他放在艺术衣裳上的手不住发颤。
因此，倘若热烈的爱把来自首要能力的明察秋毫的眼力[40]
置放和打印在造物身上，
那造物也便能获得十全十美的质量。
正是这样，泥土才一度当之无愧，
化为那个动物，完美无瑕[41]；
也正是这样，圣母才身怀六甲[42]：
因此，我赞成你的看法：
人性从来不是、也永不会是
与那两个人身上的人性分毫不差[43]。

所罗门的政治智慧

现在，倘若我不继续讲下去，
你就会开始说出你的话语：
‘那么，此人何以是无与伦比[44]？’
但是，为了使那尚未弄清的问题变得清楚明白，
你该想一想他曾是何等样人，
在说出‘你可以求’之后，推动他提出要求的又是什么原因[45]。
我说的话并不如此含糊不清，
令你不能很好地看出他曾是国王，
他曾要求赐予明智，使他足以把国王的职位承当；
他的目的不是要知道：

天上的那些动力究竟有多少[46]，
99 或是要知道：是否必然性和偶然性都要得出必然性结论[47]；
不是要知道：是否认可，存在第一个运动[48]，
或是要知道：是否能在半圆之中，
102 画出一个并非直角的三角形[49]。
由此可见，倘若你能注意我曾说出的那一点和如今所作的
这个说明，
我的意图之箭所射的那个看不出有人能与之伦比的标的，
105 就是国王的谨言慎行[50]；
倘若你能擦亮眼睛，仔细观看那‘生出’一词的采用[51]，
你就会看出这只是就那些国王而论：
108 国王人数很多，却很少贤明。
你该带着这种区分概念来对待我说的话；
这样，你就可以神会心领：
111 这与你有关人类始祖和我们那‘喜悦的爱子’的信念意义相通[52]。

世人的判断

这令你总该如铅系足[53]，
像一个疲惫的人那样缓慢行动，
114 无论是‘是’还是‘否’，你都尚未看清：
因为一个人在迈出一步或是另一步时，
不加区别地就加以肯定和否定，
117 他就算是智能相当低下的愚人；
因为往往会有这样的情形：
仓促的意见会使人走向错误，
120 其次，情感也会把心智束缚[54]。
一个探求真理而又垂钓乏术的人，
比从河边徒劳而归还要不幸，
123 因为他返回时已不再是动身时的那般光景[55]。
帕米梅尼德、梅利索、布里索，还有许多人[56]，

就是人世间这方面的明显例证，
因为他们都在行走，却不知何去何从：
萨贝利奥、阿里奥和那些愚人也是这样做[57]，
他们对待《圣经》，就像利剑，
把面容的直线弄弯[58]。
此外，世人也不该在判断上过分自信，
犹如那些人在五谷成熟之前
就估量田里的粮食能打多少斤：
因为我曾见过：先是在整个冬季，
那树木曾显得那样僵硬，那样遍体针芒，
而后来，玫瑰却绽开在枝头上；
我也曾见过一叶扁舟顺着它的整条航道，
笔直而迅速地在海上乘风破浪，
最后在进入港湾时却水没船舱。
贝尔塔夫人和马蒂诺老爷[59]，
且莫因为看见一个人在偷窃，另一个人在献祭，
便以为看到他们已命定于神的旨意[60]；
因为前者可能会升天，后者则可能会落地[61]。”

注释

①这里是说，读者该把这幻觉中的想象作为“静止不动的陡壁巉岩”，牢牢铭记在脑海中。

②诗中再次借用幻想中的天象来形容两个“花环”：“十五颗星辰”是指清晨出现在天空的最大的十五颗星，它们散布在“不同的天际”；这是根据古希腊著名天文学家、数学家克劳迪奥·托勒密（Claudio Tolomeo，100—178）于149年所写的巨著《伟大论》（*Almagesto*）而写出的：该巨著于827年译成阿拉伯文，1230年又由阿拉伯天文学家阿尔夫拉加诺（Alfragano）译成拉丁文，1315年，印成拉丁文版，但丁可能是从这一拉丁文版中了解到的。据波斯科-雷吉奥注释本分析，该十五颗星辰的分布如下：三颗在北方天际，四颗在黄道带，八颗在南方天际。

③“大车”指大熊星（Orsa Maggiore），又称“熊星座”（Carro），它所在的天空部分是肉眼可以看到的，因此，人的视力总能看到它。大熊星由七颗星组成，形如“大车”，因而还有“车辕”，它们总是在天空一极运转，从不会降至地平线以下。但丁在《韵律集》中曾描述过该星的运行情况。

④“号角的嘴”是指小熊星(Orsa Minore)位于下部的最后两颗星:小熊星形如号角,一端较大,犹如嘴巴,另一端较小,则与北极星恰相吻合。“中轴”指天空的中心部位;有人认为,其“顶端”就是北极星的位置,近代注释家波雷纳不同意此说法,认为,这里只不过说是原动天的一极,北极星则是位于中轴之上罢了,因此,诗中所说的位置只是“大致如是”。

⑤“第一重天体”即是指原动天。

⑥“两个标记”即是指由十五颗晨星、大熊星的七颗星、小熊星的两颗星所组成的两个各具十二颗星的星座,亦即“花环”。

⑦“米诺伊”(Minoi)即是指克里特岛国王弥诺斯(Minosse,见《地狱篇》第十二首及有关注释),其女儿名阿丽安娜(Arianna,见《地狱篇》第十二首及有关注释),因爱上特修斯(见《地狱篇》第九、十二首及有关注释),设法助他逃出迷宫,后特修斯又爱上其姊菲德拉(Fedra),将她抛弃在纳索斯岛(Nasso)上,被酒神巴库斯搭救,并与酒神结为夫妻,但她抑郁成疾,死后被酒神化为她平日所带的花环,从而成为“科罗纳”星座(Corona):但有关传说的说法不一,奥维德《变形记》第八章就说酒神是把阿丽安娜头上所戴(也说是“腰中所系”)的“花环”变为科罗纳星座,因此,“变化”的并非她本人。因此,但丁所依据的可能是另一种来源,而非奥维德之作。

⑧这里是说,比作“星象”或“星座”的两个“花环”,其半径是互相吻合的,亦即是同心圆,二者都不住旋转,方向则是相反的,因而显得是一前一后的旋转。但由于原文 al primo(在前)和 al poi(在后)的意思比较笼统,有人便认为,应把此段三行韵诗的最后一句理解为:外面花环的各星辰与里面花环的各星辰都是朝同一方向旋转,而每个星辰都保持在同一个半径上,亦即保持在小圆圈中与之相应的半径上,或是说,保持在小圆圈每一对半径之间的那个半径上;还有人认为,既然两个花环都朝一个方向旋转,而其中十二个人物都要相互始终保持在同一条线上,外圈较大,就须转得更快,内圈较小,则须转得较慢,这样才能保持均衡。萨佩纽注释本认为,布蒂的解释是值得注意的,即:第二个花环要按第一个花环的方式旋转,第一个花环则要按第二个花环的方式旋转,这样两个花环就“相互一致”了。

⑨“真正的星座”指两个享天福者花环所组成的名副其实的星座。

⑩这里的“习惯”是指世人根据经验所能经常看到的世间景象。“超过其他各重天的天体”指运转速度最快的原动天。

⑪基亚纳河(Chiana)为托斯卡纳的一条河流,古时流经阿雷佐地区以南的奥尔维耶托(Orvieto)附近,汇入台伯河。中世纪时,该河滞流,化为沼泽地,《地狱篇》第二十九首第 47 句曾提及该河的河谷即基亚纳河谷,为一疟疾肆虐之地(今天,该河已经整浚,部分地疏导)。诗中提及此河,是以其水流极缓与原动天的运行极速作对比。

⑫佩阿纳(Peana)为日神阿波罗的别称,一首赞颂他的颂歌也叫《佩阿纳》(*Peana*)。诗中是说,这些享天福者歌颂的不是异教诸神,如酒神巴库斯(见注⑦)、日神阿波罗。萨佩纽注释本指出,但丁是从维吉尔的《埃涅阿斯记》第六章和《农事诗集》第二章了解到有关酒神和日

神的颂歌的。

⑬“共有神性的三位”即是指“三位一体”(圣父、圣子、圣灵)。

⑭“合为一体的神性与人性”指人神合一的基督。

⑮这里是说,享天福者这时结束其载歌载舞的动作。

⑯“神圣的光芒”即是指享天福者。

⑰这里的两个“关切”是分别指歌舞和澄清但丁提出的理论问题:如前所述,享天福者是乐于解答但丁的疑问的,因此,他们从“歌舞”转到“解答问题”时,“心中欢悦异常”,二者都是在“仁爱”精神的推动下进行的。

⑱“那光芒”指圣托马索。

⑲“众神灵”(numi)即是指享天福者,因为这些精灵分享的“天福”亦即是“神灵”,因而他们也便成为“神圣”。

⑳“上帝的那位穷苦人”即是指圣方济各。

㉑这里用打麦来比喻圣托马索对但丁两个疑问的解答:即前面已解答了但丁的第一个疑问(即第十首第96句:“沿着这条途径,若不是贪恋虚荣,本可使自身变得十分肥胖”);“麦粒”已经“存仓”是影射真理可保存在记忆里。“再打一番”是指仁爱的精神使圣托马索再来解答但丁的第二个疑问(即第十首第114句:“不会生出第二个人能把事物看得如此仔细”)。

㉒诗中用两个“胸膛”来比喻亚当和耶稣:第37句所指“这人的胸膛”是指亚当,因为《旧约·创世记》第二章第二十一至二十二句中说:“主上帝使那人(亚当)沉沉入睡;然后从他身上取出一根肋骨,再把肉联合起来。上帝把那根肋骨造成一个女人(夏娃),带到那人跟前来。”“美丽的面颊”即是比喻夏娃。

㉓“口腭”(palato)是指夏娃贪食禁果,使她与亚当犯下原罪,从而也给人类“带来灾祸”。

㉔“那人的胸膛”比喻耶稣。

㉕“被长矛刺穿”,此典出自《新约·约翰福音》第十九章第三十四句:“……有一个士兵用尖枪刺他(耶稣)的肋旁一下,跟着就有血和水流出来。”诗中是说:耶稣以自身受难来偿还人类过去和将来所犯的罪孽,从而将人类从原罪中解救出来;但古代注释家把诗中的“过去和未来”(prima e poscia)也有解释为“在刺穿耶稣的胸膛以前和以后”的,亦即指耶稣的生活和受难。萨佩纽和波斯科-雷吉奥两注释本都不主张作此诠释。

㉖这里的“天秤”是指神的正义的“天秤”:即是说,耶稣的自我牺牲和世人因而获得的功德,二者的分量在神的正义的天秤上压倒一切罪孽。

㉗“威力”指创造亚当和耶稣的神的威力。

㉘“第五个光芒”是指圣托马索所介绍的花环(即第一个花环)中的第五个精灵,即所罗门。诗中是说,圣托马索曾说在智慧上,没有第二个世人能与所罗门相比。

㉙这里用“圆周的中心”来比喻绝对真理与部分真理的关系:因为圆周上的每一点都是与圆心距离相等,犹如所有部分真理都与绝对真理具有同等的对比关系。但丁在《筵席》第四卷第

十六节第八句段和《新生》第十二章第四句段中都有类似的说法。诗中所说的“你的看法”，即是指但丁认为，亚当和基督的智慧是最高的；“我的说法”则是指圣托马索曾说，所罗门的智慧最高，没有第二个人能具备；这两种意见，都是“万确千真”的。

㉚“不会灭亡的造物”是指天使、天体、人的原质和灵魂，《天堂篇》第七首第133—144句中对此有提及，参见这些诗句及有关注释；“可能灭亡的造物”，是指由“次要起因”造成的物体；概而言之：凡由上帝直接创造的物体是“不会灭亡”的，凡非由上帝直接创造、而是通过“中介”即“次要起因”，亦即在天体影响下创造的物体，则是“可能灭亡”的物体。“思想”指圣子，亦即代表理性和思想的logos和verbo（此二词的第一个字母大写，均指“圣子”）；“光辉”则意谓“反射的光芒”，因为它是“圣父”光芒的反射，换言之，圣子的光源是圣父。因此，该句的意思就是：造物，不论是由上帝直接抑或间接创造的，都是圣子所代表的“思想”、智慧的反映。

㉛这里再次说明三位一体的关系：即是说，代表“思想”的圣子是由上帝“孕育而出”的，其手段则是“爱”亦即圣灵。圣托马索在《神学大全》第一卷中对此问题曾作过详尽阐述：“上帝是所有物体在范例上的首要起因……显然，出于本性而形成的物体都有特定的形式。这种在形式上的确定，必然要归因于神的智慧，而神的智慧也正是首要原则；神的智慧作出了宇宙的秩序安排，而这种秩序安排亦即体现在物体的相互区别上。因此，应当说，所有物体的起因在于上帝的智慧……也就是说，存在于神的脑海中的典范性的形式也都来自上帝的智慧。”

㉜“灿烂的光芒”仍是指圣子的光辉；“他”指上帝，“爱心”则指圣灵。“一合为三”在诗中为动词s’intrea，又是但丁自造的词，由数词tre变来；同样，诗中“脱离”一词，即disunarsi，也可能是但丁自造的，由unità（统一体）一词变来，以说明三位一体是“不可分割的统一体”。

㉝上帝的“善心”一说来自圣托马索下面一段话：“除了上帝的善心以外，没有任何其他东西促使上帝来制造造物，而且他愿意把这善心依照一种与他相似的方式传达给其他物体。”“九组长存之物”（nove sussistenze）指分属九个品级的众天使；“浑然一体的原样”是说：圣子虽然把他的光芒分成无数部分，照射分属九级的天使等物体身上，但仍永远保持这光芒的统一整体。

㉞“从那里”即是指从九组天使那里。诗句是说：圣子的光芒通过重重天体，从九组天使（亦称“智慧之神”）那里逐步降下，一直传送到“最后那些潜力”，亦即传送到月球以下世界的那些元素上，而且光芒的强度逐层减弱，只能造出瞬息即逝、不能长久的物体。诗中的“短暂的临时之物”，原文为breve contingenze，其中的contingenze，即“临时之物”或“可能灭亡的物体”，恰好与第59句的sussistenze即“长存之物”或实质亦即“不会灭亡的物体”相对应。“潜力”（potenze）是亚里士多德和经院哲学所用词汇，是指那些有可能是某种东西、实际上又不是那种东西的物体，亦即“潜在之物”（in potenza），只要不赋予它以实在内容，不使它具有某种形态，就不能成为“实在之物”（in atto）；因此，这里是指物质世界中的那些元素。

㉟“用种子制造”是指“临时之物”与“长存之物”不同，是由天体运动用“植物”或“动物”的生

物体亦即有机体制造出来的,这样的物体即是动植物等有机体;“不用种子制造”是指不是用上述有机体制造出来的,因此,即是无机体。

㊱“蜡料”(cera)是指物质的基本材料或原质;“蜡料的塑造者”是指把这种原质塑造成某种形态的各重天体。

㊲这里是说,物体的原质接受天体影响的程度是不同的,而天体影响的强度也大小不均,因此,物体的原质通过天体运动影响接受圣子所代表的“思想”的光芒之后(亦即“打上思想印记”),也便“多少不等地”反映出这“思想”的光芒。下一段三行韵诗就用树木结果作为实例来说明这种情况。但丁在《筵席》第三卷第七节第二至三句段中也曾用不同物体接受阳光程度不同作例论证有关问题:“我们可以看一看太阳的光芒,它只有一个,是来自一个光源,而它被那些物体接受的程度则是不同的。”

㊳这里是说,树木作为“物种”都是同一的,但根据它的特定原质,有的结好果,有的结坏果,人也同样如此,才有智慧高低之分。

㊴这里是说,倘若物体的原质能以最好的方式接受“思想”打下的印记,天体也能以最好的方式对物体产生影响,圣子所代表的“思想”即智慧的光芒,就能得到充分体现,然而,“自然”(亦即万戴利所说的“在〈物体〉生育中起作用的次要起因”)却总是不完善地体现这光芒,犹如艺术家,固然熟悉艺术,具有艺术天赋(“艺术衣裳”),他的手却不能完善地绘出他心目中的东西。

㊵“热烈的爱”指圣灵;“首要能力”指圣父即上帝;“明察秋毫的眼力”指圣子或圣子所代表的智慧。

㊶“正是这样”是指正是通过上帝的直接创造。“泥土才一度当之无愧,化为那个动物”,是指能够做到尽善尽美境地的泥土,才塑造成人,即完美无缺的亚当。此处用典出自《旧约·创世记》:“主上帝用地上的尘土塑造一个人的身体,把生命的气息吹进他的鼻孔里,这人就成了有灵魂的活人。”

㊷这里是说,正是通过圣灵的作用,圣母才怀下作为人的基督。

㊸这里是说,亚当与基督都是上帝直接造出的,因而具有十全十美的智慧,亦即十全十美的“人性”。圣托马索在《神学大全》第一卷中曾对此有所阐述。

㊹“此人”指所罗门。

㊺这里用典出自《旧约·列王记上》第三章第五至十二句,其中说,主在梦中向所罗门显现,对他说:“你希望我赐你什么,你可以求吧。”所罗门说:“……主我的上帝啊,你让仆人继承我父亲大卫为王;然而,我还是幼稚无知,不懂得处事治民的方法。你的子民多得不可胜数,仆人却要在他们当中治事断理,所以,求你赐我智慧去治理你的民,又懂得判断是非;不然,我又怎能担起治国的重任呢?”上帝非常喜欢所罗门所求的,便赐给他“无与伦比的聪明智慧。”

㊻“动力”指智慧动力,亦即智慧之神天使。这是一个形而上学问题,但丁在《筵席》第二卷第四节第三至十五句段、《天堂篇》第二十八首和第二十九首中都曾述及,并提到古代哲学家和

基督教神学家为此而提出的不同解决办法。

㊼关于从一个必然性前提和偶然性前提中是否都会得出一个“必然性结论”，是亚里士多德在驳斥柏拉图的有关论点时提出的一个逻辑学问题，因为从亚里士多德逻辑学的原则来看，这是荒谬的。

㊽“第一个运动”原文用拉丁文 primum motum；这里是说，“第一个运动”是自行运动、而不是在另一个运动的推动下产生的。圣托马索在《神学大全》第一卷中就论述此问题：“一切运动的东西都必然是受另一个运动推动的。而倘若由之产生运动的那个东西也运动起来，那么，它也一定是被另一个运动所推动。在这个问题上，不能无休止地推论下去。因此，必然要有一个第一个运动，它不是受任何运动推动的，大家把这个运动就称作上帝”；亚里士多德《物理学》第八章也阐述了这个问题。这是个物理学或自然哲学问题。

㊾这里涉及的是欧几里得的几何学问题。诗中列举这问题，旨在说明：所罗门要求上帝赐予他的智慧并不是与他作为国王的职能不相干的，从而进一步指出：他的那种智慧是无与伦比的。

㊿这里但丁又用射箭来说明圣托马索谈论此问题的用意，亦即要说明：所罗门的智慧是要做到一个君主所应发挥的首要职能：即处事公正，而这就需要君主“谨言慎行”。

51这里只引述本篇第十首第114句“那就不会生出第二个人能把事物看得如此仔细”中的“生出”(surse)一词，意在令但丁明白：此动词本意是“升起”，圣托马索使用此词，即是要说明，就国王的地位而言，他们是驾凌于其他人等之上的。

52“人类始祖”指亚当；“喜悦的爱子”原文为 Diletto，指耶稣，此典出自《新约·马太福音》第三章第十七句：其中说耶稣受了洗礼，从水里出来，天立即开了，上帝的圣灵也降到他身上，同时有声音从天上传来：“他是我喜悦的爱子。”

53“如铅系足”的说法来自成语 andare coi piedi di piombo，意谓行事慎重。这里是指人不可仓促做出断语。

54这里的“情感”指对自身意见的偏爱；这种情感会妨碍“心智”对问题作不怀偏见的思考，因而会坚持错误。

55这里用钓鱼来比喻探求真理：一个人若不懂得钓鱼技术，必会空手而归，其结果不仅是徒劳往返，而且还有害无益，因为去时只不过是“无知”，而返回时则更因垂钓失败而增加许多“错误”，这是比“无知”更加不幸的。

56帕尔梅尼德(Parmenide)为公元前五世纪盛极一时的希腊埃利亚学派(scuola eleatica)的哲学家，是该学派创始人塞诺法尼斯(Senofane)的弟子，曾写过训世诗《论自然》(*Sulla Natura*)，已散佚。他主张存在物是单一的，不动的，不可分的。

梅利索(Melisso)，也是埃利亚学派的哲学家，生于公元前五世纪上半叶的萨莫岛(Samo)。为帕尔梅尼德的弟子和追随者，也写过同名训世诗，其理论比其师还要激进。但丁可能通过亚里士多德的《物理学》了解梅利索和帕尔梅尼德的观点的，他在《帝制论》第三卷

第四节第四句段曾引述过亚里士多德对梅、帕二人的尖锐批评:“既然错误可能在于主题和论述形式方面,这就有可能犯下两种错误:要么是从错误的前提出发,要么则是论证欠妥,这便是哲学家(亚里士多德)指责帕尔梅尼德和梅利索的两件事情,指出他们‘接受错误的原则和不曾正确地论证’。”

布里索(Brisso),即布里松(Brisone),古希腊数学家和哲学家,古希腊历史学家希罗多德(Erodoto)之子,苏格拉底和欧几里得的学生。但丁是从亚里士多德批判其圆中四角形的理论方面了解他的,因此,以上三人的名字和理论都可能出自但丁所阅读的大阿尔贝托的《物理学》(Physica)。

(57)萨贝利奥(Sabellio),生于公元三世纪初非洲的潘塔波利(Pentapoli),为异端分子,其学说否定三位一体,公元 261 年遭亚历山大(Alessandria)公会议谴责。约死于265 年。

阿里奥(Arrio),另一异端分子,其著名理论是否认圣子具有永恒性,否认圣父与圣子具有同体性,曾有广泛影响;325 年遭尼色亚(Nicea)公会议谴责。他约于 280 年生在埃及的亚历山大,336 年死于君士坦丁堡。

“那些愚人”指其他异端分子。

(58)这里是说,上述异端分子像用凹镜映照《圣经》那样,把《圣经》弄得面目全非(“把面容的直线弄弯”)。诗中提及“利剑”,对此有两种解释:一是说利剑的锋面如凹镜一般,映照《圣经》时也同样把《圣经》加以歪曲;一是说异端分子用利剑篡改《圣经》,破坏其完整性。

(59)“贝尔塔夫人和马蒂诺老爷”(donna Berta e ser Martino),如意大利另一句俗语“蒂齐奥和卡佑”(Tizio e Caio)一样,相当于中文的“张三李四”。但丁在《筵席》第一卷第八节第十三句段和第三卷第九节第七句段以及《论俗语》第二卷第六节第五句段中都提及过此说法的来源,十四世纪的多明我教士帕萨万蒂(Passavanti,1298—1357)在其名著《悔罪的镜子》(Specchio della penitenza)则指出:“打谷场上的马蒂诺老爷和磨坊里的贝尔塔夫人都大胆地前来释梦,而这却是自然哲学的两位最伟大的师尊即苏格拉底和亚里士多德都不敢一试的。”

(60)这里是说,不可看到某人“偷窃”干坏事,某人“献祭”干好事,便断言上帝已为他们的命运作好安排,亦即善有善报,恶有恶报,除非上帝亲自前来判决。

(61)这里是说,盗贼可能会悔过而得救(“升天”),献祭者则可能会成为伪善者而被打入地狱(“落地”)。

第十四首

精灵们的欢庆(1—33)
所罗门谈享天福者的光芒(34—60)
精灵们的又一次欢庆(61—81)
火星天与十字架(82—139)

精灵们的欢庆

一个圆罐中的水在流动,
从圆心流到圆周,又从圆周流到圆心,
那涟漪如何波动是依照从外边还是从里边敲打圆罐而定[1]:
我所说的这番情景立即浮现在我的脑海当中,
这恰如那托马索的光荣生命[2]
静默下来,不再出声,
因为他的谈话和贝阿特丽切的谈话
正与水的流动情景相同,
贝阿特丽切在他之后,也想开口言明:
“对此人应当再把另一个真理彻底说清,
尽管他并未用声音向你们说出,
也还不曾想到这件事情[3]。
请告诉他:把你们的实体渲染得绚丽多彩的那光芒

是否会永远与你们同在，
与如今一模一样[4]；
倘若如是，还请你们说明：
既然你们将会重新变得有目可睹[5]，
又怎能做到：这光芒不致伤害你们的眼睛。”
正如那些回旋舞蹈的精灵
不时被愈来愈大的快乐情绪所催促和牵动，
嗓声提高，舞步也变得加倍兴奋，
那神圣的圆圈在听到这迅速而虔诚的祈求时[6]，
也同样从旋转节奏和美妙歌声中，
显示出新的欢欣。
有人为死在人世而活在天堂抱怨连声，
却不曾看见在这里
有永恒的恩泽如雨露滋润[7]。
那永远生存的一、二、三位，
永远作为三、二、一而主宰世界[8]，
他不受任何制约，却又制约一切[9]，
他三次被那些精灵当中
的每一位用如此优美的旋律歌颂[10]，
这也会为他们的每项功德带来恰当的赏赐回应。

所罗门谈享天福者的光芒

我这时听到那较小圆圈的最灿烂的光辉里[11]，
发出一种谦和的声音，
也许那位天使与玛利亚讲话就是用这样的语声[12]；
这声音答道：“天堂的欢庆延长多久，
我们的爱用这样的衣裳在周身发射的光芒
也便会持续多少时候[13]。
它的亮度随热度而来；
热度则又随觐见的深度而来，而觐见有多深厚，施加在各自功德上的恩泽也便有多深厚[14]。
正如那光荣而神圣的肉体将会重新披上，
我们的身躯也会由于完全恢复原状，
变得更加令人感到欢畅[15]；
因此，至善赐予我们的那恩深义重的光，
也必将增强，正是这光
制约我们对他的觐见瞻望[16]；
于是，这觐见必然得到增强，
也必然增强由觐见点燃起的热忱满腔，
增强来自这满腔热忱的光芒[17]。
但是，正如放射火焰的煤炭，
因为烧到炽烈的白热而盖过火焰，
以致它的外形依然可以保全；
同样，如今把我们围拢的这片灿烂光辉，
也将会从外露上被肉体所超过[18]，
而至今那肉体仍被土地所盖没；
如此强烈的光亮也将不会使我们感到眼花缭乱，
因为躯体的器官将变得强健，
可承受一切能令我们感到欢欣的物件”[19]。

精灵们的又一次欢庆

这时，我觉得一组和另一组精灵
似乎都突然而急速地说了一声“阿门！”[20]，
这就明确地显示出对死去的躯体的憧憬[21]；
也许这并非只是为他们自身，
而且还为妈妈，为父亲[22]，
以及为他们成为永恒火光之前曾钟爱过的其他人。
看，周围又出现一片亮光，
它的亮度均匀，在那已有的亮光之上[23]，
仿佛是在把地平线照亮。

犹如暮色初临,
天空开始显现点点新星,
72 以致视力所见似真,又不似真[24];
我觉得似乎开始看见,
那里有新的长存之物[25],
75 他们在其他两个圆圈之外,又围成一圈。
哦,名副其实的圣灵光辉闪烁啊[26]!
它来得多么突然,亮得多么耀眼,
78 我的双目不胜光照,刺痛难熬!
但是,贝阿特丽切此刻在我面前,尽管显得如此美丽,如此笑容可掬,
却令人宁愿把她也留在那些目睹的景象当中,
81 因为那些景象不肯把记忆跟从[27]。

火星天与十字架

这样一来,我的双眼又恢复了视力[28],
重又向上望去;我看到我自己
84 与我的贵妇一起,被运送到更高的幸福一级[29],
我清楚地发觉,我已升到更高一层,
这是因为那颗星辰的火一般的笑容,
87 我觉得那笑容似乎比平常更加艳红[30]。
我全心全意地,以众人共有的祷念,
向上帝作出奉献,
90 正如对待新的恩泽所应采取的态度一般[31]。
我胸中的奉献热火尚未熄灭,
我就看出这献祭
93 已被笑纳和蒙受欢喜;
因为在我面前,有两道光芒出现,
从中发射的光辉是如此火红,如此灿烂,
96 这令我不禁说出:“哦,埃利奥斯,这是你把它们如此装扮[32]!”

我清楚地发觉，我已升到更高一层，这是因为那颗星辰的火一般的笑容，我觉得那笑容似乎比平常更加艳红。（第十四首第85—87行）

正如点缀着大大小小星光的银河，
在天界的两极之间放出白光，晶莹闪烁[33]，
这竟使学识渊博的智者也产生疑惑；
同样，那两道汇集繁星点点的光芒，
在火星深处，也划出令人肃然起敬的标记，
四个相连一处的九十度弧把它放在一个圆里[34]。
这时，我的记忆力把才智胜过[35]；
因为在那十字架里，基督如此光芒四射[36]，
竟使我无法找出适当的例子来述说；
但是，凡是背起他的十字架并跟从基督的人[37]
都仍会原谅我略去不谈的那件事情，
因为他看到基督闪烁在那片白色霞光之中。
从这一角到那一角，从顶到下[38]，
都有点点光辉在移动[39]，
每逢相互聚合和彼此超越，都迸射出闪亮的火花：
在尘世，同样也可以看见
那些物体的微粒，有长有短，有的直行，有的转弯，
它们沿着光线浮来动去，有快有慢，还把形体更新不断；
有时，从光线夹缝透过一道阴影，
为了保存它，人们开动脑筋，想尽花招，
让它不受光照，终于把它得到[40]。
也像吉加和竖琴，多弦轻弹[41]，
奏出柔美的叮咚之声，
那乐声是如此动听，竟令人无法把音符辨清，
我眼前出现的那点点光辉也同样如是，
从中传送出一曲优美旋律，沿着十字架飘散，
它令我如醉如痴，也听不出是什么赞美诗。
我清楚地发觉，那是一首崇高的颂歌，
因为送入我耳际的是“你胜利”和“你复活”[42]，
我正像一个人不理解全部歌词，只闻听音乐。

这时,我的记忆力把才智胜过;因为在那十字架里,基督如此光芒四射,竟使我无法找出适当的例子来述说。(第十四首第103—105行)

这令我如堕情网，颠倒神魂，
迄今没有任何东西
129　曾用如此温柔的绳索将我系捆。
也许我的话语显得过于胆大妄为，
因为我把那美丽的双眼带来的喜悦放到次要地位[43]，
132　而观看那双秀目，我的欲望就可以得到满足；
但是，谁若想到那一切美丽的生动印证[44]
愈向上升也便愈有效应，
135　尽管我在那里还不曾转向那双眼睛[45]，
谁就可能会原谅我对自己所作的指控
——我指控自己是为了表示歉忱；谁也便可能会看出
　我说的话是真；
138　因为神圣的喜悦在这里并未受到排斥[46]，
这是由于这喜悦愈往上升，就变得愈是纯净。

注释

①这里用圆罐里水的流动来比喻圣托马索和贝阿特丽切的相继谈话：圣托马索位于花环，亦即“圆周”，他说完了话，继之开言的是贝阿特丽切，她则与但丁位于花环的中心，亦即“圆心”；圣托马索说话时，犹如圆罐里的水由圆周流向圆心，贝阿特丽切说话时，则又如圆罐里的水由圆心流向圆周。

②这里的“生命”一词，原文为 vita，意谓“灵魂”，此用法也见于本篇第九首第 7 句和第十二首第 127 句。

③这里表明贝阿特丽切对但丁的心理活动十分了解，不论是但丁未曾用话说明的疑问，还是但丁自身尚未想到的问题，她都能预先猜透。

④第 13 句至第 18 句两段三行韵诗说明但丁的疑问所在：一是在最后审判后，各灵魂都与肉体重新结合，即实现“肉体的复活”，如今围绕灵魂的光芒是否永远存在下去；一是这种强烈的光芒是否为复活了的肉体的各器官，特别是眼睛所能承受。这两个问题曾由圣马托索在圣博纳文图拉所著《皮埃尔·隆巴尔多〈教父名言录〉注疏》（参见本篇第十二首注⑩）中加以论述，该书搜集了教会重要神甫的言论；圣托马索在其《神学大全》第 3 卷附册中也阐明此问题。

⑤这里的“有目可睹”，是指最后审判后，各灵魂重新有了肉体，因而可以被人所看见；但也有人把原词 visibili 理解为主动式，即各灵魂“能用肉体器官观看事物”。萨佩纽和波斯科-雷吉奥

两注释本都持前一说法。

⑥这里的“祈求”是指贝阿特丽切以但丁的名义提出的要求。“神圣的圆圈”指精灵所组成的两个花环。

⑦诗句是说,有人抱怨人活世上,必须死去,才能升入天堂,这是因为他们不曾目睹享天福者得到上帝恩泽的雨露滋润,换言之,他们不知天堂中有此永恒的幸福。但也有人把这里的“死”看成是“自己亲爱的人”的死,萨佩纽和波斯科-雷吉奥两注释本都未作后一种解释。

⑧这两句的数字“一、二、三”都是指唯一存在和三位一体的上帝,但其中的“二”,则可能是指人神两性合一的圣子。

⑨本维努托对此句的解释是:上帝是“不局限在某个地方的,他本身包拢着万物”,亦即上帝是无处不在,无所不包的。《炼狱篇》第十一首第2句也有类似的写法。

⑩“三次”是祈祷词常用的数字,指三位一体,在此不一定指某一具体颂歌。

⑪“较小圆圈”指里面的花环;“最灿烂的光辉”指所罗门:本篇第十首第109句就说,第五个光芒即所罗门的灵魂“最为美丽”。德国哲学家斯坦纳(Steiner,1861—1925)在其分析《天堂篇》第十四首的著作中曾认为,贝阿特丽切所提问题之所以由所罗门来回答,可能是因为传说《圣经》的《雅歌》即是所罗门所作,而《雅歌》又被诠释为化为肉身的圣子身上两性结合的象征和预兆,诗中所谈的神学理论问题涉及肉体的复活,也便与基督的复活联系起来了。

⑫这里的“谦和”,原文为modesta,萨佩纽和波斯科-雷吉奥两注释本对此词的理解略有不同:前者认为,在谈到十分神秘的问题时,理应声音温和而有所节制;后者虽然也认为此词有温和之意,却进一步指出,还有“与一个最贤明的国王相适宜”的含义,因为该国王“意识到自己智慧的局限性”,萨本则不同意后一说法。诗中所说的“那位天使”是指向圣母宣告她不久将怀孕生子的天使长加百列(见《新约·路加福音》第一章第二十六至三十三句);这里用“也许”,因为《圣经》中并未提及天使的语调,这是但丁所假设的:萨佩纽认为,但丁可能认为,天使向世人宣告上帝恩赐如此重礼,理应采用这种语调。

⑬“欢庆”意谓“幸福”;“爱”意谓“仁爱”;“衣裳”即指精灵身上发射的光芒。此句的意思是:天堂的幸福是永恒的,因为精灵身上发射的仁爱的光芒也同样是永恒的。

⑭此段三行韵诗进一步阐述觐见(上帝)-仁爱-光芒三者之间的关系,本篇第五首第1—6句也曾论述过同一问题(参见该首有关诗句及注③)。“亮度”指光芒,“热度”指仁爱,“觐见”指对上帝的认识:萨佩纽和波斯科-雷吉奥两注释本都引述圣博文图拉如下一段话,波-雷本还认为,这段话可能是诗句的依据:“他们享受天福将与他们的爱成正比;他们的爱则与他们(对上帝)的认识成正比。”

⑮“光荣而神圣的肉体”是指经最后审判而复活的肉体因分享到天堂的光荣而变得“光荣而神圣”了,即神学家所说的“光荣的肉体”(corpus gloriosum)。“完全恢复原状”是指灵魂与肉体的完全结合:圣托马索《神学大全》第1卷曾指出:“灵魂作为人性的一部分,只有在与肉体结合时,才能臻于自然的完美”,这也便使“身躯”更能享受天福。关于“更加令人感到欢畅”,

波斯科-雷吉奥注释本曾就此句提出疑问:即究竟是令“谁”感到欢畅,是“上帝还是我们,或两者皆是”;它认为,此句含义是不确定的,因而可能是指两者。

⑯“他”指至善,亦即上帝。

⑰“恩深义重的光”是指至善“普照宇宙的恩泽”;诗句的意思是:上帝赐予的恩泽是使人能“觐见”和认识上帝的必然条件,因此恩泽愈大,对上帝的“觐见”也愈深,而“觐见”上帝愈深,仁爱之热度(“满腔热忱”)也便愈强,由此产生的光芒便愈亮:从第46句至第51句对觐见—仁爱—光芒三者关系的论述层次恰好与第40—42句相反。

⑱这里是说,烧到白热的煤炭,尽管有火焰,但其放射的强光,能盖过火焰,煤炭本身的形体仍可被人看见(“可以保全”);诗中用此例来说明:复活后的“光荣的肉体”的光辉将会压倒如今包拢精灵的仁爱之光,因而肉体仍会外露而依稀可见。圣博纳文图拉也曾对此问题作过类似的论述和比喻:“复活了的肉体将根据其本性具有某种颜色,并将有一种光芒将它包拢,犹如火焰包拢煤炭。”

⑲“一切能令我们感到欢欣的物件”意谓一切可以为我们带来天福的东西。

⑳“一组和另一组”指两个花环。“阿门”原文为Amme,即Amen,为佛罗伦萨或托斯卡纳方言,至今仍然通用。《最佳评注》认为,这里,两个花环的精灵说出“阿门”一词,有三点意义:一是肯定所罗门所言不虚;二是表示要求完美的愿望;三是与众享天福者互相表达欢快情绪。

㉑“对死去的躯体的憧憬”意谓这些精灵怀着对与各自的肉体重新结合的强烈欲望。萨佩纽注释本还指出,这种强烈欲望“也许并非为各精灵自己,而是为他们的亲属和为他们在尘世旅程中曾热爱过、而如今则希望在天国能再与之重见的所有的人”,并引用本维努托所作的类似诠释,强调指出:“天主教的天堂不是否定或背弃,而是宣扬尘世亲情。”然而,波斯科-雷吉奥注释本则不同意这样的分析,它与近代注释家波雷纳、基门兹一样,认为第65—66句所提出的看法尽管具有“深刻的人情味”和“充满精美的诗意”,却是“自相矛盾”的:因为单只希望获得“更大的完美”一点就“不符合享天福者的处境”,尤其不该把“尘世亲情”也牵扯在内。

㉒此句用“妈妈”(mamme)一词,波斯科-雷吉奥注释本认为,此词虽充满亲切之情,但语气不够高尚,但丁在《论俗语》第二卷第七节第四句段中,即使作为“俗语”,也曾拒绝使用该词。

㉓“周围”指两个花环的四周。“已有的光亮”指两个光辉灿烂的花环所放射的光芒。“仿佛是在把地平线照亮”是指这片光芒像是旭日即将初升时,地平线上出现的一片光芒。“在……上”也有人认为是指这片光芒比已有的日球天的光芒还亮,萨佩纽和波斯科-雷吉奥两注释本则都认为是指除“已有的光亮”之外。

㉔这里,诗句又进一步描述这片光芒犹如“暮色初临”,第一批星光开始出现,但还不甚清晰。“视力所见似真,又不似真”,波斯科-雷吉奥注释本的解释是:由于第一批出现的繁星不甚清晰,时而看得到它们,时而又看不到它们。但似乎也可理解为“似有若无”。

㉕“长存之物”原文仍为sussistenze(参见第十三首第59句及注㉞和㉟);这里是指享天福者的

精灵。

㉖“圣灵”代表爱即“仁爱”,它所放射的仁爱之光照耀享天福者的灵魂和一道道光辉。

㉗这里是说,但丁此刻所见的“景象”超乎凡人的思维能力之上,非记忆力所能保留,只好把它们略去不谈,而贝阿特丽切的美丽笑容,也便随这些景象,一概不加描述了。

㉘“这样一来”是指由于看到贝阿特丽切的美丽的笑容,被强光所刺激的视力随即得到恢复。

㉙“更高的幸福一级”即是指火星天。

㉚“那颗星辰”指火星。但丁在《筵席》第二卷第十三节第二十一句段中曾说:“火星……颜色如火。”“艳红”一词原文为 roggio,意谓色如“烧红的火”。波斯科-雷吉奥注释本认为,前句已说明火星的笑容如火,此句应是指:“因为贝阿特丽切进入这一重天,天体的颜色便显得更深些。”

㉛“向上帝作出奉献”意谓向上帝表示感谢和虔诚。“新的恩泽”指上帝降恩使但丁得以升入更高一重天。

㉜“埃利奥斯”(Eliòs),为希腊文的 helios(赫利奥斯),意谓“太阳”,但丁是从乌古乔内·达·比萨(Uguccione da Pisa)的《词的来源》(*Derivationes*)一书中读到的,其中还武断地把此词与希伯来文意谓“上帝”的一词即 Ely 放在一起,说 helios 来自 Ely,因此,一度被人称为“上帝”;波斯科-雷吉奥注释本据此认为,这里但丁显然是用此词代表上帝。“装扮”一词原文为 addobbi,有人认为,它由古法文 adober(即“把骑士武装起来”)演变而来,萨佩纽和波斯科-雷吉奥两注释本都认为,此说不无道理,因为在火星天的精灵都是“战斗的精灵”,是“信仰的骑士”。

㉝这里把火星天上的两道光芒比作纵贯天体两极的银河(Galassia),因为银河里有许多大大小小的星辰,两道光芒中也“汇集繁星点点”(见第 100 句)。“使学识渊博的智者也产生疑惑”是指关于银河的起源和性质,学者一直有不同看法,争议不休,但丁在《筵席》第二卷第十四节第五至八句段中也曾根据大阿尔贝托和圣托马索对亚里士多德《论气象》一书的评注对此作过论述。

㉞“令人肃然起敬的标记”指十字架,即两道光芒交叉成十字状。“九十度弧”原文为 quadranti;四个九十度弧连在一起,即是指两个直径在圆内的直角交叉;“它”即标记;这样,两道光芒所显示的“标记”即是“双臂对等的希腊式十字架”(萨佩纽)。

㉟此句说法恰与第 79—81 句所说的含义相反:即原来是但丁目睹的景象抛开记忆,因为记忆力无法记住天上的这些奇妙景象;这时,但丁眼见十字架,记忆力起作用了,并且“胜过”才智,因为但丁虽记住“十字架”,“才智”却无法找出“适当的例子”来描述这景象(见第 105 句)。

㊱此句是依照萨佩纽注释本译出的,因为波斯科-雷吉奥注释本采用了佩特罗基注释本的印法,把动词 lampeggiare(“光芒四射”)作为及物动词,全句因而成为 quella croce lampeggiava Cristo(那十字架照耀基督),而萨本的印法则是把该动词作为不及物动词,并在“十字架”一

词前加前置词,全句因而成为 in quella croce lampeggiava Cristo,基督就成为动词的主语,而不是受事了。

㊲这里指的是能忠实遵从救世主的训诫而得到永生的好的基督徒;诗中的提法系取自《新约》的《马太福音》第十六章第二十四句;《马可福音》第八章第三十四句;《路加福音》第九章第二十三句和第十四章第二十七句:“人如果决定跟从我,就应该舍己,背起他的十字架来跟从我。”诗句的意思是:凡好的基督徒必将升天,亲眼看到“光芒四射”的基督,因而确信用凡人的语言是无法描绘基督的形象的,从而也便原谅但丁把此形象“略去不谈”。但近代的波雷纳则不同意古今注释家的大多数的意见,认为登上天国是直接的,不容许但丁暂作停留,移情他顾,波斯科-雷吉奥注释本也倾向于此说法,因而它同意托拉卡的解释,认为此段三行韵诗最后一句(第 108 句)中的“看到”一词,是指但丁,而不是指好的基督徒,因为但丁眼见一片“白色霞光”之中的基督,被惊呆了,所以才来描述此形象。

㊳这里的“角”,原文为 corno,是指十字架横条的一“臂”,“从这一角到那一角”意谓从十字架的“右臂”到“左臂”;“从顶到下”亦即意谓从十字架竖条的“顶端”到“下端”。

㊴“点点光辉”即是指各享天福者的精灵;“迸射出闪亮的火花”是指显示仁爱与欢乐情绪的加强。

㊵这两段三行韵诗用生活实例细致而又相当冗长地比喻“十字架”中的点点星光的状况:把这些星光比作暗室中射进的一道光线中的微尘,形态各异,不断变化,纵横飞飘,快慢不均,而要看到此现象,人们就得想方设法,用窗板、帘幕或幕篷来遮挡强光,使室内保持黑暗,只留一道光线,否则就无法看到了。

㊶“吉加”(giga)是中世纪一种乐器,波斯科-雷吉奥注释本指出,由于有关资料不足,难以具体说明它是怎样一种乐器,从诗中用句推测,可能是接近竖琴的一种多弦弹拨乐器,但也有人猜测是古代提琴。

㊷“你胜利”、“你复活”原文分别是 Risurgi 和 Vinci。安德雷奥利认为,这是“这些灵魂歌颂战胜死亡与地狱的耶稣基督的一首颂歌的两个最清晰的词汇”,但正如波斯科-雷吉奥注释本所说,无法具体确定这第五重天的精灵所唱的究竟是哪一首颂歌,显然但丁是有意用这两个词来说明基督的复活和战胜死亡,而这又与本首的主题是很贴切的,因为本首的主题正是肉体的复活。

㊸“美丽的双眼”指贝阿特丽切的双眼。

㊹这里使用一种艺术夸张手法,即描述贝阿特丽切的一双秀目是“一切美丽”的“印证”和“体现”,而这双眼睛愈往上升就愈有魅力,愈能动人心弦。但是,“生动印证”(vivi suggelli)被大多数注释家诠释为各重天体,巴尔比则依据《最佳评注》的解释,认为是指神的光辉,萨佩纽和波斯科-雷吉奥两注释本依据本维努托的看法,一致认为是指贝阿特丽切的眼睛。

㊺这里是说,尽管贝阿特丽切的双目如此美丽,并且愈来愈美丽,但丁一见这双秀目,就能满足一切欲望,但迄今为止,他却仍顾不上去观看她;这种反衬笔法也使人可以想象火球天的神

奇景象。

㊻“喜悦”(piacer)在这里意谓“美丽”。

第十五首

享天福者的沉默(1—12)
卡恰圭达(13—69)
但丁的感谢与请求(70—87)
对旧佛罗伦萨的礼赞(88—148)

享天福者的沉默

正直率真的爱[1]
总是表现为一片善心，
犹如贪婪总是表现为邪念丛生；
正是这善心令那柔美动听的竖琴静默无声，
让那些神圣的琴弦停止跳动，
而上天的右手曾把这些琴弦拉紧又放松[2]。
那些长存之物既然为了让我产生向他们提出请求之愿[3]，
协同一致地缄口不言，
又怎会对正当的祈求不闻不管[4]？
一个人只要因为耽溺于不能持久的东西[5]
而把那种正直率真的爱永远舍弃，
就要永受痛苦煎熬，那也是天经地义。

卡恰圭达

犹如在那静谧而纯净的晴天[6]，
不时突然滑过火光一点[7]，
令人移动那凝神观望的双眼，
那火光宛如一颗星辰在改换地点，
这无非是因为从它原来点燃之处，
并无任何星辰悄然不见，而它则是停留短暂[8]；
在那里光芒四射的星座中，
有一颗星辰正是这样从向右延伸的一角[9]，
向那十字架的下脚飞奔；
并非那颗宝石脱离它的丝带，
而是沿着径向条木游动，
仿佛火光在一条雪花石后面追踪[10]：
倘若我们那最伟大的诗人值得信任[11]，
安奇塞斯的亲切阴魂就是这样把身子前伸，
当时他发现儿子来在爱丽舍仙境[12]。
“哦，我的骨血，哦，浩瀚无边的神恩，
曾经向谁，犹如向你那样，
两度开启天国之门[13]？”
那束光芒就这样对我言讲：因此，我转身把他观察仔细；
随后我又向我的贵妇转过脸去，
从这边和那边，我都感到惊奇不已[14]；
因为从她的双眼后面，透露出一丝热情洋溢的笑意，
这令我依靠我的双眼认为，我已触及
我之所以能享受荣光和登上天堂的根底[15]。
随后，那令人听其言、见其形而倍感欣悦的精灵[16]，
又在他最初的言语上增添几句内容，
他说得如此深奥，我竟无法听懂；
他也并非有意向我讳莫如深，
而是出于必然，因为他的思想

42 凌驾在凡人的标的之上[17]。
一旦火热的亲情之弓要尽情宣泄[18]，
话语也便把水平降低，
45 迎合我们的思维标的；
我能理解的第一句言语
便是："三位一体的主，你该受到祝福，
48 你对我的子孙竟是如此慷慨大度！"
他又继续言道："儿啊，你使我那长期而殷切的渴望得到满足，
这渴望来自我所阅读的那部伟大的天书，
51 书中不论是白是黑，都永不会有变故[19]，
儿啊，你是在这片光芒中做到这一点[20]，
而我也是在那光芒中与你言谈，
54 还依靠她为你插上双翅，飞上九天[21]。
你相信，你的思想是来自那创始的思想[22]，
因此才得以为我所知，
57 正如倘若知道有一，五和六都是从一开始；
因此，你不问我是谁，也不问我：
何以在你看来，我比这群欢乐精灵中的任何其他一个，
60 都显得格外快活。
你所相信的恰是真情；因为这个境界的大小精灵[23]
都在纷纷照镜[24]，
63 而在你产生思想之前，你就先把那思想展露在镜中；
但是，被我用持之以恒的目光观望的那神圣的爱，
以它那甜蜜的欲望令我饥渴难挨，
66 为了让它更好地发挥出来[25]，
你那自信、果敢和快乐的声音[26]，
该响亮地说出你的意愿，响亮地说出你的渴求[27]，
69 对此，我的回答早已准备足够！"

但丁的感谢与请求

我朝贝阿特丽切转过身去，
而她在我启齿之前就领悟我要说的话语，
她微笑示意，这就更使我的心愿生出双翼[28]。
于是我便这样开言道："深情与智慧
曾对你们每位来说，具有同一种分量，
正如第一均等在你们面前出现一样[29]，
因为用光和热照亮、烘暖你们的那太阳，
在光和热方面是如此均等，
任何类似的均等也都稀罕难寻。
但是，凡人身上的心愿与言行，
由于你们都一清二楚的原因，
却是翅膀上的羽毛，互不相同[30]；
因此，我作为一个凡人，
就感到自身有这种不均等，
也正因如此，我只能用心灵来感谢父辈的欢迎[31]。
我向你热切地祈求，活的黄晶[32]，
你在点缀着这异宝奇珍，
祈求你满足我的渴望，告诉我你的姓名。"

对旧佛罗伦萨的礼赞

这个魂灵开始向我答道：
"哦，我的枝叶，即使只是等待，我也感到喜悦欢欣[33]，
我曾是你的根。"
接着他又对我说道："你家族姓氏据以起名的那个人，
曾有一百余载，在那第一层[34]，
环绕山岭而行，
他就是我的儿子，也是你的曾祖先尊：
理当由你用你的行动
来为他缩短那漫长的苦刑[35]。

处在古老环城之内的佛罗伦萨[36]，
从那旧城之上，曾经震响第三时和第九时的钟声[37]，
99 那时的佛罗伦萨还曾是和平、简朴和廉正[38]。
她没有项链手镯，没有金冠头饰，
没有华丽刺绣的衣裙，没有丝带缠身[39]，
102 这些装饰耀眼夺目，胜过那穿戴之人。
那时节，女儿降生，还不致令父亲受怕担惊；
因为年龄和妆奁
105 都不曾在各自一方超出限度规定[40]。
家族的房屋不曾是空荡无人[41]；
撒尔达纳巴洛还不曾来临[42]，
108 显示房间中所能陈设的富丽情景。
蒙特马洛过去还不曾被你们的乌切拉托佑所战胜[43]，
如今则在发达兴旺方面比它逊色十分，
111 将来还会在腐化堕落方面远落后尘。
我曾见贝林丘恩·贝尔蒂腰系骨制环舌的皮带[44]，
也曾见他的女人从镜中
114 映照那不施脂粉的芳容；
我还曾见奈尔利家族的那个人和维基奥家族的那个人[45]
满足于身披光秃的皮衣[46]，
117 他们的女人手持纺锤和纱卷劳作辛勤[47]。
哦，幸运的妇女！每人都对自己的坟墓怀满自信[48]，
当时也还没有任何一个女人
120 因为法兰西而空闺独寝[49]。
有的妇女把摇篮细心照看，
用以前父母抚爱的语言，
123 把婴儿哄睡安然；
另有妇女一边把纱卷缠在纱杆，
一边向她的家人讲述有关
126 特洛伊人、菲埃索莱和罗马的寓言[50]。

当时,一个齐安盖拉、一个拉波·萨尔泰雷洛
会被看成是奇迹[51],
就像目前钦齐纳托和科尔尼利亚也会与奇迹无异[52]。
玛利亚曾把我献给如此安静[53]、
如此美好的市民生活,
献给如此甜蜜的环境,
她曾被高声呼叫不住[54];
在你们那古老的洗礼堂里,
我也曾同时成为卡恰圭达和基督教徒[55]。
莫龙托和埃利塞奥曾是我的兄弟[56];
我的女人下嫁于我,来自波河流域[57],
你的族姓的形成也便以此凭依[58]。
随后,我追随库拉多皇帝[59];
他把我收留为他的军队士兵,
我由于功勋卓著,深受他的垂青。
我随从他反对那项法律的不公正[60],
而正是出于那些牧者的罪行[61],
服从那法律的人民篡夺你们的正当权能[62]。
在那里,我被那群乌合之众[63]
斩断了与伪善世界的联系,
而对那伪善世界的热爱曾玷污多少灵魂;
我正是因以身殉教才来在这和平的仙境[64]。”

注释

①“正直率真的爱”指对“至善”亦即上帝的爱。

②这里用“竖琴”比喻但丁所见的光辉灿烂的“十字架”里的一群享天福者的合唱;“神圣的琴弦”系指一个个享天福者,“停止跳动”指他们停止歌唱;“上天的右手”指上帝的右手,即是说,享天福者的合唱是在上帝的启示下进行的。

③“长存之物”即享天福者的灵魂。

④“正当的祈求”指世人的正当祈求。

⑤“不能持久的东西”指世间过眼云烟的财物;“永受痛苦煎熬”指在地狱中遭受永劫不复的

苦刑。

⑥这里是指晴朗而安静的夜空。

⑦“火光一点”指流星陨落。

⑧这里是说,这颗星辰原来闪烁发光之处,有许多其他星辰,并不见消失,只是它在那里“停留短暂”,几乎像突然熄灭一般。

⑨“向右延伸的一角”是指十字架的右臂;这里是说,十字架上的许多星辰中有一颗星,从十字架的右臂,向但丁所在的十字架下脚飞快移动。

⑩这里又用“宝石”和“丝带”来比喻星辰与十字架:即宝石从丝带上脱落下来,沿着直角方向“游动”。“径向条木”,原文是 lista radial,即诗中把十字架作为圆周,分成四个弧度和半径,“宝石”即是由右半径向下垂的半径游动,恰成“径向”或“辐向”(radiale)。由此可见,诗中所描述的“十字架”是四根木条长度相等的“希腊式十字架”(croce greca)。有些古代注释家把 radial 释为“光辉灿烂”,似欠妥。

“雪花石”(alabastro),是一种石灰岩,往往质地透明,呈雪白或淡黄色,古代常用来装饰窗户,类似玻璃。近代注释家波雷纳曾说,他曾目睹托斯卡纳一座教堂内,一位圣器看管人用烛光向人展示祭台正面的雪花石装饰物,那烛光的游动,衬托雪花石的背景,恰如诗中所述;他据此推测,但丁想必看过这种现象。波斯科-雷吉奥注释本也说,在拉维纳的著名古迹加拉·普拉齐迪亚(Galla Placidia,388—450)墓中,其小窗即是以雪花石镶嵌的,色泽光线异常柔和;这也说明,诗中的比喻运用得贴切而生动。

⑪“最伟大的诗人”指维吉尔,或更确切地说,指维吉尔的《埃涅阿斯记》,因为其中第六章描述埃涅阿斯与其父安奇塞斯的亡魂在天堂乐土中相遇,这与本首乃至下两首着重叙述但丁与其先祖的相遇,恰好同出一辙。

⑫“爱丽舍仙境”(Eliseo),即今文中的 Elisi、Elisio 或 Campi Elisi,即前注所说的理想中的“天堂乐土”。

⑬这段三行韵诗全部是用拉丁文写出的:O sanguis meus, o superinfusa/gratia Dei, sicut tibi cui/bis unquam celi ianua reclusa? “我的骨血”恰如《埃涅阿斯记》中安奇塞斯对其子埃涅阿斯的称谓,其余部分也和维吉尔的有关诗句相同。这里改用拉丁文书写,显然是为了突出说明但丁与其先祖的相遇和埃涅阿斯与其父的相遇意义相同,并赋予更深刻的思想内涵。这也正是第十五首以及第十六、十七两首构成《天堂篇》乃至《神曲》全篇的中心篇章的原因所在:因为但丁从他的先祖口中得悉他的未来流亡和所负的有关诗歌和道义的崇高使命,这也正是《神曲》全诗的主旨。

⑭“那束光芒”即是指说话的精灵,亦即但丁的先祖卡恰圭达,但直到本篇第 135 句,卡才直接透露他的名字。“贵妇”指贝阿特丽切。“从这边和那边”但丁都“感到惊奇不已”是说:但丁的先祖所说的话和这时贝阿特丽切的容貌显得更加美丽,二者都令但丁感到惊讶。

⑮这里的“荣光”(gloria)意谓享有天福,亦有荣升天堂之意;为避免与后面的“天堂”一词含义

重复,有些注释家认为,此词为 grazia(即享有“天恩”)之误。但古代手抄本都证明此词是“荣光”而非“天恩”。

⑯这里的“精灵”仍指但丁的先祖。

⑰“标的”(segno)指凡人的理解力水平。

⑱这里,诗句又用“射箭”来比喻但丁的先祖如何设法降低“话语”的水平,来迎合但丁的理解力。

⑲“伟大的天书”指上帝的思想,其中所有世事无不记录在案,所有精灵也能从中了解未来。诗中所说的“黑”、“白”,具体说是指写入的内容(即“黑”)和未写的篇页(即“白”),概括地说,即是指“天书”中的内容不会有任何增删,神所作的各种判断,不会有任何改变。

⑳“做到这一点”是指满足但丁先祖的“渴望”。根据波斯科-雷吉奥注释本的解释,这里的“光芒”或是指但丁先祖周身的光芒,或是指日球天,或则是指十字架的光芒。

㉑诗中的“她”(colei)是指神的“恩泽”,因为意文的“恩泽”Grazia,是阴性名词。

㉒“创始的思想”指上帝的思想。此段三行韵诗的含义是;但丁既然知道每个享天福者都从上帝身上了解他的思想,就不向说话的精灵提出任何要求,不询问对方究竟是谁,何以比其他任何精灵都更高兴地见到他,然而,但丁的先祖还是希望但丁主动提出自己的愿望的。

㉓“大小精灵”是指享有天福程度大小不等的精灵。

㉔“照镜”是指享天福者从上帝身上来观察世人的思想,犹如“照镜”一般,因为世人的思想都反映在“镜子”亦即上帝身上了。

㉕“神圣的爱”指神的仁爱之心;诗句的意思是:但丁的先祖,如所有其他享天福者一样,都受到上帝仁爱之心的永恒影响,热切渴望实现这种仁爱,因而希望但丁能毫不胆怯地、坦率地说出自己的要求,以便使之得到满意的答复。

㉖“自信”意谓毫不恐惧;“果敢”意谓大胆坦率;“快乐”意谓毫不悲戚:一旦看到但丁身上具有这三种表现,对方的仁爱之心就会变得更加热烈。

㉗这里重复两次“响亮地说出”(suoni),意在加重但丁先祖切盼但丁照其言而行的语气,意义相近的“意愿”(volontà)与“渴求”(disio)的联用,也说明这一点。

㉘这里用“生出双翼”来形容和比喻但丁渴望向对方求知,在《神曲》中是常见的,如《炼狱篇》第二十七首第123句即是。

㉙这里是说,上帝以“智慧”之光照耀每一个享天福者,以“深情”之热烘暖他们,是均衡一致的,毫不偏颇;“第一均等”指上帝,因为上帝本身也是完全均等的,即他的各种特性之间都达到相互均等的完美程度。

㉚“言行”的原文为 argomento,有实现“心愿”的手段之意,即“言行”。“原因”是指上帝所创造的一切造物,与造物主相比,都是不完善、有局限性的;享天福者可以从上帝身上看到这一切,凡人则做不到。正是由于这个缘故,凡人往往事与愿违,犹如“翅膀上的羽毛”有多有少,“各不相同”。布蒂曾就此解释说:“世人心愿之所至,非言行之所至。”

㉛"不均等"是指心愿与言行之"不均等",换言之,有心无力,即有感谢之心,而无表达此心之能力,因此,只能用一片亲情来表示感谢。

㉜"活的黄晶"原文是 vivo topazio;topazio 是一种宝石,称"黄玉"或"黄晶",这里用来称呼与但丁对话的精灵,表示钦敬和尊重;"异宝奇珍"原文是 gioia preziosa,意谓"珍贵珠宝",在诗中即是指光辉灿烂的十字架。

㉝此句令人想起上帝在为耶稣施洗时所说的话,详见《新约》的《马太福音》第三章第十七句、《马可福音》第一章第十一句、《路加福音》第三章第二十二句:耶稣在水中受洗后刚出来,天就开了,上帝的圣灵像鸽子般降到他身上,同时又有声音从天上传来:"他是我喜悦的爱子。""即使是等待"意谓"即使尚未见到他"。诗中用"枝叶"和"根"说明但丁与其先祖的关系。

㉞但丁的"家族姓氏"为阿利基埃里(Alighieri):这里所说但丁家族据以起名的人,是但丁先祖卡恰圭达的儿子、但丁的曾祖父阿利基埃罗(Alighiero),1189 年和 1201 年 8 月 14 日的两份资料中曾提及他,而但丁可能以为他在 1200 年以前便去世了。阿利基埃罗生有二子:贝洛(Bello),是杰里(见《地狱篇》第二十九首第 27 句及有关注释)的父亲;贝林乔内(Bellincione),是但丁之父、另一个阿利基埃罗(Alighiero)的父亲。据说,此人在炼狱山第一层即骄傲者赎罪之所待有一百余年(因为但丁的冥界和天堂之行是始于 1300 年)。

㉟这里是指但丁作为活人为死去的亲人祈祷赎罪,缩短后者在炼狱山受苦的期限。

㊱从此句起,开始追述旧佛罗伦萨的状况,是本首最精彩的部分:佛罗伦萨最早的旧城,据编年史家维拉尼称,是依照罗马城墙式样,建于神圣罗马帝国创始人查理大帝(Carlo Magno,742—814)时代,即约在九、十世纪。第二次建筑的环城更宽广,则建于 1173 年;1284 年又第三次建筑环城,于十四世纪期间完工。这里所说的"古老环城"是指第一次建立的环城。

㊲据拉纳等古代注释家称,在最早的城墙上,建有名为"巴迪亚"(Badia)教堂一座,它根据不同的祈祷诵经的时间,如上午九时的"第三时"和下午十五时的"第九时"以及其他时辰,鸣钟计时,各类行业的手艺人也便根据钟声出入、工作和休息。

㊳"和平"是指旧时的佛罗伦萨尚无内部派系斗争之苦;"简朴"指衣食简朴,不追求奢侈;"廉正"则指世风清正。维拉尼在《编年史》第六章中对此有详细记载。

㊴诗中把佛罗伦萨比作女人,以此对比昔日的俭朴和今日的奢华。

㊵这段三行韵诗举例说明过去佛罗伦萨的清正民风,《最佳评注》曾对此作过如下评注:"因此,当时某人生下女儿,在其内心并不产生恐惧,即生怕不能把女儿嫁出,像今日的情况那样;因此,他们等待相当年龄时才把女儿嫁出,今日则在女儿犹在摇篮时便已许婚;妆奁在当时也是有限度的,不令人思之生畏;而如今,则是一女嫁出,便把父亲的全部所有一并带走。"诗中所说"年龄"和"妆奁"都不超出"限度规定",是指年龄不是过早,妆奁也不是过多。

㊶对此句有几种解释:一是说家族房屋数目超过需要,因而许多房间都"空荡无人";一是说由于内部斗争,许多人被流放,因而十室九空;一是说民风败坏,使家族陷于缺乏子嗣的境地。萨佩纽注释本认为,最后一种说法似更妥帖,因与下文比较协调一致。

㊷撒尔达纳巴洛(Sardanapalo,公元前668或前667—前626或前625年),亚述王,以穷奢极欲著称。

㊸蒙特马洛(Montemalo),位于罗马西边的一山丘,今称马里奥山(Monte Mario),在此登山观景,十分壮丽;乌切拉托佑(Uccelatoio)为位于波洛尼亚古道附近的一山丘,登此山可眺望佛罗伦萨景色。诗中以此二山对比罗马和佛罗伦萨:前者过去固然在景观上胜过后者,但如今在发达兴旺方面已逊色于它,将来在腐化堕落方面还会远不如它。诗中的主动词essere,用了三个时态,即era("过去")、è("如今")、sarà("将来"),中文无法表达,只好借用时间副词来说明。

㊹贝林丘恩·贝尔蒂(Bellincion Berti),属拉维涅亚尼家族(Ravignani),为《地狱篇》第十六首第37句提及的"善良的瓜尔德拉达"(buona Gualdrada)的父亲,诗中把他树立为佛罗伦萨旧时的作风简朴的典范,尽管他出身十二世纪最显赫的贵族家庭之一(维拉尼《编年史》第四章和第五章都曾提到他)。诗句用他所系的"骨制环舌皮带"来突出形容他的俭朴,据本维努托称,后来佛市的达官显宦、名门望族所系的腰带,都是"丝制"的,上面镶有金银、宝石或珐琅装饰。

㊺奈尔利家族(Nerli),为塞斯托·德·奥尔特拉尔诺(Sesto d'Oltrarno)执政官家族,属归尔弗派的主要名门望族之一,当时颇为德高望重。

维基奥家族(Vecchio),即维基耶蒂家族(Vecchietti),在十三世纪末期,佛罗伦萨归尔弗派分裂为黑白两党后,该家族参加黑党。维拉尼《编年史》第四章曾提及这两个家族。

诗中所说上述两家族的"那个人",并不一定像前段所提的贝林丘恩·贝尔蒂那样,指两家族的首脑,但据有些注释家猜测,前一家族的"那个人"可能是指1204年曾任佛市执政官的雅科波·迪·乌哥利诺·德·奈尔利(Jacopo di Ugolino de'Nerli),后一家族的"那个人"则难以确定。

㊻布蒂曾对两家族过去先人的衣着俭朴作过诠释:说他们所着"皮衣",外无布面,内无毛皮衬里,不像后来那样讲究、奢华。

㊼依照佛罗伦萨最早的习俗,妇女应居家纺织,不论贫富。

㊽这里是说,当时佛市一片太平景象,妇女都确信,自己死后必将下葬本乡本土,而不致像后来内乱频生那样,流离失所。

㊾这里是说,当时也因为没有内部相争,迫使丈夫背井离乡,流亡法国去经营生意,妻子则落得"空闺独寝"。

㊿这里的"家人",原文为famiglia,此词在中世纪,有两种含义,一是指家庭,二是指仆役。诗中所提关于特洛伊人、菲埃索莱和罗马的"寓言"(原文用favoleggiare,亦有讲故事之意),都是与佛罗伦萨的城市演变有关:即特洛伊人如何在埃涅阿斯带领下来到意大利,菲埃索莱原为佛市附近一古城,如何被罗马人所摧毁,当地居民被迁往佛市,等等。维拉尼《编年史》第一章、《地狱篇》第十五首第61—62句以及其他有关资料都对佛市的起源和变迁有过论述,这些也都是当时流传甚广的逸闻趣事。

(51)齐安盖拉(Cianghella),系佛罗伦萨人阿里哥·德拉·托萨(Arrigo della Tosa)的女儿,嫁给伊莫拉人(Imola)利托·德利·阿利多西(Lito degli Alidosi)。其夫死后,她返回佛市,生活放荡,穷奢极欲,直到1330年去世。

拉波·萨尔泰雷洛(Lapo Salterello),佛罗伦萨人,法学家兼诗人,与但丁同庚,在十三世纪后二十年,曾历任各种公职。1294年,曾任驻教廷使节,并任佛市执政两月的执政官。1300年,曾揭发佛市某些居民与教皇波尼法丘八世勾结,也许因此于1302年被黑党以徇私舞弊、贪污公款罪判处流放。编年史家贡帕尼曾指出:他是个不老实、穷奢极欲、贪污腐败的政治官吏和挑拨是非者,为人卑鄙险恶。据说他于1320年左右死在撒丁岛。

(52)钦齐纳托(Cincinnato),即奎因齐奥·钦齐纳托(Quinzio Cincinnato),公元前五世纪的罗马著名独裁官,详见本篇第六首第46句及注㉔。他以政治廉明、民风素朴而著称。

科尔尼利亚(Corniglia),即科尔奈利亚(Cornelia),为著名的贤妻良母,参见《地狱篇》第四首及有关注释。

诗中用上述四个生活、品德迥异的人物对比佛罗伦萨今昔的堕落和清廉。

(53)玛利亚即圣母:这里是说,但丁的先祖卡恰圭达正是诞生在昔日佛罗伦萨的纯朴、正直的良好条件之下。

(54)玛利亚"被高声呼叫不住"是生动地描述卡恰圭达呱呱落地前,其母临产时腹痛呼叫圣母救援的情景。

(55)"古老的洗礼堂"的"洗礼堂"一词,为Batisteo,此词一直沿用到十六世纪,这里即是指但丁降生后受洗的圣约翰洗礼堂(battistero di S. Giovanni),参见《地狱篇》第十九首第17句及有关注释。

卡恰圭达(Cacciaguida),系但丁的太曾祖,生平不详,只根据一项1189年的资料证明,是年,他已去世;但丁在本篇第十六首中曾指出,他可能在1091年左右,生于佛罗伦萨的塞斯托·迪·圣彼得门(Sesto di Porta S. Pietro)。据称,其家庭与佛市古老的望族埃利塞伊(Elisei)有亲属关系。他娶了波河流域的一女子为妻,生有二子,一名普雷伊泰尼托(Preitenitto),一名阿利基埃罗(Alighiero),即但丁的曾祖(见注㉞)。卡恰圭达曾随1139年至1152年任德国皇帝兼神圣罗马帝国皇帝的科拉多三世(Corrado III,在他在位期间,意大利国内分裂成归尔弗和吉伯林两派),参加第二次十字军东征,曾任科拉多三世的武装骑士,1147年基督教军遭受重创,卡恰圭达战死沙场,但年代不甚确切,至少是在十字军战败撤出圣地时,亦即不超过1148年。

(56)莫龙托(Moronto)和埃利塞奥(Eliseo)生平均不详。后者的名字似可证实卡恰圭达家族与埃利塞伊家族有亲属关系,拉维纳但丁回忆录的研究学者科拉多·里齐(Corrado Ricci)就曾说,诗中的埃利塞奥不是名字,而是家族之姓,即是说,莫龙托是卡恰圭达的兄弟,但仍保持埃利塞伊家族之姓,卡恰圭达则根据其妻阿尔迪基埃拉(Aldighiera)之名,为其阿利基埃里家族(Aldighieri)的一支定名;然而,此说尚未可作为定论。也有人认为,莫龙托是佛市1076年的一份资料中所提的“莫龙托·德·阿尔科”(Moronto de Arco),还有人根据1131年的一份资料推测卡恰圭达之父名“亚当”(Adamo),但都不曾为人所承认。

(57)波河流域(Val Padana),即今文Valle Padana,有人认为是具体指斐拉拉,因为那里有一些资料证明,自十一世纪起就有一阿尔迪基埃里家族,一直兴旺到十四世纪中叶。甚而有一份资料提及阿尔迪基埃里家族有一名叫阿尔迪基埃罗(Aldighiero),此人在1083年仍活着,可能是卡恰圭达的岳父。也有人认为,这里具体地是指帕尔马、维罗纳、波洛尼亚,但都不可信。

(58)这里是说,但丁家族的姓氏,即是以卡恰圭达之妻的姓氏、通过其子第一个阿利基埃罗之名而定名为阿利基埃里(Alighieri)。

(59)“库拉多”(Currado),即科拉多(Corrdao)。但究竟是1147—1149年与法王路易七世一起,对大马士革发动第二次十字军东征的科拉多三世,还是1024—1039年任西罗马皇帝的绰号“撒利克人”(il Salico)的科拉多二世,至今在注释家中间仍有所争议:有人认为,不是科拉多三世,因他从未到过意大利,卡恰圭达不可能追随他,从而认为,但丁是把两个“科拉多”弄混了,而科拉多二世则确曾到过意大利,并武装许多佛罗伦萨人,册封为骑士,在卡拉布里亚与当时登陆的撒拉逊人作战,维拉尼在《编年史》第四章对此还有记载。但丁之子彼特罗曾就此作过纠正,认为是科拉多二世。但据编年史料证明,此说不确,因从时间上说,卡恰圭达比科拉多二世几乎晚一个世纪。萨佩纽和波斯科-雷吉奥两注释本认为,实际上,科拉多三世曾来到意大利,在托斯卡纳地区与其对手洛塔里奥二世(Lotario)作过斗争,因而不排除:卡恰圭达在此期间与他结识,并受他青睐,成为他的骑士。

(60)“法律”(legge)指宗教法规,这里则是指伊斯兰教,或是影射奉行伊斯兰教的撒拉逊人。

(61)“牧者”指教皇。但丁不止一次谴责教皇为追求尘世利益而忽略异教占领圣地。

(62)这里是指异教徒侵占基督教徒在圣地应有的权利。

(63)“在那里”指在圣地进行的十字军围剿。“乌合之众”指穆斯林和异教徒。“伪善世界”(mondo fallace)指奉行异教的世界。

(64)这里是说,卡恰圭达是为了捍卫自身的基督教信仰而死的。

第十六首

但丁向卡恰圭达提问(1—27)
卡恰圭达的回答(28—45)
佛罗伦萨古老家族的没落与衰亡(46—154)

但丁向卡恰圭达提问

哦,我们血统的高贵真是无足轻重[1],
倘若尘世间人们以你为荣,
而我们在那里的感情又是那么脆弱不稳[2],
这也绝不会是令我感到惊奇的事情;
因为在天堂,欲念不会走上邪径,
我现在才在天上说,我是以此为荣。
你正是一件披风,很快便会缩短;
若不是一天天增加新料,
时间就会用剪刀把它的周边剪掉[3]。
我的话语重新从"您"说起[4],
而这称呼最初是由罗马容忍[5],
它的居民现则更少坚持沿用;
于是,站在稍远处的贝阿特丽切,
微微一笑,正像那位夫人

曾在吉妮维尔初露私情时咳嗽一声[6]。
我开言道:“您是我的父亲[7];
您给予我说话的充分勇气;
您把我抬举,使我胜过我自己[8]。
我的心灵通过这许多渠道,洋溢无限欢欣[9],
它为此深感庆幸,
因为它能够担承而不致碎成齑粉[10]。
那么,请您告诉我,我亲爱的祖宗,
您的祖先是哪几位,
您幼年度过的岁月又是怎样的情景:
请您告诉我那圣约翰的羊圈[11]
当时究竟有多少羊群,
其中谁又是享有最高地位的人。”

卡恰圭达的回答

犹如燃烧的煤炭迎风一吹,冒出烈焰,
我目睹的景象也正是这般:
那光芒在我亲切的询问下顿显辉煌灿烂;
正如在我眼前,它变得更加美丽,
它的声音也同样变得温柔甜蜜,
但是,它却不说现代这种言语[12],
那光芒对我说:“从说出‘万福’那一天起[13],
直到我的母亲身怀六甲、使我降生那个妊娠时刻——
如今我的母亲已成为圣女,
这个火球已来到它的天狮星座[14],
有五百五十加三十次之多[15],
在那天狮的脚下,火光灼灼。
我的祖先与我都出生在这个地方:
那里,以前曾是最后一个市区[16],
从那些参加你们每年赛马游戏的人的驰骋之地算起。

“您是我的父亲；您给予我说话的充分勇气；您把我抬举，使我胜过我自己。”（第十六
第 16—18 行）

关于我的祖辈，只消听到这一点就已足矣：
他们究竟是什么人，又是从何处来到此地，
与其明言，倒莫如缄口不谈更为适宜[17]。

佛罗伦萨古老家族的没落与衰亡

那时节，这里可以在玛尔斯与洗礼堂之间[18]
持刀佩剑的所有那些人，
相当于如今活着的人的五分之一[19]。
但是，当时的居民都纯属一种[20]，
直到最卑微的手工艺人，
而如今则是由坎皮、切尔塔尔多和菲基内等地的人混杂而成[21]。
哦，倘若我所说的那些人一直作为邻舍，
你们的地界一直维持在加卢佐和特雷斯皮亚诺[22]，
那该多么好哟！
这会胜过让他们迁入城内，忍受
来自阿古利昂和西尼亚的那两名村野之夫的熏天臭气[23]，
而后者早已为了进行交易，就使他的眼光变得如此犀利[24]！
倘若那些在世上行为最为堕落的人[25]
对凯撒不是像继母那样相待[26]，
而是像慈祥的生母那样把她的儿子对待，
今日造就出这样的佛罗伦萨人，经营买卖，从事银钱交易，
也本会返转西米封蒂[27]，
那里，他的祖先曾沿街兜揽生意；
蒙特穆尔洛本会依然属于伯爵领地[28]，
切尔基家族也本会仍居住在阿科内教区长管辖区[29]，
或许彭代尔蒙蒂家族也仍会留在瓦尔迪格里耶维府邸[30]。
人员的混杂总是城市祸害的根芽，
正如饭食重叠，难以消化，
造成你们的身体不佳[31]；
瞎眼的雄牛要比瞎眼的羔羊

会更快地跌倒在地；往往，
一把宝剑比五把宝剑能把人更多更好地刺伤[32]。
倘若你考虑一下：卢尼和奥尔比萨利亚
如何灭亡，随后，基乌西和西尼加利亚[33]
又是如何崩溃陷塌，
听到这些家族如何衰败凋零，
也不会令你感到是新奇费解的事情，
既然城市也要寿终正寝[34]。
你们的东西都会走向死亡，
正如你们本身一样；但是，死亡也会在某些持续很久
　　的东西内隐藏；
生命毕竟苦短难长[35]。
犹如月球天的旋转
无休止地掩盖和显露海滩[36]，
幸运女神也正是这样使佛罗伦萨发生衍变：
因此，我将谈到的那些佛罗伦萨高门大户的际遇，
也不该是什么令人惊奇的事，
他们的声名已隐没在时间的流逝。
我见过乌基家族，也见过卡泰利尼家族，
见过菲利皮、格雷齐、奥尔马尼和阿尔贝里基等家族[37]，
这些公民都是声名显赫，当时却都已趋于没落；
我还通过萨奈拉家族和阿尔卡家族的那些人，
见过那些既大又老的名门望族，
并见过索尔达尼埃里、阿尔丁基和博斯蒂基等家族[38]。
在那大门的上部
——那大门如今负载着影响如此沉重的新的背信弃义行为[39]，
这行为很快便造成沉船之苦[40]——
曾居住过拉维涅家族，
圭多伯爵正是这个家族的后裔，
后来，不论是谁都把那高贵的贝林丘内的姓名沿袭[41]。

普雷萨家族的那些人
早已知晓要如何进行统治，
而加利加佑也早已在他的门户，把剑柄和柄端镀上黄金[42]。
那松鼠皮纹的圆柱曾是如此硕大[43]，
萨凯蒂、乔基、菲凡蒂和巴鲁齐以及加利等家族，
还有那为盐斗而羞愧面红的家族之人也都曾权大势盛[44]。
卡尔福齐家族曾据以诞生的那个根基[45]，
也曾十分庞大，
西吉和阿里古齐两家族也曾高位身居[46]。
哦，我眼见多少人因他们的妄自尊大而一败涂地[47]！
我也曾见那颗颗金球[48]
以其全部伟大创举，使佛罗伦萨一时兴盛发迹。
有一批人的父辈也曾同样有此作为[49]，
但这批人如今却麕集一处，把自身养得胖胖肥肥，
只要你们的教堂有了空位。
那盛气凌人的家族[50]，
对待畏缩逃窜的人像恶龙般地追逐，
对待向它张牙露齿或用钱收买的人则又像羔羊般地驯服，
它曾直上青云，但又原是一帮小民；
因此，它讨不到乌贝尔廷·多纳托的欢心[51]，
后来则是那位岳父认它为亲。
卡蓬萨科曾从菲埃索莱下来，住到市场[52]，
而犹大和因凡加托二人
也曾是良善市民[53]。
我还要说一件事情，真实又难以置信：
过去曾从一座城门进入那小小的城圈，
那座城门竟是以佩拉家族的姓氏命名[54]。
每个家族都佩戴那位伟大爵爷的美丽族旗[55]，
而那位爵爷的名姓和功绩
都得到托马索节的慰藉，

这些家族正是从他那里荣获骑士称号和特殊权益[56]；
尽管今天那个用金边镶配他的旗号的人[57]，
与平民百姓纠集在一起。
瓜尔特罗蒂和因波尔图尼两家族也曾飞黄腾达[58]，
倘若他们不曾有新的邻居，
博尔哥本还会更加静谧[59]。
你们的悲痛据以产生的那个家族[60]，
它本身和它的朋党都曾受人敬重[61]，
而正是那正义的愤怒使你们惨遭屠戮，
并结束了你们那快乐的生活：
哦，彭代尔蒙泰啊，你由于听从他人的挑唆，
竟逃避与它订立的婚约，这是多么大错特错！
倘若上帝在你首次前来这个城市时，
把你赐予埃玛河[62]，
多少如今悲哀的人本会依然欢乐。
但是，这是命中注定：
佛罗伦萨要在它最后的和平日子里，
向那看守桥头的残缺石像献祭牲品[63]。
我所看到的佛罗伦萨就是如此平静，
有上述这些人等，还有与他们一起的其他人，
当时，它没有理由哀泣悲鸣：
正是从这些人身上，我看到
它的人民既正直又光荣，
以致那百合花从未倒置在旗杆顶[64]，
也不致由于分裂而被染成通红。”

注释

①这里是说，“血统”的高贵，并非“真正”的高贵，真正高贵的是个人完美心灵的高贵，正如但丁在《筵席》第四卷第二十节第五句段乃至《论帝制》第二卷第三章第四至六句段中所说：“谁又看不到：高贵这个名字是多么虚妄和无谓的呢？……这一点似乎确实如此：即高贵是

一定的威望,但它是从祖先的功德中派生出来的”,“家族不会制造个别高贵的人,而个别的人则会使家族变得高贵”;高贵有两种形式:一是“自身”的,一是“祖辈”的,二者的结合才是最高的高贵,埃涅阿斯就是最好的范例。

②这里的“脆弱不稳”是指世人易犯错误,即把瞬息即逝的高贵看成稳定的善,易被虚假的善所引诱,而在天堂,人的“欲念”就不会脱离真正的善而去追求虚妄的东西。这正如但丁在《筵席》第四卷第十九节第三句段所说:“凡存在美德之处,才有高贵。”

③这里用“披风”作比,即是说:家族的优点犹如“披风”,在短时间内就会消磨干净(“很快就会缩短”),倘若不由个人逐渐树立新的功德的话(“一天天增加新料”)。但丁在《筵席》第四卷第二十九节第十一句段中曾说,“那些高贵的后裔当中,好的可能会一个个相继死去,其中的坏的则可能会一个个降生,这一来,姓氏就会产生变化,那就该说,这姓氏不是高贵的,而是卑鄙的”。

④“您”(voi)是尊称,但丁在《神曲》中只用来称呼贝阿特丽切、布鲁内托、法里纳塔、卡瓦尔坎蒂、马拉斯皮纳、阿德里亚诺五世和圭尼采利;甚至在前一首第85句,因为最初不知对方是他的先人,也曾称卡恰圭达为“你”(tu)。

⑤诗中的“容忍”(sofferie)一词是依据萨佩纽注释本译出的,波斯科-雷吉奥注释本则是依据佩特罗基版本,将此词变为s'offerie,即“奉献”。萨本用此词,是根据中世纪传布甚广的一种错误见解:即认为,凯撒征服全世界后,返回罗马,大受尊敬,罗马人出于对他的畏惧,才最早称他为“您”,此说见于《最佳评注》。但是,罗马市民对此称呼很不习惯,未能像意大利其他各地那样沿用,至今罗马所属的拉齐奥大区的乡间口语,不论被称呼之人权势多大,都仍一概以“你”相称,但丁之子彼特罗也曾持此说。波斯科-雷吉奥本认为,“您”的用法并非在公元三世纪前才引进的,上述说法可能出于对卢卡努斯《法尔萨利亚》有关章节的误解,而其中只提及给凯撒以荣誉称号,并未提及称他为“您”;况且这种解释也隐含贬义,因而根据过去权威手抄本,将“容忍”变为“奉献”,是更符合但丁的政治思想的。

⑥“那位夫人”是指十二世纪法国骑士传奇《湖上的朗斯洛》中的马勒奥贵妇(dama Malehaut)。她在王后吉妮维尔与骑士朗斯洛谈话时,待在一边,吉妮维尔言语不慎,泄露了与朗斯洛的私情,她于是佯作“咳嗽一声”,意在提醒骑士:有她在现场,并暗示她已了解二人的秘密。关于吉妮维尔与朗斯洛的爱情故事及《湖上的朗斯洛》传奇,请参阅《地狱篇》第五首及有关注释。

⑦这里的“父亲”(padre),意谓祖宗。

⑧这里是说,卡恰圭达把但丁抬举到他根据本人的功德所应受到的待遇以上的地位。

⑨“渠道”(rivi)在此意谓原因、理由。

⑩这里是说,但丁的心灵有能力承受这极大的欢欣,而不致被压碎。

⑪“羊圈”指佛罗伦萨;“圣约翰”指洗礼者约翰,因为他是佛罗伦萨的守护神。

⑫这里是说,卡恰圭达说的话不是但丁时期所说的佛罗伦萨俗语。许多注释家认为,卡恰圭达

这时所说的话,即是前一首第28至30句中所写的“拉丁文”,即使本首诗中仍改写为当时的文字(“现代这种语言”);但如今占优势的看法则是:卡恰圭达所说的话是他那个时期通用的古代佛罗伦萨语言。

⑬“万福”(Ave)指“万福玛利亚”(Ave Maria),即是指天使长向圣母玛利亚宣告:基督化为肉身,降生于世,因此,诗中计算卡恰圭达降生的一天,即是从“圣告”(Annunciazione)那一天算起,亦即3月25日,这也是佛罗伦萨的习俗惯例:即是说,依照佛罗伦萨的古代日历,一年的首日为3月25日。诗中说卡恰圭达的母亲“如今已成为圣女”,是指她已升入天堂。

⑭“火球”是指火星;“天狮星座”(Leone),据但丁之子彼特罗称,与火星一样,具有“热而干燥”的性质,加之,火星的外文名正是战神玛尔斯,因而骁勇善战与狮子的勇猛也意义相近,诗中据此才说,天狮星座是火星的星座;卡恰圭达生前曾为武士,这也因为他降生时受上述两星的影响所致,因此,波斯科-雷吉奥注释本指出,固然可以假定,宣告基督化为肉身和卡恰圭达降生两个时辰,都可能是火星来到天狮星座的时候,但在诗中,这并非“天文”现象,而是具有“象征”意义。

⑮“五百五十加三十次”,原文是cinquecento cinquanta e trenta fiate,实际上即是指“五百八十次”,即是说,从“圣告”至卡恰圭达从母腹中降生,火星与天狮星座相结合共达五百八十次;若按但丁依照阿尔夫拉加诺(Alfragano)天文理论所做的计算方法,火星的恒星周为687日,火星与天狮星座相遇五百八十次,则为398,460日,除以一年的365日,则得出1091太阳年,亦即从“圣告”至卡恰圭达降生,共经历1091太阳年,“1091”也便是卡恰圭达的诞生日期。但丁之子彼特罗对此曾做过不同的计算,并把诗中的“三十”(trenta)释为“三”(tre),把火星的周转算为两个太阳年,从而得出卡恰圭达的诞生日期为1106年;波-雷本认为,此算法不确。天狮的“脚”指天狮的狮爪,这是该星座在黄道带中的形象。

⑯“这个地方”指佛罗伦萨的这个地带:从西面数,算是最后一个街区,亦即圣彼得门(Porta San Pietro),亦即“塞斯托·迪·圣彼得门”(见本篇第十五首注㊿)。在这个地点,每年圣约翰节,都要举行赛马夺标会,赛马者都是从西面奔向锦旗所插之处,故诗中强调从此方向算起,便是“最后一个市区”。有关赛马会的资料,最早见于1288年,但此习俗可能更早便已有了,卡恰圭达时期则可能还没有,因而诗中说“你们每年赛马游戏”。诗中的“市区”,原文为sesto,音译为“塞斯托”,即今文的sestiere,其本意为六分之一,因在但丁时期,佛罗伦萨城分为六个市区,即在1172年把最早古城墙以外的市镇包拢在旧市区之后,此时,第二次的古城墙也业已建成。然而,在卡恰圭达时期,在最古的城墙内,佛市则是一分为四,市区称quarto(即四分之一),即今文之quartiere,当时分四门,即:圣彼得门、主教门或主教堂门(Porta del Vescovo或del Duomo)、圣潘克拉齐奥门(Porta San Pancrazio)、圣玛利亚门(Porta Santa Maria)。在但丁年代,又新辟一区,名“奥尔特拉尔诺”(Oltrarno),圣玛利亚门则一分为二:圣彼特罗·斯凯拉乔区(San Pietro Scheraggio)和圣徒镇(Borgo Santi Apostoli),其他三区未动,共六区。值得注意的是:卡恰圭达诞生之处位于老市场(Mercato Vecchio)附近的杂货商街

(via degli Speziali)街首,佛市的名门望族埃利塞伊家族府邸即位于此地,这也是有关阿利基埃里家族与该家族有亲属关系的一个例证(参见本篇第十五首第136句及注56)。据波斯科-雷吉奥注释本称,阿利基埃里家族当时的住址是在赛马场道以外,位于圣马丁主教教区(popolo di San Martino del Vescovo)。

⑰这里描述卡恰圭达不愿详谈其祖辈情况,并非有什么不可告人之处,而只是表明卡有意回避自我炫耀之嫌。萨佩纽注释本还认为,可能但丁本人对此也一无所知。

⑱“玛尔斯”是指位于老桥(Ponte Vecchio)的一座被人认为是战神玛尔斯的雕像(参见《地狱篇》第十三首第144—147句及有关注释);“洗礼堂”则是指圣约翰洗礼堂,位于最早城墙内的主教门附近。诗中以这两地(一在极南,一在极北)来替代佛罗伦萨全市。

⑲根据维拉尼《编年史》第八章的估计,1300年,佛罗伦萨全市居民为三万余,因此,按照诗中的计算,卡恰圭达时期的佛市人口当为六千出头。这个数字显然是大略估计的,诗中所说“如今活着的人们”既可以是指“可以持刀佩剑”的人,又可以是指包括妇女、老幼在内的全体居民,总之,诗句的主旨在于说明十一世纪末(或十二世纪初)至十四世纪初之间,佛市人口已有大量增加。

⑳这里是说,卡恰圭达时期,佛罗伦萨的居民,“直到最卑微的手工艺人”,都是佛市土生土长的。

㉑坎皮(Campi),即指位于比森丘河谷(valle del Bisenzio)、距佛罗伦萨十二公里的小镇,今称“坎皮·比森丘”(Campi Bisenzio);切尔塔尔多(Certaldo)指位于埃尔萨河谷(Valdelsa)的一个农村小镇;菲基内(Fegghine),即今菲利内(Figline),为位于阿尔诺河谷(Valdarno)上游的一小城市,距佛罗伦萨三十公里。波斯科-雷吉奥注释本认为,诗中列举这三个城镇,可能旨在具体说明约在十三世纪中叶从这些地方流入佛市的一些人物。

㉒加卢佐(Galluzzo)和特雷斯皮亚诺(Trespiano)都是距佛罗伦萨只有几英里的小镇,分别位于通往锡耶纳和波洛尼亚的大道上。

㉓阿古利昂(Aguglion)系指位于佩萨河谷(val di Pesa)的一座城堡,即阿古利奥内(Aguglione);西尼亚(Signa)系阿尔诺河上一个小村镇,距佛罗伦萨不远,位于通往比萨的大道上。诗中所说来自上述两地的“村野之夫”:前者是指巴尔多·迪·威廉·达·阿古利奥内(Baldo di Guglielmo da Aguglione),他是法学家,地位显赫的政界人物,曾历任最高公职,多次出任执政官,与但丁是同时代人,曾任1293年修订司法程序委员会委员,又是1311年9月2日颁布的著名“司法改革”的炮制者:该项改革虽然对被放逐者实行大赦,却把但丁以及吉伯林派及归尔弗派白党内头面人物排除在外。1299年,他曾被卷入尼可洛·阿恰尤利(Niccolò Acciaioli)所犯的营私舞弊案(参见《炼狱篇》第十二首第104—105句及有关注释)。他的家族即是从佩萨河谷的阿古利奥内城堡发迹的。后者则是指法齐奥或博尼法齐奥·迪·塞尔·里纳尔多·莫鲁巴尔迪尼·达·西尼亚(Fazio或Bonifazio di Ser Rinaldo Morubaldini da Signa),他也是法学家,多次担任执政官,1316年还任司法军事首脑,曾在放逐但丁方面起过很大作用。

编年史家贡帕尼曾在其编年史中记载他如何因“为非作歹”从白党转入黑党，并充当黑党主要头目之一。1310 年，他被委派出任驻教皇克莱蒙特五世的教廷的大使，求助于该教皇，对抗亨利七世皇帝。

㉔这里是指法齐奥早于 1300 年就已密切注意政局变化，从中牟取私利，后来果然在黑党得势时加入了黑党。

㉕这里是影射教会上层人物：教皇和枢机主教，因为他们远离基督向教会指出的正路。

㉖“凯撒”在此仍是泛指皇帝：即是说，教会背弃作为“生母”的天职，而像“继母”那样歹毒地对待皇帝。但丁在这里再次对教会的堕落给世上带来内乱和体制杂乱无章等最大祸患进行谴责。托拉卡曾就此指出，神圣罗马皇帝、绰号“红胡子”的腓特烈一世曾取消佛罗伦萨市对其全部属地的管辖权，并把此权力交与皇帝代理人统管，后在亨利六世即位时，佛市才逐渐恢复其对周边地区的管辖权，特别是在 1197 年 11 月 11 日签订的圣杰内西奥条约（trattato di S. Genesio）后，佛市与托斯卡纳地区其他僭主结成反对皇帝的攻守同盟，当时有两位枢机主教在场，言定不接受任何皇帝或皇帝代理人的管辖，除非得到罗马教廷的同意或批准；此后，佛市便受到教会的左右。

㉗“经营买卖”和“从事银钱交易”在中世纪是在几项最大的行业中仅次于法官与公证人的最有权势的行业；西米封蒂（Simifonti）即塞米封特（Semifonte），系埃尔萨河谷的一城堡之名，诗中以它来代表有关人物的祖先从事卑微的沿街叫卖的小贩工作的地方：“沿街兜揽生意”的说法来自布蒂，其原词语为 andare a la cerca，也有人把它解释为“沿街行乞”，总之是意在说明：祖先处于贫贱卑微境地，而其后裔则都已发家致富；但德尔·隆哥则根据《最佳评注》和本维努托的说法认为，此词语意谓夜间巡逻，并指出，此含义一直沿用到十六世纪，因而系指充当雇佣士兵，他甚至认为，此处是影射祖籍塞米封特的维卢蒂家族（Velluti），特别是指该家族主要成员之一即利波·维卢蒂（Lippo Velluti），他曾命令把佛罗伦萨的名门望族、曾于 1292 年任佛市执政官的贾诺·德拉·贝拉（Giano della Bella）于 1294 年逐出佛市。

㉘蒙特穆尔洛（Montemurlo），系位于普拉托与皮斯托亚之间的一座城堡，自十一世纪起即属圭多伯爵家族（Guidi）所有，佛罗伦萨一般统称该家族为“伯爵”，即诗中所说的“伯爵领地”（Conti）。为与皮斯托亚争夺该城堡，该家族与皮斯托亚人几经战斗，后因无力保卫，于 1219 年一度将该城堡让与佛罗伦萨；1220 年，又经神圣罗马帝国皇帝腓特烈二世批准，复得该城堡，但 1254 年，再度将该城堡让与佛市，圭多家族也便迁入佛市。

㉙切尔基家族（Cerchi，参见《地狱篇》第六首及有关注释），为经商致富的有权势的家族，为佛罗伦萨归尔弗派白党领袖，原住在西埃维河谷（Val di Sieve）的阿科内（Acone）教区长管辖区。

㉚彭代尔蒙蒂家族（Buondelmonti，参见《地狱篇》第二十八首第 106 句及有关注释）是导致佛罗伦萨内部派系斗争的最早起因；该家族原住在瓦尔迪格里耶维（Valdigrieve，亦即格雷维河谷 Val di Greve）的蒙特布奥尼城堡（Castello di Montebuoni），1135 年被迫迁入佛罗伦萨（维拉尼

《编年史》第4章有记载),德尔·隆哥认为,诗中用“或许”一词,是为了说明:倘该家族不迁入佛市,也不会成为佛市内乱的首要起因。

㉛这里用“饭食”为例说明佛罗伦萨的内乱祸端系由“人员混杂”而起:即一部分饭食尚未消化,又吃进另一部分饭食,从而导致了人体(肠胃)的病痛。这是源自亚里士多德的中世纪法学家和哲学家普遍的理论原则;参见亚里士多德《政治学》第三章第三节和第六章第十节等。

㉜这里又运用了两个生动比喻:前一例意谓:一个小国家(“羔羊”)要比一个大国家(“雄牛”)更易统治;后一例则意谓:一国人民,尽管人数很多,却缺乏良知(“五把宝剑”),要比一个团结一致的小国的人民(“一把宝剑”)更弱。波斯科-雷吉奥注释本认为,这里用“一比五”来举例,非出偶然,因为前面提及:佛罗伦萨的人口,在卡恰圭达时期,只相当于但丁时期的“五分之一”。

㉝卢尼(Luni,参见《地狱篇》第二十首及有关注释),系位于马格拉河(Magra)左岸的一座埃特鲁斯古城,但丁时期便已完全塌毁,无人居住。该城曾多次遭撒拉逊人洗劫,但其居民减少是由于港口塌陷以及1204年行政管区迁往萨尔扎纳(Sarzana)所致,此外,该城四周环境恶劣也是人口渐少的一个原因。但该城之重要性则始终未减,其名称仍保留在卢尼加纳(Lunigiana)地名之内。维拉尼《编年史》第一章对卢尼城的变迁有记载。

奥尔比萨利亚(Orbisaglia),或称“乌尔比萨利亚”(Urbisaglia),为位于托连蒂诺(Tolentino)附近的古城,古称“乌尔贝·萨尔维亚”(Urbs Salvia),属马尔凯地区。曾被西哥特人(Visigoti)摧毁,但丁时期,在其废墟附近,建立了一座有碉堡的小镇,名“卡斯特隆·奥尔贝萨利耶”(Castrum Orbesaglie),史料中有记载。奥维德《变形记》第十五章中列举的被摧毁的城市里有其名。

基乌西(Chiusi)系位于基亚纳河谷(Valdichiana)的埃特鲁斯古城,古称“克鲁西翁”(Clusium);但丁时期,由于气候恶劣,疟疾肆虐,该城日趋没落(参见《地狱篇》第二十九首及有关注释)。十六世纪对该城开始进行改良土壤的工作,今已成为一小城市。

西尼加利亚(Sinigaglia),亦属马尔凯地区,旧名“塞纳·加利卡”(Sena Gallica),但丁时期即已开始衰亡,其原因是屡遭撒拉逊人摧残、洗劫,同时有疟疾横行。后逐渐复苏,今已成为商业发达的海滨城市。

㉞此说法来自圣托马索的《神学大全》附册:“人不能永生……城市也会消亡。”

㉟这里是说,死亡在有些东西中令人无法看见,因为这些东西能相对地持续很久,而人的生命又是如此短暂,以致看不到这些东西的终结。但丁在《论俗语》第一卷第九节第八至九句段中也有类似的论述:“种种运动都是一点一点地发生的,我们根本无法估量这些运动,而一件东西的变化愈是需要时间,我们也便愈是判断这件东西是稳固的。”

㊱这里用海水随月之朔望而退潮涨潮来比喻幸运女神对佛罗伦萨兴衰的操纵。月球运转对潮水涨落的影响,早在古时和中世纪就成为人们确信不疑的知识,圣托马索在《神学大全》第一卷中对此也有论述。

㊲从第 88 句起，连续两段三行韵诗都列举了佛罗伦萨在卡恰圭达时期的显赫一时但已日趋没落的“高门大户”：乌基（Ughi）、卡泰利尼（Catellini）、菲利皮（Filippi）、格雷齐（Greci）、奥尔马尼（Ormanni）和阿尔贝里基（Alberichi）等家族。这些家族以及下面提及的其他家族都在维拉尼的《编年史》中有记载。

㊳萨奈拉（Sannela）、阿尔卡（Arca）、索尔达尼埃里（Soldanieri）、阿尔丁基（Ardinghi）和博斯蒂基（Bostichi）等家大业大、年代久远（“既大又老”）的家族，据《最佳评注》称，在但丁时期，都已沦为平民阶层或社会底层，索尔达尼埃里家族还作为吉伯林派遭到放逐。

㊴“大门”系指切尔基家族后来所住的圣彼得门，“上部”意谓“附近”；“新的背信弃义行为”系指新迁入圣彼得门的切尔基家族的背叛行为，正是因为他们的迁入，佛罗伦萨才发生新的内部不和，走上毁灭之路：“背信弃义”是指查理·德·瓦鲁瓦以斡旋黑白两党为名，进入佛罗伦萨，实际上则是扶植黑党再度上台，打击白党，作为白党领袖的切尔基家族在这场阴谋勾当中，扮演了反应软弱无力，从而背叛本党的可耻角色（详见贡帕尼的第二章）；但也有人认为，是笼统地指黑白两党的斗争，因为这场斗争主要是在圣彼得门一带地区展开的，由此圣彼得门区，也称作“丑闻区”（sesto dello scandalo），维拉尼《编年史》第八章对此有记载。

㊵“沉船之苦”是指佛罗伦萨因内部派系斗争而陷于毁灭境地。

㊶本段与前一段三行韵诗是追述圣彼得门区的住户变迁：即最初此地的豪门大户为拉维尼亚尼家族，为首的是贝林乔恩·贝尔蒂（参见本篇第十五首第 112 句及注㊹），其女是瓜尔德拉达（Gualdrada），嫁给圭多·古埃拉伯爵（Guido Guerra，详见《地狱篇》第十六首及有关注释），另有两女分别嫁给阿迪马里（Adimari）和多纳蒂（Donati）两家族，并使该两家族支系的后裔采用了“贝林乔内”的姓氏；拉维尼亚尼家族在圣彼得门的住宅后归圭多伯爵所有，1280 年则又售与切尔基家族，因此，切尔基家族被视为“新来的人”，“新的背信弃义行为”中的“新的”，亦即由此而来。第 98 句中的“圭多伯爵”即是指瓜尔德拉达所嫁的圭多·古埃拉六世。关于“沿袭”贝林乔内姓氏的，不仅有圭多伯爵与瓜尔德拉达的后裔，亦即多纳蒂家族的一支，由于贝女儿甚多，其所嫁的各家族，为纪念“高贵”的贝林乔内，都相继沿用他的姓名，其中也包括但丁的阿利基埃里家族，如但丁的祖父即起名“贝林乔内”。

㊷普雷萨（Pressa）和加利加佑（Galigaio）两家族属吉伯林派：前者曾居住在主教堂门附近，有丰富的施政经验，曾在蒙塔佩尔蒂战役（参见《地狱篇》第十首及有关注释）中，背叛佛罗伦萨，维拉尼《编年史》第六章对此有记载；后者曾居住在圣彼得门，曾被册封为骑士，因此，其族旗绣有镀金的剑柄和圆形柄头，该家族在但丁时期已消亡。

㊸从第 103 句起，诗中列举一系列业已消亡或严重没落的家族：“松鼠皮纹”，原文是 Vaio，由四行钟形银片构成；用该松鼠皮形成“圆柱”图案，以红色为底，是居住在潘克拉齐奥门的皮利家族（Pigli）的族徽；“硕大”是以其族徽形容该家族曾势力强大。

㊹萨凯蒂（Sacchetti）、菲凡蒂（Fifanti）、乔基（Giuochi）、巴鲁齐（Barucci）、加利（Galli）等家族都是在卡恰圭达时期盛极一时的家族，除萨凯蒂家族属归尔弗派，并与但丁的家族为敌（见《地

狱篇》第二十九首及有关注释)外,其余家族均属吉伯林派。“为盐斗而羞愧面红的家族之人”系指基亚拉蒙泰西家族(Chiaramontesi),因为该家族在用来称售食盐的量斗上做了手脚,为此而感到“羞愧面红”(见《炼狱篇》第十二首第102—105句及有关注释)。

㊺卡尔福齐家族(Calfucci)是多纳蒂家族的朋党(“根基”)之一支,但该家族与多纳蒂家族有矛盾,被后者消灭,对此,维拉尼《编年史》第四章有记载,《最佳评注》也说,卡尔福齐家族被消灭后,其成员已所剩无几。诗中说该家族是由多纳蒂家族中产生的,似带有讽刺意味,但萨佩纽和波斯科-雷吉奥两注释本都怀疑该家族被多纳蒂家族消灭之说属实。

㊻西吉(Sizii)和阿里古齐(Arrigucci)两家族都系归尔弗派,曾居住在主教堂门,维拉尼在《编年史》第四、五章中就曾把二者并提。

㊼这里所说的是乌贝尔蒂家族(Uberti),曾为佛罗伦萨市内居于首位的吉伯林派家族,其最著名的成员即以高傲闻名于世的法里纳塔(见《地狱篇》第十首及有关注释)。“一败涂地”系指该家族失势后,被永远逐出佛市,宅第亦被夷为平地。

㊽“颗颗金球”(le palle de l'oro)系指吉伯林家族兰贝尔蒂(Lamberti)的族徽:天蓝色为底,上缀“颗颗金星”。该家族在蒙塔佩尔蒂战役中战败后,被逐出佛罗伦萨。该家族曾在管理佛市方面(包括军事)起过重要作用,但丁在地狱中曾与其成员莫斯卡相遇(参见《地狱篇》第二十八首第106句及有关注释),其政治背景及个人遭遇与法里纳塔及其家族相似,故诗中把二者放在一起。

㊾这里的“父辈”是指维斯多米尼家族(Visdomini)和托辛基家族(Tosinghi)的祖先。诗中仍侧重对比“父辈”的大有作为和后辈的卑鄙堕落:该两家族一向享有管理主教区的特权,即在主教席位空缺时,由该两家族代理主教所管辖的全部事务,它们就借此机会自肥(“把自身养得胖胖肥肥”),布蒂曾说他们利用主教区的财产“大吃大喝”。“麕集一处”的原文用了concistoro一词,该词本意是教皇主持、枢机主教参加的枢机会议,其转意有秘密群集一处,图谋不轨之意,其揶揄讽刺的意味是相当明显的。维拉尼《编年史》第四章对此情节也有记载。

㊿这里所指是阿迪马里家族(见注㊶),该家族一向欺软怕硬,畏强凌弱,还贪图钱财,故诗中以“恶龙”和“羔羊”来形容他们的为人。该家族出身卑贱(“原是一帮小民”),后来才逐渐发家致富(“直上青云”)。

51乌贝尔廷·多纳托(Ubertin Donato)即乌贝尔蒂诺·多纳托(Ubertino Donato),属多纳蒂家族(见注㊶),因嫌阿迪马里出身微贱,不愿与之结亲,只是其岳父贝林乔内·贝尔蒂把其女儿中的一个嫁给了阿迪马里家族的一个成员,才不得不认可,但心中仍然不悦(贝林乔内的另一个女儿则下嫁给乌贝尔蒂诺·多纳蒂)。

52卡蓬萨科(Caponsacco)即指由菲埃索莱迁入佛罗伦萨老市场(Mercato Vecchio)居住的卡蓬萨基家族(Caponsacchi)。该家族拥护吉伯林派,后来因此被驱逐,这也便是该家族没落的开始,其成员至十四世纪仍有个别存在,但已无旧日之权势。

53犹大(Giuda)即指年代久远的贵族犹迪家族(Giudi),维拉尼《编年史》中未见提及;该家族属吉伯林派,很快便趋衰落,其许多成员曾参加蒙塔佩尔蒂战役。

因凡加托(Infangato)即居住在佛罗伦萨新市场(Mercato Nuovo)的名门望族因凡加蒂家族(Infangati),亦属吉伯林派,其成员曾在佛市任重要公职。维拉尼《编年史》第四章中曾提及该家族。“良善市民”(buon cittadino)系指“声名显赫”的市民。

54“小小的城圈”指佛罗伦萨最早建立的古城圈,其城门之一名曰“佩拉门”,即以佩拉家族(Pera)的姓氏命名;诗中之所以说此事“难以置信”,是因为该家族早已消亡了。该门亦称“佩鲁扎门”(Porta Peruzza),因为据维拉尼在《编年史》第四章中称:该家族居住圣彼特罗·斯凯拉乔区,“佩拉”即“佩鲁扎”,故该城门亦称“佩鲁扎门”。但波斯科-雷吉奥注释本认为,此问题至今仍为悬案:因为佩拉家族若是佩鲁吉家族(Peruzzi),该家族至今仍存在,而在十四世纪时,该家族曾与巴尔迪家族(Bardi)一起并列为佛市首富,1347 年,该两家族才发生著名的“财政困难”。

55“爵爷”的原文为 barone,本意为“男爵”,但这里是指托斯卡纳侯爵“伟人乌哥”(Ugo il Grande),他曾是神圣罗马帝国皇帝奥托三世(Ottone III)的代理人,于 1001 年 12 月 21 日(即圣托马索节)去世,生前曾建立七座大教堂,其中一座建在佛罗伦萨,称“巴迪亚”(见本篇第十五首第 98 句及注37),其遗体即葬于此,每年圣托马索节都举行盛典祭祀他。其族旗和族徽是以白色为底,上有七条朱红色带。

56这里是说,凡能佩戴“伟人乌哥”家族族旗和族徽的家族都被证明是古老的贵族,声望因而随之提高。这些家族有:奈尔利(Nerli)、贾恩多纳蒂(Giandonati)、贾恩加兰迪(Giangalandi)、普尔齐(Pulci)、阿列普里(Alepri)、德拉·贝拉(Della Bella)等家族。

57此人是贾诺·德拉·贝拉(见注27)。他虽出身贵族,却是著名的矛头指向贵族的司法改革(1293 年)的倡导者,从而成为保护平民、反对豪门巨富的象征,后也因此于 1295 年被驱逐出佛罗伦萨,至 1300 年,已被放逐五年;作为小贵族出身的但丁在诗中只用了“谴责”的语气,却不带有“轻视”。

58瓜尔特罗蒂(Gualterotti)和因波尔图尼(Importuni)两家族在维拉尼的《编年史》中也曾被并提。它们都属归尔弗派,但也有人认为,前者属吉伯林派,其成员还参加过蒙塔佩尔蒂战役;波斯科-雷吉奥注释本认为,此说可能涉及该家族的某些支系。

59“博尔哥”(Borgo)指上述两家族所居住的圣徒镇(Borgo Santi Apostoli);“新的邻居”指新迁入圣徒镇的彭代尔蒙蒂家族(见注30):彭代尔蒙蒂家族因婚姻问题与阿米德伊家族(Amidei)发生流血冲突,从而导致佛罗伦萨分裂成归尔弗派和吉伯林派,内乱不断,也打乱了圣徒镇的平静生活。关于彭、阿两家族的斗争,请参阅《地狱篇》第二十八首有关莫斯卡的注释。

60此家族即是指阿米德伊家族。

61这里的“朋党”指盖拉尔迪尼(Gherardini)和乌切利尼(Uccellini)两家族。“正义的愤怒”是指彭代尔蒙蒂家族的彭代尔蒙泰因受瓜尔德拉达·多纳蒂(Gualdrada Donati)的“挑唆”,毁弃与阿米德伊家族已订的婚约,而娶了多纳蒂家族瓜尔德拉达的女儿为妻,阿家族愤而杀死了他(1216年),从而导致佛市归吉两派相争的爆发,详见《地狱篇》第二十八首第106至108句及有关注释。

⑫埃玛河(Ema),系流入格雷维河(Greve)的激流,流经由佛罗伦萨通往彭代尔蒙蒂家族所住蒙特布奥尼城堡的大道。诗句是说,若上帝使彭代尔蒙泰早在埃玛河中溺死,本可避免佛罗伦萨内乱这场灾难。但早从1135年起,蒙特布奥尼城堡就已被摧毁,彭氏家族于是不得已迁入佛市,布蒂就此认为,此时,可能还有一些彭氏成员留住原地,其中就有彭代尔蒙泰,因而诗句才有"首次前来这个城市"这样笼统的写法。

⑬"残缺石像"指立于老桥桥头的战神玛尔斯的石雕。关于战神玛尔斯先于圣约翰之为佛罗伦萨守护神的传说,请参阅《地狱篇》第十三首第146句及有关注释:彭代尔蒙泰正是于1216年复活节当日在老桥桥头的玛尔斯雕像前被杀的。

⑭"百合花"系佛罗伦萨的城徽;诗中的意思是:佛罗伦萨的百合花徽旗从未像在战场上吃了败仗的军队那样,倒插在旗杆顶上。该百合花原是白色,只是在1251年皮斯托亚大战后,由于内部派系相争之故,才根据归尔弗派的意愿,将白色改为红色。维拉尼《编年史》第六章对此有记载。

第十七首

但丁的困惑(1—30)
卡恰圭达的预言(31—99)
诗人的使命(100—142)

但丁的困惑

正如那位前来向克利米妮询问[1],
他所听到的那些不利于己之言是否属真,
而正因如此,父辈对子辈至今仍很少有求必应;
我此刻恰是这般心情,
贝阿特丽切和那神圣的明灯也有同样的感觉,
那明灯先前改变位置也正是为了我[2]。
因此,我那贵妇便对我说,
“尽情发泄你那渴望的烈火,
让它明显地表露刻印在你内心的饥渴;
这并非因为通过你的言讲,
我们的认识才会增长[3],
而是因为你能惯于说出你的饥渴,人们也便能提供饮食,让你饱尝。”
“哦,我亲爱的根基,你上升得如此之高[4],

竟如同世人的头脑
明白一个三角形内不能有两个钝角[5]，
同样，你在变幻莫测的事物
成为现实之前，便把它们看得一清二楚，
因为你仰望那一点，对它而言，一切时间都只是眼前[6]；
我曾与维吉尔会合一起，
登上那医治灵魂的山岭，
又下降到那死亡之境[7]，
当时，向我说出了有关我未来前途的严重话语，
尽管我感觉自己很像是一个四角形，
在命运的打击下依然平稳[8]。
因为我若得知向我走近的是什么命运，
我的心愿就会得到满足；
这是因为预料之内的飞箭总是有更慢的速度[9]”。
我就是这样对那束光芒明言，
它方才曾与我攀谈；也正如贝阿特丽切所愿，
我把我的心愿陈述了一番。

卡恰圭达的预言

那慈父般的热爱作了回答[10]，
他并未使用在涤除人间罪孽的那头上帝的羔羊被杀之前[11]、
疯狂的众生曾沉湎其中的那种晦涩的语言[12]，
而是运用明晰的话语和准确的拉丁文，
尽管他被光辉所包拢，
却从中展露他特有的笑容：
“风云变幻的事物不会延伸开来，
超出你们那物质手册以外，
一切都描绘在那永恒的脑海[13]：
但是，它并不因此就成为必然，
而只不过像是反映在目光中的舟船，

那船顺着激流奔腾而下,并非出自目中所见[14]。
正是从那里,为你安排就绪的时间[15]
径自来到我的眼前,
犹如那大风琴演奏的甜美和谐的乐曲来到耳边。
正如伊波利托因为那无情而恶毒的继母,
不得已离开雅典[16],
你也同样不得不从佛罗伦萨只身去远。
这正是人之所欲,人也已在力求将它实现,
而且筹划此事的人不久就将做到这一点,
他们正待在每天为出卖基督而讨价还价的地盘[17]。
正如通常发生的那样,罪过的名声总是会追随被损害的一方,
但是,报复却是真理的明证,
真理则又把报复分发到众人头上[18]。
你将会撇下一切最珍惜的可爱东西;
而这正是那放逐的弓
最先射出的那支雕翎。
你将会亲身体验:
别人的面包是多么苦涩难咽,
从别人的楼梯上下又是多么步履维艰[19]。
最沉重地压在你双肩上的那个东西,
将是那邪恶而又愚蠢的伙伴[20],
正是与他们一起,你将跌落到这低谷中间;
他们是那么忘恩负义,那么丧心病狂,那么残忍凶狠,
他们将会对你翻脸无情;
但是,不久之后,是他们,而不是你,将会染红双鬓[21]。
他们的遭遇将会是他们愚蠢行为的证明;
这就说明:你为你自己独树一帜,
对你是一件大好事情。
你的第一个避难所和第一个接待站,
将是那个伟大的伦巴第人的慷慨奉献[22],

他把那神圣的飞禽放在阶梯上边[23]；
他对你将会照顾得无微不至，
你们两人之间，一个是赐予，一个是要求，
而他则总会首先做出别人稍晚才做出的事[24]。
与他一起，你将会看到那一个人：
那人在降生时曾受到这颗星宿如此深刻的影响[25]，
以致他的作为将会令举世瞩目难忘。
由于他年纪很轻，
世人尚未发现他的才能，
因为这重重天体只有九载绕他而行[26]，
但是，在那个瓜斯科人哄骗那崇高的阿里哥之前[27]，
他的德能就会先迸发出火花，
既不吝惜银钱，又不顾及劳乏[28]。
他那乐善好施的为人[29]
将会进一步为世人所心领，
甚至他的敌人也无法把舌头束紧，默不作声[30]。
你期待于他，期待于他行善施恩；
许多人都会依靠他而改变处境，
贫富条件也会有变化发生[31]。
你该在著作中和脑海里把他铭记，
且不可脱口说出；”他又说了一些事情，
这些事情连眼见为实的人也难以置信。
他随后又说道：“儿啊，这些都是对别人向你所讲的内容的说明[32]；
这也便是一些陷阱，
这些陷阱埋伏在太阳寥寥数转的后身[33]。
但是，我并不愿意你对你的邻人抱有怨恨[34]，
既然你的生命还会绵延流长，
远胜过对他们的背叛行为的严惩。”

诗人的使命

由于那神圣的魂灵缄口不言，
显示他无须再把那纬线
放在我向他摆出的那块布料的经线上边[35]，
我便开口说道，犹如一个人满腹疑云，
指望求教于这样的人：
他能明察秋毫，相见以诚，以爱待人，
“我的父亲，我看得很清，
时间在如何向我步步进逼，因为它给我带来这样的打击：
一个人愈是听之任之，那打击对他也便愈是严厉；
因此，我该善自以预见来武装[36]，
一旦我被剥夺那最亲爱的地方[37]，
我也不致因为我的诗句而把其他地方沦丧[38]。
从下面那苦海无边的地境[39]，
爬上那高山峻岭，我的那位贵妇用双睛[40]
把我抬到它那美丽的峰顶，
随后，又使我经过一重重星光，升上天空[41]，
我从这层层境界懂得了一些事情，
倘若我把它们一一说出，就会使许多人感到味道尖酸难忍；
而倘若我成为真理的胆怯友人，
我又担心会在这样一些人中间丧失生命；
他们将会把现时以古代相称[42]。”
这时，我发现我那珍宝在其中吟吟微笑的光芒[43]，
先是变得闪闪发亮，
如同一面金镜在阳光照耀下灿烂辉煌；
他随即答道：“被自己或别人
的耻辱所玷污的那良心，
肯定会感到你的话语尖刻伤人[44]。
然而，抛开一切谎言，
你所目睹的全部景象就可以昭然显现；

索性就让他人去搔抓身上长出的疥癣[45]。
因为即使你的声音在初尝时令人厌恶，
而在它被消化之后，
那滋补身体的养分就会长留[46]。
你的这种呐喊将像一阵狂风，
把那些最高的山峰撼动[47]，
这也不致带来微小的荣幸。
因此，在这重重旋转的天体，
在那高山峻岭和痛苦深渊[48]，
都只有那些闻名于世的魂灵在你眼前出现，
因为那聆听述说的世人的心灵，
对那来历暧昧不明
的事例不会认可，也不会轻信，
同样，对另一些不能一目了然的问题也不会信以为真。”

注释

①“那位”是指日神阿波罗的儿子法厄同（参见《地狱篇》第十七首及有关注释）；克利米妮（Climenè）系海洋之神奥塞昂（Oceano）与大海女神泰蒂斯（Teti）之女、日神阿波罗之妻；她与阿波罗生下一子即法厄同、三女即埃丽亚迪（Eliadi）三姊妹。法厄同听信埃巴弗斯（Epafo）之言，怀疑自己不是阿波罗的亲生子，便去询问母亲克利米妮；阿波罗为了证明自己是法厄同的生身之父，便答应让他驾驶太阳车，法厄同终于因偏离太阳车运行的轨道，被宙斯用雷电劈死；其姊埃丽亚迪三人为此痛不欲生，号啕大哭，被天神变为白杨树，她们的眼泪则被变为琥珀。诗中用法厄同的忐忑不安的心情形容此刻但丁听完其先祖的预言之后的疑虑重重。

②“神圣明灯”指卡恰圭达；诗中说他为了但丁而“改变位置”，是指他如“火光”、“星辰”一般，改变原来在“十字架”上的位置，即“从向右延伸的一角”移向“十字架的下脚”（参见本篇第十五首第19—24句）。

③这里是说，享天福者早从上帝身上就已了解但丁的思想，因此，无须但丁口述来加深这种认识。

④“根基”即是但丁对其先祖卡恰圭达的比喻性称呼。

⑤诗句用几何学的一个定理来比喻卡恰圭达洞悉尘世间变幻不定的事物，犹如世人懂得“三角形”内不能有“两个钝角”这一原理。

⑥“那一点”指上帝，因为对上帝来说，不存在过去与未来，一切都属于“永恒的现在”；圣托马

索《神学大全》第二卷第二章就指出:"事先了解未来的事物,如同事物本身目前的状况那样,这是神的心智特有的能力,对神的心智的永恒性来说,一切事物都是属于现在。"

⑦"医治灵魂的山岭"指炼狱山;"死亡之境"则指地狱。

⑧"四角形"(tetragono)是指常有四角的东西,特别是指食品:这里再次用几何学概念来作比喻,即是说,凡带有四角的东西都是最平稳的。这一概念来自亚里士多德的《伦理学》第一章第十句和《修辞学》第三章第十一句;圣托马索曾对此也作过评注:"把在道德上达到完美境界的可称作为四角形,就像食物那样,一个食物若有六个四角平面,不论把它放在哪一个平面上,它都会同样很好地立稳的;同样,有美德的人在任何命运的状态下,也都能安然稳立。"

⑨此句又用射箭来比喻:预料之内的不幸会使人感到更小的痛苦;此句说法盖出自中世纪流行的伊索寓言中的一句话:"预料之内的箭射伤的力量更小。"

⑩这是按原句直译的:"慈父般的热爱"原文是 amor paterno,波斯科-雷吉奥注释本认为,这是一种"以抽象写具体"(astratto per concreto)的笔法,意即"充满热爱的慈父"。

⑪"上帝的羔羊"指耶稣基督,因为耶稣基督是为"涤除人间罪孽"而自我牺牲的。

⑫"疯狂的众生"指异教徒;"晦涩的语言"指古代神谕所使用的模棱两可的谜一般的语言。

⑬"你们那物质手册",原文为 quaderno de la vostra matera,意即你们那物质世界,与下面一句的"永恒的脑海"亦即神的精神世界恰相对立。

⑭这里是说,人间事物的发生虽是来自神的预见,却不带有必然性,这正如"舟船"并非因为人们看到它顺激流而下才有这样的行动。圣托马索在《神学大全》第一卷中曾说:"正如对现在的认识并不使正在发生的事物带有任何必然性一样,对未来的预见也并不使未来的事件成为必然。"波斯科-雷吉奥注释本认为,此句是说,卡恰圭达对但丁未来的遭遇的预言,虽来自上帝对此的预见,这并不使未来将发生的事成为必然,因此,人还享有充分的自由意志。

⑮"从那里"指上述神的脑海。

⑯伊波利托(Ippolito)为雅典王特修斯(见《地狱篇》第九首及有关注释)与亚马逊女儿国国王安提奥佩(Antiope)所生之子。特修斯后娶弥诺斯国王之女菲德拉(Fedra)为妻。菲爱上了伊波利托,向他表示爱意,但遭拒绝,她怀恨在心,向特修斯诬告伊波利托引诱她,特信以为真,怒斥其子,并将伊波利托逐出雅典。伊最后溺死在第勒尼安海。菲德拉闻讯后,极为懊悔,遂自杀,但也有说她是被特修斯杀死的。但丁诗中所述,可能根据奥维德《变形记》第十五章的有关内容。诗中预示:但丁将像伊波利托那样遭诬告并被放逐。

⑰这里追述了教皇博尼法丘八世阴谋勾结佛罗伦萨黑党推翻执政的白党政府,从而导致对但丁的诬陷和放逐的经过:卡恰圭达的预言是在 1300 年春但丁的冥界和天国之行时作出的,而在此时,博尼法丘八世正在与佛市黑党领袖多纳蒂家族某些人秘密策划推翻白党当时的统治,决定于 1301 年 11 月,借教皇特使查理·迪·瓦鲁瓦前来斡旋之机,名为调解黑白两党纠纷,实则扶植黑党上台,迫害白党。白党政府倒台后,黑党执政,于 1302 年 1 月和 3 月,两次缺席判决放逐但丁。"为出卖基督而讨价还价的地盘"即是指博尼法丘八世进行阴谋策

划的地点，亦即教廷（Curia）。

⑱这里的“报复”显然指上帝的惩罚，亦即根据真理所作的正义的惩罚。但诗中所说“把报复分发到众人头上”的具体所指，则难以断定：萨佩纽注释本认为，可能是指博尼法丘八世和科尔索・多纳蒂的悲惨下场（见《炼狱篇》第二十首第85—90句和第二十四首第82—87句）；波斯科-雷吉奥注释本则认为，除上述两种可能之外，也可能是指1303年佛罗伦萨发生的某些天灾，如卡拉亚（Carraia）大桥倒塌、一场极其严重的大火……等等，或则但丁可能指的是上述所有事件。

⑲从第55句到第60句，是《神曲》最著名的诗段中的两段，因为诗句深刻描述了但丁在放逐初期亲身体验的无依无靠、流离失所、求人施舍的种种痛苦。

⑳这里的“伙伴”是指但丁在放逐中的伙伴，即白党流亡者。即是说，但丁在放逐初期曾不得不与这些“邪恶而又愚蠢的伙伴”为伍，分担一些痛苦经历的打击。“低谷”指穷途末路的处境。

㉑这里是指，在1302年佛罗伦萨执政的黑党作出两次放逐判决之后，白党流亡者曾数度试图用武力对付黑党，重返家园，但均遭失败。他们曾三次从穆杰洛（Mugello）发动武装进攻，因此，德尔・隆哥曾称之为三次“穆杰洛之战”，分别发生在1302、1303、1306年。据估计，但丁曾亲自参加前两次战争，甚至有人说，他曾是第一次战争的发起人之一，因为在1302年6月8日一份资料中，他的名字与白党流亡者三大家族即切尔基、乌贝尔蒂尼和帕齐（Pazzi）的名字并列，据该资料称，流亡者首领曾在托斯卡纳和艾米利亚地区的亚平宁山山麓的圣哥登佐教堂（San Godenzo）聚会，准备发动战争。第二次战争系由但丁的好友、福尔利僭主斯卡尔佩塔・奥尔德拉菲（Scarpetta Ordelaffi）率领的，因此，人们据此估计，但丁本人有可能参加。由于两次战争均告失败，但丁可能曾劝阻其伙伴，被称为“无名氏”的《最佳评注》所作的一些解释就是这方面的证明，因为人们断定此“无名氏”即是但丁的好友安德雷亚・兰齐亚（Andrea Lancia）。1304年夏，白党流亡者发动了又一次战争，因为战争是在距佛罗伦萨以北不远的地方即拉斯特拉（Lastra）进行的，故又称“拉斯特拉战役”；这次战争又告失败，此后，白党流亡者即被迫偃旗息鼓，放弃武力进攻之念。但丁未参加后两次战争，故诗中特别指出，在拉斯特拉战役中“染红双鬓”（亦即“血染”双鬓）的不是但丁，并称但丁脱离伙伴，“独树一帜”，是“大好事情”。关于这些白党分子何以如此对待但丁，只能根据《最佳评注》的诠释：据说，但丁曾于1303年向其伙伴们建议：由于没有外援，最好将定于当年冬季发动的武装进攻，延至次年春季进行，对方非但不听，反对但丁产生怨恨，但丁不得已才离开了他们。

㉒“伟大的伦巴第人”，原文是gran Lombardo，具体应是指维罗纳僭主斯卡拉家族的某个人，薄伽丘曾认为是指阿尔贝托（Alberto，参见《炼狱篇》第十八首第121—126句），但此人于1301年，即但丁被放逐之前就已死去；萨佩纽和波斯科-雷吉奥两注释本都认为，最可靠的是指阿尔贝托的长子巴尔托罗梅欧・德拉・斯卡拉（Bartolomeo della Scala），此人恰好在1301年至1304年任维罗纳僭主，因此，但丁可能在1303年或1304年脱离白党流亡者之后，首先投靠

了他。也有人认为,这是指巴尔托罗梅欧之弟、继他于1304年至1311年任维罗纳僭主的阿尔博伊诺(Alboino),但由于但丁在《筵席》第四卷第十六章第六节中提及他,略带微词,可见不会是此人。另有一些人(如德尔·隆哥、科斯莫)认为,但丁第一次找到的“避难所”、“接待站”是在1306年,但根据《炼狱篇》第八首第118句的内容,是年,但丁是受到卢尼加纳的马拉斯皮纳家族的接待,况且,但丁之子彼特罗也曾指出,但丁在放逐中首先投靠的是维罗纳僭主巴尔托罗米欧·德拉·斯卡拉。然而,由于原诗的提法即“伟大的伦巴第人”过于笼统,因而也可能是指该家族,特别是指后来的坎格兰德(Cangrande,见注㉕)。

㉓“神圣的飞禽”指代表帝制的鹰:斯卡拉家族的族徽即是一个阶梯上面置放一只鹰。

㉔这里是说,维罗纳僭主待但丁十分宽厚和慷慨,总是主动满足但丁的要求,而不需但丁先提出要求后才给以满足,而在通常的情况下,施恩者的“赐予”总是在对方“要求”之后(“稍晚”)才做出的。

㉕此人即是指巴尔托罗梅欧的最小兄弟坎格兰德,亦即阿尔贝托的第三子。他生于1291年,1311年起与其兄阿尔博伊诺联合执政,管理维罗纳事务。1312年,阿尔博伊诺死后,他继任僭主,一直到1329年7月22日于特雷维索去世。但丁对他十分敬佩,与他相处十分亲密,因而在《天堂篇》中歌颂他。但丁投靠他是在神圣罗马帝国皇帝亨利七世去世以后,是第二次投靠斯卡拉家族,但丁甚至曾把佛罗伦萨乃至意大利复兴的希望寄托在他身上。但丁第二次在维罗纳居住的时间很长,尽管有人认为,但丁开始移居拉维纳是在1317年或1318年,但史料证明,1320年2月,但丁尚在维罗纳处理一桩土地诉讼案件,但丁还不断把《天堂篇》的一些手稿陆续送交维罗纳僭主阅读,因而有人估计,但丁第二次在维罗纳一直居住到1320年初。“星宿”是指火星,亦即战神玛尔斯;“如此深刻的影响”系指凡降生时受火星影响的人必将有赫赫战功,“令举世瞩目难忘”。

㉖坎格兰德是1291年出生的;1300年但丁冥界与天国之行时,他才九岁,因此,诗中说他“年纪很轻”,重重天体“绕他而行”才“九载”。

㉗“瓜斯科人”(Guasco),即“瓜斯科尼亚人”(Guascone),亦即古代法兰西瓜斯科尼亚地区(Guascogna)的人;这里是指教皇克莱蒙特五世(参见《地狱篇》第十九首及有关注释),“崇高的阿里哥”(alto Arrigo)则指亨利七世:1312年以前,克莱蒙特五世虚情假意地奉承神圣罗马帝国的皇帝亨利七世,哄他来到意大利,嗣后,又挑唆归尔弗派反对他,与他作斗争。诗中所说的“之前”,即是指1312年以前。

㉘这里的“德能”的“火花”是指坎格兰德在军事上骁勇善战,不畏军旅疲劳(“不顾及劳乏”),在作为僭主方面,则慷慨大度,扶危济困(“不吝惜银钱”)。十四世纪作家对这位维罗纳僭主的赞誉十分普遍,维拉尼《编年史》第十章、彼特拉克的诗作、薄伽丘《十日谈》第一天第七故事以及无名氏诗人为哀悼他逝世而写的连缀押韵的塞尔文泰斯体诗(serventese anonimo),都曾对他颂扬备至。

㉙“乐善好施的为人”原文为magnificenze,是但丁在《筵席》第四卷第十七节第五句段中根

据亚里士多德所述而提出的构成“心灵高贵”的十一个美德之一，即 Magnificenza，也是中世纪骑士特有的作风与人格，其他十个美德是：坚强（Fortezza）、节制（Temperanza）、慷慨（Liberalitade）、豪放（Magnanimitade）、荣誉感（Amativa d'onore）、礼貌（Affabilitade）、温顺（Mansuetudine）、求实（Veritade）、豁达（Eutrapelia）、正义（Giustizia）。

㉚这里是说，坎格兰德的高尚为人，甚至使其敌人也不得不承认和盛赞。

㉛这里用典出自《新约·路加福音》第一章第五十二至五十三句：上帝“使君王失势，叫卑贱的升高，饥饿的得饱足，富有的空手而去”。诗中的意思是，坎格兰德能使富有的变穷，穷困的变富。

㉜“别人对你所讲的内容”是指地狱和炼狱中的一些灵魂对但丁所作的预言。

㉝“太阳寥寥数转的后身”即是指再过几年之后。

㉞“邻人”指但丁的同乡，亦即佛罗伦萨人。诗句的意思是：但丁的寿命还会很长，甚至超过那些阴谋陷害但丁的人遭受天谴的时间：如博尼法丘八世和科尔索·多纳蒂就是分别于 1303 年和 1308 年因受上天的“严惩”而去世的（参见《炼狱篇》第二十首和第二十四首及有关注释）。

㉟诗句用了一种曲折的比喻手法：“布料”（tela）比喻但丁提出的问题；“纬线”（trama）比喻卡恰圭达对但丁所作的回答，即是说，卡已回答完了，不想再说了；“经线”（ordita）比喻继续回答，即是说，卡恰圭达的回答犹如织布时把经纬线交叉编织在一起，因此，“无须再把那纬线放在……经线上边”，简言之，即是不想再回答了。

㊱“以预见来武装”即是指事先对未来的不幸遭遇作好准备，以求减少痛苦。

㊲“最亲爱的地方”指佛罗伦萨。

㊳这里是说，但丁担心自己的诗句会得罪一些人，从而使他在被放逐时，找不到可以投靠的地方。

㊴“苦海无边的地境”指地狱。

㊵“高山峻岭”指炼狱山；“我的贵妇”仍指贝阿特丽切。

㊶“一重重星光”（di lume in lume）指一重重天体或从一个恒星到另一个恒星。

㊷“将会把现时以古代相称”的人即是指后来之人。这里是说，但丁担心自己若不敢说出真理（“成为真理的胆怯友人”），就不会名传后世（在后来之人中“丧失生命”）。

㊸“珍宝”指卡恰圭达的魂灵，因为前此诗中曾把卡恰圭达的光芒比作“宝石”和“活的黄晶”。

㊹这里的“良心”是指被自己所犯的罪恶或被自己的亲朋所犯的罪恶所玷污的“良心”：这样的“良心”对但丁所揭示的严峻真理定会产生怨恨。

㊺这是一句谚语式的说法，意谓谁若是被触到痛处，就索性任凭他去怨天尤人吧！

㊻这段三行韵诗的含义犹如“忠言逆耳，良药苦口”。

㊼“最高的山峰”指世上有权势者。诗句的意思是：敢于撼动那些有权势者，不会带来微不足道的荣誉。

㊽“高山峻岭”和“痛苦深渊”分别指炼狱山和地狱。

第十八首

贝阿特丽切对但丁的安慰(1—21)
为信仰而战斗的魂灵(22—51)
木星天(52—69)
鹰(70—114)
祈祷与谴责(115—136)

贝阿特丽切对但丁的安慰

这时,那幸福的明镜则只是兀自在把他的话语默想[1],
而我也在把我的话语体味一番,
并用甘甜把辛酸冲淡[2];
那位引导我走向上帝的贵妇于是说道[3]:
“你该改变你的思维:
该想到我是靠近能减轻一切损害的那位[4]。”
我转过身去,面对我那慰藉者发出的慈爱声音[5],
当时我从那神圣的双目中看到怎样的仁爱之情,
我现在宁可不去描述分明;
这不仅是因为我怀疑我的语言能力,
而且也是因为脑海无法仔细回忆自身的经历,
倘若另一位不来指引,助它一臂之力[6]。

这样，我如今只能追述我那时节的感受，
在凝视她的同时，我的情感
曾摆脱其他一切欲念，
只要那从贝阿特丽切身上直接焕发出来的永恒之美，
从那秀目中射出，又以那第二个形象，
令我感到满意非常[7]。
她用微笑之光征服了我，
对我说："转过身去，仔细听着；
因为不仅在我的眼睛里才有天国[8]。"

为信仰而战斗的魂灵

正如在尘世，有时可以从目光中看出情感，
倘若它是如此强烈，
以致整个灵魂都被它夺占，
同样，从我转身所向的那束神圣光芒的闪烁辉煌中[9]，
我也辨出他的心愿：
他还想对我做些攀谈。
他开言道："在树木的这个第五层[10]
——这树木是依靠树顶而生，
它总是果实累累，从不失落叶丛[11]，
有一些享有天福的精灵，
他们在来到天上之前，在人世都曾是大名鼎鼎，
每一位缪斯女神都会因他们而变得无比丰润[12]。
因此，你注意看那十字架的双角[13]：
我将一一列举的那一名将会在那里做出这样的行动：
用它那电掣般的火光划破云雾濛濛[14]。"
我看到一束火光在呼唤约书亚名字的同时[15]，
立即顺着十字架移动；
我也并未看出在那行动之前曾呼叫姓名[16]。
我看到呼唤那崇高的玛喀比名字时[17]，

另一束火光也立即移动,一边不住旋转,
而欢乐正是那抽打陀螺的皮鞭[18]。
对查理大帝和奥尔兰多也同样如此[19],
我那凝神而视的目光紧追这两束火光不放,
犹如鹰猎者的眼睛紧盯住他的猎鹰飞翔。
随后,牵动我的目光的是古伊埃尔莫[20],
还有里诺阿尔多、哥蒂佛雷迪公爵和鲁贝尔托·圭斯卡尔多[21],
他们顺着那十字架动作。
接着,那曾与我谈话的魂灵
也在其他光芒当中行动、混杂,
他向我显示,他在这重天的众歌者中间是怎样的一位艺术家[22]。

木星天

我向我的右方转过身去,
为的是想看出贝阿特丽切的示意:
我是应当行动还是言语;
我看到她的光亮是如此灿烂,如此欢畅,
以致她的容貌胜似通常
其他时节乃至最近一次的模样。
正如一个人因行善而倍感欢欣,
发觉自身的美德
在一天天不断前进,
我也同样发觉,我与那重天一起
团团旋转,加大了那弧线[23],
同时看到那奇迹变得更加光彩耀眼[24]。
犹如在短短的时间内,
一个妇人面容变白,
因为她的脸庞把羞红之色撇开,
我目睹的景象也是这样,因为这时我转过身去,
看到那第六颗柔和的星辰一片洁白[25],

69 正是它把我迎接在怀。

鹰

我从那宙斯的光焰中[26]
看到仁爱在那里光辉闪闪[27]，
72 在我的眼前勾勒出我们的语言[28]。
犹如一些鸟儿从河上飞起，
仿佛为它们饱饮河水而欢庆，
75 它们把自己排成一队，时而成圆，时而又成其他阵形[29]，
同样，在那些光辉中的神圣造物[30]，
也在一边歌唱，一边旋转飞舞，
78 把自己的形象时而变成 D，时而变成 I，时而变成 L，不一而足。
它们先是一边歌唱，一边随着歌声节奏翩翩动作；
然后，在变成这些符号中的一个时，
81 就停歇片刻，静默不歌。
哦，佩加赛亚女神[31]，
你使那些天才享有荣光，并使他们万世流芳，
84 而他们又在你的帮助下，使他们的城市和王国荣光分享，
　　万古名扬，
请向我说明你自身，
使我能像我所理解的那样，把他们的形象弄清，
87 但愿你把威力显示在这些简短的诗句当中！
于是，他们显示出合计七的五倍的元音和辅音[32]；
我也看清那一个个部分[33]，
90 正如它们一个个在我眼前现身。
绘出的头几个字是“DILIGITE IUSTITIAM”
是全句的动词和名词，
93 “QUI IUDICATIS TERRAM”是最后几个字[34]。
随后，所有字母都排列在第五个词的 M 里面[35]；
以致那木星显现出银色一片，

在那些光辉中的神圣造物，也在一边歌唱，一边旋转飞舞。（第十八首第76、77行）

那里又点缀着金光点点[36]。
我这时看到其他一些光芒[37]
落在 M 形成顶端之处,在那里不再动弹,
我想,他们是在歌颂把他们吸引到身边的至善[38]。
后来,犹如燃烧的火炭在抖动中
冒出无数点点火星,
而那些愚昧之人则据此认为是祝愿显灵[39];
那里也正是这样仿佛射出一千多束光芒
它们冉冉升起,有的很高,有的较低,
正像那点燃它们的太阳如抽签般把它们抽出,又排列有序[40];
每一束光芒都安然待在各自的地方,
我看到,从那清晰的火光中,
显现出一只鹰的头颅和脖颈[41]。
在那里绘图作画的那位,并没有谁在把他指引;
而他自己就是指引之人,
正是从他那里可以看出为各个窝巢构成造物形态的那种德能[42]。
另一些享天福者原先
似乎满足于在 M 上把百合花形成,
这时则稍加动作,便依照那印迹而行[43]。

祈祷与谴责

哦,温馨的星辰,有怎样的宝石,又有多少宝石[44],
在向我显示:我们的正义正是
由你用宝石镶嵌的上天的影响所致!
正因如此,我祈求那使你的运动和你的能力
得以产生的智能,注意观察那遮掩你的光芒的烟气[45]
究竟是来自哪里;
这就使他如今能再一次
对那在圣殿内进行的买卖勾当大发雷霆,

哦，上天的战士，我仰望着你们，你该为那些尘世间的人祈祷，因为他们竟都跟从那
劣的范例而走上邪径！（第十八首第124—126行）

而圣殿的墙壁都是以圣迹和殉道建成[46]。
哦，上天的战士，我仰望着你们[47]，
你该为那些尘世间的人祈祷，
因为他们竟都跟从那恶劣的范例而走上邪径[48]！
过去，人们往往使用宝剑进行战争；
但如今人们则时而从这里、时而又从那里剥夺面包，
而慈祥的天父从不将这面包拒发给任何人[49]。
但是，你却只是为了抹掉才书写[50]，
你该想一想：彼得和保罗曾为你所糟蹋的葡萄园而丧命，
他们至今则虽死犹生[51]。
你尽可以扬言："我一心仰慕的是
那愿意孤独生活的人，
他曾因那婆娑起舞而被拖去为道殉身[52]，
我既不认识波罗，又不认识那打鱼之人[53]。"

注释

①"幸福的明镜"指卡恰圭达，因为他反映出上帝的光辉。"话语"一词，原文为 verbo，系取自亚里士多德的哲学用语，本意是指头脑的思维对象，亦即内心的思想活动，圣托马索在《神学大全》第一卷中也说，此词是指"头脑的内在思想，甚至在它用言语表达之前"，因此，在诗中具有话语兼思想活动的双重含义。

②这里的"辛酸"比作卡恰圭达所预言的但丁将被流放、将有邪恶和愚蠢的白党分子作伴的苦处，"甘甜"则比作卡又预言但丁将得到维罗纳僭主斯卡拉家族的欢迎和接待、佛罗伦萨那些陷害但丁者将受到天谴的甜处，从而使"辛酸"得到补偿（"冲淡"）。

③"贵妇"仍指贝阿特丽切。

④"那位"指上帝。

⑤这里的"慰藉者"仍指贝阿特丽切。

⑥"另一位"指上帝或超自然的力量。

⑦"永恒之美"指神的光辉；"第二个形象"指反射的光芒，即是说，神的光辉从贝阿特丽切的"秀目"中反射到但丁的眼睛中，从而使但丁"感到满意非常"，"摆脱其他一切欲念"。

⑧"转过身去"指贝阿特丽切让但丁转身面对卡恰圭达。"天国"指天堂的幸福，即是说，不仅在贝阿特丽切的眼中反映出天堂的幸福，在其他神圣的精灵的目光中也同样有这样的反映。古代注释家还认为，贝阿特丽切的这句话有这样的寓意：即不仅从对神学的默思中可以找到

天堂的幸福，而且从凝望为信仰而献身的英雄范例中也可做到这一点，因卡恰圭达下面即列举了一系列为信仰而战的斗士。

⑨“神圣光芒”指卡恰圭达；由于他热切想再与但丁叙话，与其他精灵一样，这时他的光芒就显得格外“闪烁辉煌”了。

⑩“第五层”指第五重天，即火星天。诗中用曲折笔法，把天堂比作“树木”，树木的一层层树枝则是享天福者所在的各重天，这样的“树木”与尘世间树木依靠树根而活不同，它是“依靠树顶而生”的，而“树顶”即是指上帝；过去的神秘主义者就经常把升天觐见上帝比作攀援树枝（各重天）上升到树顶。

⑪诗中的比喻出自《旧约·以西结书》第四十七章第十二句：“沿河两岸，长着各种果树。它们的叶子不会凋萎，果实也不会断绝，必按月结出新果；这些果实不但可作食物，叶子还可以作药用，因为这水是从圣所流出来的。”诗句以此来比喻天堂的幸福是永不枯竭的。《旧约·诗篇》第一章第三句也有类似的说法。

⑫“每一位缪斯女神”原文为 ogne musa，萨佩纽和波斯科-雷吉奥两注释本都认为，这里是指诗歌，即是说，诗歌从这些“大名鼎鼎”的精灵的生前事迹中可以汲取丰富的题材，犹如缪斯女神由此而变得丰满滋润一般。也有人认为，这里的“缪斯女神”是象征诗人，波-雷本就此指出，musa 在拉丁文中，从广义上说是指“诗歌”，而不是“诗人”，况且，但丁一向也是把此词用作“诗歌”的，如本篇第十五首第 25 句提及维吉尔是“最伟大的诗人”，实际上则是指他的巨作《埃涅阿斯记》。

⑬这里的“双角”（corni）即是指十字架的双“臂”。

⑭诗中是说：卡恰圭达将把十字架上的精灵一一向但丁介绍，每呼唤一位的名字，那精灵就从十字架的双臂，沿着径向木条迅速移动，犹如闪电划破云雾。

⑮约书亚（Iosuè），即继摩西任以色列人领袖的 Giosuè，他曾率领以色列人取得迦南的土地（亦即“乐土”），并将这片土地分为十二个部族。《旧约》有专门记载他的事迹的《约书亚记》。

⑯此句的含义是“呼唤姓名”与精灵的“行动”是同步进行的，因而诗人看不出是“先说而后动”。

⑰玛喀比（参见《地狱篇》第十九首第 85 句及有关注释），指玛喀比家族五兄弟的长兄犹大（Giuda，殁于公元前 160 年），他曾率领以色列人推翻叙利亚王安条克·埃比法尼（Antioco Epifane，即安条克四世）的暴虐统治；事见《圣经》的佚经《玛喀比传》（*Libri dei Maccabei*）。

⑱这里用生动的生活比喻来形容“火光”旋转移动的情景，犹如儿童玩耍的抽打陀螺的游戏，特别是再次强调，享天福者的迅速的旋转动作，是由于极大的欢乐，因而就像抽打陀螺的“皮鞭”。

⑲查理大帝和奥尔兰多（参见《地狱篇》第三十一首及有关注释）：查理大帝是神圣罗马帝国的著名重建者（742—814 年），768 年任纽斯特里亚（Neustria）和阿奎塔尼亚（Aquitania）国王，771 年又任法兰克（Franchi）国王。799 年圣诞之夜，由教皇莱昂内三世（Leone III）在罗马为

他加冕。他以为捍卫基督教思想与撒拉逊人作战而闻名于世，从而成为中世纪英雄传说的中心人物，加洛林王朝组诗（ciclo carolingio）即由此而来。本篇第六首第94—96句曾叙述他为捍卫教会而击溃隆哥巴尔迪人（详见有关章节及注释）。

奥尔兰多，是查理大帝最著名的卫士，也有人说他是查理大帝的堂弟或侄子。查理大帝的文书、历史学家埃吉纳尔多（Eginardo，771—844）称他为 Hruotlandus，即"罗特兰杜斯"，亦即法国著名史诗《罗兰之歌》（*Chanson de Roland*）的主角罗兰（Roland），是著名的昂赛瓦山谷（Roncisvalle）战役中阵亡者之一。他与查理大帝曾在《罗兰之歌》中被并列一起，因此，诗中也有意把他们并列在天国之中。

⑳古伊埃尔莫（Guiglielmo），即"威廉"（Guglielmo），这里是指奥朗日（Orange）公爵威廉。他生于公元八世纪上半叶，出身王室。为查理大帝的主要谋士之一，793年左右，是他树立战功最为显赫的时期，为纪念他最伟大的光荣战绩，曾在热洛纳（Gellona）建立修道院一座，806年，他退隐此处修道，812年去世，谥为圣徒。他像查理大帝一样，也是英雄史诗"奥朗日组诗"（ciclo di Orange）中的中心人物，该组诗中最重要的史诗有《威廉之歌》（*Chanson de Guillaume*）和《尼姆斯的辎重队》（*Charroi de Nimes*）等。他在组诗中被写成是阿梅里科·迪·纳尔博纳（Americo di Narbona）之子，曾在法国南部与撒拉逊人作战，英勇非常。

㉑里诺阿尔多（Rinoardo），即雷努阿尔（Rainouart），据说，他并非真正的历史人物，而是"奥朗日组诗"中的主要人物之一，原是一个干粗活的撒拉逊人，异教徒，为奥朗日公爵威廉收留，并皈依基督教；他与威廉一起，同撒拉逊人作战，建立战功，最后也像威廉一样，出家为僧。据说，他膂力过人，作战时仅用棍棒一根，故有"棍棒雷努阿尔"（Rainouart au tinel）的美称。有人曾把他与威廉并提，犹如《罗兰之歌》把查理大帝与罗兰并提一样，波雷纳乃至萨佩纽注释本还认为，维罗纳主教堂（Duomo di Verona）大门旁有两座雕像，即是威廉和雷努阿尔的像，但波斯科-雷吉奥注释本不同意此说法，说那像是奥尔兰多（罗兰）与奥利维耶里（Olivieri）。

哥蒂佛雷迪公爵（Gottifredi）即是指洛林（Lorena）公爵哥佛雷多·迪·布利奥内（Goffredo di Buglione），他生于1058年，1100年作为耶路撒冷王死于圣城。他是第一次十字军东征的领袖之一，特别是以征服耶路撒冷而闻名。法国中世纪的奥依语（oil）写成的英雄史诗也曾歌颂过他的战绩。波斯科-雷吉奥注释本怀疑但丁读过这些用奥依语写出的法国史诗。

鲁贝尔托·圭斯卡尔多（Ruberto Guiscardo），其实，"圭斯卡尔多"并非其姓，而是绰号，即"智多星"一类誉其"足智多谋"的美称：《罗贝尔托·威斯卡尔武功诗》（*Gesta Robert Wiscardi*）就是他的同时代作者威廉·迪·普利亚（Guglielmo di Puglia）用拉丁文所写歌颂他的战功的诗歌，萨佩纽注释本估计，但丁可能了解此诗。据说，他是坦克雷迪·迪·欧特维尔（Tancredi di Hauteville）之子，1015年生于诺曼底，1047年来到意大利，与其兄弟一道，从拜占庭人手中夺回意大利南部地区。其兄弟翁佛雷多（Umfredo）死后，他就任普利亚和卡拉布里亚两地的公爵，并于1059年，由教皇把上述两地敕封予他。他的一个著名业绩是曾在罗马反对神圣罗马帝国皇帝亨利四世，把被围困在圣安杰洛城堡（Castel Sant'Angelo）的教皇格雷高里奥七世(Gregorio VII)救出。1085 年,他殁于切法洛尼亚(Cefalonia)。

㉒这里的"魂灵"仍指卡恰圭达,诗句的用意在于说明卡在上述列举的为信仰而战的名人("这重天的众歌者")当中的显要地位("怎样的一位艺术家")。

㉓"弧线"指圆周,即是说,但丁随第五重天旋转的范围变得更广了,因为火球天远离了地球,而靠近了上帝。

㉔"奇迹"(miracolo)指贝阿特丽切;但丁在《新生》第二十一节第四句中也曾把贝比作"奇迹"。

㉕"第六颗柔和的星辰"指木星天:但丁在《筵席》第二卷第十三节第二十五句段曾说:"木星是整体上光线柔和的星辰,介乎土星的寒冷与火星的炽热两者之间","在所有星辰中,显现为白色,近乎银色"。诗句用妇人的羞红消除,露出本来的洁白面色来形容和对比火星的"颜色如火"(《筵席》第二卷第十三节第二十一句段)和木星的"一片洁白"。

㉖"宙斯的光焰"即"宙斯的星辰",其中用了形容词 gioviale,此词可有两种解释:一是"木星"亦即"宙斯"(Giove)的属有格;二是"欢悦",亦即形容词 gioviale 的本意:《最佳评注》曾就此作过这样的诠释:因为木星被认为是"和善的,其质地也是十分温和的,因此,古人曾说,幸福之因在木星的周转之内"。波斯科-雷吉奥注释本不同意后一种解释;萨佩纽注释本则不反对从广义上理解该形容词在诗中的含义(指《最佳评注》的诠释)。

㉗这里所说的"仁爱在那里光辉闪闪",是指在木星天中的诸享天福者在闪烁着仁爱的光辉。

㉘"勾勒出我们的语言"是指拼写出人类语言中的一个个字母。

㉙几乎所有注释家都认为,此处的"鸟儿"是指灰鹤,因为灰鹤喜欢成群结队地飞行,有时像在拼写字母,卢卡努斯在《法尔萨利亚》第五章中就有类似的描述;此外,古人也曾认为,灰鹤的飞行是按楔形队形而飞,类似希腊大写字母 Υ、Δ 或 Λ。

㉚"神圣造物"指享天福者精灵。

㉛佩加赛亚女神(Pegasea),来自生有双翼的飞马佩加索(Pegaso),据说,它用蹄子踢出了缪斯女神所居住的帕纳索斯山的埃利科纳山麓(Elicona,见《炼狱篇》第二十九首及有关注释)的清泉伊波克雷尼泉(ippocrene);因此,诗中用此词代表总的缪斯女神,即是说,但丁祈求代表诗歌的缪斯女神给他以诗的灵感。也有人推测这里具体地是指缪斯女神中的卡丽奥皮斯或乌拉尼亚(分别见《炼狱篇》第一首第 9 句和第二十九首第 41 句及有关注释);萨佩纽和波斯科-雷吉奥两注释本都一致认为,这里只是笼统地象征"诗歌"。

㉜"七的五倍"原文为 cinque volte sette,即等于七乘五,亦即三十五。

㉝"一个个部分"即指一个个字母。

㉞这里引用的两句用大写字母拼成的话取自《旧约·智慧篇》第一句诗:前一句意谓"你们应热爱正义",后一句意谓"你们在判断尘世",合起来的意思是:"判断尘世的你们,应热爱正义",即是说,管理尘世的人应体现放之四海而皆准的正义思想。前一句第一个词为动词,第二个词为作为宾语的名词;后一句即是诗中所说的"最后几个字":引文全属拉丁文。

㉟这里是说,《圣经》引文中的所有字母都汇集到最后一个词("第五个词汇")即 TERRAM 的

M 上:按 M 为 Monarchia(帝制)的第一个字母,但丁在《帝制论》第一卷第十一节第二句段中就说:"最大限度的正义只有在帝制之下才会有:因此,要建立完美的世界秩序,帝制或帝国是不可或缺的。"波斯科-雷吉奥和萨佩纽两注释本还特别指出,这个 M 的字体是哥特式的字体,其形状类似栖立的鹰,这就为下面该字母的变化做了铺垫。

㊱这里是说,由于木星的光线柔和,它就显示出像一个银盘,而堆积成 M 的点点光焰,则类似"金光点点",点缀在银盘之上,这是本首在形象描绘方面最精彩最生动的一段。

㊲这里又描述从净火天中降下新的一批享天福者,汇集到 M 字母的顶端,亦即哥特式字体三条线的中间一条线的顶端,从而形成纹章中的百合花形。

㊳"至善"指上帝。

㊴这里是说,一些迷信的"愚昧之人",以为燃烧的煤炭迸发出的火星有多少,他们将来就会得到多少财富。本维努托曾对此做过介绍:"意大利某些地方有这样的风俗:在冬季的晚间,一些小伙子坐在炉灶旁,在敲打火炭之后,就许下心愿,暗自说道:他们各自希望得到如火星一样多的城市、城堡、羊羔、小猪,就这样来消磨时间。"

㊵"一千多束光芒"只是形容"光芒"之多,并非实际数目。"点燃它们的太阳"指上帝;诗中之意是:上帝把享天福者的光芒做了具体安排,有的在高处,有的在低处,从而形成一只鹰的形象。

㊶诗句是说,衬托着银色的背景,清晰地显示出鹰的头和颈,即是说,M 又从百合花形变成鹰形。

㊷"那位"指上帝。"德能"指上帝使造物成形的能力;"窝巢"是随象征帝国的鹰而来,指世人的栖息之所,因为把世人或造物比作鹰和其他鸟类,便用"窝巢"象征不同的栖息之所;这段三行韵诗比较晦涩难懂,总的意思是:上帝造物("绘图作画")是不需要有老师来指引的,一切造物都出自他的头脑("他自己就是指引之人"),因为他本身就有使属于不同领域("各个窝巢")的造物具有不同形态("构成造物形态")的能力。

㊸"印迹"指鹰的形状。这里的"把百合花形成"的原文是 ingigliarsi,又是但丁根据名词"百合花"(giglio)自造出来的动词。关于"百合花形"有无象征意义,注释家有所争议:帕罗迪、基门兹认为,百合花象征法国王室觊觎帝国权力之野心,或是象征以查理大帝和加洛林王朝为代表的法国帝制所拥有的正当的帝国权力,随后,这些正当权力又转归德国帝制所有。萨佩纽和波斯科-雷吉奥两注释本都不同意这种分析,认为"百合花形"只不过是象征"帝制"的 M 字体的几个层次的变化之一罢了:波-雷本还具体指出 M 字体的四次变化,即第一次是形成 M;第二次是从净火天中降下其他享天福者,落在 M 的顶端,形成纹章中的百合花形;第三次是位于顶端的精灵移动而成鹰的头与颈;第四次则是所有精灵完成纹章中的鹰的形象。

㊹"宝石"即是指享天福者精灵身上的光芒。这里是说,无论通过《圣经》的引文抑或是象征"正义"的鹰的形象,都证明:人类的正义是来自上天的影响。

㊺"智能"指上帝;这里是说,木星的运转和对尘世的影响能力都是来自上帝。"烟气"是指贪

图世间财物、损害人间正义的腐败的罗马教廷,它甚至把木星的良好影响(“光芒”)也“遮掩”了。

㊻这里的“他”指前句中的“智能”即上帝。“再一次”是针对耶稣为洁净圣殿而“第一次”发怒,将商贩赶出圣殿而言,事见《新约》的《马太福音》第二十一章第十二至十三句:“跟着耶稣进入圣殿,把里面贩卖的商人和顾客全部赶出去……耶稣疾言厉色斥责他们说:‘圣经上记着:我的殿是祷告的地方。但你们竟把它变成了贼窝!’”《路加福音》第十九章第四十五至四十六句、《约翰福音》第二章第十四至十六句也有类似的记载。关于圣殿为上帝所造,特别是“圣迹”一词的来源,盖均出自《圣经》:《新约·马太福音》第十六章第十八句中耶稣对彼得说:“我告诉你,你要叫做‘彼得’,一块坚石。我要在这石上建立我的教会……”《旧约·但以理书》第六章第二十七句中说:上帝“在天上地下行神迹奇事”;《新约·使徒行传》第二章第四十三句中说:“大家都满心敬畏上帝,使徒又行了很多神迹奇事。”诗中的“圣迹”(segni)一词,在《圣经》中总是用作“神迹奇事”的。

㊼“上天的战士”指享天福者。

㊽“恶劣的范例”指腐败的教皇。

㊾“面包”指上帝赐予信徒的精神食粮,亦即指圣餐(Eucarestia);诗中的含义可能是指:教皇根据政治原因,不分青红皂白地把信徒革除教门。帕罗迪曾认为,这里是指1317年,教皇约翰二十二世曾将但丁的恩人坎格兰德·德拉·斯卡拉革除教门,萨佩纽和波斯科-雷吉奥两注释本都认为,这种假设不是没有根据的。

㊿萨佩纽和波斯科-雷吉奥两注释本都认为,此处的“你”是指教皇约翰二十二世,但对诗中“为了抹掉才书写”一句,又有不同看法:萨本认为是指约翰二十二世轻易把人革除教门,随后又为了牟取钱财而收回成命;波-雷本则认为,这在历史上是“不真实”的,肯定无疑的是教皇往往把前任教皇赐予别人的教会财产又收回和废除,没收本应归给教会的收益,宣布地方选举的主教和修道院院长无效,等等,而这些推测又是萨本所否认的。

51“葡萄园”象征教会。圣彼得和圣保罗都为教会而殉道。

52“愿意孤独生活的人”指施洗者约翰,亦即圣约翰,《新约·路加福音》第一章第八十句说:“那孩子(圣约翰)渐渐长大,身心强健;在他公开露面,向以色列人传道以前,一直住在荒野。”诗中说圣约翰“因那婆娑起舞而被拖去为道殉身”,是指圣约翰因为多次批评希律王娶其兄弟腓力之妻希罗底为王后,希律王对他怀恨在心,决心杀掉他,但畏于群众敬他为先知,不敢下手:在庆祝希律王的生日的宴会上,希罗底与腓力所生的美丽女儿莎乐美(Salomé)出来跳舞助兴,希律王借机应许她:“你无论要什么,我都给你”;莎乐美在希罗底指使下,声称:“请把施洗的约翰的头,放在盘里送给我”,希律王于是命人把已被囚在狱中的圣约翰的头砍下,放到盘里送给莎乐美。事见《新约》的《马太福音》第十四章第一至十二句和《马可福音》第六章第十七至二十八句。这里影射圣约翰的头,似乎还有更深一层的含义,亦即圣约翰系佛罗伦萨的守护神,其头像是印在佛市金币弗洛林上的,这就揭露教皇只图金钱的贪婪嘴脸。

㊼“波罗”(Polo)即保罗(Paolo),这不仅是“保罗”的俗称,而且还可能是但丁有意模仿约翰二十二世的法国口音写出的,因而除原有的讽刺语调外,还有轻视的贬义。“打渔之人”指圣彼得,同样也有蔑视圣徒所从事的卑微职业之意。

第十九首

鹰(1—21)
但丁的疑问(22—39)
上帝的正义(40—99)
得救之说(100—114)
恶劣的基督教君主(115—148)

鹰

那美丽的形象出现在我的面前,张开双翼[1],
构成它的是相聚一起的灵魂,它们欢乐无比,
沉醉在甜蜜的享受里:
每个灵魂都像是红宝石一粒,
太阳的光辉在其中烧得如此火红,
竟至把那太阳也反映在我的眼里。
我如今应当加以描述的那情景,
从不曾用言语来叙说,也不曾用墨水来写明,
同样也从不曾被人凭想象来弄清;
因为我眼见、并且耳闻那鸟喙在讲话,在发出声音,
它说的是“我”和“我的”,
而它的概念则是“我们”和“我们的”[2]。

那美丽的形象出现在我的面前，张开双翼，构成它的是相聚一起的灵魂，它们欢乐无比，沉醉在甜蜜的享受里。（第十九首第1—3行）

这时，它开言道："为了主持正义和广施慈悲，
我在这里被提升到这样光荣的地位：
那光荣不会让欲念超越其项背[3]；
我在尘世留下对我的记忆是如此美好，
甚至连那里的恶人也对它口碑载道，
但是，他们却不遵循历史的训教[4]。"
正如从许多火炭中使人只感到一种热气，
同样，从许多仁爱构成的那个形象里，
也只有一种声音响起[5]。

但丁的疑问

于是，我随后说道："哦，永恒欢乐的永不凋谢的鲜花[6]，
你们的全部芬芳
却令我觉得仿佛只有一种馨香[7]，
请用你们的香气来解决我那严重的断炊绝粮，
这曾使我长期忍受辘辘饥肠，
因为在世间找不到任何饭食来填饱肚囊[8]。
我很清楚，倘若神的正义
映照在天上另一个境界里[9]，
你们的境界也能体现它而毫无隐蔽。
你们知道我是多么聚精会神地准备听取；
你们也知道那是怎样的质疑：
它曾令我这么多年挨饿忍饥[10]。"
几乎像是离开鹰袋的猎鹰[11]，
抖动脑袋，并得意地把双翅拍动，
显示高飞的意愿，抖擞精神，
我所见的那符号也是这样举动[12]，
它是由对神恩的赞颂者装点而成[13]，
只有天上的享用者才知，这些赞颂者唱出怎样的歌声。

上帝的正义

接着,它开言道:“那位转动圆规,划出世界的界限[14],
在这世界里面,又把隐晦的和明显的
许多东西加以分辨,
他不能把他的很多威力都施加在整个宇宙之上,
为的是使他的语言不致
无限度地超出造物的容量。
这便证明:那第一个狂傲者[15],
尽管是驾凌在一切造物之上,
却因为不肯等待神光照耀,未臻成熟便先堕落[16];
从这里可以看出:任何一个较小的自然之物[17],
对那至善都是容量很小的器皿,
而那至善则是无穷无尽,由它自身来把自身的度量确定[18]。
因此,你们的眼光就必然
是那智能的光线中的一条,
万物都受到那智能的充分照耀[19];
你们的眼光,在本性上,无法有强大的力量
把它所见的原理辨明,
远远超出它所能看清的那个情景[20]。
因此,你们的世界所接受的那种眼力[21],
投入那永恒的正义,
就好似眼望海里,
虽然从岸边可以望见海底,
但在大海上则无法看到;然而,它却仍在那里,
只不过是海水的深度把它掩蔽。
那不是光明,除非它是来自永不阴霾密布的晴空[22];
相反,那是黑暗[23],
或者是肉体的阴影,再或是肉体的毒鸩。
如今,那暗室已向你大开门扉,
它曾向你隐藏那永生的正义[24],

正是对这正义你屡屡提出问题;
因为你曾说过:‘一个人生在印度河岸[25],
那里无人谈论基督,
既无人教导经文,也无人把教理来著述;
从人类理性的角度来观看,
他的全部意愿和行为皆属良善,
无论在言语上还是行动上,都无罪愆[26]。
他既未受洗、又无信仰而死去:
若是把他惩罚,这可算是正义?
倘若他不相信什么,是否也算是他的罪过?’
那么,你究竟是谁?竟想坐到高椅上充当法官,
用巴掌大小的短见,
来对千里之遥的事物作出判断[27]!
当然,倘若在你们的上方没有《圣经》[28],
那费尽心思探讨我的人
就会感到诧异,产生疑问。
哦,尘世的动物!哦,愚钝的心灵!
那首要的意志本身就是善心,
它永远不会离开作为至善的它自身[29]。
只要与它相符,那就是正义:
任何被创造出的善,都不能把它吸引到自己身边,
而是它在普照万物的同时,造成善[30]。”
犹如母鹳为小鹳喂罢了食,
在窝巢上不住旋转,
也像那喂饱食的小鹳把母鹳亲切观看;
那幸福形象的动作也正是这样[31],
我也扬眉抬眼,把那形象注目观望,
它在众多意愿的推动下,扇动翅膀[32]。
它一边旋转,一边歌唱,
并且说道:“正像我对你唱出的曲调你不能领悟,

同样,那永恒的判断也非你们这些凡人所能理解清楚[33]。”

得救之说

随后,那圣灵的闪亮火光静止下来[34],
但那火光依然闪烁在那符号之中[35],
那符号曾使罗马人赢得世人的无限崇敬[36],
这时,它又开口说道:“凡是不信仰基督的人,
都永远不能升入这个仙境[37],
不论是在他被钉上那木架之前,还是在这之后,都一概不能[38]。
但是,你看:许多人都在高呼,‘基督啊,基督!’
他们在审判时,将会比某个不认识基督的人[39]
距离基督更加远甚;
为这些基督教徒判刑的将是埃塞俄比亚人[40],
这时,他们将分成两群:
一群将是永远富有,另一群将是永远赤贫[41]。
波斯人在看到那掀开的天书时[42],
会对你们的国王讲些什么?
既然在其中写下他们的全部鄙劣举措!

恶劣的基督教君主

在那里,人们将看到,在阿尔贝托的行径当中[43],
有那不久将驱动神笔直书的行径,
因为他将把布拉格王国变成荒漠无人。
在那里,人们将看到,那个将被野猪一撞而死的人[44]
给塞纳河上带来的伤痛,
因为他以假币充真。
在那里,人们将看到,那称王称霸的饥渴,
使苏格兰人和英吉利人变得狂妄无比[45],
他们竟不能容忍留在自己的属地。
可以看一看西班牙的那位和波希米亚的那位[46],

他们荒淫无度，生活萎靡，
他们从不了解何谓英勇，也不愿得此美誉。
可以看一看耶路撒冷的那个跛子[47]，
他的善行可用一个 I 来说明，
而相反的东西则将用一个 M 来表示[48]。
可以看一看管理那座火岛的那位[49]，
他既贪得无厌，又怯懦可鄙，
正是在那岛上，安奇塞斯结束他的长寿而西归[50]；
而为了令人理解他是多么无足轻重，
将用简短的字句来把他描述，
这些简短的字句将会在很小的篇幅里说明很多内容。
每个人并将看到他的叔父和兄弟的卑劣行径[51]，
这行径曾玷污如此尊贵的家族
以及王冠两顶。
在那里，还将了解到葡萄牙和挪威的那位[52]，
另有拉夏的那位[53]，
他曾居心不良地看过如何制造威尼斯银币。
哦，幸福的匈牙利，倘若它不再让自身受到欺凌[54]！
幸福的纳瓦拉，倘若它能用环绕它的山岭[55]
来武装它自身！
每个人都该相信，过去曾有例在先，
尼科西亚和法马哥斯塔[56]
就曾因为它们的野兽而呻吟和呐喊，
而那头野兽则寸步不离其他野兽的身边[57]。”

注释

①“美丽的形象”指鹰。

②这里是说，鹰的形象虽是无数享天福者的光芒所拼成，但它发出的声音，却是只有一个，因此，即如诗中所说，它所说的“我”，即等于“我们”，“我的”即等于“我们的”：诗句的含义似是指：“正义”无论何时何地，也无论是尘间的哪一个人来实施它，它则只有一个，正如上帝的意

志也只有一个一样。

③诗句说明:正义与慈悲(或仁爱)二者在上帝身上是紧密相连的,同样,来自上帝的尘世权威,亦即君主,也必须具备这两个基本条件;但丁在《书信集》第五章第七句段和《帝制论》第一卷第十一节第十三至十四句段中就曾说,“他(凯撒)的庄严崇高正来自慈悲的泉源”。天堂中的“光荣”是至高无上,是任何尘世欲念所不能超越的,因此,这段三行韵诗意在说明:享天福者从在天堂所处的“光荣地位”中得到最大的满足,他们满足于各自所处的层次,没有更大的欲念。

④这里是说,鹰作为“正义”的象征,而“正义”在尘世是由贤君来加以实施的,在他们的善行中,也便反映了上帝的“正义”;但是,世上的“恶人”虽也不得不承认“正义”,却不愿模仿贤君实施“正义”的范例(“不遵循历史的训教”)。

⑤“许多仁爱”是指胸怀炽热的仁爱之情的许多享天福者的精灵,因此,诗句用生活中的燃烧的“火炭”发出“热气”来做比喻,这种实例类比是既生动又贴切的。

⑥这里又用“鲜花”来比喻享天福者:因为他们是享有“永恒欢乐”的,又是“永不凋谢”的,亦即不像世间的“鲜花”那样容易凋谢的。

⑦这里用无数“鲜花”散发出一种“馨香”来代指无数精灵拼成的鹰发出一个“声音”。

⑧这里用“断炊绝粮”来形容但丁的求知欲,渴望享天福者用“香气”亦即“饭食”和“解释”来满足他的欲望,解决他的疑问,消除他的“辘辘饥肠”。

⑨“天上另一个境界”是指贯彻上帝正义裁决的三品天使德乐尼(参见本篇第八首注⑬和注㊺、第九首第61句及注㉛);诗句是说,上帝的“正义”,通过德乐尼来实施,然后又由德乐尼把“正义”反映到各重天体(因而也包括木星天)的各精灵身上,而且特别是通过木星天的影响,“正义”才能体现到尘世。但也有人认为三品天使德乐尼是主管土星天(Saturno)的,因此,推断诗句所说的“另一个境界”是指土星天,或是指主管土星天的天使、智慧之神亦即德乐尼;至于诗中的“你们的境界”,则不仅是指木星天上的精灵,而且还是指各重天体的精灵。持上述看法的是萨佩纽注释本;波斯科-雷吉奥注释本则对此看法有保留,因为:对尘世施加“正义”影响的是木星天(见本篇第十八首第115—117句),土星天尽管是由德乐尼主管的,但它对尘世的影响是“静修生活”(vita contemplativa),这就与本首所涉及的主题和但丁的疑问不相符了;同样的道理:所涉及的精灵不是指全体,而是仅限于木星天的精灵。

⑩这里再次用“挨饿忍饥”来比喻但丁求知欲的强烈。

⑪诗句又用“猎鹰”作比:“鹰袋”是指鹰猎者为猎鹰缝制的皮袋,扣在猎鹰头上,遮住其视线,把它带到狩猎地点,俟开始狩猎,便把“鹰袋”取下,让猎鹰展翅飞翔,去捕捉猎物。诗句细腻而生动地描绘猎鹰被取下鹰袋后的动作和状态,其中“得意地把双翅拍动”一句,原文是 con l' ali si plaude,此用法既见于奥维德的《变形记》(第八章和第十四章),又见于贺拉斯的诗作:前者用 plaudere pennis,即“拍动翅膀”,后者用 sibi plaudere,即“得意”;近代注释家文图里认为,诗句可能兼备上述两种含义,即描述猎鹰在被摘下鹰袋后的喜悦心情。

⑫“符号”即指鹰,这里似有象征皇帝的徽旗图像之意。

⑬“对神恩的赞颂者”指享天福者精灵。

⑭“那位”指上帝。这里用典出自《旧约》的《箴言》第八章第二十七至二十九句(“主建立高天的时候,我已经在场。主在深渊上面划出苍穹,铺盖云层,固定深渊的泉源,划定沧海的界限,使它不得侵越陆地……”)和《约伯记》第三十八章第五、六句(“你可知道大地的大小是哪一个决定的?是哪一个准确地量度的?你知否它的根基是用什么东西支撑的?……”)。“隐晦的和明显的许多东西”是指可以理解的和不可理解的许多东西。“威力”是指上帝的造物能力。“语言”是指上帝的构思,诗中用小写 verbo,但其含义与象征“圣子”的大写 Verbo 是相同的,因为上帝是在注视圣子的同时造物,即是说,在圣子身上,有一切造物的构思与原型:《新约·约翰福音》第一章第一至三句就说:“未有万物之先就已经有了基督,他在太初的时候,就已经与上帝同在,他就是上帝。宇宙万物都是藉着他造的,并没有一样是例外。”诗中的含义可能有两层:其一,上帝的威力是无穷大的,非他所创造的智慧的限度所能及;其二,其造物的构思不能“总是无限度地超出”上帝所创造的世界所能容纳的限度。

⑮“第一个狂傲者”指先是最美丽的天使、后因蔑视上帝而被打入地狱的卢齐菲罗(参见《地狱篇》第三十一首和第三十四首及有关注释)。

⑯这里是说,卢齐菲罗虽是一切造物中最优胜的(“驾凌在一切造物之上”),却因为急不可待,不想获得上帝的恩泽(“神光照耀”),从而使自身臻于完美(“未臻成熟”),便像未熟的果实(原文用形容词 acerbo,即青而酸的果实)那样,从天界“堕落”下来。

⑰“较小的自然之物”即指其他造物。

⑱诗句的意思是:其他造物都不如卢齐菲罗,更是如同很小的容器,无法接受无穷尽的上帝的善,只能由上帝自身来调节赐予的程度大小。

⑲这里是说,世人的见解(“眼光”)只不过是神的“智能”所放射的光芒中的一条,而神的这些光芒是普照万物的。

⑳“原理”指上帝或上帝的真正面貌;由于世人的智力和见解力量有限,无法看到上帝的全部,而只能看到自身的感官所限定的一些方面。

㉑“你们的世界”指尘世,它从上帝那里“接受”观察事物的“眼力”。“永恒的正义”指上帝的正义。诗句是说,世人用从上帝那里获得的智力(“眼力”)来观察和理解上帝的正义,就像眺望大海一样:尽管在海岸上可以望见海底,但在航行到大海上时,则无法看到,因为“海水的深度”使世人的眼睛无法看到海底,尽管海底客观上仍然存在。

㉒“晴空”指上帝。“光明”是指使人类能认识真理的光芒。

㉓“黑暗”指其他虚假的“光明”,如愚昧;“肉体的阴影”指感官错误所造成的认识不清;“肉体的毒鸩”指如同毒药的严重错误。

㉔“暗室”的原文是 latebra,指隐蔽处,这里是用来象征上帝的正义的深度,是世人的“肉眼”所无法看透的。“大开门扉”指鹰向但丁所作的解释,已足以使但丁理解上帝的正义(“永生的

正义”)的深奥道理了。

㉕“印度河岸”是泛指东方,即是指一个耶稣的言语从不能渗入的极其遥远的国度,尽管诗句使用了具体专名词“印度河”Indo。

㉖这里用了《圣经》上的一个典故,即《新约·路加福音》第二十四章第十九句的“说话行事”(“无论在言语上还是行动上”),原句是:“这个人(指“拿撒勒人耶稣”)本来是个先知,在上帝和群众面前,说话行事都满有能力。”

㉗从这段三行韵诗的语调来看,鹰对但丁的想法是很不以为然的,因而语气十分尖刻,此又是出自《圣经》的一个典故:《新约·罗马书》第九章第二十句说:“你这个人是谁啊?竟敢批评上帝!”《旧约·约伯记》第三十八章第一至二句说:“那时,主从旋风中回答约伯说:‘你为什么用自己的无知来否定我的意旨呢?’”

㉘这里的意思是:倘若没有《圣经》作为你们的指路明灯;“我”是指象征“正义”的鹰,因此,诗句所说的“费尽心思探讨”的对象,即是“正义”。但丁在《帝制论》第二卷第七节第四至五句段中曾阐述过这方面的思想:“有一些神的看法,人的理性虽然不能依靠自己的手段来加以理解,然而却能依靠信仰的帮助来提高自己,理解这些问题,而这些问题是《圣经》里曾向我们提出的;例如这个问题:不论是谁,尽管在道德和智力上是如何完美,而且从习惯和行动上都可以这样看,没有信仰则不能自我拯救,虽然他从未听到别人谈过基督。确实,人的理性不能自行理解这是正确的,然而依靠信仰的帮助,就能做到这一点:因而《希伯来书》(第十一章第六句)便写道:‘人没有信仰,就不能得到上帝的喜悦。’”

㉙“首要的意志”指上帝的意志。此段的简单含义就是:上帝就是至善,因此,他在行动上也只能行善。

㉚这里的“它”仍指上段的“首要的意志”,亦即指上帝。但丁在《帝制论》第二卷第二节第五句段中的有关论述,有助于更好地理解本段三行韵诗的含义:“在万物当中,正直不是别的,而正是与神的意志相同的东西;因此,凡与神的意志不相符的,就不能是正直,相反,凡与之相符的,其本身就是正直。”但丁的上述论点可能来自《新约》的《罗马书》第九章第十四至三十二句和《腓立比书》第二章第十三句,后者说:“因为你们立志行善事,都是上帝在你们心中感动你们,帮助你们服从他,成就他美好的旨意。”

㉛“幸福的形象”指鹰。这里是紧接上段用母鹳喂小鹳食为例,说明鹰向但丁作完上述解释,感到心满意足,欢喜地转来转去。

㉜“众多意愿”指组成鹰的形象的享天福者精灵,因为他们的意愿是相互一致的,都乐于解答但丁的疑问。

㉝“永恒的判断”指上帝的旨意。这里用典出于《圣经》的《智慧篇》第九章第十三句:“哪一种人能了解上帝的意图呢?或者说,又有谁能想到主究竟要的是什么呢?”

㉞“圣灵的闪亮火光”指神的仁爱火光,亦即享天福者的魂灵身上发出的神的仁爱火光。

㉟“符号”仍指鹰,也有象征君主、帝国的徽号之意。

㊱“罗马人”在这里象征赢得世人尊敬的罗马帝国。

㊲这里的“仙境”即是指天国。

㊳“他”指耶稣,“木架”指十字架。

㊴“审判”指最后的审判。这里几乎是逐字逐句地借用《圣经》里的话:《新约·马太福音》第七章第二十一句说:“并不是所有称呼我说‘主啊,主啊’的人都能进入天国”;同书第八章第十一至十二句也说:“将来有许多从东方、西方来的外族人,在天国里和亚伯拉罕、以撒、雅各一同欢宴。那些本来应该承受天国的以色列人,反而被驱逐出去,在黑暗中切齿痛哭”;同书第十二章第四十一句还说:“在审判的时候,尼尼微城的人要起来控告这罪恶充斥的世代。”

㊵“埃塞俄比亚人”是指非信徒,他们尽管不了解基督,但这并非他们之过;他们为人正直诚实,胜过某些虚假的基督教徒,比这些基督教徒更贴近基督,因而有权严厉谴责这些基督教徒。

㊶这里用典出自《新约·马太福音》第二十七章第三十一至四十六句,其中述及上帝在最后审判日要把“义和不义的人分出来”,义人在右,不义的人在左,“这些不义的人要受永远的刑罚;而那些义人却要得到永远的生命”。诗中的“永远富有”系指永享天国之福,“永远赤贫”则指不能进入天国。

㊷“波斯人”同样也是指非教徒。“掀开的天书”指正义的书册,其中记录了下面列举的各君主的劣迹恶行:此典见于《新约·启示录》第二十章第十二句:在最后审判日,“所有死了的人,不论尊卑老少,都站在宝座前面。那里有许多本打开了的‘册子’,跟着又打开另一册,就是‘生命册’。各人都要按着‘册子’上他行为的记录受审”。

㊸从本段三行韵诗起,一连九段(共二十七句),但丁用了“藏头诗”(acrostico)的笔法,列举了一系列违背基督教义、为非作歹的帝王的事例。每三段为一组:第一组,即从第115到第123句,其中每三句的首句开头均用“在那里”,原文为 Lí;第二组,即从124至132句,其中每三句的首句开头均用“可以看一看”(Vedrasi);第三组,即从133至141句,其中每三句的首句开头均用一个连词 e 或 E;前两组首句第一个字母分别为 L 和 V,与第三组的首句连词合在一处,恰好拼成 LVE 一词,而由于中世纪的 V 即是后来的 U 的写法,因而,该词即是 LUE,其意等于 peste,本意为“鼠疫”或“瘟疫”,转意为“灾星”或“害人虫”,三段合在一起的含义即是谴责这些“昏君”为“灾星”或“害人虫”。中译文无法体现上述连词,只能用“而”、“并”、“还”三个虚词来代替。“在那里”是指第112句的“掀开的天书”里。

阿尔贝托(Alberto)指奥地利哈布斯堡王朝(Asburgo)皇帝(参见《炼狱篇》第六首第97句及有关注释)。诗中所指他的罪行(记录在“天书”里)是:他曾于1304年在其妻弟文塞斯劳四世(Venceslao IV)的波希米亚王国,而该王国的首都即是布拉格;阿尔贝托正像诗中所说,将该王国摧毁,使之变成“荒漠无人”。诗中之所以用“不久”,是因为鹰与但丁讲话的时候是1300年,而阿尔贝托侵占波希米亚是在四年后的1304年。波斯科-雷吉奥注释本认为,诗中也反映了但丁对帝国与个别君主之间关系的看法:即帝国权力掌握在皇帝手中,并不意味着皇帝能统揽大权,因为各王国的君主,包括如佛罗伦萨的市政领导在内,都是独立自主的，尽管在名义上属于帝国管辖之内，因此，但丁认为，皇帝侵犯属下臣民的权力是严重罪过，同样，属下臣民违背和不服从皇帝权威也是如此，在《炼狱篇》第七首第 101—102 句中，但丁就曾谴责了文塞斯劳四世。

㊹这个"将被野猪一撞而死"的人指法王"美男子"腓力四世(参见《地狱篇》第十九首和《炼狱篇》第七首及有关注释)。"塞纳河"这里是代指法国。维拉尼在《编年史》第九章曾有这样的记载："1314 年 11 月，法国国王腓力当时已在位二十九年，不幸身亡，因为他正在狩猎，一头野猪穿进他所乘骑的马的四腿中间，从而把他撞落，不久即逝。"但丁对法王腓力四世特别反感，在《神曲》中曾多次不提名地谴责他，在本首中算是谴责最为严厉的一次。关于"假币充真"一事，系指腓力四世为筹募军款，发动侵略弗朗德勒的战争，制造降低实际价值的伪币，用以坑害国人，维拉尼在《编年史》第八章对此有叙述，但波斯科-雷吉奥注释本认为，此事可能与史实有出入。

㊺这里所提的"苏格兰人"(Scotto)和"英吉利人"(Inghilese)究竟指谁，很难定夺：萨佩纽注释本认为是指 1314 年任苏格兰王的罗勃·布鲁斯(Roberto Bruce，1274—1329)和英国国王爱德华二世(Edoardo II，1307—1327)，后者曾被苏格兰和法国战败而逊位，并被残害；萨本的看法代表大多数近代注释家的意见。但也有人认为是指英王爱德华一世(1272—1307)，因为他曾与苏格兰争夺，一直到死，但他一直被视为"贤君"，但丁也在《炼狱篇》第七首第 132 句中颂扬他是软弱无能的亨利三世的英勇儿子，与本首的内容不符，波斯科-雷吉奥注释本据此认为，这里只是笼统地谴责英、苏两国的君主有侵吞他国的野心，而不安于待在本国境内。

㊻这里的"西班牙的那位"可能是指卡斯蒂利亚国王菲迪南四世(Ferdinando IV，1286—1312)，他于 1295 年父死后继位，在位仅九年，最初是由其母摄政。他曾从阿拉伯人手中夺占直布罗陀海峡。他生前作恶多端，曾处死卡尔瓦哈尔(Carvajal)兄弟，而他们在临刑前，曾诅咒菲迪南四世为"被传讯者"(El Emplazado)，意谓"被传讯到上帝面前受审"，事有凑巧，在他处死卡尔瓦哈尔兄弟后不到三十天，他即死去。但也有人推测，这里是指卡斯蒂利亚王阿尔封索十世(Alfonso X)，波斯科-雷吉奥注释本认为，他是以"贤君"(El Sabio)著称，故此说不确。

"波希米亚的那位"是指波希米亚王文塞斯劳四世，参见注㊸。

㊼"耶路撒冷的跛子"系指安茹的查理二世(参见《炼狱篇》第七首及有关注释)，因他生理上的缺陷，故诗中称他为 Ciotto，即"跛子"；之所以提及"耶路撒冷"，是因为他与其父安茹的查理一世都有"耶路撒冷之王"的荣誉称号，诗句的语气显然带有蔑视和揶揄的意味。

㊽诗中有意用字母 I 代表"一"来形容安茹的查理二世的"善行"(亦即"善行"之微乎其微)；用字母 M 代表"一千"来形容他的恶行(亦即"恶行"之不可胜数)。近代注释家基门兹还尖锐地指出，I 和 M 正是"耶路撒冷"(Ierusalemme)一词的一前一后的字母：M 的字母发音正是 emme，可见但丁有意以此来讽刺安茹的查理二世的"耶路撒冷之王"的"美称"。

㊾"火岛"是指火山之岛，即是指西西里；"那位"是指腓特烈·德·阿拉贡二世(Federico II d'Aragona，1272—1337)，他于 1291 年为摄政王，1296 年任西西里国王，1303 年卡尔塔贝洛塔

(Caltabellotta)和约后,被最后定为“特里纳克里亚”(Trinacria)国王。但丁对他一直持否定态度,参见《炼狱篇》第七首第 119—120 句及有关注释。

㊿安奇塞斯(参见《地狱篇》第一首及有关注释),系埃涅阿斯之父;特洛伊城陷后,埃涅阿斯携他及妻儿逃出,辗转来到意大利,安奇塞斯则终老于西西里,维吉尔《埃涅阿斯记》第三章对此有叙述。

51诗中的叔父一词,用的是北部方言 barba,有贬义,这里是指马尧尔卡(Maiorca)国王贾科摩(Giacomo,1262—1311),他是腓特烈二世之父彼特罗·德·阿拉贡三世(Pietro III d'Aragona)的兄弟,因而是腓特烈二世之叔。“兄弟”是指腓特烈二世之弟、西西里王贾科摩二世,他在其兄阿尔封索三世(Alfonso III)死后又兼任阿拉贡国王。诗中所说的“王冠两顶”即是指马尧尔卡和阿拉贡两国的王冠。“玷污”一词,原文为 bozzo,该词出自“喜剧”语言,本意是指戴绿帽子的丈夫,因而也有贬义。

52葡萄牙的“那位”是指葡萄牙国王狄奥尼西奥(Dionisio,1261—1325),绰号“农夫”或“劳动者”(l'Agricola);挪威的“那位”指挪威国王阿科尼五世(Acone V,1299—1319)。但丁可能对此二人了解并不太多,因而诗中虽把他列入恶劣的君主之内,对他们的揭露则较轻也较含糊。据说,葡萄牙国王狄奥尼西奥颇有文化修养,喜作诗,曾模仿习作传统游吟诗人的作品;但据《最佳评注》称,他为人贪婪,他“把一切奉献出来,就是为了索取”,生活作风类如商贾。

53“拉夏”(Rascia)大致相当于今日的南斯拉夫;“那位”是指塞尔维亚、克罗地亚、达尔马提亚国王斯特潘·乌罗什(Stefano Uroš,1282—1321),据说,他曾用自己命人以合金金属制造的伪币来代替在巴尔干半岛乃至地中海全部地区通用的威尼斯纯银币:1382 年威尼斯最高政务会(Maggior Cosiglio)曾颁布一项法令,命令税务官寻找和销毁拉夏地区制造的伪币;另,1305 年,波洛尼亚曾审理一桩案件,控诉货币兑换商把拉夏硬币输入该市,此二例似可证明确有此事。

54对此句的解释,萨佩纽和波斯科-雷吉奥两注释本大相径庭:萨本认为,这里是说,匈牙利若能自我捍卫,摆脱法国王室的欺凌,因为自 1301 年起,匈牙利就受查理·马尔泰洛之子安茹的查理·罗贝托(参见本篇第八首第 31、51 句及注⑩和⑲)的统治;波-雷本虽也把匈牙利归法国统治追溯到 1301 年,指出诗中用意是揭露匈牙利过去历代帝王的劣政,而 1300 年尚活在人世的是安德烈三世(Andrea III),他于 1290 年至 1301 年恰好在位,1301 年至 1342 年匈牙利就由查理·马尔泰洛之子查理·罗贝托任国王了,但它认为,查理·罗贝托是“贤君”,治理匈牙利颇有政绩,担任匈牙利国王也是名正言顺的,这一切也都是但丁本人承认的,因此,它不同意萨本的说法,认为不可把匈牙利的例子与下面提及的纳瓦拉的例子相提并论,诗中的意思只是表示一种“祝愿”,也是对查理·罗贝托的“间接赞美”。

55纳瓦拉(Navarra)相当于今天西班牙的同名省份。波斯科-雷吉奥注释本认为,这里不是谴责纳瓦拉过去的历代君主,而是预先揭露未来的君主的恶行,因为过去代表香槟王朝(Champagne)的最后一人是乔瓦娜一世(Giovanna I),她嫁给法王美男子腓力四世,在位二十九年

(1274—1305),是为该王朝的盛世;她死后,纳瓦拉即归法国王室统管,继位的则是她与腓力四世所生的儿子路易十世。这里的“山岭”指比利牛斯山,为纳瓦拉的北部屏障。

㊻尼科西亚(古写法为 Niccosia)和法马哥斯塔(Famagosta)为塞浦路斯岛的两大城市,这里用来象征塞浦路斯。“野兽”系指统治该岛的法国王室的亨利·迪·卢西尼安二世(Arrigo II di Lusignano),他于 1285 年至 1324 年任塞浦路斯国王。

㊼此句的含义是亨利·迪·卢西尼安二世与上述法国君主别无二致。

第二十首

正义的精灵（1—15）
鹰之眼（16—78）
里菲俄斯与特拉亚诺（79—129）
天命（130—148）

正义的精灵

那个普照世界之物[1]
正从我们的半球低低降落，
四处的白昼也随之渐渐消磨，
这时，原来只是靠它才点亮的苍天，
则在许多光辉照耀下，立即面目再现，
而又只有一个把光芒反射在这些光辉里面[2]；
天空的这种变化此刻也令我想起，
因为那世界及其元首的标记[3]，
把它那幸福的鸟喙紧闭不语；
因此，所有那些晶莹闪烁的光芒，
变得更加明亮，它们开始歌唱，
但那歌曲从我的记忆中瞬息即逝，未能久长[4]。
哦，温馨的爱啊，你为自己披上微笑的衣裳[5]，

所有那些晶莹闪烁的光芒，变得更加明亮，它们开始歌唱，但那歌曲从我的记忆中瞬息即逝，未能久长。（第二十首第10—12行）

你在那笛子里显得多么热情奔放，
而只有神圣的思想才会把那笛子吹响[6]！

鹰之眼

那颗颗珍贵而璀璨的宝石
使那天使的歌声戛然停止，
而我正是从那些宝石身上，看到那第六个光辉晶莹闪亮[7]，
在这之后，我仿佛听到河水的汩汩声，
它从一块块岩石上流下，清晰可闻，
显示出水源充足在那高高的山顶[8]。
犹如在齐特拉琴的颈部发出琴音[9]，
也如在风笛的小孔，
阵风送入，吹出笛声，
同样，那鹰的喃喃低语
也打断了拖延久等，
立即顺着那似乎透空的脖颈，提高嗓音[10]。
正是在那里，形成了人声[11]，
随即以言语的形式，从它的喙中发出，
这些言语正是我的心灵所期待，我便把它们牢记心中[12]。
它向我开言道，“我身上的那个部分，
是尘世的鹰用来观望太阳和承受阳光照耀的器官[13]，
现在你要把它仔细地看清，
因为在构成我的形象的那些火光当中，
有一些是使我头上的眼睛闪闪发亮的火光[14]，
它们驾凌在所有这些火光的等级之上[15]。
在中间作为眼珠而发光的那位，
是圣灵的歌者[16]，
他曾从一个城市到另一个城市，运送约柜：
如今，他得识他的歌颂的功绩[17]，
因为他获得与功绩相等的奖励，

这也是他的意志取得的效益[18]。
有五位把我环绕，作为睫毛，
其中一位最靠近我的喙，
他曾为那寡妇之子而给她以安慰[19]：
如今，他得识不遵从基督
要付出多么昂贵的代价，
因为他亲身体验这甜蜜的生活，和与此相反的折磨[20]。
在我所说的那个圆周中的下一位，
他位于弧形的上端[21]，
由于真正的悔罪，曾把死亡拖延[22]：
如今，他得识永恒的裁判不会改变[23]，
即使尘世所做的诚心祷告
把今日变为明天[24]。
再下一位曾成为希腊人，连同法律和我[25]，
因为他把大权让与牧者，
用心虽好，却结下恶果：
如今，他得识从他的善行中产生的那恶事，
如何对他并未带来伤害，
尽管由此而被摧毁的则是世界[26]。
你从那向下倾斜的弧线中看到的那位，
是威廉，那片土地对他满怀痛惜[27]，
而对活着的查理和腓特烈则怨恨不已：
如今，他得识上天是多么钟爱明主贤君，
至今仍能使人看见
他那光辉灿烂的面容[28]。
在下面错误丛生的尘世中[29]，
有谁会相信：特洛伊人里菲俄斯[30]
竟是这圆圈里的第五道神圣光明？
如今，他得识有关神恩的许多事情，
而那有关神恩的事，全非世人所能看清，

尽管他的视力也不能辨出事情的根本[31]。”
犹如云雀翱翔在空中，
先是放声歌唱，随后又默不作声，
因为它满足于令它纵情欢唱的最后一曲甜美之音，
在我看来，那带有永恒欢乐的印迹的形象正是这般光景[32]，
依照那永恒欢乐的意愿，
每件东西都成为它应有的那种原形[33]。

里菲俄斯与特拉亚诺

虽然我的疑问依然未曾消除[34]，
我在那里，几乎像一块玻璃被疑问的色彩遮住[35]，
我不能容忍等待时间，沉默不语，
而是立即话从口出：“这些究竟是何物？”
正是那疑问的沉重分量推动我说出此语，
因为我看到这些精灵大放光芒，十分欢愉[36]。
随后，那幸福的符号用更加明亮的眼睛[37]
向我作了回答，
为的是不让我继续保持惊讶：
“我看出你相信这些事情，
因为它们是出自我口，但是，你却不明究竟；
因此，它们即使为你所信，却依然晦暗不明。
你的做法就像这样一种人：
他十分清楚这件东西的名称，
倘若别人不加指点，他就无法把那东西的实质看清[38]。
天国忍受来自热爱与强烈希望的暴力[39]，
而正是这暴力
把神的意志战胜；
但是，这暴力战胜它，并不像一人把另一人压倒，
而是因为神的意志本身愿意被战胜，
一旦被战胜，它还会用它的善心去战胜世人。

那睫毛的第一个魂灵和第五个魂灵[40]，
令你感到十分惊异，
102 因为你看到是由他们来装点天使的仙境[41]。
从他们的肉体脱胎而出的，并不像你所认为的，
是异教徒，而是基督教徒，他们坚信
105 那双脚将要、也已经遭受钉刑之苦的人[42]。
因为那一个从地狱重返白骨[43]，
在那里，他永不能把善意恢复[44]，
108 而这是对那强烈希望的偿付[45]；
正是那强烈希望把力量注入
在为让他起死回生而向上帝作出的祈祷之中，
111 这便使他的意愿也得以更动[46]。
现在所说的那个光荣的灵魂[47]
返回肉体，又在其中活了短短时辰，
114 他从此信仰那位能救助他的神灵[48]；
由于有了信仰，他胸中
燃起真正的爱的熊熊烈火，
117 这使他在第二次死亡之后有资格来享受这样的欢乐[49]。
那另一个魂灵曾蒙受涌自如此深邃的泉源的神恩[50]，
而从未有任何造物
120 能把眼光穿透那喷出首批浪花之处，
他在尘世，曾把他的全部的爱都献给正义；
因此，通过一再赐予的神恩，
123 上帝使他张开了眼睛，看到我们未来得救的可能：
他就此也便信仰救世，
从此不再忍受异教的臭气难闻；
126 他还谴责那些自甘堕落的人。
那三位贵妇早在实行洗礼的一千多年以前，
就曾为施洗而来到他的身前，
129 你曾看见她们立在那右轮一边[51]。

天命

哦,天命,你的根源
距离世人的视线是多么辽远!
那些视线对那首要原因的全部无法看见[52]。
你们这些凡夫俗子啊,你们在判断事物上务须谨慎;
因为我们虽能觐见上帝,
却还不能得知所有当选之人[53];
这样界定的局限却令我们感到温馨[54],
因为我们的善通过这种善会变得更加完善[55],
也因为上帝所愿也正是我们所愿。”
这样,那神的形象[56]
为了使我的短视变得明察秋毫,
便为我开了一剂甜美的良药。
正如一位好琴师为一位好歌手伴奏,
他把琴弦弹拨得丝丝入扣,
从而使歌手更加悦耳地一展歌喉,
以致我至今依然记得,在它讲话的同时,
我看到那两束幸福的光芒[57]
在配合着言语,闪动阵阵火光,
犹如双眼在一合一张。

注释

①“那个普照世界之物”指太阳。诗句是说,太阳西下,从北半球(“我们的半球”)转到南半球,白昼消逝,天空黑暗,但群星(“许多光辉”)在太阳落后,则又照亮了天空(“面目再现”),而群星的光亮却又是来自太阳的反射光芒。这里,有两点值得注意:一是诗中把鹰比作太阳,太阳落下,犹如鹰停止讲话,群星则比作享天福者的精灵,太阳当空,群星都不见,俟日落后群星才出来照亮天空,犹如享天福者在鹰讲话时都停止歌唱,俟鹰静默后才又唱起颂歌;二是依照中世纪哲学家和天文学家的一致看法,星体本身无光,其光芒只是来自阳光的反射,但丁在《筵席》第二卷第十三节第十五句段和第三卷第十二节第七句段中也指出:“所有其他星体都是摄取太阳的光芒的”,“太阳的光芒本身是可以感受到的,它早晚都在照亮一切天体

和物质”。

②“只有一个”即是指太阳,参见注①。

③“元首”指君主;“标记”指象征帝国(“世界”)及其君主的徽号即鹰。

④“光芒”指构成鹰的形象的众享天福者的精灵,因为鹰这时静默不语,他们便重又歌唱起来(参见注①);诗中说享天福者所唱的内容非但丁的记忆力所能牢记,这种写法也见于本篇第一首第5—9句和第十八首第8—12句。

⑤“温馨的爱”指从上帝反映到各精灵身上的那种炽热的仁爱。“披上微笑的衣裳”指各精灵身上发出的幸福光芒,类似的写法也曾在本篇第九首第70—71句中用过。

⑥“笛子”的原文为flailli,古代手抄本中有很多不同的写法,令人莫衷一是,但有两种解释较有说服力:一是认为此词来自古法文的flavel,相当于今意文的flauto(即“笛子”);一是认为此词来自古法文的flael,相当于今意文的fiaccola,即“火把”,在诗中则比作“光芒”。萨佩纽注释本遵循本维努托的说法,倾向于前一种解释,波斯科-雷吉奥注释本则对两种解释不置可否。第15句中有spirto一词,本意为“吹气”;根据上述两种不同解释,既可说成是“吹响”(指“笛子”),又可说成是“吹亮”(指“火把”)。

⑦“宝石”再次用来比喻享天福者的光芒,“第六个光辉”指第六个星球,即木星天。

⑧这里用水流的“汩汩声”形容鹰的喉咙发出声响,表明它又准备讲话,因而上段三行韵诗中说,众享天福者又停止歌唱。诗中的形象比喻可能借鉴《旧约·以西结书》第四十三章第二句:“我看见以色列上帝的荣光从东方而来,他的声音有如众水的澎湃声……”;《新约·启示录》第一章第十五句:“人子”耶稣的“声音则如瀑布的水声”,第十四章第二句:“我又听见有声音从天上传来,像百川澎湃”;维吉尔的《农事诗集》第一首第108—109句和《埃涅阿斯记》第十一章第269—299句中也有类似的写法。

⑨“齐特拉琴”(cetra),类似今天的吉他,状似梨,琴弦用金属制成,琴键在颈部,弹拨出声。

⑩这里细致描绘鹰在重新讲话前,喉咙里发出的声响;诗中写“脖颈”是“似乎透空”,意在说明:鹰的“脖颈”,与真正的动物的喉管一样,是中空的。

⑪“在那里”是指在喉咙里。

⑫这里是说,鹰二次所讲的话正是但丁渴望得知的。

⑬这里所说的“部分”即是指眼睛。

⑭“眼睛”一词在原文中未用复数,而是用单数occhio:亦即所谓“独眼”,因为这里描述的鹰是纹章中的鹰的形象,是侧面的,只能显示一只眼睛;同样,本首第85句也用了“眼睛”的单数。

⑮“火光”指构成鹰的形象的享天福者,而这里则是指形成鹰眼的享天福者,他们的等级是最高的(“驾凌在所有这些火光的等级之上”)。

⑯“圣灵的歌者”是指《圣经》中《诗篇》的作者即以色列王大卫;“从一个城市到另一个城市”是指大卫战胜非利士人后,把约柜从迦巴(Gabaon)运送到基色(Geth),又从基色运送到耶路撒冷,参见《旧约·撒母耳记下》第五章第二十五句和第六章第一、二句。

⑰从本句起,诗句连用六个“如今,他得识”(ora conosce),用以着重说明:每个精灵对上帝预先安排他的命运的理解程度。

⑱这里是说,大卫歌颂上帝固然功绩很大,因而得到与此相应的奖励,但大卫的歌颂毕竟是在上帝的启示下进行的,就此而言,歌颂本身并不是什么功绩,更重要的是大卫运用他的自由意志来歌颂上帝,这个功绩就是值得奖励了,因此,第 42 句的插出就显得十分必要。

⑲这里是说,有五位享天福者构成鹰眼上端的弧形睫毛,其中“最靠近”鹰嘴的是罗马皇帝、贤君特拉亚诺(参见《炼狱篇》第十首第 73—93 句):他曾为一个寡妇复仇,把杀害她的儿子的凶手绳之以法。在《炼狱篇》的有关章节中,特拉亚诺与大卫也是相继连用的。

⑳这里是说,特拉亚诺因为不信仰上帝,死后曾被送入地狱第一层中,后经教皇圣格雷高里奥的祈祷,才得以蒙受神恩赦免,并在天堂中享有天福,因此,诗中说他对地狱的“折磨”和天堂的“甜蜜生活”都有过“亲身体验”。

㉑这里的“圆周”仍指睫毛所形成的弧;“弧形的上端”指睫毛所形成的弧的上一部分。诗中的“下一位”是指犹大王亚哈斯(Achaz)之子希西家(Ezechia),他二十五岁登基,统治耶路撒冷达二十九年(参见《旧约·列王记下》第十八章第一、二句)。

㉒这里是说,希西家王病危,先知以赛亚来探视,希西家知上帝安排他即将死去,十分悲痛,求主能宽恕他,让他能再做一些令上帝喜欢的事,上帝感于他的忠心,命以赛亚医治他的病症,为他“加添十五年的寿命”,详见《旧约》的《列王记下》第二十章第一至十一句和《以赛亚书》第三十八章第一至二十二句。但《圣经》的有关记载,与诗中所说希西家的“真正的悔罪”,略有出入,因为希西家只是惋惜自己过早死去,并未做什么诚心诚意的忏悔,在他复原后,向上帝表示感谢和赞颂时才有这样的话:“你又慈爱地拯救我脱离死亡,你还赦免了我一切的罪。”

㉓“永恒的裁判”指上帝的裁判。诗中的含义是:上帝所作的判决永不会改变,即使尘世有人向他祈祷,因此,上帝固然接受世人的祈求而延长其寿命,但这也属于命定之中的,《炼狱篇》第六首第 28—42 句也有类似的含义,圣托马索《神学大全》第二卷第二章中同样阐述了类似的道理。

㉔“把今日变为明天”是指经过“尘世所做的诚心祷告”,上帝把本该在今日发生的事推迟到明天。“明天”一词,原文用的是拉丁语式词汇 crastino,由拉丁文 crastinus(即“明天的”)变来。

㉕“再下一位”所处的地位,相当于睫毛的弧形顶端,该精灵为君士坦丁大帝(参见《地狱篇》第十九首第 115—117 句及《炼狱篇》第三十二首第 124—129 句及有关注释):他迁都拜占庭(“成为希腊人”),并把帝国的法律和徽号(“连同法律和我”)移往东方,从而把其统治罗马的地位让与教皇(“把大权让与牧者”),他虽出于笃信宗教的良好动机,却把神权与俗权混为一谈,给基督教造成极大损害,助长教会上层对世俗权力和财物的贪婪,因此,诗中说他“用心虽好,却结下恶果”。

㉖这里是说,君士坦丁大帝对教皇的赠予并未损害其作为主持正义的贤明君主,在死后升入天

堂，享有天福，却给世界带来极大的混乱和祸殃。

㉗“威廉”（Guiglielmo）系1166年至1189年任西西里和普利亚国王的诺曼人威廉·德·阿尔塔维拉二世（Guglielmo II d'Altavilla），他为人正直、豪爽，热爱和平，被人称为“善人”（Buono），当时的编年史家和作家对他颇多赞誉，波斯科-雷吉奥注释本推测，他曾同意侄女康丝坦扎（参见本篇第三首和第四首及有关注释）与德国皇帝号称“红胡子”的腓特烈一世之子亨利六世结婚，从而使神圣罗马帝国重又统治意大利本土，也是诗句赞扬他的一个原因，但康丝坦扎与亨利六世所生之子腓特烈·德·阿拉贡二世则有辱他的名声（参见本篇第十九首第130—132句），因此，诗中说对他的死，西西里和普利亚（“那片土地”）十分“痛惜”，而对“查理和腓特烈”亦即安茹的查理二世和腓特烈·德·阿拉贡二世则“怨恨不已”。

㉘这里是说，威廉二世深知上帝热爱“明主贤君”，因而倍感欢欣，脸上显示出同样的幸福的光辉。

㉙这里是说，人活在世上是很容易看错事物的，正因为世人的短视，他们无法预见一个异教徒死后竟也能升入天国。

㉚“特洛伊人里菲俄斯”（Rifeo Troiano）即与埃涅阿斯一起抗击希腊人的特洛伊战士里菲俄斯（Rifeo或Ripeo），他是维吉尔笔下的人物，在《埃涅阿斯记》第二章中仅有五行诗句提及他，写他如何英勇抗敌，终因寡不敌众，壮烈牺牲；维吉尔的诗句把他说成特洛伊人中最有正义感、最主张公平的人，但丁显然是有感于此，才把他与特拉亚诺一并作为享有升入天国的特殊待遇的异教徒。

㉛这里是说，享天福者与世人相比，是更能看清上帝的神秘安排的，但是，尽管如此，他们也与包括天使在内的一切造物一样，不能完全洞悉上帝的意图。圣托马索在《神学大全》第一卷中就说：“任何被创造出的智力都不能理解上帝所做的或可能做的事情。”

㉜这里的“形象”指鹰；“永恒欢乐的印迹”指上帝。

㉝这里是说，每个造物都是依照上帝的意愿而成为它现有的那种形状：古代注释家布蒂就曾引述圣阿哥斯蒂诺的类似的话：“上帝喜爱我们成为经他的恩赐而使我们成为的那种形状，而不喜爱我成为根据我们自身所定的那种形状。”

㉞这里的“疑问”仍然涉及异教徒何以能升天国。

㉟诗句用带有色彩的“玻璃”来形容但丁心中所想，尽管有“色彩”遮住，仍是能为享天福者像透过玻璃一样，一眼看穿的。

㊱精灵“大放光芒”是再次表示他们乐于回答问题，满足要求。

㊲“幸福的符号”指鹰。

㊳这段三行韵诗用了两个拉丁语式的词汇：一是“实质”（quiditate），来自拉丁文quidittas，是经院哲学语汇；一是“指点”（prome），本意是“抽出”，是罕用的拉丁语汇；本段也涉及经院哲学中所论述的两种认识：即感觉认识（conoscenza sensibile）和智力认识（conoscenza intellettiva），圣托马索在《神学大全》第二卷中就说：“感觉认识涉及事物外部可感觉的性质，而智力认识

则渗透到事物的实质。”上述两点正是本段的一大特点。

㊴这里的“天国”,原文是拉丁文 Regnum coelorum;本段用典出自《新约·马太福音》第 11 章第 12 句:“进天国是要努力争取的,努力的人就进得去。”查《圣经》中译本的用词较缓和,与法、意两种译本大不相同,其中的“努力”一词,意译本为 violenza,即诗中所用的“暴力”(violenza);“努力的人”在法、意两种译本中都用 violenti(“施暴者”),从上下文来看,用“暴力”来解释,似更妥当。

㊵构成“睫毛”的“第一个”和“第五个”魂灵分别指特拉亚诺和里菲俄斯。

㊶“仙境”即是指天界:但丁在《新生》第三十一章第十句段中曾说,这天界即是“天使们享有安宁的王国”。

㊷此句用词极妙:一是用“举隅法”(sineddoche)的写法,以“双脚”概括“全身”,亦即以“局部”概括“全体”;一是用拉丁语或词汇,即拉丁文动词 patior(“遭受”)的未来分词 passuri(“将要”)和过去分词 passi(“已经”)来分别说明里菲俄斯和特拉亚诺对受钉刑的耶稣的信仰先后:前者是“坚信”将受钉刑的基督,后者是“坚信”已受钉刑的基督,因为他们所处的年代不同。

㊸这里的“那一个”指特拉亚诺;“从地狱”是指他从“林勃”,因为他虽是异教徒,但有勇义智节四枢德,死后便入第一层,而不必到其他更低层去受苦。“重返白骨”是指他经教皇圣格雷高里奥的祈祷,得以短暂起死回生(“白骨”象征肉体),向上帝悔罪并皈依基督教(详见《炼狱篇》第十首第 75 句及有关注释)。

㊹“在那里”指在地狱;“把善意恢复”指悔罪赎罪。

㊺“强烈希望”指教皇圣格雷高里奥向上帝祈求施恩,使特拉亚诺暂时死而复生。“偿付”(mercede)指上帝接受圣格雷高利奥的祈求,完成特拉亚诺复活的奇迹,使之如愿以偿,因而也是对圣格雷高利奥的“强烈希望”的报偿和奖赏。但丁可能是根据圣托马索《神学大全》第三卷中确认有关的传说才这样写的。

㊻这里所说的特拉亚诺“意愿”的“更动”,即是指他改变信仰,皈依上帝。但也有人认为,诗句是指“更动”上帝的“意愿”。

㊼“光荣的灵魂”指特拉亚诺。

㊽这里是指特拉亚诺“从此信仰”救世主耶稣。

㊾“欢乐”指享受天国之福。

㊿“另一个魂灵”指里菲俄斯;这里是说,神恩如“深邃”的水泉,但即使蒙受神恩,也无法探测如泉的神恩的深度。

51“三位贵妇”指《炼狱篇》第二十九首第 121—129 句中所说的在大车右轮旁舞蹈的象征“信、望、爱”三神德的三女神。这里是说,里菲俄斯虽生在“实行洗礼的一千多年”以前,却已受到象征三神德的三位女神的洗礼。

52“首要原因”指上帝;“全部”原文为拉丁文 tota。

(53)这里是说，即使享天福者能直接“觐见”上帝，他们也无法得知上帝选择谁升入天堂。

(54)“界定的局限”指上帝施加在享天福者的认识上的局限性。

(55)“这种善”指上帝。这里值得注意的是：鹰的讲话用“我们”，该词不仅代表木星天的诸享天福者，而且也代表所有身在天堂的享天福者，因为它说的是真理。

(56)“神的形象”指鹰，但这里应也意味着它的形象也代表上帝。

(57)“两束幸福的光芒”指特拉亚诺和里菲俄斯。

第二十一首

土星天(1—24)
金梯(25—42)
圣彼特罗·达米亚尼(43—126)
对高级教士的谴责(127—142)

土星天

我的双眼这时重又注视我的那位贵妇的面容[1],
随着这双眼,我的心灵
也把任何其他念头摆脱干净。
她不曾微笑;而是向我开言道,
“倘若我微笑,你就会落得像塞墨勒那样的光景[2],
变成一片灰烬;
因为我的美丽,正如你所看到的,
沿着那永恒宝殿的阶梯,
愈往上升,就愈照射得强烈无比[3],
若不节制,纵情放射光芒,
你那凡人的视力,在它那强光照耀下,
就会像被闪电劈断的枝叶一样。
我们已经登上第七层光辉[4],

我的双眼这时重又注视我的那位贵妇的面容。(第二十一首第1行)

它如今在那炽热的天狮星座的胸下[5]，
与这星座的能力混合在一起，把光芒向下遍洒。
你该让心灵紧随你的双眼，
并把你的双眼变成两面镜子，映照那形象，
你就会从这面镜子中，把它看得清清爽爽[6]。”
谁若知晓我的目光
从那幸福的容貌中汲取多大营养[7]，
而这时，我又移情把其他东西观望，
他就会理解我是多么满心欢畅，
服从我那天赐的导向，
对比一下这一面与那一面的分量[8]。

金梯

那水晶般的星体把世界环绕[9]，
带有世上难能可贵的元首的名称[10]，
在这位元首的统治下，万恶都匿迹销声。
我从那晶体里看到有一架金色的梯子朝上竖立，
那金色辉煌灿烂，光芒四射，
那梯子竖立得那样高耸，非我的目光所能及[11]。
我还看到有许多光辉沿着梯阶下降[12]，
那光辉竟是如此众多，
我甚至认为，显现在天上的所有星光都汇集在那厢[13]。
犹如只只灰鸦聚拢一起[14]，
出于自然习惯，在晨光熹微的时际，
抖动全身，烘暖冻冷的羽翼；
随后，有些一去而不复返，
有些又飞回原来动身离去的地点，
还有些逗留原处，一面不住旋转；
我觉得，这里那片闪亮光辉的情景也是这般[15]，
那片光辉也是整体而来，

那梯子竖立得那样高耸，非我的目光所能及。（第二十一首第30行）

一直降到某个梯阶,就因为相撞而分散。

圣彼特罗·达米亚尼

离我们最近的那束光辉停了下来,
它是如此焕发光彩,
我不由暗想道:"我清楚地看出你向我表示的爱[16]。"
但是,那位却不动声色[17],
而我则期待她告诉我:怎样又何时说话和沉默;
于是,我只好违反心意,注意做到不提问题。
因此,她从对洞察一切的那位的观望中[18],
看出我在一语不发,
便对我说道:"你且倾诉你那热切的愿望吧。"
我于是开言道:"我本人的功德
并不使我有资格获得你的回答;
而是请看在那位的面上:是她容许我向你请求答话[19],
幸福的魂灵啊,你把自己隐蔽在你的欢乐之内[20],
请你向我说明
你如此靠近我的原因;
请告诉我:为何在这重旋转的天体,
那甜美的天堂交响曲竟然悄然沉寂,
而那乐曲在下面各重天体则奏响得虔诚至极[21]。"
那光辉向我答道:"你的听觉正如视觉一样,都属凡人所有;
因此,这里才不展示歌喉,
这也正是贝阿特丽切不再微笑的情由[22]。
我踏着那神圣的阶梯一级一级地降临,
只是为了用话语和包拢我的光芒,
向你表示欢迎;
也并不是更多的爱促使我更快地走下来,
因为从这里到那上面,有更多和同样多的爱在热烈涌现[23],
正如在你面前显示的那片光焰。

但是,那崇高的仁爱使我们
成为执行主宰世界的那个意志的勤快奴仆[24],
正如你所眼见的那样,安排我们在此承担各自任务。”
我说道,“神圣的明灯啊,我看得很清楚,
在这天朝,如何只须有自由的爱
便足以遵从永恒神意的吩咐[25];
但是,令我感到难解的是这样一个疑问:
为何在你的同伴当中,只有你一人
被命定负起这项职能[26]。”
我尚未先说出最后一句话,
那光辉就把它的中间部位变成轴心,
像磨盘那样,急速地自我转动[27];
接着,蕴藏在光辉中的爱便答道[28]:
“神光直射在我身上,
透过我用来紧裹住我的这个光芒,深入到我心房,
它的德能与我的视力会合在一处,
把我抬高到超越我自身的程度,
这使我把那神光据以产生的最高实质得以目睹[29]。
正是从那里产生我据以放射光焰的欢乐;
因为我的视觉竟是那么明亮,
那光焰的亮度也恰与这视觉一模一样[30]。
但是,天上那光亮最强的魂灵[31],
那最凝眸注视上帝的撒拉弗,
却都不能满足你的提问;
因为你所要求的那个答案
伸展到那永恒条例的深渊[32],
那条例与任何造物的视力截然两断。
俟你返回尘世,
你该向人间陈述此事,
让世人不再敢把脚步移动,朝这样的目标迈进[33]。

心灵在这里是光明，在尘世则是烟云[34]；
因此，它才看出它又怎能在下面凡尘
102 做出即使上天接受它、它也不能做出的事情。”
他的话语就这样打断了我的求知之念，
我于是把问题搁置一边，
105 只好谦卑地询问那魂灵：他究竟是谁人。
“在意大利两道海岸之间，有一些巉岩高高耸立[35]，
与你的故乡有不太远的距离，
108 那巉岩竟是如此高耸，甚至在更低之处也能响起雷声[36]，
这些巉岩形成一个驼峰，名唤卡特里亚，
在这驼峰之下，建立了一个隐修之所，
111 它一向只是用作敬神之舍[37]。”
这样，他就向我开始做第三次讲话[38]；
接着，他又继续说道：“在这里[39]，
114 我曾如此坚定地侍奉上帝，
尽管只是以橄榄汁做成饭食[40]，
我也轻松地度过寒暑，
117 满足于静修的思路。
那座隐修院曾一向把丰富的收获献给诸天[41]；
如今则变成寸草皆无，
120 不久它就必然要彻底暴露[42]。
在那个地方，我是彼特罗·达米亚诺[43]，
在位于亚得里亚海岸上的我们的圣母之家，
123 我则是有罪之人彼特罗[44]。
当我被要求和强迫戴上那顶帽子时[45]，
我的尘世生活所剩很少[46]，
126 而那顶帽子则相继传戴，愈传愈糟[47]。

对高级教士的谴责

矶法来了，圣灵的伟大器皿也来了[48]，

他们都身体瘦弱,赤着双脚,
129 向任何一个住家求得饭食施舍[49]。
如今,新的牧者在这里和那里[50]
居然要人们来把他们搀扶,要人们为他们抬轿,
132 而他们又是多么沉重啊！还要人们为他们牵高长袍。
他们用他们的披风盖住坐骑[51],
这就使两头畜牲竟在一张皮下行走:
135 哦,耐性啊,你竟然能这样承受[52]！”
说到这里,我看见有更多的光焰
一级一级地走下并旋转,
138 每转一圈,它们就变得更加美艳。
它们来到这束光焰的四周,便停下不走,
它们发出一声呼喊,震耳欲聋[53],
141 尘世不可能有类似的呼声:
我也听不出它的含义;那雷声竟把我震得如此头脑发昏。

注释

①“那位贵妇”指贝阿特丽切。

②从本首起,但丁随贝阿特丽切来到土星天,亦即第七重天(同样,诗中未交待他们是怎样升入第七重天的)。与前几重天不同的是:贝阿特丽切不再像每到新的一重天那样,笑容可掬,身上的光亮也更为灿烂,而因为没有笑容,她的光亮也便不是变得更强烈了。这里,她向但丁说明她“不笑”的原因:塞墨勒(Semelè)是特拜王卡德莫斯的女儿,宙斯爱上了她,并与她生下酒神巴库斯。宙斯之妻尤诺出于嫉妒,图谋报复,化为塞墨勒的乳娘,怂恿塞要求宙斯向她现露真相,哄骗她以为宙斯并非真正的神。宙斯生怕伤害塞墨勒,先是不肯,后劝说不过,只好现露本相,其强烈的神光竟把塞烧成灰烬。详情请参阅《地狱篇》第三十首及有关注释。

在第七重天,但丁将最后一次与享天福者精灵相遇,升至恒星天和原动天后,但丁所见的将只是天堂的奇景,享天福者将不再出现了。根据波斯科-雷吉奥注释本的看法,这种情况也是“理所当然”的:因为人类活动方式只有两种:一是活动,二是静思,亦即所谓“行动生活”(vita attiva)和“默想生活”(vita contemplativa)。从宗教角度来看,前者即所谓“世俗生活”,后者即所谓“静修生活”,换言之,即所谓“入世”和“出世”。在前几重天,但丁所遇到的享天福者都是生前在各自所受的有关天体的影响下,组织他们的“行动生活”,而土星天对人间的影响则是启示世人静修默想,从事“默想生活”;天福的最高程度也表明:这种生活形式

是“最崇高”的,也是“最值得奖励”的。

③“永恒宝殿”即指天国;“阶梯”在这里是指各重天体,它们像“阶梯”一样,一级一级地通往天堂。

④“第七层光辉”即是指第七重天,即土星天。

⑤这里是说,1300年三四月间,土星与天狮星座(Leone)连接一起;诗中所说的“在……天狮星座的胸下”,原文是 sotto 'l petto del Leone,实际上是指在“天狮”的“脚下”,在本篇第十六首第39句中就用了“脚下”的写法;依照托洛密天文体系的说法,这是指天狮星座中的主要一颗星,称为 cor leonis(狮心),学名为“雷格洛”(Regolo)。据但丁在《筵席》第二卷第十三节第二十五句段中称,土星是“寒冷而干燥”的,《炼狱篇》第十九首第3句也提及这一点;相反,天狮星座则是“性热而干,类似火的性质”(拉纳);土星与天狮结合,两种性质恰好相互节制,达到平衡,犹如静修的倾向与静修者的热切心情二者的相互平衡的内在联系。近代著名天文学家安杰利蒂(Angelitti,1856—1931)曾计算,土星与天狮星座相连接,应是在1301年,因而推断但丁的冥界、天堂之行是在1301年,而不是在1300年,但他的说法并未被接受。诗中说天狮星座是“炽热”的,但据说该星座本无热气,只是在太阳与天狮星座衔接时,才把热气辐射到该星座上,时在“伏天”(solleone),因此,显然是但丁认为,该星座是自行“燃烧”,发出热气的。“向下”是指“向尘世”。

⑥这里用“镜子”一词分别形容“双眼”和作为行星的土星天:前一句说“把你的双眼变成两面镜子”,用“镜子”一词的复数,即 specchi,意谓仔细观看这一重天的“形象”,犹如该形象反映在镜中一样;后一句说“从这面镜子中”,用“镜子”一词的单数,即 specchio,意谓双眼所反映的这形象,又会通过土星天本身,显得格外清爽,像镜子般地反映神的意旨。

⑦“幸福的容貌”指贝阿特丽切;这里是说,但丁从观望贝阿特丽切的幸福容貌中可以汲取很大乐趣(“营养”),而这时,贝阿特丽切又示意让他观望“其他东西”。

⑧“这一面”和“那一面”是分别指观望贝阿特丽切的幸福容貌和观望其他东西;尽管但丁很愿意观望贝,但为了服从贝的命令(诗中把贝称作“天赐的导向”),经过“对比”两方面的“分量”大小,权衡孰轻孰重之后,决定“满心欢畅”地去观望其他东西。

⑨“水晶般的星体”指土星,因为它透明而清澈;“把世界环绕”中的“世界”是指地球,亦即是说,土星围绕地球运转。

⑩土星的原文为 Saturno,这正是古代克里特岛第一位国王萨图努斯的名称(参见《地狱篇》第十四首、《炼狱篇》第二十八首及有关注释),据传,萨图努斯在位,人民单纯朴实,安居乐业,为人类的“黄金时代”,故诗中称他为“难能可贵的元首”,在他统治下,“万恶都匿迹销声”。

⑪这里所说的“金色的梯子”,作为典故,出于《旧约·创世记》第二十八章第十二句:雅各离开别是巴,起程到哈兰去,中途天晚,他以石作枕,躺下睡觉,“他作了一个梦,梦见有一道直通到天上的梯子,又看见有天使在梯子上面走上去走下来”。兰迪诺对但丁用此典作过这样的诠释:“世人依靠静修之德,通过重重天体,一直升到上帝身边,犹如沿着梯子,从下向上,一

级一级爬升一样。这梯子之所以是金的,因为正如黄金比任何其他金属都更贵重一样,静修生活也超过任何其他生活,正是在这种生活中,发射出永恒太阳(上帝)的恩泽光辉。”这种象征在许多神秘主义和本笃会-卡马尔多利会的教义中都一致提及过。诗中说“非我目光所能及”,是指金梯极高,令但丁一眼望不到梯顶。

⑫“光辉”指身上放射光芒的精灵。

⑬“在那厢”指在梯上。

⑭“灰鸦”的原文为pole,据本维努托称,是一种性喜独栖的飞禽,形似乌鸦,用来比喻静修者是很合适的;也有人根据民间传说,认为即是指“乌鸦”:因为本笃会的创始人圣本笃(San Benedetto,480—548)喜爱乌鸦,在他被迫从苏比亚科(Subiaco)迁往蒙特卡西莫(Montecassimo)、从而建立第一座本笃会修道院时,曾有一群乌鸦伴他而行,并在其修道院附近筑巢而栖,据说,此传说也为圣彼特罗·达米亚诺所收集。诗中是用灰鸦度过寒夜之后,清晨醒来,抖动冻僵的全身来形容这些自“金梯”而下的静修享天福者,先是一起下来,随后则又像灰鸦那样,各自飞散或停留原处。

⑮“闪亮光辉”仍指享天福者的精灵。这里是说,这些精灵下到某级梯阶,因为相挤一处,便立即分成几群,有的重返梯顶(“飞回原来动身离去的地点”),有的停留原处,有的则进一步飞向但丁。有人据此认为,这些精灵的不同动作反映静修者对待隐修生活的不同态度,萨佩纽和波斯科-雷吉奥两注释本都不同意对此作牵强附会的诠释。

⑯这里的“爱”指仁爱;走近但丁的享天福者不曾言语,而只是使身上的光芒更为闪亮,从而显示他对但丁怀有热烈的仁爱之情。该享天福者即是圣彼特罗·达米亚尼,详见注㊸。

⑰“那位”指贝阿特丽切。

⑱这里是说,贝阿特丽切从上帝(“洞察一切的那位”)身上看出但丁之所以保持缄默的原因:此段三行韵诗值得注意的一点是:全段三次连用动词vedere(看)的不同语式:即vedea、vedere、vede(译文分别用“看出”、“观望”、“洞察”来表示),意在说明静思默想的迂回动态和深度。

⑲“那位”仍指贝阿特丽切。

⑳“欢乐”指精灵身上发射的光辉。

㉑这段三行韵诗再次着重描述土星天一片静谧,而不像以下几重天那样,响起享天福者的歌声(“甜美的天堂交响曲”)。有些注释家据此认为,土星天的一片寂静也象征着该重天的享天福者作为静修者的特征,一般说,这是以圣本笃为代表的本笃会教士的特点,具体说,也是以圣彼特罗·达米亚尼为代表的卡马尔多利会教士的特点。

㉒这里说明:土星天的享天福者不唱歌的原因与贝阿特丽切不微笑的原因一样,因为但丁的听觉与视觉都“属凡人所有”,若享天福者唱出歌来,但丁的耳朵就会承受不住那歌声的震响,犹如贝阿特丽切若通过微笑发出更强烈的光芒,但丁的眼睛也会承受不住强光的照射一样。

㉓这里是说,所有享天福者都怀有热烈的仁爱之情,有的与说话的精灵一样多,有的则比他更

多,这不同的程度也表明各精灵所怀有的仁爱程度有所不同。“那片光焰”即是指但丁眼前所见的其他精灵发射出的一片光焰,其中有的光焰比说话的精灵强烈,有的则与他一样。

㉔这里是说,各精灵的仁爱程度虽有不同,但他们怀有“崇高的仁爱”则是一致的,这就使他们能忠实执行上帝的意志(“成为执行主宰世界的那个意志的勤快奴仆”),他们是根据上帝的分配,各尽其职的,因而前来迎接但丁的那个精灵,也是受上帝的派遣,贯彻神的意愿。

㉕“天朝”即是指天国;“自由的爱”是指精灵出于对上帝的爱,服从上帝(“遵从永恒神意的吩咐”)是自由而主动的。

㉖“被命定”原文是 predestinata,是指根据天意或神的意旨而安排的,即所谓“天命而定”(predestinazione),圣托马索在《神学大全》第三卷中就说,“天命而定,恰当地理解,即是指神对一些事物的某种永恒安排,而这些事物从时间上说,必将发生”。诗中写圣彼特罗·达米亚尼被上帝选定来见但丁,也表明他所负的这项职能之重要,从本首最后一部分便可见一斑。

㉗诗中用磨盘转动来形容精灵为能回答但丁的问题而感到欣悦。

㉘这里用抽象的“爱”来代表具体的“精灵”,因为他充满热烈的仁爱。

㉙“神光”指上帝的恩泽之光;“最高实质”即是指上帝。

㉚这里说“光焰的亮度”与“视觉”一样是指:与精灵觐见上帝的程度一样。因此,整段诗句的含义是:精灵能看出上帝的意志,因而也能贯彻上帝的意志,从贯彻中感到欢欣鼓舞。

㉛从这句起,诗人的笔锋一转,又进一步说明:即使“光亮最强的魂灵”,因而也是最能看出上帝意志的灵魂,也无法回答但丁的提问。“撒拉弗”是六翼的上品天使,是最靠近上帝的;诗中用单数,是指这一级天使中最完美的那位,因此,即使他,也不能对但丁的问题作出解答。关于“光亮最强的魂灵”究竟指谁,萨佩纽和波斯科-雷吉奥两注释本都认为是指圣母,但后者不同意萨本说也可能是指“两个约翰中的一个”,因为它认为,不论是哪个约翰,都不能比圣母更能透彻地看出上帝的意志。

㉜“永恒条例”是指上帝所做的永恒安排,换言之,即所谓“天命”;这是“任何造物的视力”(亦即人类乃至天使的智力)所看不破的(“截然两断”),言外之意也即是天机不可泄露,也无法泄露。

㉝“这样的目标”指如此难解的问题,如此高深的奥秘。

㉞“在这里”是指在天堂;即是说,在天堂,经上帝赐予的恩泽,人的心灵或智力为一片光明所照,能多少看清上帝的意志,但在“凡尘”,则因为有罪过、错误和人类肉体的干扰,人的心灵或智力就变成一片模糊,犹如“烟云”。因此,既然在天上的魂灵都无法辨清上帝的奥秘,更何况尘世中的凡人了。

㉟“两道海岸”是指亚得里亚海和第勒尼安海的海岸;“巉岩”是指亚平宁山中部支脉,特别是翁布里亚与马尔凯两地区的一带山麓,据萨佩纽注释本称,从直线距离来看,这带山脉距佛罗伦萨不远。波斯科-雷吉奥注释本则不同意此说法,认为这带山脉距佛市有一百二十公里,不能如诗中所说是“不太远”;它认为,这里是指亚平宁山在托斯卡纳与艾米利亚两地区

的一带山麓,在有些地段,山高超过二千米,距佛市不超过六十公里,但丁流亡此地,想必对此是很熟悉的。

㊱这里是说,由于山岭过高,云雾在低于山巅之处弥漫,有时就产生了雷鸣电闪。

㊲这里用"驼峰"(gibbo)一词,是指卡特里亚山(Catria)周围山崖较矮,只有它如鹤立鸡群般耸立,其实,它本身高度不过一千七百米以上。卡特里亚山在亚平宁山介乎翁布里亚与马尔凯两地区之间的一段,孤零零地耸立于古比奥(Gubbio)与佩尔哥拉(Pergola)两地之间。在其东北坡上,即建有诗中所说的"隐修之所",即卡马尔多利会的"榛泉的圣十字架"修道院(Santa Croce di Fonte Avellana),据可靠传说,但丁曾在那里小住过。诗中说该修道院位于"驼峰"即卡特里亚山"之下",是因为该修道院筑在该山东北坡两个夹谷中间,很像是在该山之下。这段三行韵诗有一点值得注意:即为了与第109的句尾Catria(卡特里亚山)押韵,但丁选用了latria("敬神之舍")一词:该词虽是拉丁文,但来自但丁所不熟悉的希腊文latreia,据估计,但丁可能是从圣阿哥斯蒂诺的《论上帝之城》第十章第一句段和圣托马索《神学大全》第二卷第二章以及中世纪一些词书中找到的;该词意谓专用以"敬神"之地,与另一词dulia("敬人")的含义恰好相反。

㊳第一次讲话是从第61句到第72句;第二次讲话是从第83句到第102句。

㊴"这里"是指在"隐修之所",即榛泉的圣十字架修道院。

㊵"橄榄汁"即指橄榄油,亦即用橄榄油调制饭菜,而不是食用荤油肉食;诗句的用意在于说明隐修院中的生活刻苦。

㊶"丰富的收获"是指院中的教士过去曾有许多都是经过苦修而成为圣徒,升入天堂("诸天");"寸草皆无"恰与"丰富的收获"相对,意谓院内一片荒芜,因为教士都去追求肉体而不是精神的生活,都不热衷苦修、力求成为圣徒了。

㊷诗中未具体说明"彻底暴露"什么;萨佩纽和波斯科-雷吉奥两注释本都推测,可能是指会发生什么丑闻或灾难,从而证明是上帝对这些步入歧途的教士的惩罚。

㊸彼特罗·达米亚诺(Pietro Damiano),即"彼特罗·达米亚尼"(Pietro Damiani),达米亚诺(Damiano)是其兄的名字,因为他感激其兄帮助他完成在法恩扎(Faenza)和帕尔玛的学业,所以采用了其兄的名字。他于1007年生在拉维纳,家境贫寒,年轻时曾学习"七艺"(即语法、修辞、逻辑、算术、几何、天文、音乐)和法学,后在拉维纳和法恩扎的一些学校中执教,还从事过律师工作,颇有声名,但时间不长。1035年入榛泉的圣十字架修道院,成为卡马尔多利会教士,主张苦修,理论上颇有成就,做过教义师。1043年任该修道院院长,在这之前,曾在蓬波萨修道院(abbazia di Pomposa)进修两年。1057年晋升为枢机主教,曾在弥合教会内部在选举教皇问题上产生的分裂方面起过重要作用:当时,一部分人拥戴贝内德托十世(Benedetto X),另一部分人则拥戴尼可洛二世(Niccolò II),彼特罗·达米亚诺属后一派。他曾多次担任教皇代理人,但始终坚持教会改革,力主清贫苦修。经多次坚持要求辞去枢机主教职务,最后获准重返榛泉的圣十字架修道院,过静修苦行的教士生活。1072年2月22日,逝

世于法恩扎的天使圣玛利亚修道院(Monastero di Santa Maria degli Angeli)。他生前在一些信件中常署名“有罪教士彼特罗”(Petrus peccator monacus),从而为后世造成一些误会(见下文)。

“在那个地方”指彼特罗·达米亚尼在其中苦修的榛泉的圣十字架修道院;“位于亚得里亚海岸上的我们的圣母之家”系指拉维纳外港圣玛利亚修道院(S. Maria in Porto fuori),它恰好位于亚得里亚海岸。由于本段三行韵诗用了两个同样语式的动词 fù(是),这就造成本段在语义上的含糊,即是说,fù 可以是第一人称单数 fui 的省略形式,也可以是第三人称单数的动词:两句所说的“一人”抑或“二人”就成为古今注释家争论不休、各执己见的一大难题。古代注释家中,拉纳、《最佳评注》和但丁之子彼特罗都认为,但丁之所以这样写,是为了澄清当时普遍存在的错把彼特罗·达米亚尼与曾做过外港圣玛利亚修道院院长的一位亦称作“有罪之人彼特罗”的同时代人(见下注)混为一谈的误解,是有意把二人加以区分的,而本维努托、布蒂和兰迪诺则针锋相对地反对这种解释,认为诗中所说的是“一人”,而非“二人”,即是说,在榛泉的圣十字架修道院,彼特罗·达米亚尼用的是真名,而在外港圣玛利亚修道院则“谦卑地”用的是笔名,布蒂和兰迪诺甚至指出:彼特罗·达米亚尼曾先在外港圣玛利亚修道院中做过修士,被称为“有罪之人彼特罗”。据悉,这两种令人莫衷一是的说法,居多数是后一种,但波斯科-雷吉奥注释本认为,前一种说法也很有道理,萨佩纽注释本则明显倾向于前一种说法。译者认为,从诗句上下文的逻辑含义看,把本段所说的彼特罗·达米亚尼和有罪之人彼特罗看成“一人”,还是比较合理的,故且作“一人”来译出,否则,本段应译为:“在那个地方,我是彼特罗·达米亚诺,在位于亚得里亚海岸上的我们的圣母之家,那则是有罪之人彼特罗。”

㊹“有罪之人彼特罗”(Pietro Pecator):如果本段三行韵诗所涉及的确是“二人”,那么另一位“有罪之人”可能是于 1096 年(在彼特罗·达米亚尼去世后二十四年)建立外港圣玛利亚修道院的奥内斯蒂家族(Onesti)一位名叫彼特罗的成员;据说,他曾在该修道院内苦修,并做过院长,于 1119 年去世,葬于该院,墓志铭上写有“有罪之人彼特罗”(Petrus peccans)。该修道院已于 1944 年一次空袭中全被炸毁。

㊺这里的“帽子”是指代表枢机主教尊严地位的红色法冠。因为彼特罗·达米亚尼一向主张清贫苦行,不愿涉足权贵,所以诗中说他“被强迫戴上”枢机主教的帽子。但据萨佩纽注释本称,诗中的写法与史实不符:因为枢机主教的法冠是 1252 年才由教皇伊诺钦佐四世规定的,彼特罗·达米亚尼当选枢机主教时,尚无此冠。

㊻萨佩纽和波斯科-雷吉奥两注释本都指出,此写法亦不确:因为彼特罗·达米亚尼当选枢机主教的时间(1057 年)距他去世(1072 年)尚有十五年,不能说“尘世生活所剩很少”。

㊼这里是说,在彼特罗·达米亚尼做过枢机主教后,枢机主教不断有人担任,因而枢机主教的“帽子”不断易人,但戴“帽子”的人愈来愈坏,愈来愈不称职。

㊽“矶法”(Cefas)指圣彼得,用典出自《新约·约翰福音》第一章第四十二句:“耶稣注视着西门

(彼得),对他说:‘约翰的儿子西门,从今以后,你要改名为矶法。’(矶法就是彼得,是‘石’的意思)。”“圣灵的伟大器皿”指圣保罗,用典见于《新约·使徒行传》第九章第十五句,《地狱篇》第二首第28句亦有提及。

㊾这种靠类似我国佛教僧侣“化缘”办法为生的做法,是苦行僧的生活特点之一,用典见于《新约》的《路加福音》第十章第七句和《哥林多前书》第十章第二十七句。

㊿“牧者”指教皇、枢机主教等高级僧侣。“牵高长袍”是指为高级教士所着的拖地长袍牵高。这几句都意在揭露后来的高级僧侣违反清贫禁欲的苦修教规,养尊处优,作威作福的情景。“沉重”是指身体肥胖,其嘲讽意味是很明显的。

51本段用辛辣的笔法进一步揭露教会上层的蜕化变质,犹如前几首谴责方济各会和多明我会的堕落一样,本首也开始揭露彼特罗·达米亚尼所属的卡马尔多利会和本笃会的堕落了:“披风盖住坐骑”是指高级僧侣(在这里则是指“枢机主教”)骑马时,披风的前部盖住马颈,后部则盖住马臀,这样,高级教士和马(“两头畜牲”)便好像盖在同一件披风(“一张皮”)下行走了。

52“耐性”指上帝的耐性;这里是感叹:上帝的耐性真是无限的,竟然能容忍这样大的耻辱!

53这里的“呼喊”是指呼吁上帝来惩治这些堕落的教士。

第二十二首

享天福者的呼喊(1—24)
圣本笃(25—99)
升入恒星天(100—111)
双子星座(112—154)

享天福者的呼喊

我惊得目瞪口呆，急忙转向我的引路人，
犹如一个孩童总是跑向
最可信任的地方[1]；
那位也像立即前来帮助[2]
那面色苍白、气喘吁吁的儿子的母亲一样，
用那往往能很好慰藉儿子的声音，对我言讲：
“你难道不知你已在天上？
你难道不知，上天是彻底神圣，
这里所做的一切都来自善的热忱[3]？
既然这声呼喊已令你感到如此震惊，
你如今可以设想，若是有歌声
和面露微笑的我，那又会怎样令你惶恐[4]；
倘若你从那喊声中，能听出他们的祈祷，

你那时就会明白那报复[5]，
而在你死之前必将亲眼目睹。
这上天之剑砍得不会过急，也不会过晚[6]，
而这都取决于期待它的人抱有何种意见：
他对它的到来是恐惧还是切盼。
但是，你如今还是转向其他灵魂；
因为你将看到一些声名卓著的精灵，
倘若你能像我所说的那样，把视线移动。”
我照她喜欢的那样，把目光转移过去，
我看到有一百个闪亮的小球
因为相互照耀而一起变得格外美丽[7]。

圣本笃

我一直像是一个人
压抑内心的渴望锋芒，不敢贸然动问，
生怕有失过分；
那些珍珠中最大最亮的一颗[8]，
走到我的面前，
要以它自身来满足我的心愿。
接着，从它里面，我听见有声音在说[9]：
“你若像我这样，看出在我们当中燃烧的那种仁爱，
你的那些思想也便会吐露出来。
但是，为了使期待中的你不致推迟达到那崇高的目的[10]，
我将回答你仅仅在思索的那个问题[11]，
既然你如此迟疑不语。
那座山岭——卡西诺就位于它的山坡之上[12]——
过去曾有上当受骗、执迷不悟的人们[13]
经常光顾，攀上顶峰；
我就是那首先把那位的名字带到山上的人[14]：
那位曾把真理送往凡尘，

而这真理又使我们升华到如此崇高的水平[15];
多少恩泽之光照耀在我身上,
这就使我得以把周围城镇摆脱渎神的信仰[16],
而这信仰曾诱使世人步入歧途,受骗上当。
这些静思默想的其他火光[17],
全都曾是燃烧着火热之心的凡人[18],
正是这火热之心使神圣的花果得以产生[19]。
在这里的有马卡里奥,在这里的有罗莫阿尔多[20],
在这里的还有我的那些兄弟[21]:
他们足不离隐修地,心也固守在修道院里。”
我于是对他说:“你在与我谈话时所表达的亲切之情,
还有我从你们诸位的热情当中
所目睹和发现的和善面容,
扩大了我的信心,
正如阳光照耀玫瑰,
使它含苞怒放,尽其所能。
因此,我请求你,请你,父亲,令我确信:
我是否可以得到足够的恩惠,
使我能一睹你那不加掩盖的真容。”
他于是说道:“兄弟,你那崇高的愿望
将会实现在最后一重天上[22],
其他精灵和我的愿望也正是实现在那厢[23]。
在那里,一切愿望都达到完美、成熟和完整无缺的境地;
只有在那重天上,
每个部分都待在它一直停留的地方[24],
因为它不是在空间之内,也没有两极[25];
我们的阶梯一直通到它那里,
正因如此,阶梯才脱离你的视线,隐身飞去[26]。
先祖雅各曾目睹阶梯
把那最高部分一直放到那重天,

当时，满载着天使的阶梯曾在他眼前出现[27]。
但是，如今无人从地上提起双脚
攀登这道阶梯，而我那留在世上
的教规，也不过是用来损坏纸张[28]。
那些院墙，过去曾是祷告之所，
如今却已变成贼窝[29]，
那些袈裟也成为口袋，把变质的面粉满装[30]。
但是，严重的高利盘剥
还不致如此违犯上帝的欢心，
做到这一点的倒是那使僧侣们如此丧心病狂的收获[31]；
因为不论教会保管什么东西，
一切都属于以上帝的名义祈求的人们，
而不属于亲戚，也不属于更丑恶的其他人等[32]。
凡人的肉体是如此柔弱，
在尘世，良好的开端并不足以持续，
哪怕从生出橡树持续到结出橡实[33]。
彼得开始时既没有金，也没有银，
我开始时也只有祈祷和清贫，
方济各开始时则谦卑地只有他修道的一群[34]。
倘若你看一看每个教派的开端，
然后再观察一下它发展到什么地点，
你就会看出那从白到黑的演变[35]。
然而，根据上帝的心意，
约旦河向后倒退，海水逃避，
这毕竟比看到这里的拯救更加令人惊奇[36]。”
他就是这样对我言讲，随即又重返他的队伍里，
那队伍聚拢到一起；
接着，如同一阵旋风，全体向上旋转飞去。

升入恒星天

那位温柔的贵妇把我推到他们身后，
稍作示意，命我顺着那阶梯攀登上去，
这样，她的德能就战胜了我的自然之躯[37]；
在尘世，可以自然地上升和下降，
却从未有过如此飞速的动作，
竟可以把它比作我生出翅膀。
读者啊，即使我一旦重新获得那虔诚的胜利[38]——
我如今正为此而经常痛哭我的罪行，
并不住捶打我的前胸，
你也不会用与我一样短促的时间，把手指放到火里，
　　又立即抽出，
而我则在这转眼之间，
望见那追随金牛星座之后的星座，并进入它里面[39]。

双子星座

哦，光荣的群星，哦，充满伟大德能的明灯[40]，
在这明灯的照耀下，我得识我的全部才华，
且不论它是怎样的才华，
作为一切尘世生命之父的那位[41]，
与你们一起升起，也与你们一起降落，
而这时，我第一次嗅到托斯卡纳的空气[42]，
随后，我蒙受天赐的恩泽，
得以进入围绕你们旋转的高高的轮盘，
我这才被安排到你们的地盘[43]。
如今，我的灵魂虔诚地向你们央求，
以便获得你们的德能，应付这艰巨的关口，
这关口正把我的灵魂拉过去，把它吸收[44]。
贝阿特丽切这时开言道，“你现已如此邻近那最后的解救[45]，
你应当使你的眼光

变得犀利而明亮；
因此，在你进一步走向它之前[46]，
你该注意朝下观看，
你可以看到，我已把多大的寰宇放到你的双脚下边[47]；
这样，你那愉快的心灵就可以尽其所能，
迎向那胜利的一群，
他们正欢欣鼓舞地通过这圆圆的天穹来临[48]。”
我回转头来，用目光把这全部七重天一扫，
我看到这地球竟是这般模样，
不禁对它那卑微形状发出微笑[49]；
我赞同那种把它小看的意见，
因为这意见是如此英明；
也可以用真正的智者来称呼那些心向其他的人[50]。
我看到拉托娜的女儿在焕发光明[51]，
没有那片阴影，而它曾是使我产生错觉的原因：
因为我过去曾认为她的密度有稀有浓[52]。
伊佩里奥尼啊，我在这里
可以承受你所生之子的面容[53]，
我还看到玛亚和狄奥妮如何在他周围和近处运行[54]。
在那里，位于父亲与儿子之间的木星
在我面前，散发着柔和的光芒[55]：
在那里，我也才看清它们怎样把它们的位置不断变更[56]。
所有七重天体在我面前都显示出，
它们有怎样的大小，有怎样的速度，
它们又有怎样相隔遥远的住处。
那小小的地面令我们变得如此凶残[57]，
这时我正伴随那永恒的双子星座绕它旋转，
它从山丘到河口，全部展现在我的面前[58]。
接着，我便又把双目转向那美丽的双眼[59]。

注释

①这里是指母亲身旁。

②“那位”指贝阿特丽切。

③“善的热忱”(buon zelo)意谓对行善的渴望;圣托马索在《神学大全》第二卷第一章中曾对“热忱”(zelo)一词做过这样的解释:“热忱,不论是指哪样的热忱,都产生于强烈的爱”;也有人把它解释为“正义的愤恨”,因为诗句的意思是:享天福者精灵出于仁爱之热忱,急切地要行使正义。

④这里的反问语气意在说明:若是享天福者唱起圣歌,贝阿特丽切露出笑容,但丁将会加倍惊恐。

⑤“报复”指上帝对腐化堕落的高级教士的正义制裁。

⑥“上天之剑”指神的惩罚;即是说,上帝对这些蜕化变质分子的惩罚来得不会过早或过迟;迟早的问题是依据对待惩罚的人所持的态度,亦即如诗中所说,是“恐惧”还是“切盼”。关于“剑”的比喻,但丁在《书信集》第四章就说过:“那位(上帝)的剑,他说:我的剑就是报复。”

⑦“闪亮的小球”指闪耀着光芒的一个个享天福者精灵,“一百个”并非具体数字,只是形容其多。这里是说,本身发射光芒的精灵相互烘托和照耀,就都变得更加美丽了。

⑧这里又用“珍珠”来比喻发光的享天福者精灵;“珍珠”的原文为 margherite,本意为“雏菊”,也有宝石、珍珠之意;本篇第十五首第 85 句和第二十首第 16 句也有过类似的比喻,但在第二首第 34 句和第六首第 127 句则用“宝石”比天体。

⑨“从它里面”是指从“最大最亮的一颗”珍珠里面,因为享天福者的精灵是包拢在珍珠般的光焰里面。

⑩“崇高的目的”指到达天国觐见上帝。

⑪这里是说,但丁的问题仍在思索阶段,并未用言语表达出来。

⑫说话的精灵是本笃会创始人圣本笃(San Benedetto,480—543),他生于翁布里亚地区的诺尔齐亚(Norcia),出身富有的贵族家庭,因此,最初曾赴罗马学习,后因目睹教会上层人士腐败,愤而决定到苏比亚科(Subiaco)附近的一座山洞(今称 Sacro speco,即“圣洞”)中隐修,时年仅十四岁。由于他圣名远扬,附近的维科瓦罗修道院(Vicovaro)的教士于 510 年要求他做他们的修道院主持,但因为他教规过严,竟图谋将他毒死。于是,他重返苏比亚科山洞隐修,不久,许多教士前来投靠,他把他们组织起来,分配到十二座修道院。随后,他前往坎帕尼亚地区(Campania)传道,使许多民众皈依基督教,529 年,他在蒙特卡西诺(Montecassino,或称 Cassino,即卡西诺),摧毁了异教徒设立的阿波罗神庙,建立了本笃会(Benedettini);543 年,他在该修道院中逝世(一说是死于 547 年或稍后)。诗中所述的地理位置和有关情况都可能取自大格雷高里奥的有关著作,尽管但丁本人可能并未到过那里。卡西诺为一小镇,位于拉齐奥和坎帕尼亚两地区交界之处卡伊罗山(Cairo)的一条支脉的山坡上;六世纪初,山巅曾建有阿波罗神庙一座,后被圣本笃拆毁。波斯科-雷吉奥注释本特别详细指出,该山岭不是卡

伊罗山,因为卡伊罗山高达一千七百米,而圣本笃建立的修道院则位于该山的支脉上,该支脉的高度仅约五百米。

⑬这里是指信奉异教的人们,他们在圣本笃前来传道之前,经常到山顶神庙中敬奉阿波罗神。

⑭“那位的名字”指基督的名字。

⑮这里是说,“升华”到可以享有天福的高度。

⑯“渎神的信仰”指信仰异教。

⑰“火光”指享天福者精灵。

⑱“火热之心”指对上帝的爱(波斯科-雷吉奥);也有人认为是指热烈的仁爱之情(萨佩纽)。

⑲“神圣的花果”指神圣的情感(“花”)和行为(“果”)。

⑳马卡里奥(Maccario):萨佩纽和波斯科-雷吉奥两注释本都认为,此处究竟指哪一位“马卡里奥”,很难断定,因为取此名的隐修者甚多,其中最著名的有:被称为“埃及人”(l'Egiziano)的圣马卡里奥,他约于300年生在埃及,曾在利比亚的舍提沙漠(Sceti)中苦修六十年,约于390年去世;另一位圣马卡里奥与此人同时,被称为“亚历山大人”(l'Alessandrino或d'Alessandria),曾在距埃及亚历山大城四十英里的塞路拉伊沙漠(Cellulae)中苦修,死于404年;此二人均是圣安东尼(Sant'Antonio)的门徒,后者还是东方禁欲修道主义(monachesimo orientale)的始祖,雅科波·达·瓦拉泽(Jacopo da Varazze)的《金色传奇》(*Legenda aurea*)中曾把二人的生平事迹混为一谈,但丁可能就以其内容为依据。

罗莫阿尔多(Romoaldo)指拉维纳的圣罗莫阿尔多·德利·奥内斯蒂(Romoaldo degli Onesti),他约生于956年,1018年成立卡马尔多利会,为著名的卡马尔多利隐修院的创始人(《炼狱篇》第五首第96句曾提及位于托斯卡纳地区的这座隐修院,请参阅该篇及有关注释),1027年去世。波斯科-雷吉奥注释本认为,诗中选用马卡里奥可能是为了说明:在西方隐修者圣罗莫阿尔多之前,东方早就有一位隐修者,他的僧侣生涯传播甚广,而且长期十分盛行,因此,就隐修而言,东方是早于西方的。

㉑这里是指本笃会的教士。

㉒“最后一重天”指净火天,亦即天国;在天国,但丁请求说话的精灵揭掉包拢他的光芒、露出真面貌的愿望,将会得到满足。

㉓关于“其他精灵和我的愿望”,有两种解释:一是如萨佩纽注释本所说,是指说话的精灵与其他精灵要满足但丁要求的“愿望”,在天国也会得到实现;一是如波斯科-雷吉奥注释本所说,是指圣本笃等所有精灵想要享有觐见上帝的天福的“愿望”。从此句的动词时态用现在时s'adempion(实现),而前句用未来时s'adempierà来看,根据上下文的内容,似以后者的解释更为妥当。

㉔这里是说,只有在净火天,构成净火天的每一部分都永恒地停留原处,换言之,即都是一动不动的。但丁在《书信集》第十三章第七十一至七十二句段中就说:“所有运动中的东西,都是因为缺少什么东西而才运动的,因为它们本身都没有各自的存在能力。因此,那重天(净火

天)既然不被任何一重天所推动,本身就在其各个部分都具备它可能拥有的一切能力,而且又是如此完美,以致它根本不再需要为争取达到其完美性而运动了";在《筵席》第二卷第三节第八句段中也说:"天主教徒认为净火天是不动的,因为它本身在每个部分都具备它的物质所需要的那个东西",同书第三卷第十五节第三句段中还说:净火天能满足一切愿望,因而也便排除一切愿望,而愿望"与天福是不能并存的,因为天福是尽善尽美的东西,而愿望则是有缺陷的东西。"

㉕"空间"的原文为 luogo,本意为"地方",根据亚里士多德的哲学概念,它则意谓包含某个物体的"空间",而净火天是囊括整个宇宙的,在它之外,一无所有,因而它不存在于空间之内,而只是由上帝塑造的,但丁在《筵席》第二卷第三节第十一句段中对此就作了详细阐述。"没有两极"是指不像下面几重天体那样有固定的南北两极,并围绕两极转动;这里,但丁又根据名词 polo(极)自造了动词 impolarsi(具有两极)。

㉖这里是说,这天梯的顶端是但丁的肉眼所不能看见的。

㉗"最高部分"指梯顶;这里用典出于《旧约·创世记》第二十八章第十二至十三句:雅各"做了一个梦,梦见有一道直通到天上的梯子,又看见有天使在梯子上面走上去走下来。主站在梯顶之上对雅各说:'我是你祖父亚伯拉罕的上帝,也是以撒的上帝……'"

㉘"从地上提起双脚"隐喻放弃对世间财物的追求;"攀登这道阶梯"意谓提高自身,从事静修默想的生活;"损坏纸张"是指圣本笃的教规原是用来教导人们献身静修的,如今则无人过问,等于白白浪费纸张来加以誊写。

㉙"院墙"意谓修道院;这里又借用《圣经》内的一些典故:《新约·马太福音》第二十一章第十三句说:"耶稣疾言厉色斥责他们说:'《圣经》上记着:我的殿是祷告的地方。但你们竟把它变成了贼窝!'……"《新约·路加福音》第十九章第四十六句、《旧约》的《以赛亚书》第五十六章第七句和《耶利米书》第七章第十一句也有类似的内容。

㉚这里用"把变质的面粉满装"的"口袋"来比喻身着僧袍的腐化堕落的本笃会教士。

㉛《地狱篇》第十一首第 95 句也曾用高利贷盘剥(usura)来比喻触犯上帝的行为;"收获"的原文为 frutto(本意为"果实"),这里是指教会的财产收入,诗句是说,触怒上帝的是对教会收入的滥用,即是说,教会用欺骗手段从信徒那里诈取的钱财,使教士变得贪婪无度,疯狂地力图占有这些钱财。

㉜这里是说,教会的财产本应用来扶困济贫("属于以上帝的名义祈求的人们"),而不应归教士本人,不应归教士的"亲戚",更不应归"更丑恶的其他人等":"亲戚"影射"用人唯亲";"其他人等"则指情妇或私生子等。但丁在《帝制论》第三卷第十节第十七句段中也说,从教皇算起的所有管理教会财产的教士,"不是作为财产的占有者,而是作为把收入散发给基督的穷人的人"。

㉝这里是说,人类的肉体是容易犯罪的,因此,人类的本性异常"柔弱",不能把"良好的开端"亦即信教行善的初衷长期贯彻下去,大约只能相当于橡树从"生出"到"结实"的期限。拉纳

曾估计,橡树从生出到结实,约需二十年;其实,诗句的意思只是指持续时间很短。

㉞“彼得”是指第一任教皇圣彼得;“方济各”指圣方济各;这里主要是以圣彼得、方济各会和本笃会初期的清贫向上,与其后继者的腐化堕落作对比。

㉟“发展到什么地点”(là dov'è trascorso),即是指堕落到什么程度。“白”与“黑”是两种极端对立的颜色,这里用来比喻从贫到富、从刻苦到安逸、从精神的谦卑到世俗的狂傲的转变。

㊱这里的用典见于《旧约》的《出埃及记》第十四章第二十一至二十九句和《约书亚记》第三章第十四至四十七句:其中写摩西和约书亚先后遵从上帝的意旨,率领以色列人离开埃及,前往耶路撒冷,中途后有追兵,前有红海和约旦河所阻,经上帝施展法力,“用强烈的东风把海水分开,水向两边堆成两道水墙,形成中间一条通道”,东风吹了一夜,河床已干,以色列人便在海中走过;上帝还“截断”约旦河的水流,止住上游流下的河水,形成一道水堤,以色列人便在河中间的干地上,渡过约旦河。诗句的意思是:尽管教会陷于腐败,但上帝总会前来拯救教会,惩办它的罪恶;而以此与《圣经》所说的两次奇迹相比,就不值得“惊奇”了。

㊲“温柔的贵妇”指贝阿特丽切;“她的德能”指贝阿特丽切的超自然能力;“自然之躯”原文为natura 指但丁的肉体,因为它的天然重量是把但丁朝下拉去的。

㊳“虔诚的胜利”指升入天国、享有永恒幸福的胜利;诗中进一步申述:但丁为争取在死后,仍能返回天国,至今仍在努力悔罪赎罪。

㊴从第 103 句至第 111 句,但丁一反过去升入几重天的写法,详尽地描述了升入恒星天的“飞速动作”,甚至用手指伸入火里又立即抽出的生活细节来具体形容“动作”之快、时间之短。“金牛星座”(Toro)在黄道带中位于但丁所属星座即双子星座(Gemelli)之前,因而诗中所说“追随金牛星座之后的那个星座”,即是指双子星座。因此,但丁升入恒星天,恰好进入位于恒星天范畴内的他的本命星里面。

㊵“光荣的群星”指组成双子星座的所有星辰,这些星辰定能保障追随它们的人达到光荣的归宿;中世纪的人们认为,双子星座是使人倾向于学习和文学艺术的,因而也使人走向“光荣”,《地狱篇》第十五首第 55—56 句也曾通过但丁的老师布鲁内托的幽灵之口,谈到这一点。

㊶“那位”指太阳:但丁在《筵席》第三卷第十二节第八句段、《韵律集》第八十八首第九十六至一百一十一句中都曾提及,太阳给地球上的万物以生命和能力。太阳与双子星座的群星一同升降,说明太阳进入双子星座之内,时间应在 5 月 21 日至 6 月 21 日。

㊷“第一次嗅到托斯卡纳的空气”即是指但丁降生人世,时间恰好是 1265 年 5 月 21 日至 6 月 21 日这段时期内。

㊸“高高的轮盘”指第八重天,即恒星天。“你们的地盘”指双子星座的群星在恒星天中所处的区域:因为恒星天有许许多多星辰,其中包括黄道带的各星座,而正如前注,但丁进入的、亦即经上天安排进入的恰好是他的本命星座即双子星座。

㊹“艰巨的关口”指最后艰巨的考验:因为但丁呼吁他的本命星座给他以更大的才华,以便完成描述觐见上帝的情景的艰巨任务。但也有人认为,“关口”是指死亡,还有人认为,但丁所要

描述的是基督与圣母的胜利；萨佩纽和波斯科-雷吉奥两注释本都不赞成这些诠释。

㊺“最后的解救”指来到上帝亦即至高无上的天福身边。

㊻“走向它”即是指走向“最后的解救”；这里，但丁又用第三人称阴性代词单数 lei 自造了动词 inleiarsi（走向她），因为“解救”（salute）一词是阴性名词。

㊼这里是说，贝阿特丽切让但丁向下看一看：她已使他经过宇宙的多大部分。

㊽“胜利的一群”指庆祝基督胜利的圣者队伍；“天穹”一词的原文为 etera，即 etere，指太空或以太、能媒，即是亚里士多德在《天论》（*De coelo*）一书中所说的构成天体的“第五实质”（quinta essenza），为一纯粹技术名词。

㊾波斯科-雷吉奥注释本认为，从第 133 句到第 153 句，诗句可能都受到西塞罗在《西庇阿之梦》（*Somnium Scipionis*）第三至六章内容的启示：其中谈及阿非利加的西庇阿在梦中向其子艾米利亚人西庇阿（Scipione l'Emiliano）指明天国与尘世的差别，该言论集收入西塞罗的《论共和国》（*De republica*）一书，但在中世纪，只有上述章节为人所知。这里恰恰借鉴了西塞罗在《西庇阿之梦》第三章第十六句中的一段话：“我觉得地球本身竟是如此微小，竟至令我对我们的帝国感到耻辱。”

㊿“心向其他的人”是指那些“小看”地球、而把注意力从尘世转向天国的人；此句似也借鉴于西塞罗在《西庇阿之梦》第六章第二十句中如下一段话：“既然在你看来，世人所处之所确实很小，那么你就该幡然醒悟，永远默思这些天国的东西，而轻视尘世的东西。”

51“拉托娜的女儿”即月神狄亚娜，指月亮，“焕发光明”指月亮是在太阳光照下发出光亮的。

52关于月亮上的阴影或黑斑问题，在本篇第二首第 59—60 句中曾由但丁提出过，贝阿特丽切曾对此作过解释，请参阅有关诗句及注释。

53伊佩里奥尼（Iperione），据远古神话称，他是太阳神赫利奥斯（Helios 或 Elios）的父亲，天王星乌拉诺（Urano）的儿子。后来，赫利奥斯被看成阿波罗。诗中的意思是：这时，但丁的视觉能力增强了，因而可以承受太阳的强光。

54玛亚（Maia）和狄奥妮（Dione）分别是水星和金星之母，这里是母名代替子名和女名。“他”指太阳；“在他周围”所用原词为 circa，是指水星和金星像追求太阳那样，不离他的左右，而不像其他星辰那样，有时远离太阳；她们甚至会在太阳的对面出现，即太阳在西，她们则在东，反之也是一样。但波斯科-雷吉奥注释本认为，应将此词理解为水星和金星作“圆周般”运行，萨佩纽注释本不同意这种说法。

55木星的“父亲”是土星，“儿子”为火星，介乎寒光与热光之间，因而光线柔和，本篇第十八首第 68 句也提及这一点。

56这里是说，上述各星球，特别是水星和金星，在天空中显示出它们各自与恒星天相关的位置在不断变化，这就促使古代天文学家提出本轮运动（epicicli）的理论来解释这种天象。

57“小小的地面”原文为 aiuola，为 aia（打谷场）的缩小名称，这里是指地球上露出的干地，可以居住。诗中的意思是：地球上可居住的面积很小，因此，人类变得十分“凶残”，相互争夺。

㊽“从山丘到河口”有多种解释：古代的本维努托认为是指“从高山到大海”，布蒂认为是指“从东到西”；近代的托拉卡则认为是指“从最高的山巅到两个极端对立的河口，即恒河河口和海格立斯的‘狭窄河口’（直布罗陀海峡）”，波雷纳认为是指“阿比拉和卡尔佩二山到恒河三角洲”。萨佩纽和波斯科-雷吉奥两注释本都认为，最好的诠释应像拉纳和《最佳评注》那样，做不确定的泛指。

㊾“美丽的双眼”指贝阿特丽切的双眼，因为但丁这时想从她那里得知：现在应当作什么。

第二十三首

贝阿特丽切的期待(1—15)

基督的胜利(16—87)

圣母的胜利(88—139)

贝阿特丽切的期待

犹如一只鸟在它所珍爱的枝叶之间,
栖息在它的那些可爱的新生小鸟的巢窝旁边,
度过一夜,而那夜又向我们把万物遮掩,
这时,它为了观看它所渴望看到的小鸟们的模样[1],
也为了寻觅食物来把它们喂养,
为此,即使要付出艰苦的劳动,它也感到满心欢畅,
它跳上开阔的枝头,等候天亮[2],
它怀着急切的企盼心情,期待太阳,
它目不转睛地盯视着,盼望露出曙光;
我的那位贵妇也正是这样目不暇视,直身挺立,
她转身朝向那片天空[3],
在那天空之下,太阳显得不慌不急:
这就使我见她如此心情急切,全神贯注,
我自己也变成这样一个人:

渴望得到某件东西,却只能依靠希望来自我满足[4]。

基督的胜利

但是,我要说,从我等待的时间[5]
到眼见天空变得愈来愈明亮的时间,
其中相隔的时间却是十分短暂;
这时,贝阿特丽切说道:“瞧,
庆祝基督胜利的队伍来了,
那是这些天体的旋转所收获的全部成果[6]!”
我觉得,她的整个面庞燃烧如火,
双眼充满欢乐,
这竟使我如今不得不略去不谈,把它放过[7]。
犹如在出现满月的晴朗夜空,
特丽维亚在永恒的林泽女神中间展露笑容,
这些女神从四面八方点缀苍穹[8],
我眼见一轮红日驾凌在成千上万盏明灯之上[9],
正是它把所有明灯点亮,
就像我们的太阳照亮天上的星光[10];
通过那强烈的光芒,
透露出那霞光万道的实体,它竟是如此明亮[11],
照在我的脸上,令我的视力无法承当。
哦,贝阿特丽切,温柔而亲爱的引路人!
她对我说:“那把你压倒之物,
就是任何东西都无法回避的德能[12]。
在那里的正是大智与大能[13],
他曾开辟沟通天地的途径,
这曾是世人盼望已如此长久的事情[14]。”
如同火光穿破云层,
极大膨胀,不能被云层所包容,
从而脱离它的本性,朝下边的地面俯冲[15],

我的心灵也正是如此，它把那珍馔美味饱餐一顿[16]，
已变得更加壮大，竟然冲出自身，
甚至连它自己做了哪些事情也记不清。
“睁大你的眼睛，仔细看看我现在是怎样的神情：
你已看见一些东西，它们使你变得如此强大，
足以承受我的笑容[17]。”
我这时像是一个人
依然为业已忘怀的幻觉弄得神志不清，
正徒劳地努力要把那幻觉唤回记忆之中，
我听到这值得我感激不尽的邀请，
这样的邀请永不能
从那记录往事的书册中匿迹销声[18]。
即使所有那些经波林妮亚和她的姊妹们
用她们那最最甜蜜的乳汁喂养而变得更加丰满的舌头[19]，
现在为了帮助我，全都发出声音，
也无法描述那千分之一的真情实景，
尽管它们在歌颂那圣洁的笑容，
歌颂那神圣的形象使这笑容变得多么光彩照人[20]；
描写天堂的情景，
正应当这样，使那神圣的诗篇实现飞跃，
犹如一个人发现他的道路已经断绝。
但是，凡是想到这个题材是如此重大、
而承担它的又恰是凡人的肩膀的人[21]，
若见他在重负之下颤抖不停，也不会如此责问：
那是敢于乘风破浪的船头才能闯过的艰巨航道[22]，
并非小舟所能穿行，
同样也非只图省力的船夫所能驶进。
“难道是因为我的面孔令你如此迷恋，
竟使你不转过身去，向那美丽的花园观看，
尽管在基督的光辉照耀下，园里的百花在争奇斗艳[23]？

那里，有那朵玫瑰花，神子曾在其中化为肉身[24]；
那里，也有那些百合花，
正是受它们的香气熏陶，世人才走上从善的路径[25]。”
贝阿特丽切这样说道；而我，对于她的建议无不听从，
我便重又转过身去，
投入虚弱难当的双眼所进行的斗争[26]。
犹如我的一双为阴影覆盖的眼睛[27]，
在阳光照射下，看到一片鲜花盛开的草丛，
而那阳光的照射又只是透过被划破的云层；
我正是这样看到有更多的群体光辉灿烂，
他们从上面射出熊熊似火的光焰，
而我又看不出这些强光的开端[28]。
哦，仁慈的德能啊，你如此浸透着这些强光，
你曾向上升去，为的是在我所在之处[29]，
给我的那双无力承受你的眼睛，留下一块地方。

圣母的胜利

那美丽花朵的名字[30]
使我集中精神去观看那最大的光焰，
而我一早一晚总是把那名字祈祷呼唤。
我的一双目光把那颗灿烂的星辰[31]
是如何明亮，又是怎样巨大，刚才辨清——
这星辰在天上压倒众星，在人间也曾压倒芸芸众生，
这时就有一枝火把，穿过天空降临[32]，
它的形状滚圆，宛如花环，
把那星辰缠绕，在它的周围旋转。
尘世响起哪怕是最甜美的乐曲，
哪怕这乐曲最能把心灵吸引过去，
倘若与那竖琴发出的乐音相比[33]，
也会像是划破云雾的雷鸣，

正是那竖琴为那美丽的蓝宝石套上花环，
而在那蓝宝石辉映下，天空也显得更加碧蓝璀璨[34]。
“我就是那天使之爱，围绕那崇高的欢乐旋转[35]，
这欢乐来自那肚腹：
我们的渴望曾在其中寄宿；
天国的贵妇啊，我将不住旋转[36]，
而你则追随你的儿子，
并将使那最高一重天变得更加辉煌灿烂，因为你进入它的里边[37]。”
那回旋奏响的乐曲[38]
就这样宣告结束，
所有其他的光辉则把玛利亚的名字唱出。
那笼罩宇宙各重天体的庄严外衣[39]，
在上帝的气息和行动规则的激发下，
变得更加沸沸扬扬，更加充满生机，
那外衣在我们上方，还有一道十分遥远的内向边际[40]，
这就使它的形象
还不曾显露在我所在的地方：
因此，我的双眼没有力量
去追随那环形的烈焰，
它则已飞升到她的种子身旁[41]。
犹如小儿在吃罢奶水后，
在最后外露的炽热心灵推动下，
把双臂伸向妈妈；
那些灿烂夺目的光辉都各自把光焰[42]
向上伸展开去，
这就使我看出他们对玛利亚怀有崇高的情感。
于是，他们就停在那里，恰好在我对面，
歌唱“天后”，那歌声是如此甜美[43]，
以致那欢悦始终不曾离开我的身边。
哦，收集在那琳琅满目的箱柜内

的珍宝是多么丰富！
这些箱柜在尘世曾是播种的好农妇[44]。
在这里，靠享受珍品而度日[45]，
而在放逐巴比伦时则曾靠哭泣才获得这样的珍品，
在那里，曾不惜撇下黄金。
在这里，获胜的正是这样一位[46]：
他有上帝和玛利亚的崇高之子在指引[47]，
与旧的和新的队伍一道，大获全胜[48]，
他把如此光荣的钥匙掌握手中[49]。

注释

①这里的“模样”(aspetti)，虽然大多数古代注释家都认为是指“新生小鸟”，但布蒂则认为是指太阳升起的情景，以便能够觅食喂养小鸟。波斯科-雷吉奥注释本认为，从文法角度来看，以解释为“小鸟”更妥(此处“模样”的用词为复数)。

②此句的写法可能借鉴公元三四世纪著名的基督教教义辩护士拉丹齐奥(Lattanzio)的《论凤凰起源》(*De ave Phoenice*)，其中写道：“(凤凰)向上飞起，落在一棵高大树木的顶端，在那里聚精会神地等待旭日的新的光芒出现。”同样，第一段三行韵诗的“可爱的新生小鸟”和夜“把万物遮掩”的写法，也可能分别借鉴维吉尔的《农事诗集》第二章第523句和《埃涅阿斯记》第六章第272句。

③“那位贵妇”仍指贝阿特丽切。“那片天空”，古代注释家和个别近代注释家都认为是指子午线上的一片天空，因为这时，太阳位于中午，运行很慢，同时还认为，这里有象征天顶(Zenit)之意，因此，太阳位于它的脚下。

④这里用曲折的笔法描述一种简单的心情：即一个人渴望得到这时他还没有的东西，但又暂时只能希望尽快得到满足，意在说明他渴望之殷，类似的含意也见于《炼狱篇》第二十一首第38—39句的写法。

⑤这里的“时间”，原文用quando，该词本为疑问代词或连词，此处则作为名词用，属哲学用语。

⑥这里的“队伍”是指因耶稣的牺牲而获得解救的一切享天福者的精灵。关于“成果”一句的解释，一般认为，各重旋转的天体对世人产生不同影响，而享天福者也正是这些天体所产生的影响的结果，如今，他们则将天体影响转向至善，庆祝基督的胜利。但也有人认为，这里是指：原来各享天福者是分散到各重天的，这时则重新汇集起来；还有人认为，这是指但丁经过几重天所收到的“成果”(其实，但丁的天堂之行的“成果”应是觐见上帝)；波雷纳和基门兹更认为，这里是指受最高最完美的第八重天即恒星天影响的精灵，因为他们是直接从原动天上降下的，而不需经过其他几重天。波斯科-雷吉奥和萨佩纽两注释本都不赞成上述后几种

说法。

⑦这里仍是指贝阿特丽切的面容变得愈来愈美丽，但丁无法用笔墨来形容。

⑧特丽维亚（Trivia）是古人对月神狄亚娜（Diana）的别称。狄亚娜有三种称呼：在天上，被称为菲比亚（Febea）或卢娜（Luna，即月亮），在地上，被称为狄亚娜，在地狱则被称为埃卡特（Ecate）；因此，意大利梅尔齐百科全书也把“特丽维亚”注释为埃卡特的“绰号”，因为古人是在 trivi 即三岔路口奉祀她的。由于狄亚娜有三个名字，她也被称作“三头女神”（Tricipite 或 Trina），被世人绘成有“三头”的形象：即女人头、马头和狗头，或是有狗、狮、牛三头，但一般都是用来指地狱中的狄亚娜，即埃卡特的。“林泽女神”指星辰。

⑨“一轮红日”指基督，是所有“明灯”中最灿烂、最明亮的。

⑩在但丁时代，人们认为，所有星辰都没有光，即都是在太阳照耀下发出光亮的；类似的观点也见于本篇第二十首第 6 句。

⑪这个“实体”即是基督的光芒四射的人形。

⑫这里的“德能”是指基督，其含义相当于威权，能力；此句的意思是：基督的德能是压倒任何其他德能的，或是任何其他德能所望尘莫及的，也是任何能力所无法超越的；布蒂曾就此解释说，“因此，倘若它（指德能）超出你的视觉能力，也便不值得大惊小怪了”。

⑬“大智”和“大能”是三位一体中第二位即圣子亦即基督的特征，此典出自《新约 · 哥林多前书》第一章第二十四句：“基督确是上帝的大能，上帝的大智。”

⑭这里是说，救世主基督通过被钉上十字架死去，恢复了天与地之间、上帝与人类之间的和平，而人类世世代代企盼与上帝和解的道路已有五千余年之久。《炼狱篇》第十首第 35—36 句也叙述了类似的内容。

⑮中世纪科学认为，雷电或称“火气”（vapore igneo）是被“云雾”或称“水气”（vapori acquei）包拢的，“火气”与“水气”的斗争和它自身的“膨胀”，便从“水气”中的薄弱环节中“俯冲”到地面上来，尽管其本性是要向上升去的：《地狱篇》第二十四首第 145—150 句、《炼狱篇》第十八首第 28—30 句和第三十二首第 109—111 句、本篇第一首第 115 句和第四首第 77—78 句以及但丁《筵席》第三卷第三节第二句段中都述及类似问题，并且以此比喻“心灵的超越”（excessus mentis）；这里同样也是以此为例，说明但丁当时激动无比的心态。

⑯“珍馔美味”原文为 dape，本意是“盛宴”，来自拉丁文 dapes，这里是指精神食粮。这里运用近乎神秘主义的笔法，描述但丁在看过许多天上奇景（犹如饱餐“珍馔美味”）之后，心灵已发展到一个新的境界（心灵“变得更加壮大”，甚至“冲出自身”），如今但丁又恢复原有的精神状态，因而把他在天上曾经做过什么事情也记不起来了。但丁在《书信集》第十三章第十八至十九句段中曾说，人类在尘世的心智提高到极大程度，“等到它返回自身，就失却记忆，因为这心智曾超出人类的限度”。

⑰这里是说，自从但丁随贝阿特丽切登上土星天以来，贝就一直不曾微笑，因为当时但丁无力承受贝的笑容（见第二十一首第 4—12 句），如今，在恒星天，但丁的视力已因看到庆祝基督

胜利的队伍而大大加强，自然也就能承受贝的笑容、接受她的邀请了。

⑱“记录往事的书册”即是指备忘录。

⑲波林妮亚(Polimnia)即九位缪斯女神中司抒情诗的波丽妮亚(Polinnia)；她的“姊妹们”即是指其他八位缪斯女神。诗中用“乳汁”比喻诗的灵感的写法也见于《炼狱篇》第二十二首第101—102句有关荷马的诗句。“舌头”(lingue)是指那些最著名诗人的舌头，简言之，亦即代表诗人；“更加丰满”意谓更加富有才情。

⑳“圣洁的笑容”指贝阿特丽切，“神圣的形象”则指基督。

㉑“凡人的肩膀”(omero mortal)即是指但丁的肩膀。

㉒“艰巨航道”原文为pileggio，是古代罕见的词汇，意义较含混，大致涉及大海，一般指道路或航道；手抄本对此词有各种各样的抄写形式，如peleggio、poleggio、pareggio、paraggio，译文是采用萨佩纽和波斯科-雷吉奥两注释本的折中说法：萨本用pileggio，按帕罗迪的说法诠释为“航道”；波-雷本依照佩特罗基版本用pareggio，诠释为“漫长而难行的一段海面”。

㉓这里把享天福者的群体比作“争奇斗艳”的百花园。

㉔“玫瑰花”指圣母，在祈祷圣母时经常用此作比。

㉕“百合花”指使徒。关于“玫瑰”和“百合”的比喻，见于《旧约・雅歌》第二章第一句：“女：我是原野的玫瑰，是谷中的百合”；关于“香气”的典故，可追溯到《新约・哥林多后书》第二章第十四至十六句：“感谢上帝，他常常率领我们靠着基督而战胜一切；又使用我们到处传扬使人认识基督的福音，好像散播芬芳的香气。我们在信与不信的人当中，都是上帝所要散发的基督的香气。这香气对于得救的人来说是‘生命’；但对灭亡的人而言，却是‘死亡’”。

㉖这里是说，但丁作为凡人的双眼(诗中用cigli，本意是双眉或一双睫毛)是虚弱的，曾一度不能承受强烈的神光，这时在贝阿特丽切的鼓励下，又要投入承受基督令人目眩的光辉照耀的考验(“斗争”)。

㉗这里是说，太阳被浮云遮住时，但丁的双眼就能承受强烈的阳光照射，诗中的写法是一种简化写法(brachilogia)，仿佛但丁的双眼“为阴影覆盖”。

㉘“开端”(principio)在这里指“光源”。

㉙“仁慈的德能”指基督。“在我所在之处”原文只用了一个lí，直译为“在那里”。“留下一块地方”意谓使“我的那双无力承受你的眼睛”有能力观看你。

㉚这里是指贝阿特丽切在第73句所提及的“玫瑰花”亦即圣母玛利亚的名字。“最大的光焰”指圣母。

㉛“灿烂的星辰”仍指圣母玛利亚。这里是说，圣母在天上以其光辉压倒众享有天福者，在人间也以其美德压倒众生灵。

㉜古代注释家认为，这里的“火把”指天使长加百列；但有些近代注释家认为，诗中既然说它“形状滚圆，宛如花环”，想必是指一种光辉灿烂的集体形象，而不是只有一位天使长，应当还有许多天使，以一概全，犹如木星天的鹰。萨佩纽和波斯科-雷吉奥两注释本都不赞成后一种

诠释。

㉝“竖琴”在这里比喻加百列在唱出甜美的歌声。

㉞本段后两句重叠运用名词 zaffiro（蓝宝石）和动词 s'inzaffira（直译“变为蓝宝石”，亦即“显得更加碧蓝璀璨”），突出描述圣母的星辰及其辉映下的天空的光和色，使诗句倍增美感。

㉟这里诗句采用以虚代实的笔法：以“天使之爱”代替怀有热烈的仁爱之情的天使（加百列是众天使中仁爱之情最热烈的天使），以“崇高的欢乐”代替圣母，因为她的“肚腹”曾怀有世人“渴望”的救世主（“我们的渴望”即是指耶稣）。

㊱“天国的贵妇”指圣母。

㊲“最高一重天”指净火天。

㊳这里的“乐曲”仍指围绕圣母旋转的加百列唱出的歌声。

㊴“华丽外衣”（real manto）指第九重天即原动天，因为它像一件帝王所披的庄严斗篷一样，把其他八重天体罩住；“气息”意谓精神，“行动规则”指上帝制定的运行规律，由于第九重天最接近净火天，它可以直接受到上帝的指引和推动，因而能从上帝的“气息”中得到活力，按上帝的“行动规则”而行事。

㊵“内向边际”（interna riva）指第九重天的内向面，如笼罩物的凹面，与恒星天恰好毗邻，尽管相距依然“十分遥远”，仍不能为但丁所见。

㊶“环形的烈焰”指圣母的光芒，加百列还像花环般在她周围旋转。“种子”指圣子。

㊷“灿烂夺目的光辉”指享天福者的精灵。

㊸“天后”原文为拉丁文 Regina celi，是复活节时教堂歌唱应答赞美诗的歌词开头。诗中是说，享天福者赞颂圣母，歌声动人，至今但丁都不能把当时所感到的“欢悦”忘怀。

㊹这里把享天福者比作“箱柜”（arche，《圣经》中的“约柜”即用此词）；诗中之所以用“农妇”（bobolce），因为“箱柜”的意文词汇是阴性的，这里是说，好的农妇播种多，便收获多，不好的播种少，便收获少（布蒂）。但也有人把 bobolce 理解为有待耕耘和播种的田地。诗中的用典出于《新约·马太福音》第十三章第三至八句和第十八至二十三句：耶稣向众人讲解真理，说：“有一个农夫出去撒种：他撒的种子有些下在路旁，不一会，就给飞鸟吃光；有些下在浅土上，虽然很快便发芽，然而因为泥土不深，无法生根，经过猛烈的阳光一晒，就枯干了；还有些下在荆棘丛中，由于荆棘长起来，便把嫩苗挤死了；也有一些是下在肥沃的泥土里的，自然结出饱满的籽粒，有三十倍、六十倍、一百倍的收成”；“所以，你们应当留心这撒种比喻的意义。种子下在路旁，是代表那些听了天国的道理而不明白的人，被魔鬼乘虚而入，很容易就把真理夺走了；下在浅土的种子，就像有些人一听天国的道理，就很高兴地接受了，但因为他没有根基，所以不能持久，一旦为了真理而遭迫害，便会立刻放弃信仰；落在荆棘丛中的种子，就是指那些听了真道的人，因为有生活的忧虑和金钱的诱惑，以致妨碍了真道的生长，不能结出成熟的果实；至于那些落在沃土里的种子，就好像一个听了道理的人，不但明白它的意义，而且开花结果，便收成三十倍、六十倍、甚至一百倍的果实”。《新约》的《路加福音》第八章

第五至十五句、《马可福音》第四章第三至三十句、《加拉太书》第六章第八句，都有类似的内容。

㊺“在这里”指在天堂，“珍品”是世人所积累的功德，而这些功德是他们在尘世间通过痛苦折磨（“哭泣”）而获得的：“放逐巴比伦”（essilio di Babilon）是指巴比伦王、著名的暴君尼布甲尼撒（Nabucodonosor，公元前605—561）在征服犹太国（Giudea）后，使以色列人备受屈辱和奴役，后世便把流亡巴比伦比喻为“尘世生活”，即是说，人生在世，也像是被放逐到尘世受苦一样。“撇下黄金”是指这些享天福者在尘世是视黄金如粪土，轻视世间虚妄的财富的。

㊻这里是指圣彼得，他将作为后几首的“主角”出现，因此，这里是为他的即将出场作了铺垫。

㊼这里是指圣子基督。

㊽“旧的和新的队伍”是指《旧约》和《新约》中的圣者所组成的队伍；“大获全胜”是指战胜尘世的各种诱惑。

㊾这里的“钥匙”指天国的钥匙，用典出自《新约·马太福音》第十六章第十九句：耶稣对彼得说：“我还要把天国的钥匙交给你”；请参阅《地狱篇》第十九首第92句及有关注释。

第二十四首[1]

圣彼得的回答(1—45)
但丁的信仰(46—147)
圣彼得的赞许(148—154)

圣彼得的回答

“哦,被选上参加幸福的羔羊盛宴的群体[2],
那羔羊把这样的美食向你们供给,
以致你们总是酒足饭饱,称心如意[3],
倘若承蒙上帝的恩泽,此人能品尝
从你们饭桌上掉下的那些碎屑残片[4],
在死神为他规定的期限之前,
那就请你们考虑那浩如烟海的渴望[5],
赐给他一些玉露琼浆:
你们总是畅饮那泉水,正是从那里涌出他之所想[6]。”
贝阿特丽切这样说道;而这时,那些快乐的魂灵
变成一个个圆圈,在固定的轴心上旋转,
放射着强烈的光焰,犹如彗星一般。
如同钟表装置中的一些齿轮在不住旋转,
在旁观者看来,那第一个像是静止不动,

最后一个则像是在飞速盘旋[7]；
那些光环也正是如此，节奏不同地边舞边转，
他们的舞步有快有慢，
这就使我能衡量出他们有怎样的丰富内涵[8]。
我注意到其中有一个最美丽的光环，
我看见从那个光环里飘出一束如此欢乐的光焰[9]，
它竟不曾把任何更明亮的东西留在里面；
它围绕贝阿特丽切旋转了三遭[10]，
还唱出一首如此神圣的歌曲，
我的想象力竟使我不能把它牢记。
因此，我的秃笔只好跳过，我也只好把它略而不写；
因为我的想象力对于这些微妙区别，
加上我的语言，都显得色彩过于强烈[11]。
“哦，我的神圣姊妹啊，你向我们请求得如此虔诚[12]，
正是鉴于你那炽热的仁爱之情，
我才从那美丽的光环中脱身。”
那幸福的光焰在旋转之后停了下来，
向我那贵妇送出了话音，
它所说的话语正是我前面所讲的内容。
于是，她说：“哦，你这伟大人物的永恒之光啊[13]，
我们的主曾把这极乐世界的钥匙留给你[14]，
而他曾把那钥匙带下凡尘，
请你围绕信仰问题，随意
用或轻或重的问题来对此人进行测验[15]，
你正是因为有信仰，才能步行海面[16]。
他是否有正确的爱，有正确的希望和信仰[17]，
这对你都无法隐藏，因为你的目光是放在这上面[18]：
从中可看到一切事物都被描绘停当；
但是，既然这个王国是根据真正的信仰，
培育公民，最好也让他

来谈一谈信仰，把信仰颂扬[19]。”

但丁的信仰

正如一个青年学子在自行酝酿，一语不发[20]，
直到老师把问题提出，
以便接受这个问题，而不是把问题结束，
我此刻也正是这样自我酝酿，准备一切论据，
而这时，她则正在言讲[21]，
我要准备好应付这位口试者，并把我的论据宣扬。
“说吧，善良的基督教徒，请说明你的思想：
你的信仰是什么？”于是，我抬起前额，
朝向说出此话的那束光芒[22]；
接着，我又转身去看贝阿特丽切，
她立即向我示意，让我尽情
把我内心的泉水向外倾泻。
我开言道：“天恩命我
向这位崇高的使徒之长倾诉衷肠[23]，
让我明确陈述我的思想。”
我又继续说道：“正像你那亲爱的兄弟的真实笔触[24]
向我们写下的内容，父亲，
他曾与你一起，使罗马走上正当途径[25]，
信仰是人所希望的事物的根本，
也是不曾显现的事物的凭证[26]；
我觉得，这似乎就是他的主要内容。”
这时，我听到他说：“你理解得很准确，
倘若你能很好领悟，他何以把信仰
放在诸根本中间，随后又放在诸凭证中间[27]。”
我随即说道：“在这里把它们的鲜明形象
赏赐予我的这些深奥难测的东西[28]，
对尘世的眼睛则是如此隐秘，

以致它们只是作为信仰而存在，
崇高的希望也便建筑在这信仰之上；
因此，才以根本来称呼信仰。
从这信仰出发，我们不得不进行推理，
既然我们没有其他的视力[29]，
因此，信仰也便采用凭证的名义。"
这时，我听到对方说道："倘若这样理解
世上通过学说学会的任何问题，
诡辩之才在尘世就不会有立足之地。"
那炽热的爱就这样发出声音[30]；
随后，他又补充说道："这枚钱币
的合金和分量业已估计得恰如其分[31]：
但是，请告诉我：你的钱袋里，是否有这枚钱币。"
我于是说道："是的，有，它是那么铮亮，那么滚圆[32]，
它的铸造没有任何东西令我产生疑团。"
接着，从在那里闪烁发亮的光芒深处，
发出声音："这颗珍贵的宝石[33]
是一切美德建立其上的基础，
你是从哪里得到它的？"
我于是说道："圣灵的大量甘霖
普降在旧的和新的羊皮纸上[34]，
这正是一种论据，它如此犀利地
向我最终论证那信仰，
与它相比，我觉得任何论证都似乎迟钝难当。"
我随后又听到："那旧的和新的命题[35]，
为你做出这样的论证，
你又为何把这论证看成神的言语？"
我于是说道："向我展示真理的那个证据，
正是随后发生的种种事迹，
而为实现这些事迹，自然永不会把铁烧热，也永不会把铁

砧捶击[36]。”
他向我答道:“你说一说,是谁向你确保这些事迹曾经发生?
正是那本身需要论证的,
而不是别的,在向你发誓论证[37]。”
我说,“倘若世人不需有奇迹,
仍然向基督教皈依,
这一个就足以论证,而其他则抵不上它的百分之一[38];
因为你曾在田地里耕作,一贫如洗,挨饿忍饥[39],
你播种了良好的植物,
它过去曾是葡萄园,如今则变为荆棘。”
我刚说完此话,那崇高而神圣的天朝[40]
便依照一个个光环,响起一曲“我们赞美上帝”[41],
随着那只有天上才能唱出的优美旋律。
那位男爵曾一个枝蔓、一个枝蔓地仔细考查[42],
这时则已把我拉到
我们正在走近的最后枝丫,
他又开口说道:“与你的心灵息息相通的天恩,
使你按照应有的启齿做法,
直到现在,启齿讲话,
这使我赞同你口中说出的回答:
但是,现在应当表白一下你所信仰的那个内容[43],
它又来自何处,得到你的相信。”
我开言道,“哦,圣父啊,精灵,
你如今看见你生前就曾深信不疑的情景,
这使你在走向坟墓时,把那更年轻的双足战胜[44],
你要我在此说明
我那直接信仰的形式[45],
你还询问这个信仰的起因。
我的回答是:我相信只有一个永恒的上帝,
他以爱和欲望推动整个天体[46],

他自己则一动也不动。
我不仅拥有物理学和形而上学的证据，
使我获得这样的信仰，
而且把它给予我的还有从这里降下的真理[47]，
通过摩西，通过先知，通过诗篇，
通过福音书和著书立说的你们[48]，
既然那炽热的圣灵曾使你们成为引渡众生之人[49]。
我相信永恒的三位一体，
也相信这三位一体的基因既是一个，又是三个，
他容许把‘他们是’和‘他是’连用[50]。
我现在所谈的正是那深奥的神的本性，
福音书的理论多次把它[51]
铭刻在我的脑海之中。
这便是本源，这便是星星之火，
它随即扩大蔓延，化为熊熊的烈焰，
正像天上的星辰，把我全身照遍。”

圣彼得的赞许

犹如主人倾听令他欣喜的音讯，
随后便把仆人搂抱怀中，庆贺他说出的新闻，
而这时，仆人不过刚刚默不作声；
那位使徒的光辉正是这样把我绕转三圈[52]，
一边还用歌唱向我祝福，
我这时恰好缄口不言，
而正是在他的命令下，我才说话：我的话竟令他这样喜欢！

注释

①自本首起到第二十五首和第二十六首，都是以宗教的三神德（virtù teologali）即信望爱为内容，描述了但丁与基督的三位最得意的门徒即彼得、雅各、约翰之间的有关对话：关于信，占有第二十四首约四分之三的篇幅，关于望和爱，则分别各占第二十五首和第二十六首的一

半,篇幅的大小也说明在三神德中,“信仰”所占的地位是领先于“希望”和“仁爱”的。关于但丁何以选用基督门徒中的彼得、雅各和约翰为诗中考问但丁的主体,可能是因为基督曾把他们三位选作有关他显灵的三大事件的见证人:第一是涉及《新约·马太福音》第二十六章第三十六至四十六句:其中说,基督预感到已被叛徒出卖,带着门徒来到客西马尼园(Getsemani),让其他人留下休息,只带着彼得、雅各和约翰向前走,后又让他们三人留下,他自己再稍往前走,向上帝连续做了三次祷告,而三个门徒都因疲乏过甚,酣然睡熟,最后,基督把三人叫醒,说:“到了这个时候,你们还要睡觉休息吗? 我被卖给坏人的时候到了! 起来,我们该走了。你们看,那个出卖我的已经来了!”第二是涉及《马太福音》第十七章第一至九句,《新约》的《马可福音》第九章第二至九句和《路加福音》第九章第二十八至三十六句有关耶稣“变容”的内容:其中说,耶稣带着彼得、雅各和约翰登上一座高山,耶稣改变了自己的形象,面目如太阳一样发光,衣裳洁白,发出炫目的光芒,忽然,摩西和以利亚一起出现,与耶稣谈话,彼得不禁说道:主啊,“你若准许,我就盖三座帐幕,一座给你,一座给摩西,一座给以利亚”,话音未落,一朵灿烂的云彩出现,笼罩他们,云里传出声音说:“他是我喜悦的爱子,你们要听从他”;第三是涉及《路加福音》第八章第四十九至五十六句:其中说,有人通知睚鲁(Giairo):他的女儿已经死了,耶稣听见后,对睚鲁说:“不用怕,只要信,你的女儿一定会好的!”到了睚鲁家,耶稣只带彼得、雅各、约翰随睚鲁夫妇进去,众人在屋内都讥笑耶稣,耶稣拉着那女孩的手,说:“小女孩,起来!”她立即重获生命,睚鲁夫妇也惊喜交集。鉴于以上内容,这三首的说理分量就大大加重了。

②“幸福的羔羊”指耶稣。《新约·约翰福音》第一章第二十九句说:“施洗的约翰远远地看见耶稣走过来,就对他们说:‘看啊! 上帝的羔羊,就是除去世人罪孽的那一位! ……’”“盛宴”指天国的宴会,典故出自《新约·路加福音》第十四章第十六句,其中耶稣用“上帝国的宴会”作比喻,说:“有一个人大摆筵席,请了许多客人”;《新约·马太福音》第二十二章第十四句说耶稣把天国比作“国王为儿子筹备婚宴”,说“被邀请的人多,选上的人却少”。《新约·启示录》第十九章第九句则说:“天使吩咐我(约翰)将这话写下:‘被邀请参加羔羊婚筵的人有福了!’……”“群体”在这里除可能是指所有享天福者之外,也许还专门用以指耶稣的众使徒。

③此两句用典出自《新约·约翰福音》第六章第三十五句:“耶稣说:‘我就是生命的粮,到我这里来的人,必定不饿;相信我的,必永远不渴……’”

④这里用典见于《新约·马太福音》第十五章第二十七句:一个迦南的妇人恳求耶稣为她的女儿治病,耶稣说,“把儿女们的食物丢给狗吃呢,实在说不过去。”妇人说,“主啊,你说得对,可是主人也把桌上掉下来的碎屑给狗吃!”耶稣说,“是的,妇人,你的信心真大! 我就答应你的要求吧。”妇人女儿的病果然立即就痊愈了。

⑤“渴望”指渴望得到天国之宴的美食,哪怕是“碎屑残片”也好。

⑥这里的“玉露琼浆”和“泉水”都是指上天的真理和神的智慧,这也正是但丁所渴望得到的。此处用典出自《新约·启示录》第七章第十四至十七句:“这些人都是经过大灾难,又用羔羊

的血将衣裳洗得洁白的。他们在上帝的圣殿中,不分昼夜地侍奉坐在宝座上的上帝,他也要如同帐幕一样庇护他们。他们一定不会再挨饥抵饿或忍干受渴,也不会受日头和酷热的煎熬,因为在宝座中央的羔羊要作他们的牧人,引导他们到生命的泉水那里;并且,上帝也要擦干他们的眼泪";也出自《新约·约翰福音》第四章第十四句:"耶稣说:'人喝了这井里的水,还会再渴;但是喝了我所赐的活水,就永远不渴。因为我所赐的水,要在他里面成为生命的泉涌,涌流不息,直到永生'……"

⑦近代注释家波雷纳曾对这里引用古代钟表作比作了如下诠释:"钟表运动的缓冲和放慢作用是通过钟表的马达(秤砣或弹簧)而发生的,其中还有一系列相继加快速度的齿轮……尤其是与这一速度比较,第一个齿轮是直接由马达起动的,看来似是静止不动,因为它在十二小时或二十四小时之内才转动一圈。"

⑧"丰富内涵"在这里指享有天福的程度,亦即诗中被比作"光环"的使徒像钟表中的齿轮一样,旋转速度快慢不一,这也便使但丁看出他们享有的天福大小不等。

⑨"欢乐的光焰"指光辉闪闪的精灵,它是"最美丽"亦即最光辉灿烂的"光环"中最明亮的,因此,它从光环中走出之后,光环中就没有比他"更明亮"的了;这光焰即是圣彼得。

⑩"三遭"的"三"是宗教礼仪上的数字。

⑪这段三行韵诗的含义主要在于说明仙乐之美非人间想象力和语言所能表达。诗中用了绘画技巧来作比:古代注释家大多认为,但丁设想的绘像方法是:为绘出一件衣裳的褶纹,需用较暗而非较亮的色彩(即"强烈"的色彩),因为较亮的色彩是用来描绘衣裳的其余部分的;因此,诗句说想象力和语言"色彩过于强烈",即是指二者都不适于用来形容圣彼得唱出的"神圣的歌曲"。

⑫"神圣姊妹"是圣彼得对贝阿特丽切的称呼。

⑬这是对圣彼得的称呼。

⑭"极乐世界"指天国,关于耶稣把天国的钥匙交给圣彼得,见《新约·马太福音》第十六章第十九句。

⑮"或轻或重的问题"是指主要的和次要的问题。

⑯关于圣彼得"步行海面"的典故,见《新约·马太福音》第十四章第二十八至二十九句:耶稣在海面上,朝门徒那里走过去,门徒大惊,彼得说:"主啊,如果真的是你,就让我照样走到你那里吧。"耶稣说:"好,你来吧!"于是,彼得就从船上下去,站在海面上,朝着耶稣走过去。

⑰这里正是指出一个真正的基督教徒必须具备的三神德:信望爱。

⑱这里是说,享天福者的目光是放在上帝身上,因此,一切事物都像反映在镜中那样,使圣彼得历历在目,无法瞒过他。

⑲"王国"指天国。

⑳"青年学子"一词,萨佩纽和波斯科-雷吉奥两注释本所用原文不一:前者用 baccelier 出于古法文 bachelier,后者用 baccalier,较少见,但二者都是指神学院的学生在结束一定时期的学习

后，需通过低于博士一级的口试：先由教师提出问题，学生应对，数日后，由教师做最后总结性发言（determinatio magistralis），因此，学生只能“接受”（approvare）教师所提问题，陈述本人意见，而不是“结束”（terminar）讨论，因为这是教师的任务。

㉑“她”指正在与圣彼得讲话的贝阿特丽切。

㉒“光芒”指圣彼得。“信仰”是三神德的根本，所以口试从这里开始。

㉓“使徒之长”原文为 primipilo，为军事用语，本意是指罗马百人队队长（centurione），并且是领导罗马军团中第三列老兵（triari）的首列队伍的；这里显然是指耶稣的门徒中为首的。

㉔“亲爱的兄弟”指圣保罗，此称呼也是圣彼得自己的话：见《新约・彼得后书》第三章第十五句：“你们该晓得耶稣长久的容忍，正是我们可以得救的理由；我们亲爱的兄弟保罗，他也曾按着上帝赐他的智慧写信给你们……”

㉕这里是说，圣保罗通过《新约・罗马书》向罗马人传布福音，引导他们走上信仰的正途。

㉖这里用典出自《新约・希伯来书》第十一章第一句：“信心（即信仰）是我们所盼望之事的保证和未见之事的凭据。”这是但丁根据圣保罗在上述《希伯来书》所说的话，对何谓“信仰”问题所作出的第一个回答。

㉗这里，圣彼得又提出第二个问题：要求但丁阐明信仰与希望和仁爱之间的关系。

㉘“深奥难测的东西”指永恒的生命与天堂：诗句的意思是：但丁蒙受天恩得以在天上看到永恒的生命和天堂等深奥神秘的现象，而这些在凡人眼中是无法目睹的，凡人只能依靠信仰来确信二者的存在，而对永恒生命、享有天福的希望（“崇高的希望”）也正是建立在信仰的基础之上（“以根本来称呼信仰”）。

㉙“其他视力”指其他令人可以感觉到的证明真理的手段。诗句的意思是：既然没有其他认识真理的手段，只能依靠论证，来证明一切神学结论；圣托马索曾说：“心智通过论证来接受某些真理；因此，心智对不曾显现的信仰真理的坚定支持在这里就叫作凭证。”

㉚“炽热的爱”指发射炽热的仁爱光芒的圣彼得。

㉛这里用“钱币”来比喻但丁对信仰问题作了透彻的了解，随即又提出第三个问题：但丁是否有信仰（“你的钱袋里，是否有这枚钱币”）。但也有人（如托拉卡）认为，诗中的“估计”是指圣彼得，而不是指但丁。

㉜这里用“钱币”的“铮亮”和“滚圆”，说明“钱币”没有磨损，从而比喻但丁的信仰在质量和数量上都是纯正和完美的。这里，但丁又以副词 forse（也许）为基础，自造了动词 inforsarsi（“产生疑团”）。

㉝“珍贵的宝石”比喻信仰。诗句用典出于《新约》的《希伯来书》第十一章第六句：“人没有信仰，就不能得到上帝的喜悦，因为来到上帝面前的人，必须相信上帝存在”；《罗马书》第十四章第二十二句：“你有信仰认为做什么也不要紧，就只有你和上帝知就可以了，不必张扬其事，做在别人的面前”；圣托马索在《神学大全》第二卷第二章中也说：“信仰必须是所有美德中占第一位的，因为自然的认识不能把上帝作为享有天福的对象来到他的身边，正如希望和

仁爱也是把上帝作为追求对象一样。”

㉞“旧的和新的羊皮纸”指《旧约》和《新约》。

㉟“旧的和新的命题”也指《旧约》和《新约》。

㊱“事迹”是指超越自然手段的事迹,亦即奇迹。这里用铁匠打铁来形容《圣经》中所述奇迹与预言的发生:即为了实现这些奇迹,铁匠(自然)既无材料(铁),又无工具(铁砧和锤子)。

㊲诗句是说,“在向你发誓论证的”正是“那本身需要论证的”,即圣书。诗中的写法是一种哲学用语,即所谓“预期理由”(petizione di principio),亦即逻辑学上所说的,一种把尚待证明的论断作为论据的逻辑错误。

㊳诗中所述的但丁回答是根据圣阿哥斯蒂诺在《论上帝之城》第二十二章第五句段作出的,其中说:“即使他们不相信这些奇迹是宣讲基督复活和升天的使徒们所实现的,为了争取他们相信这些奇迹,对我们来说,只有这一件伟大奇迹便足以使全世界即使未见一些奇迹,也仍会相信这些奇迹。”诗中的“这一个”是指全世界皈依基督教这一奇迹,其他论据则不及其“百分之一”(意谓极少量)。

㊴这里用农夫种田比喻传布福音:本篇第二十一首第127—129句和第二十二首第88句都提及传道的使徒的清贫生活。此段最后一句即“葡萄园”变为“荆棘”是对教会后来的腐败现象的谴责。

㊵“天朝”在这里指享天福者的一个个群体,他们都参加了圣彼得对但丁的口试。

㊶“我们赞美上帝”(Dio laudamo)是教会在庄严仪式上经常歌唱的“上帝,我们赞美你”(Te Deum laudamus)。

㊷这里称圣彼得为“男爵”(baroni),这是因为在《神曲》中,经常把天堂比作天国的朝廷,而上帝就是天国中的“陛下”(sire),《地狱篇》第二十九首第56句、《炼狱篇》第十五首第112句和第十九首第125句乃至本篇第十三首第54句中,都有这样的写法;因此,在天朝中,男爵(baroni)和伯爵(conti)都是地位最高的圣者。这种用贵族称号比作圣者的写法,在当时是很普遍的:薄伽丘在《十日谈》第六天第十个故事也有这样的比喻。“一个枝蔓、一个枝蔓地”是比喻圣彼得所提问题是像一棵树的一层层枝蔓那样,按部就班地一个个向上提出,直到“树顶”,亦即诗中所说的“最后枝丫”。

㊸这里是说,圣彼得在赞赏但丁所作回答后,要求他具体“表白”他所信仰的是什么样的真理,又从哪里汲取这一信仰。萨佩纽和波斯科-雷吉奥两注释本对“表白”一词采用两种不同印法:前者用 spremer,后者按佩特罗基版本用 espremer,二者都为省略音节,取消动词后缀的元音 e;另,二者对“应当”一词印法也不同:前者用 conviene,后者用 convien,略去后缀元音 e(因为动词 esprimer 多了一个字首元音 e)。

㊹这里是指圣彼得生前看到基督作为神的形象,即使当时并未目睹,而是依靠信仰。诗中用典出自《新约·约翰福音》第二十章第三至九句:其中谈及彼得和约翰向埋葬耶稣的坟墓里跑去,因为抹大拉的玛利亚发现墓口的大门已开,坟墓已空:约翰比彼得跑得快,先到了坟墓,

但他并未进去，只是探头往里看，只见细麻布还留在那里。彼得随后也来了，他进到里边，看到细麻布整齐地放在那里，耶稣的裹头巾则卷着搁在一边。先来的那个门徒（约翰）也跟着进来了。他看见这种情形，就相信（抹大拉）玛利亚的话了。到此时止，他们仍然不明白《圣经》的意思，就是指耶稣必定从死里复活。但丁在《论帝制》第三卷第九节第十六句段中也曾诠释过上述段落："约翰讲述彼得来到坟墓后，便立即进去，因为他看到，另一个门徒在门槛上犹豫不决。"根据以上内容，诗中才说，彼得"在走向坟墓时，把那更年轻的双足战胜"。

㊺"形式"在经院哲学的语汇中，意谓"实质"。

㊻这里，但丁着重表示只有一位上帝，用以反对那种多神论；他相信上帝是"永恒"的，用以反对当时有人认为，上帝也有"开端"；他强调上帝"推动"天体，而自己"一动也不动"，用以反对有人认为，上帝本身也是"动"的，因此，上帝既是"动的开端"，又"推动万物"。这里的"爱"是指上帝对造物的爱（包括天体）；"欲望"则是指万物（包括天体）对上帝的渴望和向往。因此，第130—132句说明但丁的信仰的第一点内容：即上帝是独一无二的，永恒的，是一动不动的原动力。

㊼"物理学的证据"是从可感觉的物体中得出的，"形而上学的证据"则是从超自然的论述中得出的：圣托马索的《神学大全》第一卷中就曾提出上帝存在的五个著名论证。"从这里"是指从天上，"真理"是指通过《圣经》给予人类的神的启示：摩西五书（Pentateuco，即《圣经》前五卷）、先知的书、《诗篇》、《新约》的福音、《使徒行传》、使徒的书、《启示录》等等。参见下一段三行韵诗。

㊽这里是指书写各福音书的圣者和训导世人书信的使徒。

㊾诗中是指圣灵在圣灵降临节（Pentecoste）降临在他们身上，使之成为能引渡芸芸众生的圣者（almi）。

㊿"他们是"原文为第三人称复数 sono，"他是"原文是第三人称单数 este，即今文的 è；诗句用这种文法现象来说明"三位一体"的一即三、三即一的关系。

(51)这里的"福音书"指《新约》的《马太福音》第二十八章第十九句、《约翰福音》第十四章第十六句和第二十六句、《哥林多后书》第十三章第十三句、《彼得前书》第一章第二句、《约翰壹书》第五章第七句：其中都谈及三位一体的问题："你们要到各地去，使普世的人都成为我们的门徒，又要给他们施洗礼，使他们归于父、子、圣灵的名下。"

(52)"三圈"的含义同于第22—24句中贝阿特丽切被圣彼得的光焰绕转"三遭"一样。

第二十五首

但丁的希望(1—12)
圣雅各(13—39)
关于希望问题的考试(40—99)
圣约翰(100—117)
令但丁目眩的光辉(118—139)

但丁的希望

倘若一旦发生这样的事情:
天与地所着手书写的神圣诗文[①]
——这诗文曾令我消瘦许多秋春——
战胜那把我逐出美丽羊圈的残忍[②],
而我曾作为羔羊,在那羊圈中睡卧,
成为在那里争战不休的恶狼们的敌人[③];
今后我将带着另一种声音,披着另一种羊毛[④],
作为诗人,把故土重返,
在为我施洗的泉水里,戴上桂冠[⑤];
既然正是在那泉水里,我进入信仰,
这信仰使多少魂灵得到上帝的欢心,
后来,也正是因为这信仰,彼得才这样在我的前额周围绕行[⑥]。

圣雅各

随后，有一束光芒向我们这边移动，
它来自那个光环：正是从那里出来了
基督留下的他的代理者中间的第一人[7]；
我的贵妇满心欢喜，对我说道[8]：
“仔细地观看，观看：看那位男爵来了[9]，
如今尘世间，正是为了他，人们才把加利齐亚拜朝[10]。”
正如一只鸽子落在同伴身边，
一边旋转，一边悄悄攀谈，
一只向另一只相互表达亲切情感；
我眼见两位伟大而光荣的王公的这一位[11]，
受到另一位的欢迎[12]，
一齐把上天哺育他们的食品赞颂[13]。
但是，在相互致意之后，
他们各自却在我面前沉默不语，静止不动，
他们的光辉如此耀眼，竟压低我的面容[14]。
此刻，贝阿特丽切含笑对我说：
“光荣的魂灵，我的天庭[15]
的宽宏大量曾由你写明[16]，
你使希望之名响彻这高空[17]：
你知道，你曾多次把这希望加以体现，
每逢耶稣向这三位表示更大的爱怜[18]。”
“抬起头来，要有自信；
因为凡是从尘世来到这天上的人，
都必定在我们的光辉照耀下，达到成熟之境[19]。”
这正是那第二束光焰对我所作的鼓励[20]；
于是，我抬起双眼，向那两座高山望去[21]，
而他们方才曾以过大的分量把我的双眼压低[22]。

关于希望问题的考试

“既然我们的皇帝开恩[23]，
要你在死亡之前，
到最隐秘的宫院中，与他的众伯爵相见[24]，
以致在你眼见这天朝的真情实景之后，
那使尘世热爱至善的希望[25]
会因此而在你和其他人身上得到加强，
那么，你就说一说，那希望究竟是什么，
它又怎样使你的心灵绽开花朵[26]，
它是从何处来到你的身上的。”
那第二束光辉又这样继续说道。
那位慈悲的贵妇曾引导我的羽翼，飞翔到这样的高度，
这时则在我之先，作出答复：
“战斗的教会没有任何儿子胸怀更大的希望[27]，
正如在太阳身上所记载的那样[28]，
而这太阳则在把我们整个群体全部照亮：
因此，才恩准他在为他规定的战斗期限结束之前[29]，
从埃及来到耶路撒冷[30]，
亲眼观看一番。
其他两点的提出并非为了了解起见[31]，
而是为了让他汇报：
这一美德是多么令你喜欢，
我把这两个问题且留给他，因为它们对他并不困难，
也不会使他狂妄自大；他尽可对此做出回答，
但愿这也表明：上帝在降恩于他。”
犹如一个准备充分、跃跃欲试的学生，
在他所擅长的范围之内，立即答复老师提问，
以求显示他的才能，
我于是说道：“希望是对未来光荣的一种满怀信心的期待[32]，
而产生这种期待的是：

神的恩泽和以前的功德。
这光芒是来自许多星宿,把我照亮[33];
但是,有一位曾首先把这光芒注入我的心房:
他正是那歌颂最高元首的最伟大的歌王[34]。
这位歌王在他那颂神的诗篇中说道,
‘凡认识你名的人,都必对你抱希望’[35]:
谁又能不认识此名,倘若他有与我同样的信仰?
后来,你与他的注入一起[36],
在书信中也把光芒注入我的心房[37],
以致我心中溢满光芒,也便把你们的甘霖泼洒到他人身上。”
在我说话的同时,那熊熊火光的明亮内部[38],
突然有一道刺目闪电在抖颤,
竟像是雷电在打闪[39]。
于是他说道:“我至今仍满怀对那美德的热爱[40],
它曾一直追随我,
直到棕树枝,直到从战场上离开[41],
正是这热爱要我向你说明,
你对那美德感到欢欣,
我也感到高兴,因为你说出希望令你追求的那个内容。”
我说道:“上帝曾把一些灵魂视同友好,
而新旧经书提出的正是这些灵魂所追求的目标,
而目标本身也就此向我作出指教[42]。
以赛亚说,每个灵魂所着的衣衫
在他的土地上,都将是由两件衣裳制作[43];
而他的土地正是这甜蜜的生活。
你的兄弟也曾更加详细地指出:
正是在他谈及白袍之处[44],
这种显示也使我们看得清清楚楚。”
这些话语刚刚讲完,
在我们上方,就先听到,“对你抱希望”[45];

99 所有光环都对此应和歌唱。

圣约翰

接着，在这些光环中间，有一束光辉在闪烁发亮，
倘若巨蟹星座有这样一颗水晶，
102 冬季将会有一个月都只有白昼之光[46]。
犹如一个快乐的少女站起身来走过去，
加入舞蹈当中，并非出于任何虚荣，
105 而只是为了向新娘道贺致敬，
我看到那束闪烁发亮的光辉
正是这样向那两位走来：他们正随着歌声节奏，跳着圆舞[47]，
108 这也与他们那炽热的爱恰恰相符。
这光辉在那里加入歌唱和舞蹈，
而我的贵妇则把他们注意观瞧，
111 恰如新娘沉默不语，不动分毫。
“这便是躺在我们的塘鹅胸前的那位[48]，
这位曾被人从十字架上
114 选定，把那伟大的职责承当[49]。”
我的贵妇就是这样开言；
但是，她在讲出她的话语之后，并不比在此之前，
117 更多地移动她那注意观瞧的视线。

令但丁目眩的光辉

犹如一个人凝眸而视，想方设法
要把日蚀略加观看，
120 而正因为要看，却又变成一无所见[50]；
我看那最后一束火光，也正是这般，
这时，那火光说道：“你为何因为看见一件
123 这里并不存在的东西而眼花目眩[51]？
我的肉身在尘世已化为尘土，

并将与其他肉身一道待在那里，
126 这便使我们的数目相当于那永恒的意图[52]。
身着两件衣裳、
待在这幸福的隐修之所的，只有方才飞升的两束光芒[53]；
129 你该把这一点带到你们的世上。”
这个声音响起时，那火光灿烂的旋转[54]
便静止下来，随之停顿的还有那甜美的混声合唱，
132 这合唱曾与那三束光辉唱出的歌声打成一片，
这正像为停止劳作或避免风险，
原先拍打水浪的船桨，
135 在一声口哨吹起时，全都停放。
唉，我的心灵是多么迷茫慌乱！
因为这时我转过身去，想看贝阿特丽切，
138 却又不能看见，虽然[55]
我就在她的身边，就在那幸福的世界里面。

注释

①“神圣诗文”指但丁描述天堂情景的诗篇，其含义与本篇第二十三首第62句同；诗中提及“天与地”着手书写，是指该“神圣诗文”是由神的科学（“天”）和人的经验（“地”）共同构思和创造的。也有人认为，神的科学是指贝阿特丽切，人的经验则是指维吉尔，或则是前者指天体影响，后者指世间实体（即受天体影响的世间实体）；还有人认为，“天”是指天助。波斯科-雷吉奥注释本不赞成后几种说法。

②“美丽羊圈”是象征佛罗伦萨，本篇第十六首第25句也有这样的比喻；“残忍”是指对但丁满怀仇恨，并将他逐出故土的佛市执掌大权的黑党分子。

③这里是说，但丁本是无辜的，虽为佛市做过好事，但忘恩负义的居民和制造派系纠纷的“恶狼们”却把他视为“敌人”。关于狼与羔羊的比喻说法，是借鉴于《圣经》语言，《旧约》的《以赛亚书》第十一章第六句和《耶利米书》第十一章第十九句、《新约》的《马太福音》第十章第十六句和《约翰福音》第二十一章第十五至十七句都有类似的写法。

④这里是说，随着岁月的流逝，但丁的声音和头发（“羊毛”）都会发生变化：亦即声音变老，头发变白。

⑤这里的“泉水”是指曾为但丁施洗礼的圣约翰洗礼堂，参见《地狱篇》第十九首第17句及有关注释。

⑥“欢迎”的原文是 conte,本意为“了解、认识”,这里则有令上帝欢喜或获得上帝的欢心之意。诗中追述但丁在答复圣彼得提出有关信仰的问题后,圣彼得十分喜欢,在但丁周围“绕转三圈”,参见本篇第二十四首第 151—154 句。

⑦这里是指圣彼得,他是从诗中所说的光环中最先出来的;诗句是说,他是基督在人间的第一位“代理者”,亦即是出任教皇的第一人(“代理者中间的第一人”)。

⑧“我的贵妇”仍指贝阿特丽切。

⑨这里的“男爵”含义同于第二十四首第 115 句(参见该句及注㊷);此处则是指圣雅各(San Giacomo),他是耶稣的十二位门徒之一,为有别于另一位同名门徒起见,史称“大圣雅各”(San Giacomo Maggiore),他是西庇太(Zebedeo)的儿子,是门徒、福音书作者约翰的兄长,于 44 年殉道;另一位史称“小圣雅各”(San Giacomo Minore),他是亚勒腓(Alfeo)的儿子,曾任耶路撒冷第一任主教,于 62 年殉道。

⑩加利齐亚(Galizia)是位于西班牙伊比利亚半岛西北部的一个古代行政区;据说,圣雅各的遗体葬于加利齐亚地区的圣地亚哥·迪·坎波斯泰拉(Santiago di Campostella)圣堂;该圣堂在中世纪,曾是仅次于罗马的欧洲朝圣地,故诗中说加利齐亚受到人们“拜朝”。

⑪“这一位”指圣雅各。

⑫“另一位”指圣彼得。

⑬“食品”指上帝用来“哺育”享天福者的精神食粮。

⑭“面容”的原文为 volto,有两种解释:即“视线”和“面容”,从下文看,以后者更妥,但含义都是相同的:即圣彼得和圣雅各的光辉十分耀眼,迫使但丁低下头来,无法仰视。

⑮“光荣的魂灵”是贝阿特丽切对圣雅各的称谓;“天庭”的原文为 basilica,本意是大教堂,古代注释家大多释为“胜利的教会”,拉纳则释为“上帝的王国”,诗中显然用以比喻天堂。

⑯这里是指《新约·雅各书》,其中述及上帝的慈悲与慷慨,详见《雅各书》第一章第二至十七句。如:第五句说,“如果你们当中有谁缺少智慧,他就应该祈求那位乐意厚赐给人,而且不苛刻责备人的上帝,就必定得着”;再如:第十七句说,“每一样完美的恩赐,都是从天上、就是一切光明之源的天父那里来的”。但目前,一般都认为,《雅各书》的作者是小圣雅各。

⑰这里开始暗示:圣雅各将就信望爱三神德中的“望”即希望,向但丁提问。

⑱“这三位”是指耶稣最喜爱的三大门徒,即圣彼得、圣雅各和圣约翰,同时也联系到耶稣救活睚鲁的女儿、耶稣登山变容、耶稣预料被叛徒出卖三件大事(参见本篇第二十四首注①)。

⑲这里是说,经过这三位使徒(或所有享天福者精灵)的光辉照耀,尽管开始会感到眼花目眩,最终则会增加视力,得以承受这些灿烂夺目的光辉(“达到成熟之境”)。

⑳“第二束火焰”指圣雅各。

㉑这里把圣彼得和圣雅各比作“高山”。用典出于《旧约·诗篇》第一百二十一篇第一句:“我举目仰望高山,我的帮助正是从那里来的”,这里的“高山”象征“那位创造苍穹大地的主宰”;第八十七篇第一至二句:“耶路撒冷是上帝的城,是上帝最爱的一座城,它坐落在他圣山

的高处。”

㉒“过大的分量”在这里是指过大的亮度。

㉓“皇帝”指上帝。

㉔“众伯爵”指众使徒,“宫院”指王国,此是萨佩纽注释本的诠释;波斯科-雷吉奥注释本则认为,“众伯爵”是指天国中更高的人物,“最隐秘的宫院”是指天朝中最偏僻的宫院,因而可能是指净火天,不然,但丁就不会与享天福者中更高级的精灵相遇。波雷纳认为,“最隐秘的宫院”是指最后两重天,即水晶天和原动天,这样,整个天体除净火天外,可以如是划分:即头三重天(亦即所谓“低级”天体)、中间两重天、后两重天,但这种分法与托勒密天文体系把天体分为九重天(净火天除外)、水晶天即原动天的分法有很大差异;但他也把“众伯爵”诠释为众使徒。

㉕“至善”是指永恒的幸福,而非虚妄的幸福。布蒂曾就此诠释说,“从希望中产生仁爱,正如从信仰中产生希望一样”。

㉖这段三行韵诗是圣雅各向但丁提出的有关“希望”的三个问题,其内容与圣彼得提出有关“信仰”的三个问题大致一样(见第二十四首第 53、85、91 句)。“心灵绽开花朵”是指希望的程度大小:只是这个问题与圣彼得询问但丁有无信仰的第二个问题有出入,因为这里圣雅各询问但丁所抱的“希望”有多大,正因如此,下文的回答就由贝阿特丽切来代替但丁作出,否则,但丁若说自己所抱希望很大,难免就有些自我吹嘘,不自量力。

㉗“战斗的教会”(Chiesa militante)是指尘世的信徒群体,因为他们要“与尘世、魔鬼和肉体进行战斗”(布蒂),因此,与另一说法,即“胜利的教会”(Chiesa trionfante)的含义不同:后者是指天国的享天福者群体。这里,贝阿特丽切代但丁回答:在尘世的所有基督教徒当中,没有一个能比但丁抱有更大的希望(亦即怀有更大的美德),因此,但丁才能蒙受上天恩泽,带着肉身升天。

㉘这里是说,上述情况可以从上帝的心灵中看到:“太阳”即是指上帝,因为上帝如太阳一样,照亮享天福者,从而使他们得以懂得真理。

㉙“规定的战斗期限结束之前”是指在但丁死亡之前,因为如注㉗所说,但丁作为基督教徒,活在世上即是从事战斗。

㉚这里把“埃及”比喻尘世,把“耶路撒冷”比喻天堂,用典取自《圣经》的《出埃及记》:即摩西在上帝的命令下,率受奴役的以色列人离开埃及,前往乐土迦南,亦即耶路撒冷。这样的比喻在基督教经文中是常见的:如《新约》的《加拉太书》第四章第二十六句:“至于我们‘母亲’的‘新耶路撒冷’,是在天上的,是自由的,而不是犹太律法的奴隶”;《希伯来书》第十二章第二十二句:“你们现在来到的却是锡安山,就是永生上帝的城邑,是天上的耶路撒冷”;《启示录》第三章第十二句:“我并要将我上帝的名号和我上帝的圣城的名号(就是从天上我上帝那里降下来的新耶路撒冷)和我自己的新名号,都刻在上面。”但丁在《炼狱篇》第二首第 46 句、《筵席》第二卷第一节第七句段和《书信集》第二章第五句段及第十三章第二十一句段

中,也有类似的写法。

㉛这里是说,圣雅各提出其他两个问题,并非出于不知但丁所想而需加以“了解”,因为享天福者从上帝的心灵、脑海中早已洞悉这些情况,其目的在于:让但丁返回人世后,向世人“汇报”他对此问题的感受:特别是有关三神德之一的“望”的“美德”,对圣雅各是多么重要,多么值得珍视(“多么令你喜欢”)。

㉜此句是摘录于彼特罗·隆巴尔多(见本篇第十首第107句及注㊼)的名著《教父名言集》第三卷第二十六章中的一句话:“希望是对未来幸福的一种满怀信心的期待,这幸福是来自上帝的恩泽和本人前此的功德”;圣托马索《神学大全》第二卷中也有类似论述。这一段是但丁对圣雅各提出的第一个问题的答复。

㉝“这光芒”是指使但丁认识三神德之一“望”的真理的“光芒”。关于“许多星宿”,萨佩纽注释本认为是指《圣经》著作和教父论著,波斯科-雷吉奥注释本则认为,应只是指《圣经》著作,如《旧约·但以理书》第十二章第三句就说:“那些智者,就是上帝的子民,必如太阳的光芒照耀;那使多人归向义的,必如星宿闪烁,直到永远。”

㉞“最高元首”(sommo duce)指上帝;“最伟大的歌王”(sommo cantor)指大卫王,因为据说,《旧约·诗篇》的作者即是大卫,而《诗篇》所歌颂的正是“望”(在本篇第二十首第38句中,大卫又被称为“圣灵的歌者”)。

㉟此句取自《诗篇》第九篇第十句:“主啊,凡认识你名的人,都必对你抱希望(《圣经》中文版译为“都必信靠你”),因为你从来不丢弃寻求你的人。”

㊱“他的注入”指大卫的注入。

㊲“书信”指《新约·雅各书》:其中第一章第十二句、第二章第五句和第四章第七至十句,虽然分别只述及上帝将会对战胜“试诱”的人、穷人和谦卑的人作出赏赐,并未直接述及神德“望”,但此处只笼统提到圣雅各与大卫王一起将光芒“注入”到但丁身上,强调二者对但丁的启示,故并未离题。

㊳这里是指散发着火光的精灵,亦即圣雅各。“明亮内部”原文是 vivo seno,直译为“明亮的胸中”,因为圣雅各的灵魂就处在这束光焰之中。

㊴这里表明圣雅各在听到但丁的陈述后感到高兴和满意。布蒂曾解释诗中的两个用词:“闪电”(lampo)是指“如一盏明灯持续的那样,一种炽烈的可持续的光芒”;“雷电”(baleno)是指“突如其来的、快速而不持续的电光”。

㊵这里是说,圣雅各如今在天堂对神德“望”满怀热爱;因为在天上,三神德中只有“爱”仍留存在享天福者身上:伴随圣雅各一生的“望”,已不再存在,因为他已拥有活着时所追求的天福(与此截然相反的是:在地狱,希望也不再存在,正如《地狱篇》第三首第9句所说:“抛弃一切希望吧,你们这些由此进入的人”,因此,希望只存在于炼狱和凡尘);“信”在天堂也不再存在,因为觐见上帝的目标业已达到,因此,留下的只有“爱”,正如圣雅各在诗中所表示的对“望”的热切怀恋。由此,也可明显地看出,但丁何以用这位使徒来象征三神德的“望”。

㊶“棕树枝”(palma)在这里隐喻殉道:公元62年,圣雅各被希律王杀害于耶路撒冷(见《新约·使徒行传》第十二章第二句);传统的圣像中,棕树枝也代表殉道。“从战场上离开”意谓尘世战斗生活的结束(参见注㉗)。

㊷这里的“视同友好”是指在上帝施恩下获得遴选的。“新旧经书”指《旧约》和《新约》。“目标”(Segno)即是指天堂;“就此向我作出指教”则是指天堂也“指教”但丁认识到希望使他追求的是什么,换言之,即是追求永恒的天福。也有人把“目标本身”(原文为代词“esso”)解释为圣雅各,萨佩纽和波斯科-雷吉奥两注释本都不赞成这种解释。

㊸诗句对《旧约·以赛亚书》第六十一章第七句的原句“你们必得着双倍的好处”作了特殊的诠释:即把“双倍的好处”变为“两件衣裳”,亦即指灵魂与肉体;“土地”则是指天堂,“甜蜜的生活”如诗中所说,亦是指天堂;因此,但丁就从以赛亚谈及希望的对象,进而联系到最后审判日的肉体复活(见本篇第七首和第二十三首)。

㊹“你的兄弟”指圣雅各的弟弟、使徒圣约翰,他在《新约·启示录》第七章第九句中曾说:“后来我又看见一大群人,不可胜数。他们来自各国、各族、各民、各方,他们身披白袍;手持棕树枝,站在宝座和羔羊面前……”诗中所说“白袍”,即是指享天福者放射光辉的身体(参见《炼狱篇》第一首第75句)。

㊺“对你抱希望”,原文用拉丁文 Sperent in te,直接摘自《旧约·诗篇》第九篇第十句,参见注㉟。

㊻这里是说,这束光辉比其他光辉显得更为明亮,而它即是圣约翰。诗中又用天象作比:巨蟹星座(Cancro)在黄道带所占位置与摩羯星座(Capricorno)恰相对立,因此,一个星座升起,另一个则必降落,反之亦然。太阳运行到摩羯星座内的时间为自12月21日至1月21日。因此,诗句的意思是:倘若巨蟹星座中有一颗类似这束“闪烁发亮”的光辉的“水晶”般的星辰,在上述期间,当太阳落下时,它将会升起,而当它落下时,太阳则又会再次冉冉上升,这种天象将延续一个月,因此,诗中才说,“冬季(从12月21日至1月21日)将会有一个月都只有白昼之光”。这显然是但丁根据当时的天文学全属假想的情况写出的,从科学角度上看,则属荒诞无稽。

㊼“那两位”即是指圣彼得和圣雅各。

㊽“那位”即是指耶稣最喜爱的门徒圣约翰(San Giovanni):他是西庇太的儿子,使徒雅各的弟弟。为有别于施洗者约翰,他被称为“福音书作者约翰”(Giovanni Evangelista),曾在小亚细亚传道,后被罗马皇帝多密善(参见《炼狱篇》第二十二首及有关注释)放逐到爱琴海的巴特摩岛(Patmo),据说,在该岛,他口述了《启示录》(96年);后他又在亚洲行省埃弗索(Efeso)用希腊文著述了《约翰福音》,最后死于该地。象征他的标记是鹰。“塘鹅”(pellicano)是指耶稣,因为耶稣为了救世,牺牲了自身,如同传说中所说的塘鹅一般:塘鹅为了救活自己所生的小鹅,撕破胸膛,用鲜血使小鹅起死回生。《旧约·诗篇》第一百零二篇第六句就曾用过“塘鹅”的说法:“我就像荒野中伶仃的一只塘鹅……”关于圣约翰作为耶稣最喜爱的门徒躺

在耶稣胸前的情节,参见《新约·约翰福音》第二十一章第二十句:“彼得转身看见耶稣所爱的那个门徒跟在后面,就是在吃晚饭时靠在耶稣胸前问‘主啊!是谁要出卖你?’的那个门徒”,第十三章第二十三至二十五句也有上述情节的详细记载。

㊾这里是说,被钉在十字架上的耶稣,曾在垂死时选定圣约翰继承他作为圣母玛利亚儿子的地位,此典出自《新约·约翰福音》第十九章第二十六至二十七句:“耶稣看见他的母亲和他所爱的门徒(圣约翰),都站在旁边,就对母亲说:‘母亲,看哪,他是你的儿子。’然后对门徒说:‘她是你的母亲。’从那一天起,那个门徒就接她到自己家里去了。”

㊿这里是说,圣约翰的光辉照眼,尽管但丁想要努力去看,却因为光辉刺目,“一无所见”。“最后一束火光”即是指圣约翰。

51诗中所说的“一件这里并不存在的东西”是指中世纪盛传的传说:圣约翰曾携带其肉身升天(“这里”即是指天堂)。此典出自《新约·约翰福音》第二十一章第二十二至二十三句:“耶稣说:‘假如我要他(圣约翰)活到我再来,又与你(圣彼得)有什么关系?你只管跟从我吧!’于是在众弟兄中,就传说那个门徒(圣约翰)不会死;其实,耶稣并没有说他不死……”上述中世纪有关圣约翰携肉身升天的传说,正是根据耶稣上述的话传出的,当时,包括圣托马索(《神学大全》附册)在内的许多作者都认为,此传说“非不可能”;但丁在本首中特意针对此传说,借用圣约翰本人之口,作了匡正。

52“永恒的意图”指永生的上帝:“我们的数目”指享天福者的数目,诗中的意思即是指:享天福者的数目多少要符合上帝所规定的数目。但丁在《筵席》第二卷第五节第十二句段中曾认为,享天福者的数目将相当于被逐出天国的叛逆天使的数目,并取代这些天使的原有地位。诗中用典可能借鉴于《新约·启示录》第六章第十一句:“这时有白袍赐给他们,又有声音告诉他们要再稍候片刻,等到他们的弟兄被杀害的数目满足为止。这些人就是和他们一同作基督的仆人的。”

53“两件衣裳”仍指灵魂与肉体;“幸福的隐修之所”指天堂;“两束光芒”是指但丁方才看见从恒星天飞向净火天的基督和圣母(其他享天福者则都留下,参加对但丁的提问),即是说,携带肉身升入天国的只有他们二位。但丁在这里也隐约地否定了中世纪有关两位先知以利亚和以诺克(Enoc 或 Enoch)也是携带肉身升天之说。然而,值得注意的是:中世纪的神学家乃至教会对圣母升天(携肉身)是有争议的,尽管教会名义上接受传统的说法;它只是在 1950 年才把此问题作为教会的信条,而但丁对此始终是坚信不疑的。

54“火光灿烂的旋转”指三位使徒所属的旋转光环。

55这里是说,圣约翰的光辉异常强烈,一直使但丁“眼花目眩”。

第二十六首

关于仁爱问题的考试(1—66)
视力的恢复(67—81)
亚当(82—142)

关于仁爱问题的考试

我正在为被磨灭的视力而满腹疑云[1],
这时,从那把视力磨灭掉的耀眼光辉中,
传出引起我的注意的一个声音,
它说道:“你的视力从我的身上被损耗,
在你恢复视力之时,
还是以论述来弥补它为好[2]。
那么,就开始吧;你且说明,
你的灵魂究竟朝何处瞄准[3],
你该想到,你身上的视觉只是暂时迷茫,而不是永远失掉;
因为把你领到这个仙境的那个女人,
在她的目光之中,
有亚拿尼亚的手具有的德能[4]。”
我说道:“医治这双眼睛,或早或晚,悉听她的尊便,
这双眼睛曾是大门两扇,

“那么,就开始吧;你且说明,你的灵魂究竟朝何处瞄准,你该想到,你身上的视觉只是暂时迷茫,而不是永远失掉。”(第二十六首第7—9行)

而她曾满怀烈火，从中进入，使我至今一直燃烧不断[5]。
曾使这个天朝感到意足心满的善[6]，
正是爱或轻或重地教导于我的全部情感
的阿拉法和亚米加。”
那曾消除我对突然的目眩眼晕
所感到的惊恐的同一个声音，
又促使我急忙作出论证；
它说道：“当然，你应当经过更细微的筛子，
把你的思维筛清：你该说明，
是谁引导你的弓把这个目标射中[7]。”
我于是说：“这种爱必定要
通过哲学论据和由此降下的权威[8]，
刻印在我的心中；
因为善作为人们所理解的善，
正是这样把爱点燃，
它本身包含的善心愈多，这爱也便愈深湛[9]。
因此，每个认清这种论证所依据的真理的人，
就应当以爱来使自己的心灵
更多地朝这个基因，而不是朝其他基因移动[10]，
这个基因拥有绝对优势，
以致除它之外，任何善都无非是
它的光线中的一点光明[11]。
正是那位把这个真理向我说明[12]：
他曾把一切永恒实质
的首要的爱向我展示[13]。
也正是那真理的提出者的声音说明这一点[14]，
他谈到他自己，向摩西说：
‘我将让你看到一切美德。’
你还在那崇高的宣言的卷首，向我说明这一点[15]，
那宣言把这里的奥秘向尘世高声喊叫[16]，

胜过任何其他文告。”
我听到那声音说道：“正是通过人的心智
和与这心智相符的种种权威[17]，
你的爱的最高情感是朝上帝表示。
但是，你且再说一说：你是否感到还有其他绳索
在把你朝他拉去，这样，你就可以说明：
这种爱究竟用多少牙齿把你咬定[18]。”
这只基督的鹰的神圣意图[19]，
并不晦暗不明，
我甚至还发觉：他想要引导我表白哪些事情。
因此，我又开言道：“所有那些
能使我心向上帝的咬啃[20]，
促使我的仁爱得以油然而生；
因为世界的存在和我本人的存在[21]，
那位为使我得以活在世上而忍受的死亡[22]
以及每个像我这样的信徒所抱有的那种希望[23]，
加上前面所说的深刻认识[24]，
都把我从那错爱的大海中拉将出来[25]，
并把我送到正爱的大海岸边，妥善安排。
那永生的园丁的菜园枝繁叶茂[26]，
我热爱这些枝叶的程度，
要根据它们从他那里得到的善有多少[27]。”

视力的恢复

正当我静默下来，
一曲极为甜美的歌声就立即响彻天空，
我的贵妇与其他精灵一齐说道：“圣哉，圣哉，圣哉！[28]”
犹如一个人为强光所照，骤然惊醒，
因为视觉神经与那光辉相迎，
而那光辉又在通过层层眼膜射进[29]，

那被惊醒的人厌恶他所见之物，
突然的惊醒竟是如此不自觉，
只要判断力不前来相助[30]；
贝阿特丽切正是这样用她的一线光明，
把我的双眼中的一切污垢扫净[31]，
这线光明闪烁发亮，从一千多里外也能看清[32]：
正因如此，我随后看得比以前更明；
我看到在我们当中有第四束光芒出现[33]，
为此，我几乎感到吃惊，便提出疑问。

亚当

我的贵妇于是说道："在那片光辉之中，
有那第一个德能所创造的第一个灵魂[34]，
他的造物主正把他爱抚地看个不停。"
犹如树梢经风一吹，便把顶端弯下，
随即又依靠令它挺立的本身能力[35]，
把自身竖起，
我也正是如此，就在她讲话的同时，
先是惊愕，随后又有一股说话欲望令我变为自信，
这欲望在烧灼我的心。
我于是开言道："哦，果子，只有你是生来就已成熟[36]，
哦，远古的生父，
每个新嫁娘都是你的女儿和儿妇[37]，
我竭尽所能向你虔诚地祈求，
求你与我谈话：你看出我的心愿[38]，
为了立即听你讲话，我也就不说出它。"
有时，一只被布蒙盖的动物乱踢乱动，
以致那情感不得不
依靠那罩布随它而做的动作来让人看清[39]；
这第一个灵魂也正是以类似的方式，

透过那覆盖物向我显示，
他对于满足我的要求，是感到多么欢喜之至。
他随即说出："尽管你不曾向我说明你的心愿，
我却把它看得一清二楚，
胜过你辨明任何你所最确信不疑之物[40]；
因为我是从那面真实的镜子里看出你的心愿，
那镜子把自身变得与其他所有东西完全相像，
而没有任何东西能把自身变得与它一模一样[41]。
你想听我说明：何时上帝
把我放到那座精美的花园里[42]，
正是在那里，这一位把你安置在如此漫长的阶梯[43]，
在我眼中，这座花园令人心悦究竟有多久[44]，
上帝雷霆大发的真正原因为何[45]，
我所使用和创造的语言又是什么[46]。
现在，我的孩子，偷尝树果本身
并非遭到如此长久的放逐的起因，
而唯一的起因则在于超越限定[47]。
从你的贵妇请动维吉尔的地方来计算[48]，
我渴慕这聚会之所[49]，
已有四千三百零二次太阳周转[50]；
当我活在尘世时，
我也曾看到它返回它运行路线的所有光点[51]，
有九百三十次。
我所讲的语言，
早在宁录手下的人们专心从事那永难完成的工程之前，
就已完全烟消云散[52]：
因为任何理性产物，
由于人的喜好随上天影响而更新不断[53]，
都永不能经久不变。
人类讲话是自然的活动；

但是随后，自然又以这种或那种方式，
让你们根据自身所好来作出决定[54]。
在我降入地狱的痛苦深渊之前，
世上曾把‘I’称为至善[55]，
而至善正是包拢我的那欢乐之光的来源；
后来又称作‘EL’：而这是理所当然，
因为凡人用词犹如
枝头的树叶更换，此去彼返。
我曾待在那座距离海浪最高的耸立的山峰[56]，
生活既单纯，又不老诚[57]，
从第一时待到紧随第六时的那个时辰[58]，
恰好是太阳把四分之一圆变更[59]。”

注释

①这里着重描述但丁在圣约翰的强光照射下，一时丧失视力的疑虑心情：即不知自己的视力是否还能恢复。这里的“声音”是指圣约翰。

②圣约翰在这里引出了对但丁进行第三次考试，亦即询问有关三神德的最后一“德”即仁爱问题的契机：即如萨佩纽注释本所说，用“理性的运用”、“思维视力”来弥补“感觉的缺陷”（“视力”）。

③“朝何处瞄准”（ove s'appunta）意谓追求什么最终目的，简言之，即但丁所爱的对象究竟是什么。这里不像前两次那样，首先询问“信”、“望”的定义，但“爱的对象”显然也包含在“仁爱”的定义之中。

④“那个女人”指贝阿特丽切。亚拿尼亚（Anania）是大马士革城信仰耶稣的一个信徒，他遵奉上帝之命，用“按手”的办法，使迫害耶稣信徒的扫罗恢复视觉（扫罗的视觉正是在上帝发出的一道“炫目的强光”刺激下丧失的），扫罗恢复了视力之后，便马上接受洗礼，皈依了耶稣；此典见于《新约 · 使徒行传》第九章第一至十八句。诗句显然意在说明：贝阿特丽切的“目光”有像亚拿尼亚的“手”一样的神力“德能”，能使但丁像扫罗那样恢复视觉。

⑤这里是说，贝阿特丽切曾带着“烈火”，从但丁的双眼进入但丁的心灵，点燃但丁始终未熄的爱情。这种以“大门”或通道比喻“眼睛”的写法，是十三、十四世纪抒情诗的惯用手法，“温柔新体诗”的代表人物、但丁的好友圭多 · 卡瓦尔坎蒂（参见《地狱篇》第十首及有关注释）就有“您，通过我的眼睛，穿透我的心”的诗句。

⑥“天朝”指众天使和享天福者；“善”指至善即上帝：本段三行韵诗的含义是：作为“至善”的上

帝是我心灵中大小、轻重情感的起点（“阿拉法”）和终点（“亚米加”），换言之，上帝是我的爱的首要和最终的对象。这种思想与经院哲学对仁爱所下定义是一致的：圣托马索在《神学大全》第二卷第一章中就说过：“对上帝的爱”就是“把上帝作为天国之福来加以热爱，而我们通过信仰和希望，是情心乐意地去追求这种天国之福的”。“阿拉法”（Alfa）和“亚米加”（Omega，但诗句仅用了大写 O）为希腊文的第一个和最后一个字母，作为“起点”和“终点”或“始”与“终”的说法，则取自《新约·启示录》第二十二章第十三句：上帝说，“我是阿拉法，我是亚米加；我是首先的，也是末后的；我是始，也是终”；另，《启示录》第一章第八句也说：“主上帝说：‘我是阿拉法，我是亚米加；我是昔在、今在、以后永在的全能者。’”据萨佩纽和波斯科-雷吉奥两注释本估计，但丁及其同时代人可能习惯于把 Omega 写成 O。

⑦这里用“筛子筛糠”的生活实例来比喻代表圣约翰的那个“声音”要求但丁详细说明他对仁爱的见解；同时再次用弓箭作比，询问但丁究竟是在谁的指引下热爱上帝的（“弓”即热爱，“目标”指上帝）。

⑧“哲学论据”意谓理性论据，这是哲学所固有的，因为哲学家说过，“每个人都渴望至善”，“由此降下”是指由天上降下，“权威”则是指《圣经》。

⑨这里是说，作为“至善”的善正是通过人的理性或“哲学论据”和神的启示或“由此降下的权威”，把世人心中的仁爱之火“点燃”；善愈完美，爱也便愈“深湛”。

⑩“这个基因”指上帝。这里也反映了亚里士多德和柏拉图两学派的有关“善”与“爱”的主要论点。

⑪这里是说，除至善外的其他的善或“基因”都无非是至善的光芒的反映，亦即至善光线的一部分。

⑫“真理”是指对作为至善的上帝的爱。诗中的“那位”究竟是谁，注释家中众说纷纭：古代注释家一致认为，是指亚里士多德，因为他在《伦理学》、《形而上学》、《物理学》等著作中曾不断论述这一观点，指出：上帝是一切存在物据以派生的有效原因；另《论原因》（Liber de causis）一书也指出，“每个实质形式都来自其首要原因”，“神的善心降临在万物身上，否则，万物就不可能存在”（该书曾误以为是亚里士多德之作，实际上出于柏拉图之手）。也有人认为，这里是指柏拉图，或“亚略巴古的官杜内修”（参见本篇第十首第 115 句及注㊿）；萨佩纽注释本认为，后者更有可能，因为杜内修在其《论神的命名》（*De divinis nominibus*）中曾作过有关论述（参见圣托马索《神学大全》第一卷），总之，这类观点是通过新柏拉图学派传入经院哲学的。还有人认为，“那位”是指维吉尔。

⑬“永恒实质”是指上帝所创造的天使和人类，因为所有这些造物都是热爱作为他们的“首要原因”的上帝的；这种爱亦即诗中所说的“首要的爱”（Primo amore）。

⑭“真理的提出者”指上帝；“这一点”即是指对至善的爱。诗中所引上帝的话出自《旧约·出埃及记》第三十三章第十九句：“主说：‘我必定亲自叫你看见我美善的作为……’”

⑮“崇高的宣言”可能指《新约·启示录》第一章第八句（见注⑥），此是拉纳和但丁之子彼特罗

的见解,但《最佳评注》、本维努托、布蒂、塞拉维莱等则认为是指《新约·约翰福音》关于论述创世、三位一体、基督化为肉身等问题的头几个篇章,从而证明"全能者"的"无垠的善",亦即第一章第一至十六句。

⑯"这里的奥秘"指天国的奥秘;"其他文告"指其他福音书:这里是说,《约翰福音》侧重论述哲学-神学问题,而其他三部福音即《马太福音》、《马可福音》、《路加福音》则属"对观福音书"(Vangeli sinottici),侧重叙事。

⑰"人的心智"是指哲学论据;"种种权威"是指《圣经》所作的"权威证明",亦即诗中第26句所说的"由此降下的权威"。对此段三行韵诗有两种理解:一是对但丁就第二个问题("是谁引导你的弓把这个目标射中")所作回答的总结,属直陈式;一是把此段最后一句即第48句看成是命令式,即"你该把你的爱的最高情感朝上帝表示"。很难说上述哪种解释更具说服力:第一种解释是古代注释家作出的,而近代注释家则倾向于第二种解释。

⑱这句的原文是 con quanti denti questo amore ti morde,注释家对此句的写法有不同评价:有的认为"富有戏剧性和动感",而一些近代注释家则不喜欢这种写法。

⑲"鹰"是圣约翰的象征,《新约·启示录》第四章第七句就曾描述过四位福音书作者的"象征":"第一个(圣马太)像狮子,第二个(圣马可)像牛犊,第三个(圣路加)有人的面孔,第四个(圣约翰)像飞翔中的鹰。"

⑳"咬啃"(morsi)仍是从第51句的"咬定"而来(参见注⑱),其含义是指促使但丁"心向上帝"、产生仁爱之心的种种因素。

㉑"我本人的存在"也意谓每个造物的存在。

㉒"那位"指救世主耶稣:诗句的意思是耶稣为救人类而宁可牺牲自己。

㉓这里的"希望"是指希望获得永生,进入天国。

㉔"深刻认识"指但丁前面所提及的论证:上帝是至善,要首先热爱上帝,超过一切。但丁在这里扼要地概述了当时神学家和教义辩护士们广泛阐述的最普遍论点。

㉕"错爱"(amor torto)指对尘世财物的虚妄的爱,与下句的"正爱"(amor diritto)亦即对上帝的真正的爱恰相对立。

㉖这里,诗句从对上帝的爱进而论述对蒙上帝恩泽而获救的世人的爱:"枝叶"指获救的世人,"永生的园丁"和"菜园"则分别指上帝和"战斗的教会"(见本篇第十二首第72句和104句)。这种比喻写法可能借鉴于《新约·约翰福音》第十五章第一句耶稣说,"我是真的葡萄树,我父上帝是栽种的人"。

㉗诗句所说的这一思想:即但丁要根据获上帝拯救的世人从上帝那里得到的善有多少,来爱他们,是来自彼特罗·隆巴尔多的《教父名言集》第三章,圣托马索《神学大全》第一卷也论述过这一观点:"有一个首要之物,它就其本质而言既是实质,又是善,我们称之为上帝,每个东西都可以根据这一首要之物自称为善和实质,因为它是这首要之物的一部分,有一定的相似之处,尽管远不及和有缺陷。并非所有的人都与上帝有同等的关系,但是,有一些人因为有

更大的善心而更邻近于他，也便值得更加热爱。”诗中的“他”指“永生的园丁”即上帝。

㉘连续用三个“圣哉”（即 Santo，santo santo！）的写法，既是出于祈祷文中的赞美词句（Sanctus），又来自《旧约·以赛亚书》第六章第三句：天使撒拉弗歌颂上帝“圣哉，圣哉，圣哉，万军之主；他的荣光普照大地”；《新约·启示录》第四章第八句：“这四活物各有三对翅膀（亦即天使撒拉弗），身体内外都长满眼睛，他们昼夜不停地高唱着：‘圣哉！圣哉！圣哉！主上帝是昔在、今在、以后永在的全能者。’”

㉙“层层眼膜”（di gonna in gonna）是但丁对眼睛如何从大脑通过眼球产生视觉过程的分析，即是说，这一过程要经过眼睛的一层层眼膜。但丁在《筵席》第二卷第九节第四至五句段和第三卷第九节第七至九句段中对此也作过类似的分析。

㉚“判断力”（stimativa）亦即洞察力，在亚里士多德理论中，它与常识和想象力一道，被视为内部感觉器官之一。这里是说：睡熟的人突被强光刺激而惊醒，对所见的强光只感“厌恶”，力图躲避，而若有“判断力”前来相助，对所见之物作出分析，就不会如此“不自觉”了。

㉛“污垢”的原文为 quisquilia，来自拉丁文 quisquiliae，本意为“干草”，转意为“鸡毛蒜皮”，或“不洁之物”、“掩盖物”。这里描述贝阿特丽切使但丁恢复视力，相当于亚拿尼亚使扫罗恢复视力（见注④），但《新约·使徒行传》第九章第十八句说，亚拿尼亚用按手使扫罗恢复视力时，“扫罗眼里好像有鳞片脱落一般”，故诗中的“污垢”也可能是类似“鳞片”的脏物或眼翳。

㉜“里”的原文为 milia，为罗马丈量长度的单位，一般译为“千步”，诗中只用来说明很远的地方，为使读者易懂起见，姑且译为“里”。

㉝“第四束光芒”指亚当。

㉞“第一个德能”指上帝，“第一个灵魂”指亚当：因为亚当是上帝创造的第一个人，是人类的始祖，也是“第一个”人类的“灵魂”。

㉟“本身能力”（propria virtú）指树梢固有的伸曲弹力。诗中用树梢被风吹弯，后又凭借自身弹力重又竖直，比喻但丁此时的心态和动作：即在贝阿特丽切说出“第四束光芒”是亚当时，但丁先是因新的光束出现而惊呆，把头低下，随后又在“说话欲望”的驱使下，把头又重新抬起，因为他急切地要向亚当提出问题。

㊱这里把亚当比作“生来就已成熟”的“果子”：因为亚当是唯一一个不需经过成长过程而达到成熟年龄和完美体魄的人类，本篇第七首第 27 句也曾说，亚当是“不是由妊娠而生的人”；但丁在《论俗语》第一卷第六节第一句段中也说：亚当是“这样一个人：他没有母亲，也未被喂乳，他不曾有过幼年和成年”。

㊲亚当作为“远古的生父”，他的后代中的所有女性，在婚嫁时，必然不是他的女儿，就是他的儿媳（嫁与他的后代中的男性）。

㊳因为亚当从上帝身上，能像其他享天福者一样，看出但丁的思想和欲望。

㊴诗句用“被布蒙盖的动物”形容被光辉笼罩的亚当，因此，亚当为能“满足”但丁的“要求”而

感到“欢喜之至”,只能依靠光辉的闪烁(“覆盖物”)来显示,这正如那“动物”的“情感”要依靠“罩布”随它“乱踢乱动”而做出的“动作”来表露一样。

㊵这里是说,亚当通过上帝能把但丁的心思“看得一清二楚”,这“胜过”但丁辨明他所确信为真理的事物的能力。

㊶这两句是根据原文直译过来的,其含义是:神的心灵犹如镜子,能把万物反映出来,而万物当中没有一个能把神的全貌反映出来。本维努托对此曾作过较明确的诠释:“上帝把万物都包含在自身当中,而不是相反;确实,没有任何东西,能像一面镜子一样,把上帝全部反映出来,而万物在上帝的镜子里则一概表露无遗。”

㊷“精美的花园”指伊甸园,亦即地上乐园。这是但丁向亚当提出的第一个问题:即从上帝创造亚当到如今究竟过了多少时间。

㊸“这一位”指贝阿特丽切;“漫长的阶梯”意谓攀登各重天体。

㊹诗句的意思是:亚当在地上乐园究竟愉快幸福地度过多少时光。这是但丁所提的第二个问题。

㊺这里是说,促使上帝“雷霆大发”、将亚当逐出伊甸园的“原罪”的真正性质是什么?这也是但丁的第三个问题。

㊻这是第四个问题:因为亚当是第一个发现说话方式的人,《旧约·创世记》第二章第二十句就说:“那人(亚当)就给所有的牲畜、空中的飞鸟和地上的走兽都起了名字……”

㊼亚当开始回答但丁所提问题,但并非按照原来的顺序,而是根据问题的重要性大小,因而第一个回答涉及的是第三个问题:即亚当被上帝长期逐出伊甸园的“唯一起因”并不在于偷尝禁果,而在于亚当违反了上帝为亚当所规定的界限(“超越限定”),因而罪不在贪食,而在骄傲和叛逆。圣托马索在《神学大全》第二卷第二章中就说:“原罪在于:超越正当限度地渴望得到一种精神财物,这就属于骄傲。”

㊽这里是指贝阿特丽切从林勃“请动”维吉尔去拯救但丁。

㊾“聚会之所”指天国。

㊿“四千三百零二次太阳周转”即是指四千三百零二年。这是亚当对但丁所提第一个问题的回答:但他未确切地说明从上帝造人到如今究竟过了多少时间,而是指出:他在林勃等待登上天国(亦即从他死后到耶稣下到地狱、把他从林勃解救出来)的年份,依照古代民族编年史作者欧塞比奥(Eusebio,268—338)的计算,为四千三百零二年。《旧约·创世记》第五章第五句说:“亚当死的时候是九百三十岁”;因此,萨佩纽和波斯科-雷吉奥两注释本认为,若计算从上帝创造亚当到但丁冥界与天界之行的总的时间,似应把四千三百零二年加上九百三十年,即等于五千二百三十二年,再加上一千二百六十六年(即从耶稣去世到1300年但丁的冥界、天界之行),总计为六千四百九十八年,这正是但丁所要知道的从上帝造人到如今的具体年份。

(51)太阳“运行路线的所有光点”指黄道带的所有星座;这里是说,太阳从离开到逐渐返回黄道带的所有星座,需时一年。因此,亚当活着时,看见太阳返回所有星座有九百三十次,亦即说明他活了九百三十年。

52亚当在这里回答但丁所提的第四个问题:诗中所说的“宁录”和“工程”是指宁录率领巴比伦人民建立巴别塔(参见《地狱篇》第三十一首及有关注释)。但诗句的含义与但丁在《论俗语》第一卷第六节第四至七句段中的观点不同,看来,但丁是有意作了更正:但丁在《论俗语》中曾指出,亚当所说的语言来源于神,因而是不能腐朽的,亚当的后代也继续使用此语言,一直到巴别塔造成语言的混乱为止;后来,亚当的语言为希伯来人所用,“因此,希伯来文就是那第一个说话的人的嘴唇所创造的语言。”诗中反映的但丁对语言的看法,充分表明但丁在语言问题上的独特见解,它也是与近代语言理论相接近的。

53“上天影响”指天体和星宿的不同影响。

54本段三行韵诗的要旨与中世纪著名哲学家兼神学家埃吉迪奥·罗马诺(Egidio Romano,1246—1316)在其名著《论君主制度》(*De regimine principum*)第三卷第二章第二十四句段中的有关论述类似:“人说话是自然的事。的确,我们自然而然地倾向于向别人表明我们的思想。再者,我们说这种或那种语言,这并不取决于自然,而是取决于我们的意志”;圣托马索在《神学大全》第二卷第二章中也有相似的观点:“对人来说,用符号来表达他特有的思想,这是自然的,但是,这些符号的选择则取决于人的意愿。”这一观点可追溯到亚里士多德,后则通过波伊提乌斯(参见本篇第十首及注54)传入西方拉丁思想,从而成为经院哲学的共同观念。

55I 在古代手抄本和注释家中常被认为就是 Un(一个),因而常把 I 作为数字和字母错抄,但丁在诗中可能是从该字母的笔画和发音最简单出发,有意把它作为上帝的原始名字的代号:“至善”即是指上帝。EL 在希伯来文中是用以指上帝的词汇之一:诗句的含义同样反映但丁纠正了他在《论俗语》第一卷第四节第四句段中的有关思想:因为当时他是把亚当的语言和希伯来文看成一个东西,并是由上帝启示的(参见注52);在诗中,他则把此词作为人类在亚当死后和巴别塔造成语言混乱之前自行发明的语言形式,因此,语言的变化就如诗句所说,如同枯枝落下,新叶长出(“犹如枝头的树叶更换,此去彼返”),此比喻源于贺拉斯的《诗艺》第 60—62 句:“就像在岁末的森林中树叶变化一样,最老的树叶纷纷落下;同样,老一代的语言在死去,那些刚刚诞生的语言则繁花般开放。”

56这里指位于炼狱山巅的地上乐园;该山峰高高耸立,距离海面比任何其他山峰都更高。

57这里是说,亚当在伊甸园的生活,先是“单纯”的,后来则犯下原罪[“不老诚”(disonesta)]。

58这里回答了但丁所提的第二个问题。亚当在伊甸园所待的时间是用日课经的计时才计算的:“第一时”是指晨祷的时间,即早晨六时,“第六时”是指午经的时间,亦即中午;“紧随第六时的那个时辰”。当时中午过后一时左右,因而亚当在地上乐园总共只待了七个小时不到。此说法来自彼特罗·曼加多雷的《经院哲学史》(参见本篇第十二首第 134 句及注64)。

59诗句把太阳一天运转的二十四小时分为四个“等分”:即“四分之一圆”(quadra 即今文的 quadrante),合九十度,含六小时;诗中说,亚当在伊甸园“从第一时待到紧随第六时的那个时辰”，即是说，太阳已跨过九十度，运行一天的四分之一时间，从第一个“四分之一圆”转到第二个“四分之一圆”（“太阳把四分之一圆变更”），按波斯科-雷吉奥注释本的诠释，第一个“四分之一圆”即是“从东地平线到子午线”，第二个“四分之一圆”则是“从子午线到西地平线”。

第二十七首

对上帝的歌颂(1—9)
圣彼得对腐败教皇的谴责(10—66)
但丁登上原动天(67—120)
贝阿特丽切的预言(121—148)

对上帝的歌颂

整个天堂开始唱道:“光荣
归于圣父、圣子和圣灵!”
那甜美的歌声竟令我如痴如醉,颠倒神魂。
我觉得,我所眼见的情景
竟像是宇宙的笑容;
因为我的陶醉是通过听觉和视觉,渗入我的身。
哦,喜悦!哦,难以言表的欢乐!
哦,充满爱与和平的生活!
哦,不生贪求之心的可靠的财富哟[①]!

圣彼得对腐败教皇的谴责

在我的眼前,那四束光焰
在熊熊点燃,而那首先前来的一束[②]

整个天堂开始唱道:“光荣归于圣父、圣子和圣灵!”那甜美的歌声竟令我如痴如醉,颠倒神魂。(第二十七首第1—3行)

则开始变得更加灿烂，
他那容貌竟变得像木星那样，
倘若木星与火星都是飞鸟，互换羽毛，
木星也就会变为这样的容貌[3]。
在这里分配任务与职责的神意[4]，
从各个方面，令那幸福的群体
停止歌唱，保持沉寂，
这时，我闻听有声音说：“倘若我改变颜色，
你且不必惊奇；因为在我说话的时际，
你将会看到在场的各位都在变颜变色。
在尘世篡夺我的地位、
我的地位、我的地位的那个[5]
——我的地位在上帝之子面前，仍在虚空着，
曾把我的坟墓变为
污血狼藉、恶臭熏天之所[6]，
这就使那从天上跌落的恶棍，在地下悠然自得[7]。”
于是，我就看见整个天空染上那种颜色：
在位于对面的太阳反照下，
那颜色在清晨和傍晚把云霭涂抹[8]。
犹如一个贤德的妇人，尽管充满自信，
却只是闻听别人犯下的过错，
就变得满面羞涩；
贝阿特丽切此刻正是这样改变面色[9]；
我相信，当那最高权力受难时[10]，
苍穹也是这样暗无天日。
接着，他把话语继续说下去；
那声音变得与以前如此大不相同，
以致那面色也并不变得比它更甚[11]：
“基督的新娘是用我的、林的鲜血
以及克列托的鲜血抚养[12]，

她不擅于成为金钱收买的对象；
但是，为了获得这幸福的生活[13]，
西斯托、庇护、卡利斯托和乌尔巴诺[14]，
在流淌许多泪水之后又把鲜血洒泼[15]，
我们的意图并非是：让基督教人民的一部分
坐在我们后继者的右边，
让另一部分坐在左面[16]；
也不是要使赐予我的那两把钥匙[17]
变为教皇旗帜上的标志，
用来与受洗礼者战斗不止[18]；
也不是要使我成为印章上的图像，
盖在批准被出售的虚假特权的谕旨上[19]，
这令我经常感到羞愧难当，怒满胸膛。
在尘世的所有草场上，
都可看见身披牧人外衣的凶残豺狼[20]：
哦，求上帝救护，你为何竟躺倒不顾[21]？
卡奥尔人和瓜斯科人[22]，
在准备把我们的鲜血开怀畅饮：
哦，善始啊，你该落到怎样的恶终[23]！
但是，崇高的神意曾通过西庇阿[24]，
保卫罗马在世界上的荣光，
不久必将前来救助，如我所想。
而你，孩子啊，由于还有凡人的体重[25]，
你还将返回凡尘，届时你该张开嘴巴，
不要把我所不遮隐的事情遮隐。”

但丁登上原动天

犹如我们的大气把冷气化为朵朵雪花，向下飘落[26]，
这时，天羊的羯角

则与太阳恰相结合[27],
我眼见那用胜利的气体装饰一新的太空[28],
也在把这些曾与我们在此相聚的气体
化为朵朵雪花,向上抛去[29]。
我的视线紧追着他们的外貌容颜[30],
一直追到中间的一片太空,由于过分辽阔,
使我的视线无法再向前伸展[31]。
那贵妇见我不再向上凝眸观看,
于是便对我说道:“把你的视线朝向下边,
看一看你已旋转多远[32]。”
从我最初向下观看的时间算起,
我发现我已移动我的身躯,
跨过第一气候带从中间到终点的整个弧度距离[33];
这就使我从加德那边的地点,看到尤利西斯疯狂跨越的海面,
而从这边,则看到靠近那片海滩之处[34]:
在那海滩上,欧罗巴曾使自己变成温柔的负载物[35]。
这片花坛本会向我展露更多的景色[36];
但是,太阳却在我的脚下继续前进,
移动有一个多星座[37]。
那一直热衷于凝望我的贵妇的爱恋心灵,
此刻比以往任何时候都更想
把炽烈的眼睛向她移动:
固然人体的自然或绘画的艺术
曾起过美食的作用,
能吸引双睛,俘获心灵,
但是若把它们全部加在一起,与那照耀我的神的美色相比,
却会显得无足轻重,
而这时,我正转过身去,面对她那笑逐颜开的面容[38]。
那视线恩赐予我的能力
使我摆脱莱达的美丽巢窝[39],

把我推入旋转极速的天体[40]。
它的各个部分都是光彩夺目,精美绝伦[41],
彼此又都是如此一致均匀,
这令我说不出,作为落脚地,贝阿特丽切为我选择了哪个部分。
但是,她看出我的渴望,便开始说明,
她是如此欢天喜地,满面笑容,
竟像是上帝在她的脸上显示欢庆:
“世界的本性使中心静止不动,
其他一切则都绕它而行[42],
这本性正是由此开始,犹如从它的起终点起动[43];
这重天没有其他归属之处,只有把神的心意作为归属[44],
也正是在神的心意之中,
燃起令它转动的爱和它所普降的德能[45],
一个圆圈的光与爱把它包拢[46],
正如这重天也把其他各重天包拢;
也只有把那头一道圈缠绕的那位,才能对这头道圈神会心领[47]。
它的运动不是由其他运动来分清;
而是其他各重天由这重天来测定,
正如十要由它的一半和五分之一来测定[48]。
现在,你可以一目了然:
时间如何把它的根子藏在这个花瓶里面,
又如何把它的枝叶露在其他花瓶里边[49]。

贝阿特丽切的预言

哦,贪婪啊,你把世人深深淹没在你的下面,
任何人都没有力量
把眼睛伸出你的浪涛外边!
向善的心愿在人们身上如繁花开放;
但是,连绵的阴雨
却把真正的李子变为劣果酸汁[50]。

诚实与清白只能从孩童身上发现；
随后，早在双颊盖上须毛之前，
这两者便都悄然逃窜。
有的人尚在牙牙学语时，却能守斋禁食，
后来随着舌头变得流畅，
则不问月亮是何形状，都把任何食物大吃大嚼一场[51]；
还有的人在牙牙学语时，热爱和听从自己的母亲，
而后随着语言变得完整，
却渴望看到她殒命葬身[52]。
同样，在带来清晨、留下夜晚的那位
的美丽女儿直射下，
皮肤也由白变黑[53]。
为了使你不必对此感到惊奇，
你该想到，世上没有人在管理[54]，
这便使人类的大家庭把正道脱离。
但是，在一月因为尘世疏忽对百分之一日的计算
而完全走出冬季之前[55]，
这一圈圈高天将会普照人间[56]，
以致人们久已企盼的幸运女神
将会把船尾掉向船头所在的一边，
这就使船队将直航水面[57]；
花开之后必将有真正的果子出现。”

注释

①“财富”指天堂之福，正如布蒂所说：“所有尘世财富都是与贪求之心相连的……而后，则不能持久”，“天堂之财富是可靠的，因为它不会丧失，并且也是不生欲念的，因为一旦有了它，就不再渴望得到任何东西”；但丁在《筵席》第三卷第十五节第三句段中也说：“（欲念）不能与天福相连，因为天福是完美之物，而欲念则是有缺陷之物。”

②这里是指圣彼得：“四束光焰”则是指圣彼得、圣雅各、圣约翰和亚当。

③如《炼狱篇》第二首和本篇第十四首所说，木星是白色星球，火星则是火红色的，倘若二者如“飞鸟”那样“互换羽毛”，木星就变成“火红色”的了；诗中是说，圣彼得出于激动，其光辉发

出火星般的红色,为下面圣彼得谴责罗马教皇的腐败作了铺垫。

④“这里”指天堂;“神意”指上帝,因为上帝分配“幸福的群体”(即所有享天福者)的“任务”与“职责”的意图,是凡人所无法识透的。

⑤诗中连用三个“我的地位”的写法是仿自《旧约·耶利米书》第七章第四至十一句,其中就有“这是主的殿,是主的殿,是主的殿”的重叠写法。“那个”是指博尼法丘八世,因为在但丁的冥界和天界之行时,任教皇的正是他。诗中强调“在上帝之子面前”教皇的席位是“虚空着”的,意在说明:在但丁看来,博尼法丘八世“篡夺”教皇席位,并非表明他当选教皇是“不合法”,因为在世人当中,他当选教皇仍是合法的,但丁所谴责的是他在道德上的腐败堕落。

⑥“坟墓”指教皇所在地罗马,因为圣彼得正是在那里殉道的。“污血狼藉”是指在博尼法丘八世的纵容下,教会内部因互相倾轧和争夺而流出的鲜血;“恶臭熏天”是指教廷与卑鄙和邪恶的习俗。

⑦“从天上跌落的恶棍”指卢齐菲罗,因他反叛上帝,所以“从天上跌落”;“在地下”指地狱的底层。“悠然自得”是指卢齐菲罗看到教会内部的不和和罪恶而幸灾乐祸。

⑧“整个天空”指所有闪闪发光的享天福者精灵;“颜色”指如旭日和夕阳般的红色。

⑨关于贝阿特丽切的“面色”如何“改变”,注释家说法不一:有人认为,贝阿特丽切因见教会腐败而感到痛心,她面色的改变不同于其他享天福者,而是面色发“白”,这与下句的“暗无天日”(eclissi)似相吻合;但也有人认为,贝阿特丽切“改变面色”是指面色“羞红”。

⑩“最高权力”(suprema possanza)指化为肉身的圣子耶稣。

⑪“它”指声音,即是说,声音和面色都有同样大的变化。

⑫“基督的新娘”指教会(参见本篇第十一首第31—33句及注⑫)。“林”(Lin)即利诺(Lino),亦即圣利诺,原名利诺·迪·沃尔泰拉(Lino di Volterra),公元66年继圣彼得任教皇,原任首任罗马主教,78年9月23日殉道。“克列托”(Cleto),萨佩纽和波斯科-雷吉奥两注释本都认为,他即是78年继圣利诺任教皇的阿纳克列托(Anacleto),91年在罗马皇帝多密善(Domiziano)迫害下殉道(梅尔兹百科全书则注明他的殉道日期为93年4月26日),史称“圣克列托”;另据该百科全书称,阿纳克列托是另有其人:即阿纳克列托一世,雅典人,100—112年任教皇,112年7月13日殉道,史称圣阿纳克列托。

⑬“幸福的生活”指永恒的天国之福。

⑭西斯托(Sisto),117—127年任教皇,称西斯托一世,127年在罗马皇帝阿德里亚诺(Adriano)统治下殉道,史称圣西斯托。庇护(Pio),142—157年任教皇,称庇护一世,原名庇护·迪·阿奎莱亚(Pio di Aquileia),曾规定三月份满月后第一个星期日为复活节;157年7月11日殉道(一说是149年殉道),史称圣庇护。卡利斯托(Calisto),即217—222年任教皇的卡利斯托一世,在222—235年任罗马皇帝的亚历山大·塞维罗(Alessandro Severo)统治下殉道。乌尔巴诺(Urbano),222年继卡利斯托一世后任教皇,称乌尔巴诺一世,230年5月25日殉道,史称圣乌尔巴诺。

⑮“流淌许多泪水”不是指殉道，而是指当时基督教徒所遭受的迫害。

⑯“我们的意图”指圣彼得及其后继者，最早一批罗马教皇的意图。诗中把“基督教人民”分成两部分，分别坐在教皇的左右的写法，来自《新约·马太福音》第二十五章第三十一至三十三句，其中谈及最后审判日时说：“当我（耶稣）在荣耀中率领众天使来临的时候，我要坐在荣耀的宝座上，全世界的人都要群集在我面前。我要把义和不义的人分出来，像绵羊和山羊分类一样；绵羊在右边，而山羊在左边”（《马太福音》所指的“右边”是给“义人”的，“左边”则是给“不义之人”的）。这里，诗句显然是以讽刺的笔法，描述教皇如何恶意地效仿神的审判做法，把信徒分成两类：一类是教皇所宠爱的，而博尼法丘八世所支持的归尔弗派和黑党分子，他们坐在右边；一类是教皇所摒弃的，亦即博尼法丘八世所反对的吉伯林派和白党分子，他们坐在左边。诗句的用意恰恰在于以此来揭露和谴责博尼法丘八世等教皇在人民中间制造不和与分裂、从中渔利的罪行。

⑰“两把钥匙”仍指基督交与圣彼得的天国钥匙，见《新约·马太福音》第十六章第十九句。这里，“钥匙”象征被教皇篡夺的教廷权威，犹如“鹰”象征被吉伯林派篡夺的帝国权威（见本篇第六首第101—105句），因此，诗中说“钥匙”是“教皇旗帜上的标志”。

⑱“受洗礼者”即是基督教民众。

⑲这里是说，教皇为了牟取钱财，通过买卖圣职，把教会的利益和特权赐予不相称的人，而不是论功行赏，任人唯贤。

⑳“草场”比喻教会的共有财富；“身披牧人外衣的凶残豺狼”的写法取自《新约·马太福音》第七章第十五句：“你们要提防假先知，他们外表驯如羔羊，但骨子里却像豺狼，凶残成性”；也出自《旧约·耶利米书》第二十三章第一句：“主说：‘那些毁灭和分散我草场的牧人有祸了！’”诗句意在说明：教会中的高级教士不是像“牧人”那样对教会利益善加管理，而是像“凶残豺狼”那样侵吞教会财产。

㉑此句写法借鉴于《旧约·诗篇》第四十四篇第二十三句：“主啊，求你醒来，不要再沉睡了……”

㉒“卡奥尔人”的原文为 Caorsini，是指法国城市卡奥尔（Cahors）都以放高利贷盘剥为生的居民（见《地狱篇》第十一首第49句及有关注释），这里则用以隐喻教皇约翰二十二世，他的家乡即是卡奥尔（参见本篇第十八首第130—136句及有关注释）；“瓜斯科人”的原文为 Guaschi，即 Guasconi，这里是影射身为“瓜斯科人”（Guasco）的教皇克莱蒙特五世（参见本篇第十七首第82句及有关注释），瓜斯科人是以“生性贪婪”而闻名的。

㉓这里是说，教会和教皇最初是好的（“善始”），但随后则日趋腐败（“恶终”），同样的思想也见于本篇第二十二首第88至96句。

㉔西庇阿即“阿非利加的”西庇阿（参见《炼狱篇》第二十九首和本篇第六首及有关注释）；诗句是指上帝令西庇阿率军在第二次布匿战争中战胜威胁罗马的迦太基名将汉尼拔，从而确保了罗马帝国对全世界的主宰和统一（“罗马在世界上的荣光”），而这是救世主诞生的必要前

提。就本段三行韵诗对未来的教会与基督教社会的改革所作的预言而言,本篇的预言就与《地狱篇》第一首第101句有关“猎犬”的预言和《炼狱篇》第三十三首第43—44句有关“上帝的使者”、“D. X. V.”的预言既相互呼应、又有区别地联系起来。

㉕因为但丁至今未摆脱自己的“肉身”,正如本篇第一首第73—75句所说,但丁是携带肉身(“凡人的体重”)登天的。诗句的意思是:俟但丁返回尘世后,但丁应把在天国所见所闻全部向世人汇报,不该加以隐瞒,特别是上天对教会堕落所感到的愤怒的神的即将“前来救助”。

㉖这里是指:在冬季,大气中的湿气将因寒冷而凝为“朵朵雪花”飘落下来。

㉗“天羊的羯角”原文为 corno de la capra del ciel,即是指摩羯星座(capricorno);诗中所指是:在冬季,从12月21日至1月21日,太阳与摩羯星座恰好相连。

㉘“胜利的气体”指享天福者精灵的光焰。

㉙“向上抛去”指从恒星天抛向净火天即天国。

㉚“他们”指享天福者的精灵。

㉛这里是说,但丁的视线一直追随这些享天福者的光辉向上望去,但当但丁与他们之间的一片太空变得“过分辽阔”时,但丁的视力就无法继续追随下去了。

㉜这里是说,但丁此时是在双子星座内与恒星天一起旋转上升的,因此,贝阿特丽切叫但丁朝下观望,看一看他在空中已走了多远。

㉝但丁最初朝地球望去是在本篇第二十二首第127—154句。古代地理学家曾把地球上有人居住的地区划分为七个气候带(clima)或纬度区,即从赤道向北部寒冷地区逐步划分:各气候带的变化则是以经度为依据,全部经度为一百八十度。诗中说,但丁从最初向下观望地球的时间算起,这时已“跨过从中间到终点的整个弧度距离”,意在说明:已走过上述经度的一半,即九十度,亦即最初是与双子星座一道处于耶路撒冷子午圈上方,如今则已西移,来到与加的斯(Cadice)子午圈相垂直的上方,恰恰度过六小时。关于这里何以只提“第一气候带”(primo clima,据说是通过埃塞俄比亚),而不提第三气候带(通往耶路撒冷)或第五气候带(通过罗马),波斯科-雷吉奥注释本认为,这是因为但丁这时所经历的不是地球上的气候带,而太空中与之相应的气候带,既然他是置身于双子星座内,该位置即恰好与地球的第一气候带相应。

㉞这段的含义是:从但丁此刻所处的位置,可以把视线向西移动,移到“加德”(Gade,即加的斯)以西的地方,看到《地狱篇》第二十六首第125句提及的尤利西斯企图“疯狂”越过的“海格立斯石柱”:“那边”即是指以西之处,“这边”则是指加德以东的地方;“海滩”是指腓尼基(Fenicia),亦即靠近耶路撒冷之处,波斯科-雷吉奥注释本据此指出:此刻,但丁的视线则从原来的第一气候带向中部地区转移,即移至第三或第四气候带,亦即最重要的气候带。

㉟这里借用了希腊神话中的故事:林泽女神欧罗巴(Europa)是腓尼基国王阿吉诺尔(Agenore)的女儿,生得十分美貌,宙斯爱上了她,便化作一头雄牛,让她骑;欧罗巴不明其故,骑上雄

牛,宙斯便把她从腓尼基掠到希腊的克里特岛;也有说是把她掠到欧洲所在的地区的,这也便是欧洲之所以称为“欧罗巴”的由来。奥维德《变形记》第二章对此有记载。

㊱“花坛”指地球:这里是指地球本会向但丁“展露”东边更多地区。

㊲这里紧接上句,说明但丁何以不能看到东边更多地区:因为位于但丁脚下的太阳是在继续向西运行,而且距但丁“有一个多星座”(按黄道带内各星座之间的距离为三十度,但丁现在双子星座,太阳则在白羊星座,中间还插有金牛星座,因而太阳距但丁有三十多度),这就只能在一定限度内,照射到东边耶路撒冷方面的一些地区,换言之,东边一些地区是在阴影之中,非但丁的视力所能及;此外,但丁目前是在加的斯子午圈上方(见注㉝),而加的斯子午圈与太阳所在的子午圈二者之间,也有三十度到六十度一段距离,这就使太阳的光线朝东只能射到耶路撒冷以西的三十度到六十度之处,从天文学角度来看,在此条件下,不仅看不到腓尼基海滩,而且连其附近地区也是在阴影之中的。萨佩纽和波斯科-雷吉奥两注释本都就此指出,为了解释诗句中的这一矛盾,似可作两种假设:一是诗中所说,“靠近那片海滩之处”(第83句),可能是大致估计,即但丁可能认为耶路撒冷距腓尼基海滩要比预计得远得多;二是但丁可能记不甚清奥维德所写有关欧罗巴的情节,因而把她坐在变成雄牛的宙斯背上离开的地点弄混了,即把出发点腓尼基当成抵达点克里特岛,这一假设首先是由波雷纳提出的。

㊳“她”指第88句的“我的贵妇”,亦即贝阿特丽切。

㊴莱达(Leda)是斯巴达(Sparta)国王廷达路斯(Tindaro)之妻,宙斯爱上了她,化为天鹅,与她交媾,生下双子星座的孪生兄弟卡斯托雷斯(Castore)和波鲁西斯(Polluce)。奥维德《变形记》第十七章讲述了这个故事。诗中用“莱达的美丽巢窝”比喻第八重天。

㊵“旋转极速的天体”指原动天:但丁在《筵席》第二卷第三节第九句段中说,原动天“运动极速”,“它的速度几乎是令人难以理解的”;本篇第十三首第二十三句也说,原动天的运转“超过其他各重天”。

㊶“光彩夺目”和“精美绝伦”的原文分别是 vivissime 和 eccelse;由于有些手抄本将 vivissime 写成 vicissime(最邻近的),有人便把这两个形容词诠释为“最近处”和“最高处”,萨佩纽和波斯科-雷吉奥两注释本都不赞成这种诠释。

㊷“中心”指地球。这里是说,地球作为宇宙结构的中心,是不动的,而宇宙的其余部分则“绕它而行”。但丁在《筵席》第二卷第十四节第十五句段中曾说,原动天是“以其运动安排其他各重天的日常运转,因此,其他各重天每日都从它那里接受德能,并把它们各自的德能输送到尘世”。但更早些时候,人们曾认为,驱动下面各重天运转的是恒星天,即恒星天的轴心与宇宙的轴心相吻合,它是动的,如其他各重天那样不住旋转,但其中包含的星辰则固定在原有位置,是不变的,并与地球保持同样的距离(因为各星辰属于同一重天);恒星天以逆时针方向围绕地球运转(一天运转二十四小时),并带动其他各重天体(它们的运转则是正时针方向进行,持续时间长短根据各天体而定)。公元前155年,著名天文学家尼凯亚的伊巴尔科(Ipparco di Nicea)发现春秋分,从而提出有关恒星天的新的理论,即在它之上另有一重天,即

原动天或称水晶天,从地球上无法看见这重天,它以一天二十四小时的运动,做逆时针方向运转,带动下面各重天,取代了一度认为是第八重大即恒星大所起的作用,原动天从此就成为带动其他天体的运转最快的天体,直到托勒密将此理论最后确定为托勒密天文体系,该体系在中世纪一直沿用,直到哥白尼和伽利略时才结束。

㊸“起终点”原文为 meta(本意为“目标”),对此注释家有不同解释:有的解释为“起点”,有的则解释为“终点”;波斯科-雷吉奥注释本认为,从该词的拉丁文词意来看,是指马戏团中马车据以旋转奔驰的中心柱,既是奔驰一圈的终点,又是下一圈的起点,诗中则用以比喻宇宙的运转,即如近代的马塔利亚(Mattalia)所说:“有形的宇宙在这里开始(朝下),也在这里终结(朝上)”;萨佩纽注释本也有同样的诠释。

㊹这里是说,水晶天本身包含其他各重天,但其本身则不被包含在任何地方(“没有其他归属之处”),它的唯一“归属之处”是“神的心意”(mente divina);但丁在《筵席》第二卷第三节第十一句段中就说,上帝的心意即是指“净火天”,这重天“不是什么地方,而是只形成于第一心意(神的心意)之中”。

㊺这里是说,第九重天(即原动天或水晶天)从神的心意中获得“令它转动的爱”,并获得一种“德能”,它把这种德能传递到下面的各重天。

㊻“一个圆圈”指净火天,即是说,净火天把原动天包拢在自身当中,就像包拢在“一个圆圈”中一般,而原动天又把所有较小的天体包拢在它旋转的圈子里。诗中所说的“光与爱”,实际上是净火天的特征,正如布蒂所说,“净火天无非就是光与爱”。

㊼“头一道圈”指净火天;“那位”指上帝。

㊽这里的“它”指原动天。诗句的意思是,原动天的运动不是由其他天体来决定和测量的,恰恰相反,其他天体的运动则要由它来测量,这就如同数字“十”,可用“十”的“一半”即“五”和“十”的“五分之一”即“二”来测定:亦即是说,“二”乘“五”等于“十”。

㊾这里,诗句又运用一个奇妙的比喻来说明时间的测定问题:即是说,时间的测定要根据各重天体的每天运转时间长短来进行,而决定时间测定的是原动天,尽管它的运动是人们所无法看见的,其他天体的运转则是人们所能看见的,人们也正是依据它们的运转来测定时间,但它们却是从原动天那里吸取动力,因而测定时间犹如一株植物,其“根子”是放在一个“花瓶”里,为人所不能见(指水晶天的运动),其“枝叶”则是放在另一个“花瓶”里,为人所能见(指其他各重天体的运动)。

㊿这里用典出自《旧约·以赛亚书》第五章第二句:“他开垦土壤,清除砂石,栽种了上好的葡萄。他在园子当中建了一座高楼,辟造了酒窖;他一心盼望得到美好的收成,谁知得到的只是野葡萄。”此外,托斯卡纳地区一句谚语也说:“当耶稣受难的星期日下雨时,每颗李子就要变成劣果酸汁。”意义也与诗句的含义相类似。诗句的意思是:人固然天生有向善的意愿,但不能久长;“连绵的阴雨”隐喻对尘世财物的贪婪,或教会的腐败所造成的恶劣环境和道德沦丧的气候,这就腐蚀人的善良愿望。

(51)这里是说,有人在年幼("尚在牙牙学语")时还能信守教会有关"守斋禁食"的规定,而到年长时("舌头变得流畅"),则置上述规定于不顾,任意吃喝。诗中说"不问月亮是何形状",是因为月亮是人们据以信守四旬斋(quaresima,即复活节前四十天要守斋禁食)的标志:"神圣的星期五"(venerdì santo,即耶稣受难日,亦即复活节前的星期五)是恰值满月。

(52)这个罪过显然比上段三行韵诗所谈的"吃喝罪"要严重得多:即有人在年幼时还能热爱自己的母亲,听母亲的话,等到年长,则盼望她早死,以免总是挨训或以期侵吞她的财产。

(53)此段三行韵诗是但丁笔下的典型的谜一般的诗句:令人费解之处主要在于:①"美丽女儿"究竟是指什么,是指"带来清晨、留下夜晚的那位"(即太阳)的女儿,还是指别的:波斯科-雷吉奥注释本认为,但丁可能从五世纪的马克罗比奥(Macrobio)的名著《农神节》(*Saturnali*)第1卷第17章中得知,希腊人把"太阳的女儿"理解为"阳光";至于后一种情况,则不同的注释家有不同的解释:或指刻尔吉、或指教会、或指人性,不一而足。②"皮肤"是指"美丽女儿"的"皮肤"还是别有所指。③诗中的primo aspetto是指太阳的女儿(即阳光)的"直射",还是指别的什么。④诗句开头的cosi是意谓"同样"(即接上两段三行韵诗的含义而来),抑或意谓"因此"(对上两段三行韵诗的总结)。诗句总的意思似是像本维努托所说的:"人的皮肤本是白的,但在阳光的照射下,就会逐渐变黑。"用以说明世人由好变坏。

(54)"没有人在管理"指世上两个最高职能即帝制和教会,实际上都徒具虚名,因而世人缺乏能把他们引上正道的可靠引路人(《炼狱篇》第十六首第97—114句和本篇第十八首第125—126句都有类似的含义)。

(55)这里是说,由于在计算时间方面,每天都有百分之一日的疏漏,这种疏漏日积月累,便使一月"完全走出冬季",即不再属于冬季,而属于春季。但丁时期,时间计算仍沿用朱利奥·凯撒的罗马历法,史称"朱利奥历法"(calendario giuliano,又译作"儒略历"),它把一年定为三百六十五天零六小时(并且每四年闰一日,即6小时×4=24小时),从而把一年的时间约延长十二分钟(百分之一日),这一计算错误后于1582年由教皇格雷高里奥十三世(Gregorio XIII)加以纠正,制定了新的历法,即"格雷高里奥历法"(calendario gregoriano)。但丁估计,要使一月成为春季的月份,需把上述错算积累"九十个世纪",亦即九千年。波斯科-雷吉奥注释本对此曾做过详细的介绍:太阳的年周转为三百六十五天五小时四十八分四十六秒,这就比罗马历法少十二分,总是走在罗马历法之前,久而久之,月份与季节变化不相吻合,经过上述九十个世纪的积累,作为冬季结束之标志的"春分"(3月21日)就会提前九十天到来,从而使一月成为春季的月份("走出冬季")。诗句意在说明:"在过去数千年之前",诗中所说的预言必将很快实现;实际上,这是一种"曲言法"(litote)的写法(如用"不多"说明"少","不少"说明"多"),在诗中则把"在过去数千年之前"说成"将不会过去很多时间"。

(56)"一圈圈高天"指各重天体;"普照人间"原文为raggeran,即今文的irraggeranno,意谓给人世以影响;但有些版本以《圣经》为据,采用了ruggiran,意谓"怒吼",如《旧约》的《耶利米书》第二十五章第三十句:"主要在高天怒吼";《何西阿书》第十一章第十句:"我(上帝)像狮子吼叫”;《约珥书》第三章第十六句:“上帝从锡安发出怒吼”;《阿摩司书》第一章第二句:“主在锡安怒吼。”但萨佩纽和波斯科–雷吉奥两注释本都采用“普照人间”一词,这也是佩特罗基版本的印法,《炼狱篇》第三十三首第40—42句也有含义类似的诗句。

㊽“幸运女神”(fortuna)在此有“神意”之意,但有人把它与下句的“船队”联系起来,认为有“暴风雨”之意,因为神的救助总要打乱现有状况,萨佩纽注释本同意这种诠释,波斯科–雷吉奥注释本则主张按该词的原意来理解。“直航水面”指走上正途。

第二十八首

一个光点和九个火圈(1—39)
贝阿特丽切的解释(40—87)
天使的等级(88—139)

一个光点和九个火圈

在引导我的心灵领略
天国之乐的那位,揭示真理,
谴责凡人凄楚堪怜的现时生活之后[1],
犹如一个人看见镜子里有双枝烛台的火焰,
这火焰闪烁发光在他的后面,
而这又是在他看到它或想到它之前[2],
他于是转过身去,想看一看那镜子是否向他说出真相[3],
他看到镜子果然与真相恰好相符,
正像歌曲符合它的乐谱;
我的记忆也正是这样记起:
我曾定睛观看那双秀目,
而爱曾把它们变为绳索,把我捉住。
这时,我转过身去,
我的双眼被那重天体显露的景象所刺激,

每逢把它的旋转观察仔细，
我就看到有一点在如此强烈地光芒四射，
它在把视线烧灼，
这就使双眼不得不为强光所迫而闭合；
从这里看，任何一颗显得最小的星[4]，
若与它一起安放，都会显得像是月亮，
犹如星与星并列天上。
或许，那光晕也似乎是如此邻近地把光束缠紧[5]，
而当带来光晕的水气是更加浓密时，
那光束便把那光晕染得五彩缤纷，
有一个火圈在这光点周围也是同样远近，
那火圈旋转得如此迅速，
竟胜过那飞速绕世界而转的运动[6]。
这个火圈被另一个火圈团团围绕，
那第二个又被第三个围绕，接着第三个被第四个围绕，
第四个被第五个围绕，接着第五个被第六个围绕。
在上方，第七个又接踵而来，
它延展得竟然如此宽阔，
即使尤诺的使者用全身把它包拢，也会嫌得狭窄[7]。
第八个和第九个也是这般；
每个都运转得更慢，
速度是随距离“一”更远的数字而递减[8]；
火光最亮的是那个：
它与那纯净的星火有不远的距离，
我想，这是因为它从星火那里得到更多的真理[9]。

贝阿特丽切的解释

我的贵妇见我心神不定，满腹疑团，
便说道：“天与整个自然

都依赖那一点[10]。
你注意观看离它最近的那一圈；
它的运动之所以如此之快，
就是因为有推动它的火一般的爱。”
我于是对她说：“倘若世界是依照
我从这些光轮中所看到的秩序来安排[11]，
对我提出这样的解释就会令我感到心畅意快；
但是，在感觉世界中，可以看到一些旋转天体，
它们愈是远离中心，
便愈是具有神性[12]。
因此，我的欲望若能从这座令人惊叹
的天使圣殿中得到满足，
而它又只以爱与光作为界限[13]，
那便应当令我进一步听到
抄件与原件何以不是一致行动[14]，
因为靠我自己来对此冥思苦想，却是徒劳无功。”
“倘若你的手指不足以解开这个绳扣，
却也不必大惊小怪，
这绳扣系得如此之紧，也不曾有人尝试把它解开！”
我的贵妇就是这样言讲；她随即又说：
“你要把我将向你说的仔细听取，若你想让自己感到满意；
你该围绕我说的话，细心揣摩，发挥智力；
这些有形的光圈或大或小[15]，
都取决于渗透在它们的各个部分
的德能是多是少。
更大的善必会带来更大的福[16]；
更大的福则包含在更大的形体里，
只要这形体的各个部分都完美划一。
因此，把另一片宇宙全部带动起来
与自身一起运转

的那个,便相当于那最爱最知的光圈[17]。
因此,倘若你把你的估量
放在各实质的德能而非外形之上,
而这些实质在你眼中又显示为圆圆的火光[18],
你就会看到令人惊奇的后果:
每重天体的大小快慢,
都与它的智慧相符合[19]。”
犹如大气的半球层[20]
始终是明亮晴朗,碧空万里,
因为这时有北风从风势最柔的一面吹起[21],
这就洗净和荡涤原先布满的乌烟瘴气,
天空也因此露出笑意,
从它的四面八方显示美丽;
我此刻也正是这样,既然我的贵妇
用她的明晰回答给我以赐赏,
真理为我所见,犹如天上一颗星光。

天使的等级

在她的话语说完之后,
那些光圈则在迸射火星,
烧沸的热铁火星四射也不会有两种情形。
每个火星都在把它的熊熊烈焰追踪[22];
火星是那么众多,
以致它们的数字比双倍棋盘格翻成千倍还要多[23]。
我听到一班一班地在歌唱“和散那”,此唱彼和,
朝着那静止不动的光点,它现在、将来也永远
让这些班队保持在它们各自所在的地点[24]。
那位看出我心中充满疑云,
便说:“那头两圈向你显示的是
撒拉弗和基路伯[25]。

那些光圈则在迸射火星,烧沸的热铁火星四射也不会有两种情形。(第二十八首第89、90行)

他们如此迅速地追随他们的纽带，
因为他们在尽可能地与那光点相像；
而他们的瞻仰能力最高，他们也便最能做到相像[26]。
围绕这两圈运转的那些其他的爱[27]，
名叫体现神的容貌的德乐尼[28]，
因此他们结束了三级一组的头一批[29]。
你该知道，所有这三级享有的欢乐程度，
与他们各自对真理的觐见深度恰成正比[30]，
而任何心智都在这真理中得到平息。
由此可以看出：享有天福
是以觐见的行为作基础，
而非基于爱的行为，爱的行为随后而来，处于第二位[31]；
觐见的程度在功德，
而功德又是天恩与善良愿望之产物，
正是这样一步推进一步[32]。
另一批三级一组在这永恒的春天里[33]
如此抽枝发芽，欣欣向荣，
以致黑夜的白羊星座也无法使它凋零[34]，
它们把‘和散那’唱个不停，
带着三种优美旋律，
这些旋律响在它们各自所属的欢乐的三层[35]。
在这个等级中，有其他那些神灵：
先是德权天使，后是德能天使；
德威天使则是在第三层[36]。
随后，在欢乐的最后前两级中[37]，
旋转的是统权天使和天使长；
最后一级则全部都是天使，他们都在喜庆欢畅[38]。
这几级都在朝上凝神瞻望，
朝下则施加影响，

他们都被牵向上帝，同时又牵动下方[39]。
杜内修曾满怀渴望[40]，
对这些级别沉思默想，
他把他们一一命名，加以区分，如我所见的一样。
但是后来，格雷高里奥却与他产生歧见；
这就使他刚刚来到这重天上，睁开双眼，
就立即把自己嘲笑一番[41]。
倘若一个凡人在尘世展示了如此神秘的真理[42]，
我不希望你会感到惊异；
因为正是曾在天上目睹这番景象的那位向他揭示了这个真理奥秘[43]，
外加许多其他有关这些旋转光圈的真理[44]。”

注释

①“那位”指贝阿特丽切；“凡人凄楚堪怜”原文是 miseri mortali，是一种经典写法，取自维吉尔的《埃涅阿斯记》第 11 章和《农事诗》第三章，“现时生活”指贝阿特丽切在前一章揭露的教会腐败堕落，诗句在此有意用以表达因邪恶的激情而走上歧途的灵魂所怀有的“基督教情感”（萨佩纽）。这里的动词“促使……领略天国之乐”是但丁自行用名词 paradiso（天堂、天国）和前置词 in 制造的新词，即 imparadisare（进入天国），与本篇第三首第 98 句的 incielare（在天上），第二十二首第 67 句的 impolare（有两极）一样；这种但丁自造的新词，在《天堂篇》中不胜枚举，构成该篇的特色之一。

②这里是说，此人先前并未直接看到或想到这座双枝烛台（doppiero），因为它是在他身后点燃的，他之所见只是反映在镜中之物。

③镜子“说出真相”（dice il vero），即是指如实反映。

④“这里”是指地上；“它”是指上面所说的“光芒四射”的“点”。本段三行韵诗意在说明：前段所说的光点极小，甚至连天上最小的星，与它相比，也显得大如月亮。

⑤这里的“光束”泛指星辰，即日月或其他恒星。这里又用天文气象作比：“水气”指雾气，因为正是雾气使作为“光束”的星辰周围产生光晕，而雾气愈浓，星辰的光线对光晕的辐射也便变得“五彩缤纷”。诗句正是以此现象来形容上述光点周围的“火圈”（cerchio d’igne，见下段三行韵诗）。

⑥这里的“运动”是原动天的运动，因为它是旋转最快的天体。

⑦这里所说的九个“火圈”，即是指围绕“光点”亦即上帝的九级天使。“尤诺的使者”，即本篇

第十二首第12句所说的尤诺的“使女”亦即彩虹伊里德(参见本篇第十二首第12句及注⑤)。诗中所说的彩虹是整个圆圈,而不再是弧形,意在说明第七个火圈之“宽阔”,甚至用整个彩虹也无法把它“包拢”。

⑧这里又以数字递增而速度则递减为例,来说明各火圈距光点愈远,则旋转得愈慢。

⑨这里是说,距光点(“纯净的星火”)最近的“那个”火圈光芒最亮,言外之意即是:距光点愈远,火圈的光芒也便愈弱。“得到更多的真理”原文是 inverarsi,又是但丁用 in 和 vero(真理)合成制造的新动词。

⑩这里几乎是逐字逐句地借用亚里士多德的提法(见《形而上学》第十二章第七句段),圣托马索曾就此作过评注:“天与自然都依赖这个开端……这个开端即第一动力,天作为实质和运动的永恒性,正依赖于它。因此,整个自然也便依赖这个开端,因为自然万物都依赖天及其运动。”诗中的“点”即光点,亦即上帝。

⑪“光轮”即围绕光点的层层火圈,亦即九级天使;“世界”指感觉世界的层层范畴,亦即地球与各重天体。诗句是说:如果说,各火圈距其中心(即光点)愈近而旋转愈快,圆圈愈小,感觉世界的情况则恰好相反:即距中心(即地球)愈远的天体则旋转愈快,圆圈也愈大。但丁正是出于这种情况相反的“秩序安排”,才请求贝阿特丽切作进一步说明。

⑫“神性”指神爱;即是说,天体愈远离中心(地球),便愈是怀有炽热的神爱,因而旋转得也愈快。

⑬“圣殿”的用法取自《旧约》的《撒母耳记》第二十二章第七句:“他(主上帝)在殿里听见我的声音”;《诗篇》第十一篇第四句:“主仍在他的圣殿里”;《新约·启示录》第七章第十五句:“他们在上帝的圣殿中,不分昼夜地侍奉坐在宝座上的上帝。”诗中用“圣殿”指可以在其中看出天使级别安排的原动天,而它是与作为“爱和光”的净火天毗邻的(“作为界限”)。

⑭原文的两个名词,essemplo 和 essemplare,古代注释家(布蒂、本维努托等)认为,前者指“抄件”,即感觉世界、有形世界,后者指“原件”,即超感觉世界、心智世界;近代注释家则认为,二者的含义恰好相互颠倒(波斯科-雷吉奥注释本赞成前一种解释);但实际上,原句的意义并不因而有所改变:即上帝所创造的世界是以存在于上帝心灵中的原型为样板的,特别是各重物质天体都从管理它们的各有关天使智慧中得到其各自形象和印迹,本篇第二十七首第112句:“一个圆圈的光与爱把它包拢”,也正说明这种关系(亦即净火天与原动天的关系)。

⑮“有形的光圈”指物质范畴,即各重天体。

⑯“善”指上帝通过起驱动作用的天使智慧注入各天体的美德,“福”则指善的影响,即是说,各天体被注入的“善”愈多,它能施加善的影响的范围也便愈大。

⑰“那个”指原动天,因为它能把“另一片宇宙”(即其他八重天体所占据的宇宙)调动起来,与它一起运转;“最爱最知的光圈”指天使火圈中的第一个火圈,亦即六翼上品天使撒拉弗(参见本篇第八首第26句及注⑨和㊺)所属的火圈,因为撒拉弗最有仁爱之心,从上帝那里得到的智慧也最高,正如但丁在《筵席》第二卷第五节第九句段所说,撒拉弗“是最贴近上帝的,是

任何天使造物所不及的”。

⑱“实质”指天使，亦即上天的智慧之神。各级天使都各有各的火圈，它们围绕一个光点而旋转，在但丁看来，就成为“圆圆的火光”。

⑲“智慧”（intelligenza）即是指天使，因为天使亦称为“上天的智慧之神”（Intelligenze celesti）或“起推动作用的智慧之神”（Intelligenze motrici）：诗句说明各重天体与各天使光圈之间的相应关系：即它们在“表面”上是相互颠倒的（“大小快慢”），而在“德能”上则是完全相符的，这样，贝阿特丽切就解决了但丁的有关疑问。

⑳“大气的半球层”（emisperio de l'aere）指大气层接触地平线的部分，亦即为人们所能看见的天际，因为地平线呈半球状，大气层的这一部分也便成为穹顶似的半球形。

㉑这里是根据古代有关风向的地理图写出的：一直延续到十八世纪的有关风向的地理绘图，是把东南西北风绘成“人面”，代表每一风向的人面，从中心枢纽为起点，以鼓腮吹风的形式，表示三种不同风向。“北风”原文为 Borea（亦可音译为“博雷亚”，为北风的拟人化），从“口的中心”（即“北”）吹出“北风”（tramontana），鼓“左腮”吹出“东北风”（grecale），鼓“右腮”、亦即“风势最柔的一面”，吹出“西北风”（maestrale），因此，诗中所指应是“西北风”。据说，现存佛罗伦萨乌菲兹美术馆（Uffizi）的博蒂切利（Botticelli，1445—1510）的名画《维纳斯的诞生》（*Nascita di Venere*）和《春天》（*Primavera*）中就绘出了上述几种风向。

㉒“熊熊烈焰”指火圈：从字面理解，即每个火星都随各自所属的火圈运动，但由于诗句的含义不够明确，注释家有两种诠释：一是认为，不胜枚举的火星在其所属的火圈中各有各的特性，但又随着火圈朝一个方向，以一个速度运转；一是认为，一部分火星与留在火圈之内，保持火圈的完整形式的另一部分火星不同，但它们仍随后者以同一个速度旋转。波斯科-雷吉奥和萨佩纽两注释本都采用前一种诠释。

㉓这里又出现了但丁自造的新词汇：s'immilla（“翻成千倍”），这与本篇第九首第 40 句的 s'incinqua（“成五倍”）和第十三首第 57 句的 s'intrea（“一合为三”）恰好相同。诗句的写法是以教会的说法为依据，即如但丁在《筵席》第二卷第五节第五句段中所说，“教会说到、相信并传布那些最高贵的造物（天使）几乎是数不胜数的”；《旧约·但以理书》第七章第十句也曾就此说过：“有一道大河从他（上帝）面前涌出，千万的天使在服侍他”，《新约·启示录》第五章第十一句也说：“只见宝座与四活物和长老的周围，有千千万万的天使高声呼喊”；圣托马索《神学大全》第一卷也说：“天使的众多数量超过任何物质的众多数量。”诗句用“双倍棋盘格”（doppiar de li scacchi）翻成千倍形容天使数量（亦即“火星”）之多，实际上是用以一开始的几何级数来累进计算双倍的棋盘方格（棋盘格数为六十四个），其公式即 $2^{64}-1$，得出的数字为二十位：即 18，446，744，073，709，551，615。按棋艺是由东方传入西方，但丁在诗中所指显然涉及有关棋艺的一个传说：棋艺的发明者曾向波斯王要求按如下办法奖赏他的发明：即以在棋盘的每一格中放进的麦粒多少予以奖赏，如第一格放一颗，第二格放两颗，第三格放四颗，第四格放十六颗，顺序按几何级数增加，以

此类推，直推算到第六十四格；国王接受他的建议，但在兑现他的要求时，却发现国库中的全部麦子，根本不足以拿来奖赏他。此外，以棋盘作比在普罗旺斯和法国抒情诗中也是屡见不鲜的。

㉔“一班一班地”是指所有九个火圈的天使都轮番、应和地歌颂上帝（“和散那”）；“光点”如前所注，即指上帝，他使各级天使始终保持在其应占有的地位。

㉕“撒拉弗”、“基路伯”以及其他七级天使，均请参见本篇第八首的注⑪、⑬、㊺：“撒拉弗”和“基路伯”分别属天使中的第一、二级，亦为最高的两级，原文分别为 Serafini 和 Cherubini，为单数的 Serafo 和 Cherubo 的复数，相当于希伯来文的 Saraf 和 Cherub，但更常用单数 Serafino 和 Cherubino，此二词是从希伯来文的复数 Serafim 和 Cherubim 演变而来。

㉖“纽带”是指把天使与上帝联结起来的爱的纽带。对下一句即第 101 句的诠释，有两种：一是把此句作为“原因”来解释；一是把此句作为“目的”来解释，即成为“为的是要尽可能地与那光点相像”；萨佩纽注释本倾向于后一种解释，认为各级天使的运动正是表明他们要与光点相像的渴望，波斯科-雷吉奥注释本则倾向于前一种解释，认为如本篇第二十七首第 9 句所说，享有天福即是“不生贪求之心的财富”，若作“目的”解，即“渴望”与上帝相像，意思就不明确了。诗句是说，撒拉弗和基路伯两级天使觐见上帝的能力最高，因而也最有可能做到与上帝相像；波斯科-雷吉奥注释本还就此进一步指出，这种觐见的程度不能增减，是永恒不变的，因为这是出自上帝的安排。

㉗“其他的爱”指怀有炽热的仁爱之心的其他天使，这里所指的则是第三级天使德乐尼。

㉘“体现神的容貌”（divino aspetto）是指上帝以这一级天使为座位，由此判断善恶（参见本篇第九首第 61—62 句及有关注释），因为德乐尼的原文即 Trono（单数）和 Troni（复数），意谓“宝座”，大格雷高里奥（见本篇第二十首及有关注释）就说，“在他们（德乐尼）身上，端坐着上帝，并通过他们，作出他的判断”。

㉙“三级一组的头一批”（primo ternaro）即是指：九级天使中每三级分为一组，即“三级一组”（ternaro）；合三批“三级一组”。

㉚这里是说：这三级天使所享有的天福多少，是依他们觐见上帝（“真理”）的深浅程度而定，而在上帝即真理身上，人的心灵（“任何心智”）也会经过一番冥思苦想后“得到平息”，这一思想在本篇第四首第 124—129 句中也曾有详细阐述，反映了但丁《筵席》第二卷第十四节第二十句段中的同样观点。

㉛这里是说，享有天堂之福不是基于爱，而是基于觐见上帝，因为爱是觐见的结果，也取决于觐见：即觐见为第一位，爱则是第二位，这反映了但丁反对唯意志论，而接受圣托马索《神学大全》第二卷第一章与第三卷附册中的有关论点，十四世纪注释家塞拉瓦尔曾把圣托马索的论点作过如下概括：“心智与意志在这一对比关系中相互的地位是这样的：心智的活动理所当然地走在意志的活动之前。确实，意志产生欢快或不快，爱或恨；但是，这种情况则不会发生，倘若在此之前，意志据以感到欢快或不快的事物，它所爱或所恨的事物不曾为心智所认

识和明了的话。这对于一般的欢快是真实的,同样,对于天堂的欢快,也是真实的。”

㉜这里用深入一层阐述有关觐见问题的论点结束这段谈话:即衡量觐见程度深浅的是造物的功德大小,而功德又是由神的恩泽与随之而来的善良愿望所造成的,因此,这一循序渐进的过程就是:“从天恩的启示到意愿,从意愿到功德,从功德到理解(‘觐见’),从理解到爱(上帝)。”(布蒂)

㉝“永恒的春天”指天国的春天,在那里,即使秋季到来,也不会像自然界那样,使花凋谢。“另一批三级一组”指第二批三级一组的天使。

㉞这里是说,随春季的开始,由于太阳位于黄道带的白羊宫,该星座就与太阳一起升降,这也就使该星座成为“白昼的星座”,是人们所无法看见的;但在秋季(9 月 21 日至 10 月 21 日)太阳位于与白羊宫截然相对的天秤宫内,白羊星座就一变而为“黑夜的星座”,可以为人所见了。因此,诗句是以“黑夜的白羊星座”隐喻秋季,即是说,即使在秋季,天国中的春花也不会“凋零”。

㉟这里又用了但丁自造的新动词 s'interna(分成三层),以表示这第二批“三级一组”的天使是分属不同的“三层”(三级)的。

㊱“神灵”的原文是 dee,本意是“女神”(复数),这里是分属“德权”、“德能”、“德威”三级的天使;“这个等级”即是指“三级一组”的第二批。

㊲指第七、第八级天使。

㊳“天使”是对九级天使的统称,但最低一级,即第九级的天使也被称“天使”。圣托马索曾在《神学大全》第一卷中对此做过阐述:“所有天国的精灵,作为神的事物的使者,都被称为天使(Angeli)。天使等级中最低的一级,不具备任何专一的特长,除了所有天使所共有的特长之外;因此,这一般的称谓便用到最低一级身上,正如杜内修在《论天国等级》(De coelesti hierarchia)第五章中所说的那样。”

㊴“朝上”指朝光点亦即上帝;“朝下”则指位于其下的各级,即把各自的德能与威力、亦即善的影响施加于下面各层。但也有人认为,“朝上”不是指上帝,而是指上一级天使,波斯科-雷吉奥注释本不同意这种解释。整段三行韵诗的含义是:各级天使都热爱上帝,因而被上帝所吸引,同时他们又各自带动下面的天使,一齐朝向上帝。

㊵杜内修即《新约·使徒行传》第十七章第四十三句中所说的“亚略巴古的官杜内修”(见本篇第十首第 116—117 句及注㊿);“满怀渴望”是指他渴求真理。他在《论天国等级》一书(见注㊳)中曾对天使等级做过如诗中所说的安排,这种顺序后为大多数最知名的哲学家(如彼特罗·隆巴尔多、圣托马索)所接受,但丁也据此纠正了他在《筵席》第二卷第五节第六句依据大格雷高里奥和布鲁内托·拉蒂尼的论述所持的有关天使等级分布的原有主张。但也有人认为,许多著作,其中包括《论天国等级》,原是写于新柏拉图主义后期的作品,却错误地归于杜内修的名下,萨佩纽注释本完全支持这种看法。

㊶但丁有意在诗中让大格雷高里奥自行纠正有关天使等级划分的论点;其实,大格雷高里奥生

前已采纳杜内修的有关论述，尽管当时，各教父、神学家对该问题的观点并非完全一致的。

㊷“一个凡人”指杜内修。“真理”指天使级别的划分。

㊸“那位”指圣保罗，因为他被提升到第三重天时，曾得以目睹这一“神秘的真理”（见《地狱篇》第二首第 28—30 句）：杜内修在《论天国等级》第六章曾声称，他是在圣保罗“激动声音”的教导下，才提出有关天使级别顺序的观点的。

㊹这里的“旋转光圈”可能是指天使火圈，但也可能是指各重天体，或兼指二者。

第二十九首

天使的创造（1—66）
天使的职能（67—126）
天使的数目（127—135）
上帝与天使（136—145）

天使的创造

拉托娜的一双儿女
被白羊和天秤所覆盖
他们一齐把地平线变成腰带[1]，
从天顶使他们保持平衡的那一刻，
到二者最后调换所处的半球，
各自摆脱那条腰带的那一时[2]，
正是在这同样长短的时间，贝阿特丽切带着那笑意盎然的面庞，
静默不言，凝眸观看，
观看曾把我征服的那一点[3]。
她随即开言道：“我要说出——我不想询问——
你所想要听到的那番话语，
因为我从那汇集一切地点与一切时间之处，看出你的心意[4]。
那永恒的爱展现为种种新爱[5]，

并非为了使自身得到什么好处，
而且这也并不可能，其目的则是要使他那反射的光辉焕发出
他那超出时间、超出任何其他包容之地的永恒光彩，
如他喜欢的那样，
能说出‘我存在’。
在这之前，他也并不曾睡卧，几乎像是麻木不仁[6]；
因为上帝在这众水之上运行，
正是先后不论[7]。
形态与物质，不论是复合还是单纯，
都一涌而出，成为毫无瑕疵之物，
犹如三弦之弓把三箭一并射出[8]。
正像光线在玻璃、琥珀或水晶中闪烁，
从它射出到全部射入，
其中并无间隔[9]，
同样，造物主的三种效果
把他的造物正是一齐全部辐射，
不分先后始末[10]。
与创造这些实质的同时，也创造了秩序和本性[11]；
那些实质位于世界的顶峰，
而正是在它们身上，单纯的能动得以产生[12]；
单纯的潜力占据最低部位[13]；
在中央，有一条把潜力与能动系紧的纽带，
这样的纽带永不会解开[14]。
耶罗尼莫曾著书告诉你们[15]：
天使是在另一个世界被创造前
许多个世纪，就已造成[16]；
但是，这个真理却在许多章节
由圣灵的各位作者写明[17]；
你若能善加体察，必能把它看清；
甚至理性也把它看得相当分明，

理性不会容许这些动力
在这样长久的时间内,不能达到其完美之境[18]。
现在,你知道这些爱[19]
是在何地、何时和如何被创造出来;
这就使你的渴望中的三把烈火得以熄灭下来。
时间是如此之快,竟勿须从一数到二十[20]:
正是在这段时间内,一部分天使
便打乱了你们四大要素中的那个居下物质[21]。
另一些留了下来,你所眼见的这种技艺便开始运用[22],
这技艺运用得如此欢快,
以致永不会从绕转中离开[23]。
堕落的原因在于
那一个的该诅咒的狂傲[24],
你曾目睹他被世界的全部重量压牢[25]。
你在这里所见的那些以谦卑为本[26],
他们都承认自己是由善而生[27],
这善创造出他们,使他们能迅速把神意领悟得如此之深;
正因如此,他们的视力才得到提高[28],
既依靠光辉普照的恩泽,又依靠他们各自的功绩,
这就使他们拥有坚定而完满的意志[29]。
我不希望你对此有怀疑,
而是你该确信:蒙受恩泽就是树立功绩,
这与心悦诚服地接受恩泽的情感深浅成正比[30]。

天使的职能

现在,围绕这个群体[31],
你可以不需其他帮助,自行看待许多问题,
倘若你确实领略我的话语。
但是,正因为在尘世,你们的那些学派教导说,
天使的本性毕竟是这样的:

他们理解，他们记忆和他们愿意[32]，
我还要再说上几句，为的是让你看到纯净的真理，
而在凡尘，人们却把它弄混，
在这样的教导中，使它变得暧昧不明。
既然这些实质从上帝的面容中得到欢快[33]，
他们就不会把视线从那面容移开，
而任何事物都无法向那面容掩盖；
因此，他们的目光
不会被新的客体所打断，
因此，也不需要用相互分离的概念来把事物牢记心间[34]；
这一来，在尘世便有人不睡而梦，
他们有的相信、也有的不相信自己所言是真；
而在这后一种人身上，则罪过更大，耻辱更重[35]。
你们探讨哲理，不是沿着一条路径走下去[36]；
那对出头露面的热衷和念头[37]，
竟使你们如此忘乎所以！
在天上，对此尚能容忍[38]，
愤慨的情绪也要比对待那种
把神书放到次要地位或加以歪曲的态度为轻。
人世间不会想到，在世界上
播种神书要流出多少鲜血，
而谦卑地坚守神书一旁的人，又会使上帝感到多么欢畅[39]。
为了出头露面，每个人都在绞尽脑汁，炮制各自创见；
那些创见竟被布道者大事宣传，
对福音书则只字不谈。
有人说，在基督受难时，
月亮曾倒退，插在中间[40]，
因此，太阳的光辉就不能照到下边；
他是在撒谎，因为阳光是自行把自己隐藏[41]；
因此，在西班牙人和印度人眼前，都相应地出现这样的日蚀，

正如出现在犹太人眼前一样[42]。
佛罗伦萨没有那么多拉波和宾多[43]，
像每年在布道台上炮制同样多的寓言，
从这里和那里宣扬叫喊；
这便使那些无知的小绵羊
在饱餐一顿大风之后从牧场回转，
不能因看不出害处而把它们鉴原[44]。
基督不曾对他的最早一批门徒说出：
‘你们去吧，去向世界传播废话’[45]；
而是向他们提供了真实的基础；
从他们的双颊中响出的也只有这个[46]，
这就使他们把福音书变为盾和矛，
他们手持这两件武器，把信仰之火燃烧。
如今，人们传道则以玩笑俏皮、插科打诨取悦，
只要能引起哄堂大笑，
便鼓起风帽，洋洋自得，不再要求别的[47]。
但是，在那风帽尖里，却栖息着这样一只鸟儿[48]：
百姓一旦把它发现，就会看出
他们所相信的究竟是怎样的宽恕[49]；
正因如此，世上才有那么多的愚昧与日俱增，
而由于没有任何证据作为见证，
人们便趋之若鹜地把任何许诺追踪[50]。
圣安东尼正是以此来养肥他的猪[51]，
也养肥许多其他人——他们比猪还要脏[52]，
并用未经铸造的钱币来付偿[53]。

天使的数目

但是，因为我们已经离题很远，
我们现在就把眼睛重新转向那条笔直的道路[54]，
这样，论述也可以随时间缩短。

这类自然造物数目是如此众多[55]，
等级是如此一层高似一层，
以致凡人的言语和思维都永不能表明；
倘若你能考虑一下但以理揭示的问题[56]，
你就会看到，那确定的数目
被隐藏在他所说的成千上万里。

上帝与天使

那初始之光把这类自然造物全部照亮，
接受这光芒的方式也有多种多样，
这与光芒所辐射的种种光辉的数目恰好相当[57]。
正因如此，既然随认识的行动而来的是感情[58]，
在这自然造物身上，
爱的甜美程度就有热有温，互不相同。
你现在可以看出那永恒的德能[59]
的至高无上和宽宏大量，
既然他使自己分裂成如此众多的明镜，
同时又依然如以前那样，保持自己完整的一身[60]。”

注释

①拉托娜(参见《炼狱篇》第二十首及有关注释)的“一双儿女”指日神阿波罗和月神狄安娜；“白羊”和“天秤”指黄道带的白羊宫和天秤宫，亦即白羊星座和天秤星座：诗句是说，位于白羊宫的太阳与位于天秤宫的月亮同时处于地平线上的两个对立点，仿佛把地平线变成一条“腰带”，把日月截掉一半。

②这里是说，在上述条件下，日月与天顶(cenit，即今文 zenit)“保持平衡”，即处于等距离的位置(时在月圆)，后经双方的运转，太阳西下，月亮东升，离开原来的地平线(“摆脱那条腰带”)，太阳从北半球下到南半球，月亮从南半球升到北半球，据计算，这段时间不长，不过只有一分钟多一些。

③“那一点”即上帝的光点。“征服”指光点以强光照射但丁的双目，使他不能仰视。

④“汇集一切地点与一切时间之处”指上帝，因为上帝是无穷和永恒的，换言之，上帝无处不在，无时不在。

⑤从本段起，贝阿特丽切开始向但丁解释有关上帝创造天使的问题(几乎占据本首全部篇幅)，

这是全诗神学-哲学色彩最浓的篇章之一，有人曾把它称为“天使学课文”（lezione di angelologia）。“永恒的爱”指上帝，“种种新爱”则指天使：诗句是说上帝创造天使是无偿的，是上帝意志的一种自发行动，其目的是要创造一些有别于上帝、但又意识到自身存在（“我存在”）的造物。“反射的光辉”即是指反射上帝光芒的光辉，亦即天使。“超出时间”是指在时间存在以前，即是说，“永恒”是不能放在任何时间界限之内的，正如“无穷”不能放在任何空间界限之内；“超出任何其他包容之地”即是指超出空间，这里仍是指上帝的无时不在、无处不在的特征，同时也是指“不是在空间之内，也没有两极”的净火天（参见本篇第二十二首第67句）。“他”指上帝：圣托马索在《论威权》（*De potentia*）中就说过：“神的创世是必然地发生的，这时，神的意志作了安排，使创世得以发生，其方式是：神的意志愿意创世发生。”

⑥“这”是指创世：诗句是说，不能说上帝在创世之前，曾躺卧睡觉，碌碌无为；这正是因为创世是超越时间，不存在“以前”和“以后”的。但丁在《筵席》第四卷第二节第六句段曾说：“亚里士多德在《物理学》第四章中就说，时间按先后来说，是运动的数字”；圣阿哥斯蒂诺在《忏悔录》（*Le Confessioni*）第十一章中也说：“如果说，在天地之前，不曾有时间，那么又为何要问：你在当时做些什么呢？的确，没有什么‘当时’，因为那时节，并没有什么时间。”

⑦诗句特意引用《旧约·创世记》第一章第二句的一句话作为依据：“上帝的灵在水面上运行”，这可能是由于水是创世的最初造物，况且《圣经》有多处提到上帝与水的关系。如《创世记》第一章第六句：上帝说：“水与水之间要有穹苍，把水上下分开”，第九句：上帝说：“在天以下的水要聚在一处，使干地出现”；《旧约·诗篇》第一百四十八篇第四句：“苍天要赞美他（上帝），天上的众水也要赞美他。”十三世纪英国著名神学家亚历山大·德·海尔斯（Alessandro di Hales）、大阿尔贝托、圣博纳文图拉、圣托马索等经院哲学大师们都曾把《圣经》所说的“天上的众水”说成是与各天体、特别是水晶天（即原动天）同一种东西（即水晶天是由一种永不腐败的物质构成，该物质有与水共同的特点，即透明性），而这时，但丁与贝阿特丽切的谈话正是在水晶天中进行的，因此，诗中用“这”（queste）形容“众水”，说明但丁与上述经院哲学大师的有关看法是一致的。

⑧这里所说的“形态”（forma），或称“能动”（atto），即是指能使受其影响的物质化为某种形态的造物，亦即作为智慧之神的天使；“物质”（materia），或称“潜力”（potenza），即是指各元素的不成形的原质，是不腐朽的，被视为纯粹的“潜力”（potenzialità）；上述“形态”和“物质”单独存在时，称“单纯的形态”（forma pura）和“单纯的物质”（materia pura），二者结合在一起，称“复合的形态和物质”（forma e materia congiunte），亦即各天体，是不可分的。上述三种东西都是由上帝直接造出的，无需有“次要起因”的协助（参见本篇第七首第64—72句和第130—138句及有关注释）；诗中再次用射箭来比喻三种造物的同时产生。

⑨这里进一步用光线射入三个透明物体（玻璃、琥珀和水晶）来说明上帝创造这三类造物，是瞬息完成的，没有时间的过程，亦即没有时间的“间隔”。

⑩诗句再次强调上帝创造这三类造物的同时性，即不分开始、中间和末尾。圣托马索也曾指

出:“由此可以作出结论:造物是顷刻完成的,这就使一件东西,在它被创造的行动中就已经被创造出来,正像在照亮一件东西时,这东西便已被照亮一样。”

⑪这里是说,在创造上述“单纯形态”即天使(“实质”)的同时,也创造了宇宙的“秩序”(ordine)和这些实质的“本性”(costrutto),但也有人把 costrutto 看成过去分词,而不是名词,从而把它作“建立”解,与原文中的另一个过去分词 concreato(同时创造)并列起来。

⑫这里是说,单纯形态即天使处于造物的最高位置,亦即宇宙(“世界”)的“顶峰”;“单纯的能动”见注⑧。

⑬“单纯的潜力”见注⑧;“最低部位”指月球下面的世界,即地球。

⑭“在中央”指在地球与净火天之间;“把潜力与能动系紧”的“纽带”指各重天体。诗中的动词 divimare(“解开”),由名词 vime(“纽带”)派生而来,可能又是但丁自造的词汇。

⑮“耶罗尼莫”(Ieronimo),即杰罗拉莫(Gerolamo)或吉罗拉莫(Girolamo),亦即圣杰罗拉莫(331—420),为著名的教父之一,生于达尔马提亚的斯特里多尼(Stridone),从事经典著作研究。退隐伯利恒(Betlemme)后,将《圣经》译为拉丁文,称《圣经》通俗本(*Bibbia Vulgata*),为教会唯一承认的译本。

⑯“另一个世界”指“感觉世界”(即“有形世界”,与超感觉世界是相对的)。这是圣杰罗拉莫的一个著名论点,曾为彼特罗·隆巴尔多在《教父名言集》第二章中援引过,并为众人所争议,但丁显然反对这种见解,并以《圣经》和亚里士多德的论点加以批驳(见本首第 40—42 句)。一般认为,天使是由上帝在创造物质世界的同时创造出来的,这一看法在一定程度上也为圣托马索所认可,尽管他所持论据不同,而他是坚决反对圣杰罗拉莫的有关论点的,并认为,这一论点是来自希腊教会的教父。

⑰这里是指《旧约》的《德训篇》第十八章第一句:“永生的主把万物一齐创造出来”;《创世记》第一章第一句:“上帝开始创造天地……”;《诗篇》第一百零二篇第二十五句:“你(上帝)曾建立大地的根基,你的手创造了苍天。”此外,彼特罗·隆巴尔多在《教父名言集》第二章也说过:“如果说,上帝在开始时曾创造天地,那么在天地之前,他并未创造任何东西”;圣托马索也说:“如果说,上帝在这之前曾创造某些东西,这是不对的;因此,天使并不是在创造有形世界之前被创造出来的。”“圣灵的各位作者”是指在圣灵启示下著述的作者。

⑱“理性”指亚里士多德哲学对人类理性的高度概括,就其论点而言,总是低于《圣经》的权威性的,因而诗中用“相当”(alquanto)一词。这里是说,作为天体的推动者(“动力”)的众天使,本在被创造时就已达到“完美之境”,亦即具有实施其推动天体的职能的能力,这一理论也是理性所承认的,因为它不能接受关于天使被创造后有好多世纪(“这样长久的时间”)未能“达到完美之境”的说法:布蒂就注释说:“当事物具有它被创造时就注定要达到的目的时,该事物就是完美的。”诗句的内容正反映了亚里士多德及一些注释其著作的阿拉伯哲学家(如阿威罗伊斯)所支持的论点:即天使若不起推动作用,就会是无所事事;亦即除了有责任推动和调节天体运动的天使外,就不存在其他天使。但是,但丁的有关见解实际上则是与所

有基督教神学家相一致,即认为,除那些推动天体的天使外,也可能有另一些分门别类的天使,但在前者身上,推动天体的职能则是符合其本性的主要职能。此外,十六世纪的纳尔迪也就诗句分析说,“倘若天使是在感觉世界之前被创造出来的,那么,其中有些就会是未曾达到完美之境,而这完美之境正是享有他们应有的能动生活的天福”;这即是说,在此情况下,这些天使就不起影响感觉世界的应有的能动作用,因而也就是不完美的,而这一点又是“理性”所不容许的。

⑲“爱”指天使;“何地”指净火天;“何时”指永恒;“如何”指按天使的整体以及与各天体和原质(“物质”或“潜力”)同时被创造:这三点正是但丁所热切希望澄清的问题,犹如“三把烈火”,如今经贝阿特丽切的解释和说明,也便“熄灭下来”。

⑳这里是说,从天使被创造出来到以卢齐菲罗为首的一部分天使反叛上帝而被打下天国,其间只过了很短时间即还不到“从一数到二十”的工夫。这也是一个为神学家和教父争议颇多的问题,但他们一致认为,时间很短,据诗句的说法,则不到一分钟。但丁在《筵席》第二卷第五节第十二句段中就说,“从所有这些(天使)级别当中,曾丧失相当一部分天使,当时,他们不过刚刚被创造出来,也许,数目相当于十分之一;后来,这个数目便由人类来加以弥补;”圣托马索《神学大全》第1卷和大阿尔贝托的有关著作对此也曾有过论述。

㉑“四大要素”指气、火、水、土;“居下物质”,原文为 suggetto,直译为“在下面的东西”,根据亚里士多德物理学的说法,“土”是四大要素中位于其他三大要素之下的要素(在诗句中,即是指地球),这一说法也为经院哲学所接受。但也有人认为,该词有“原质”(materia primordiale)之意,只是在叛逆天使被打落到地狱时,才区分为种种元素。诗中的“要素”一词,萨佩纽注释本用 elementi,波斯科-雷吉奥注释本则仍按佩特罗基版本,照例用 alimenti(本篇第七首第133句也有同样情况)。

㉒“另一部分”指继续忠于上帝的天使。“技艺”(arte)指觐见上帝和依照上帝意旨主宰感觉世界的职能。

㉓“绕转”指围绕光点的运转,亦即觐见上帝。

㉔“那一个”指卢齐菲罗。诗中说他“堕落”的原因在于“狂傲”,因为他曾扬言:“我将与上帝一样。”

㉕这里是说,卢齐菲罗被打下天国,堕入“世界的全部重量”所压抑的地球中心(参见《地狱篇》第三十四首第110—111句)。

㉖“那些”指忠于上帝的好天使;“谦卑”恰与卢齐菲罗的“狂傲”形成对照。

㉗“善”指上帝的善心。

㉘“视力”指心智的视力,亦即觐见上帝的能力。

㉙诗句是说,“坚定而完满的意志”来自对上帝的觐见:在觐见作为“至善”的上帝的同时,天使也便愿善和行善。圣托马索在《神学大全》第一卷中对此论点曾作过详细阐述。

㉚这里反映了但丁在有关问题上接近圣博纳文图拉乃至圣托马索的观点:圣托马索在《神学大

全》第一卷中曾说，“天使在成为享天福者之前，曾蒙受上天的恩泽，这就使他配得上享有天福”；即是说，是天恩的赏赐、而不是他们对上帝的忠诚，使他们树立配得上享有天福的功绩，而这功绩随他们各自热爱上帝的程度深浅而有多有少。本维努托也曾就此作过如下解释：“恩泽是功绩的原因，而不是功绩是恩泽的原因……因此，作者（但丁）是要说：从上帝那里蒙受恩泽，对众天使来说，就是树立功绩从而配得上取得他们所享有的天福的理由。”

㉛“群体”指天使群。

㉜诗句是说，尘世的一些学派混淆和歪曲真理，用一些暧昧不明的言辞来阐述问题，对同一个词汇所可能具有的不同含义不做应有的区别，但丁在《水与陆地问题》（*Questio de aqua et terra*）第二十五句段中就说：依照亚里士多德的说法，“把意义的不同性与词汇的同一性混为一谈，就会造成误解”；如诗句所提的“理解”（intende）、“记忆”（si ricorde）和“愿意”（vole）本是用来形容人类的某些官能的词汇，这些学派却不适当地把它们照搬到根本不同的天使官能上，说是他们的“本性”。萨佩纽注释本曾对此作了较详细的诠释，指出：天使的理解与人类的理解完全是两码事，即天使的理解事物不是像人类那样，把可感觉的客体从具象变为抽象，按照论述的程序，把它们结合起来，又加以分解；同样，天使的意志是直接来自对上帝即至善的觐见，与人类对善的笼统倾向（这种倾向在人类身上即称为意志）截然有别；至于记忆，这本不是天使应有的特性，因为天使不需要记忆，他们是从上帝身上看到一切的（即过去、现在和未来）。实际上，但丁在这里所提及的问题是神学家们以不同方式广泛论述的问题（见《神学大全》第一卷）；以“记忆”为例，但丁就认为，天使本没有、也不需要记忆，而圣托马索、大阿尔贝托等经院哲学家则依据圣阿哥斯蒂诺的看法认为，天使是可能具有记忆的，尽管不是像人类那样，作为“感觉灵魂”的一部分，而是作为把知识保留在脑海中的“外衣”。

㉝“实质”仍指天使。

㉞这里是说，天使从上帝身上可以看到过去、现在和未来，因此，他们的视线就不会像人类那样，会被突然出现的新的“客体”和事物所打断，也便无须具有记忆；但丁在《帝制论》第一卷第三节第七句段中曾说：天使的“存在是与其理解一致的，这就使其存在成为无间断的存在，否则，他们就不会是永恒的了”。诗句费解之处在于原文 per concetto diviso 的确切含义（现译为“用相互分离的概念”）：萨佩纽注释本认为，此句是指天使的记忆，无须像人类那样，依照论述的程序，从可感觉的形象当中抽出概念，结合起来又加以分解，犹如天使的理解一样（参见注㉜）；波斯科-雷吉奥注释本则认为，此短句是指“与其他对立的概念相分离的概念”，亦即天使的记忆无须像人类那样，“把与其他对立的概念相分离的概念召回到脑海之中”，这是“因为某种特定的知识曾陷于分裂，暂时离开脑海，亦即是说，曾被遗忘”。持后一种解释的目前居多。

㉟这里是说，世间有许多神学哲学大师硬说天使有记忆力，这恰如白日做梦（“不睡而梦”），其中有的是出于好心，以为自己说出真理，有的则出于恶意，明知自己所说是假（“不相信自己所言是真”），却为了标新立异，出头露面，硬要支持自己的主张，因此，二者比较，后一种人的

“罪过更大”，“耻辱更重”。

㊱“一条路径”是指真理之路，也是唯一可行的道路。

㊲这里，但丁严厉谴责了那些为出头露面而不惜歪曲真理的人：塞拉瓦尔曾就此作出诠释说：“作者（但丁）猛烈抨击了那些出于恶意而轻视和篡改《圣经》的人。确实，有些学者为了显示自己是独树一帜，把一些虚假的过细哲理掺入《圣经》；有时，他们也明知，这些过细哲理与《圣经》本文不符，然而却为了自我炫耀，仍把这些过细哲理掺混进去。他们实际上是要使自己显得是独特的大师，讨老百姓的欢喜。有时，他们还篡改《圣经》的段落，把一些虚假的论断和异端邪说加进去。这是更糟糕的，这种情况不仅发生在各学派，而且也发生在向大众布道，后者也就更为危险了。如今，布道者忽视福音书本文，而去援引亚里士多德、阿威罗伊斯以及其他哲学家和诗人；许多人撰写大量充满奇谈怪论、想入非非的观点的论著，这是使上帝感到大为不快的。”上述谴责在但丁时期是屡见不鲜的，十四、十五世纪的作者们也同样以不同方式提出这样的谴责。

㊳这里是说，上天对待那些为了自我炫耀而提出一些独特论点的人尚能容忍，“愤慨的情绪”也会轻些，而对待那些把《圣经》（“神书”）放到次要地位或加以歪曲的人，则不然。

㊴这里是指耶稣及其他殉道者为传教布道、播撒《圣经》的真理种子而流出鲜血；“神书”仍指《圣经》，诗句是说，“谦卑地”信守《圣经》的人是受上帝欢迎的，这正是针对第85—87句所说的那些热衷出头露面而“忘乎所以”的人而言。

㊵这里以耶稣逝世时天昏地暗、不见天日为例，说明上段三行韵诗所提及的“创见”问题。古代神学家对此现象有两种解释：一是在被认为是杜内修所写的信件中提出的：即认为此现象是“月亮倒退”造成的，因为基督受难时，月亮正位于太阳的对面，而月亮是要在倒退黄道带的六个星座的条件下，才能运转到太阳与地球中间，这就使世上看不到太阳；杜内修的这一论点甚至也为圣托马索所接受（见《神学大全》第三卷）。一是圣杰罗拉莫所做的解释：他认为，在耶稣逝世时，太阳自行把自身掩盖起来的，原话是：“太阳撤走了它的光辉，而同时也并未打乱天体的运动”，他的论点也曾被圣托马索提及过。诗句显然是接受圣杰罗拉莫的论点，其依据是《新约》的《马太福音》第二十七章第四十七句：“从正午开始，一直到下午三点钟，一片黑暗笼罩着大地。”（《马可福音》第十五章第三十三句、《路加福音》第二十三章第四十四至四十五句，也都有类似的记载）

㊶“他是在撒谎”是指持第一种论点的人是在撒谎，原文是 e mente, ché，说明但丁对这种反《圣经》的论点的愤慨，但有人则对诗句语气的激烈感到困惑，认为应理解为：一种人是这样说，另一种人是那样说，因此主张改为 ed altri che，即“另有人说”，萨佩纽和波斯科-雷吉奥两注释本都不赞同这种改动：因为古代手抄本无此先例，况且，彼特罗·曼加多雷的《经院哲学史》也是认为“撒谎”是指持第一种论点的人，而但丁对此书又是“十分熟悉”的。

㊷这里是说，正是因为耶稣受难时，天昏地暗，不见阳光是“阳光自行把自己隐藏”，这种日蚀现象不仅出现在耶路撒冷的犹太人眼前，而且也出现在西班牙人和印度人眼前，是有人居住的

世界的东西两极都能目睹的现象。

㊸“拉波”(Lapo)和“宾多”(Bindo)是中世纪佛罗伦萨极为普遍的两个名字,诗中用二词的复数,分别为 Lapi 和 Bindi。

㊹“小绵羊”比喻信徒。“饱餐大风”是指信徒在听布道时只是听到一通空话和废话。“看不出害处”是指信徒出于愚昧无知,辨别不出上述空话和废话的“害处”,因此,愚昧不能饶恕空话和废话令人犯下的罪过,换言之,愚昧本身也是罪过,是不能“鉴原”的。

㊺此句是从《新约·马可福音》第十六章第十五句中摘取并略加改写的,原话是:“耶稣给他们(十一个使徒)一个使命:‘你们要到世界各地去,向每一个人传扬福音……’”诗中的“真实的基础”即是指《马可福音》上述一段话。

㊻“双颊”即是指嘴巴。

㊼“风帽”(Cappuccio)是教士所带风帽:这里是以“鼓起风帽”来形象地描绘布道者获得“引起哄堂大笑”的虚荣,踌躇满志,自鸣得意的样子。

㊽“鸟儿”指魔鬼:中世纪的绘像中,常把魔鬼绘成黑色的鸟儿,或许是有意用来与代表圣灵的白色的鸽子作对照。但丁也曾在《地狱篇》第二十二首第96句和第三十四首第47句中分别把法尔法雷洛比作“恶鸟”,把卢齐菲罗比作“鸟”。

㊾这里的“宽恕”是指布道者向听众所许诺的“赦罪”,而由于他们的“风帽尖”里躲藏着魔鬼,这样的“宽恕”究竟有什么价值,就可想而知了。

㊿此段三行韵诗意在说明:由于人们轻信这类“赦罪”,愚昧也便大量增加,群起而追求虚假的布道者所做的任何许诺,不顾这些许诺是否得到教会当局的批准,即是说,即使这些诺言“没有任何证据作为见证”,也被轻信的人们所“追踪”。

(51)圣安东尼(Sant'Antonio,251—365),或称“伟大的圣安东尼”(Sant'Antonio il Grande),生于埃及中部的埃拉克列奥波利(Eracleopoli),曾在特拜(Tebaide)隐修,是东方“隐修生活”(Vita monastica 或 monachesimo)的奠基人之一,以战胜种种诱惑而著称,并被推崇为牲畜的保护神,常被画成脚下踏有象征魔鬼的一口猪。在中世纪,圣安东尼门下的僧侣,腐败堕落,被看成贪得无厌、肆无忌惮的募施者;该教派的教士惯于养猪,而他们所养的猪被平民大众视为神物,并由公家拨款饲养。诗句有意从揭露一些布道者利用信徒的轻信引出对圣安东尼派教士的贪婪腐败的谴责:诗中说“圣安东尼”养肥“他”的猪,似应理解为“圣安东尼派教士”养肥“他们”的猪。

(52)“许多其他人”指圣安东尼派教士的情妇、私生子等,因此,他们“比猪还要脏”。

(53)“未经铸造的钱币”指伪币。

(54)“笔直的道路”指论述有关天使的“正题”,因为它曾被打断了。

(55)“这类自然造物”(questa natura)指天使。

(56)这里是指《旧约·但以理书》第七章第十句:“有一道大河从他(上帝)面前涌出,千万的天使在服侍他。”

(57)“初始之光”(prima luce)指上帝之光。“种种光辉”指众天使,即是说,每个天使都以各自方式来接受上帝的恩泽之光和觐见上帝的能力,其强弱程度也是大小不等的。

(58)“感情”指对上帝的爱:即是说,随对上帝的觐见(“认识的行动”)而来的是对上帝的爱,这种爱也依据觐见的深浅而有强弱(“爱的甜美程度就有热有温,互不相同”)。

(59)“永恒的德能”指上帝。

(60)诗句说明上帝的统一性和一成不变性:即如十六世纪的注释家维路泰洛(Vellutello)所说,“上帝为自己制造了许多明镜,其数目与天使的数目相等……在这些明镜中,上帝把自己的形象分裂开来,在不同程度上放射着光辉,同时又依然保持自身的统一和完整,就像在创造众天使之前一样”。同样的形象比喻在本篇第十三首第55—60句也有。但丁在《论俗语》第一卷第二节第三句段和《书信集》第十三章第六十句段中也有类似的论述。

第三十首

贝阿特丽切的美丽(1—33)
净火天(34—54)
光之河(55—81)
天国的玫瑰(82—123)
亨利七世的席位(124—148)

贝阿特丽切的美丽

第六时在那里发出火光[1],
距离也许远达六千里,
这个世界则已把阴影几乎投到平平的床榻之上[2],
这时,高悬在我们上方的天空的一半之处[3],
开始演变到这种地步:
一些星辰在丧失外貌,连这底部也无法把它们目睹[4];
正如太阳的最靓丽的使女[5]
向前款款行来,同样,天空也在把一扇扇透露星光的窗户关闭[6],
直到最美丽的一颗星也不见踪迹。
那胜利的队伍也并无两样[7],
他们一直围绕战胜我的视力的那一点而雀跃欢唱[8],
那一点似乎是被他们所包拢,其实是它在包拢他们[9];

他们一点一点地熄灭在我的眼前；
正因如此，我看不到任何东西，又加上我的爱恋，
这便迫使我把眼睛转回到贝阿特丽切的身边。
倘若把迄今为止谈到她的那些内容[10]
全部归结为一句赞颂，
这也嫌微不足道，难以起到这个作用。
我所眼见的美丽不仅超出我们的表达能力[11]，
而且我也确信无疑：
只有她的造物主才能欣赏这全部美丽。
我承认我被这个内容所战胜，
而且比那喜剧作者或悲剧作者[12]
曾被他们的主题的某一点所难倒还甚；
因为正像太阳射在颤抖至极的视力上，
回忆那甜美的笑容也同样
使我的记忆力从我自己的身上沦丧[13]。
从我在这尘世间见到她的面容的第一天算起，
直到如今的相见，
就不曾有过什么能把我的继续歌唱打断[14]；
但是，我现在不得不放弃
以诗歌来继续追踪她的美丽，
正如每个艺术家陷于才华用尽的境地。

净火天

我原封不动地把这美丽
让给比我那喇叭的声音更强的诗声，
而我的喇叭正在把它那艰巨的题材竭力写尽[15]，
这时她又以胸有成竹的导师的姿态和口吻，
开言道："我们已走出了那重天中的最大天体[16]：
那重天正是纯粹的光明：
那是心智之光，洋溢着爱；

那是对真善之爱，充满欢快；
那又是超越一切甜蜜生活的欢快[17]。
在这里，你将看到这一批和另一批天堂战士[18]，
而其中一批的仪容相貌
你在最后审判时还会看到[19]。"
犹如突兀的闪电驱散视觉神经，
这便使眼睛无法发挥作用，
把更为刺目的对象观定[20]，
这时，一道强光也正是这样绕射在我身上[21]；
我竟让那耀眼光芒的布幕裹住，
任何东西都无法在我眼前显露。
"仍然是那使这重天获得安谧的爱[22]，
以如此热烈的欢迎，把灵魂接纳到自己怀中，
以求使蜡烛能与它的烈焰相适应。"

光之河

这几句简短的话语才送到我的耳际不久，
我便立即明白：
我的能力在我身上已更上一层楼[23]；
我又有了新的视力，
任何光芒不论怎样刺目，
我的眼睛也无须自我防护[24]。
我看到一道光辉，像是闪烁奇光异彩的潺潺河水[25]，
它在两条河岸中间川流不息，
而那河岸又点缀着令人惊叹的春天花卉。
从这条大河中跃出晶莹的火星点点，
它们落在每一边的花丛里面，
几乎像是颗颗红宝石，由黄金镶嵌[26]。
接着，这些火星又像是被花香所陶醉，
重又在那令人赞叹的旋涡中深深落入[27]，

一个钻进，另一个跃出。
现在，那崇高的欲望在你心中燃烧，并在把你催逼，
因为你渴望得知你所眼见的事物的消息，
这欲望愈是迫切，也便愈是令我欢喜；
但是，在你那如此强烈的干渴得到满足之前，
你还应当把这河水畅饮一番[28]：
我眼中的太阳就是这样，向我直言[29]。
她又补充说道："那河水，那进进出出的颗颗宝石[30]，
还有那花草的频频微笑，
都是它们所包含的真理的暗示性前兆[31]。
这并非说，这些东西本身是生涩青酸[32]，
而是缺陷原本就在你这一边，
因为你的视力尚未达到如此深远。"

天国的玫瑰

即使一个孩童比他惯常的时辰
迟迟地一觉苏醒
便立即转过脸去，把乳汁探寻，
也不像我这时那样急不可待，要把双眼变为更好的明镜[33]，
我朝那涓涓流动的波涛俯下身去，
好让双目借此更入佳境；
我的眼帘刚刚触到水面，
我就觉得那河流的形状
似乎由长变圆。
接着，犹如人们原来戴着面具，
真容便消失在并非属于他们的相貌里，
一旦摘掉这假面，他们便显得与以前大有差异，
在我看来，那些鲜花和火星也是同样
变得更加喜悦欢畅，
这就使我眼见两个天国的朝班显露真相[34]。

哦,上帝的光辉啊,正是依靠你,我才目睹
那真正王国的崇高的胜利队伍,
99 请赐予我力量吧,让我把目睹的一切说出!
这是高高在上的一束光芒,
它使造物主变得为那造物所能觐见,
102 也只有通过对他的觐见,造物才能理得心安[35]。
这光芒充分延展,形状滚圆,
这就使它的圆周若把太阳绕缠,
105 作为腰带,也嫌过宽。
它把它的全部外观化为光线,
反射到原动天的顶端,
108 原动天也正是把它作为汲取生命与能力的源泉。
犹如山丘揽镜自照于它脚下的水中,
想目睹自己修饰一新的面容,
111 恰值绿草葱郁,繁花似锦,
同样,我看到那些从我们的尘世返回天上的精灵[36],
团团围绕在那光辉的上方,
114 自照其中,分布在一千多个梯阶之上[37]。
既然那最低一级梯阶
能把这样大的光芒容纳身上,
117 可见这朵玫瑰的外缘花瓣有多么宽广[38]!
我的视力对那广度和高度
并不感到扑朔迷离,
120 而是把那快乐景象的数量和质量全部尽收眼底。
在那里,无论是近是远,都既不能提高,也不能降低视力;
因为凡在上帝不需中介而加以主宰之处[39],
123 自然规律都没有任何用武之地。

亨利七世的席位

那朵永不凋谢的玫瑰

一点点绽放开来，扩大范围，
126 朝向那永葆春色的太阳，散发赞颂的芳香[40]，
在这玫瑰的黄色花蕊里，我就像一个人默不作声，却
又想开口言语，
贝阿特丽切把我拉过去，
129 并说道：“注意看那身着白袍的群体是多么声势浩大，不胜枚举[41]！
你看我们的城市有多么广阔的方圆[42]：
你看我们的座位已如此堂堂满满，
132 只须再有少数人前来补填[43]。
你的双眼在把那宽大的座位盯看，
因为那上面已经放置一顶王冠，
135 在你参加这婚礼晚宴之前[44]，
那位崇高的亨利就将坐到那个座位上面[45]，
他在尘世将会成为皇帝，
138 而他又将在意大利准备好欢迎他之前，便前来重整意
大利的河山。
正是那使你们神志昏迷的盲目的贪婪[46]，
把你们变成如同一个孩童一般：
141 他竟宁可饿死，径自把乳娘驱赶。
那时节，将有这样一个人充当神所的首脑[47]：
此人将或明或暗，
144 不与他一起走在一条道路上面。
但是随后，此人在圣职当中也只会被上帝容忍短暂时间[48]；
因为他必将被打入
147 巫师西门因本人功绩而在其中受苦的那个地点[49]，
他还将使那个阿拉尼亚人进入地层的更下边[50]。”

注释

①这里是用空间距离来计算时间距离，即由观察点的经线变化来说明时间的变化：经度的长度随逐渐远离赤道而按季节有所变化，这与时间恰好相等。但丁在《筵席》第三卷第五节第十

一句段和第四卷第八节第七句段中曾估计：地球的圆周为二万四百里（这里的“里”，如前所注，应为罗马的长度计算单位，即 miglio〈千步，复数为 miglia〉，为便于阅读起见，姑译为“里”），太阳绕其圆周运转每日为二十四小时；但丁把此圆周分为四个等分，即四个四分之一圆，每一等分约为五千一百里（因为太阳每小时约运行八百五十里，六小时为一等分，6×850即等于5100）。诗中所说的“第六时”（ora sesta）是指距但丁所在的西方很远的东方（“在那里”）此刻为“中午”（“发出火光”）；诗句提及距西方“也许远达六千里”，是为了说明此刻但丁所在之处的时间为“黎明”，即比第一等分稍多一些，因黎明距太阳升起的时间（六时）尚有一小时，故在原有的五千一百里上要再增加八百五十里，等于五千九百五十里，与诗中有意说出的“六千里”整数恰好相符。

②这里也用地球（“这个世界”）的“阴影”来说明时值黎明：因为地球投射的锥影（cono d'ombra）的移动总是使其尖端保持在与太阳运行轨道截然相反的方位上，当太阳位于东方的地平线稍下几度之处，地球锥影的尖端也便必然地位于西方的地平线相应稍高的方位，正如诗中所说，“几乎投到平平的床榻之上”；诗句形象地把地平线比作“平平的床榻”（letto piano）。萨佩纽注释本认为这种描述时间的写法还是有一定的科学道理的。

③这里的“天空的一半之处”，应是指观察者的视线与对象物之间的一片空间，亦即大气层与整个天空直到恒星天的部分，因而是“高悬在我们上方”。也有许多注释家认为，这里的“一半之处”是指天空的子午圈部分或中间部分，但是，下句提及“一些星辰在丧失外貌”（意即一些星辰在消失），实际上是指黎明时分的头一批星辰在消失，亦即最靠近东方地平线的星辰在消失，而不是指位于天空中央部分的星辰在消失（这时，这些星辰仍在闪烁发光），因此，后一种说法是不妥的。

④“底部”指地球，因为它位于宇宙的“底部”。

⑤根据奥维德《变形记》的说法，“时间女神”都是太阳的“使女”（参见《炼狱篇》第十二首第81句及第二十二首第118句以及有关注释）：黎明女神奥罗拉（Aurore）是专管为太阳敞开东方大门的，诗中所指的“使女”即是指奥罗拉。

⑥这里把天上的星辰比作一扇扇窗户，原文是 di vista in vista：vista 本身有“开口”之意，在诗中显然是指星辰，因为星光正是从这些“开口”射出的；加之，诗句用了 chiudere（“关闭”）一词，这就使全句更显形象而生动。

⑦“胜利的队伍”指热烈欢庆的一队队天使。

⑧“那一点”指象征上帝的光点；“战胜我的视力”指该光点曾照得但丁眼花缭乱，不敢仰视。

⑨这里是说，从表面上看这九队天使仿佛是在围绕、包拢象征上帝的光点，实际上则恰好相反：因为上帝是把他们乃至整个宇宙包拢在自身之内的。

⑩诗中所说的“内容”既包括以前在但丁的《韵律集》和《新生》中所谈关于贝阿特丽切作为“凡人”的美丽，也包括在《神曲》中所谈关于贝阿特丽切升入天堂、成为享天福者的美丽，特别是后者，如诗中所描绘的，随向天堂升去，其美丽和光彩照人的程度愈来愈甚，即使把一切赞誉

之词化为一句,也不足以恰如其分地形容其美。

⑪“我们”指凡人,即是说,甚至连级别最高的天使的智力也无法用言语表达贝阿特丽切的美丽,因此,只有上帝才能“欣赏”亦即“理解”她的“全部美丽”。

⑫这里用“喜剧”(comico)和“悲剧”(tragedo)来说明任何题材与风格的诗歌作者在其创作过程中都会被其中某个“难点”(“某一点”)弄得束手无策,但丁在描绘贝阿特丽切的美丽时,其难度更甚于此。关于“喜剧”与“悲剧”的含义,如前所注,分别指一般的题材和通俗的文风,以及悲壮的题材和高雅的文风。

⑬“颤抖至极”指最怕强光照射的、最弱的视力。类似的形象比喻在但丁的《新生》第四十一章第六十句段、《筵席》第三卷第五节第五十五至六十二句段和第八节第十四句段以及第二卷第四节第十七句段中也可找到,其中都借鉴于亚里士多德在《形而上学》第二章第一节所说的一句话来加以说明的:“我们的心智对待那些最最光彩照人的东西所作出的反应,就像蝙蝠的眼睛遇上阳光。”因此,诗中的“视力”也并非指一般健全的视力,而是指某些夜间动物的不完善的视力。

⑭诗中所说但丁在尘世见到贝阿特丽切的“第一天”是指但丁在九岁时与贝阿特丽切第一次在距但丁家不远的小教堂门前的邂逅;“如今的相见”指但丁在净火天与贝相聚,看到贝的美丽容颜。但丁虽在本篇第十四首第79—81句、第十八首第8—12句、第二十三首第22—24句也曾说过类似的话,但这时所作的“无能为力”的表白,其强烈程度是远远超过前数次的,因此,与前数次的表白有实质上的区别,正如第33句所说,但丁已陷于江郎才尽(每个艺术家“才华用尽”)的境地。

⑮“喇叭”(tuba)比喻但丁吟诵诗歌之声。

⑯“那一重天中”指净火天中;“最大天体”指原动天,因为它是各物质天体中最大的。

⑰第39句到本段三行韵诗,概括地写出了净火天的特征:即它是“纯粹”的“心智之光”和仁爱之火(“洋溢着爱”);但丁在《书信集》第十三章第六十七至六十八句段中曾说:“最高一重天不是从任何有形实体中汲取能力;这重天燃烧着它那炽烈之火,这并非因为它身上有什么物质之火,而是因为它身上有精神之火,即神圣的爱,亦即仁爱。”“真善”即是指上帝,诗句意在说明:对上帝的爱能使灵魂上升到觐见上帝,从而尝到超越尘世一切欢乐(“超越一切甜蜜生活”)的“天国之福”(“欢快”)。

⑱这两批“天堂战士”:一是天使,他们在天上为反对有罪的天使而战斗;一是享天福者的灵魂,他们生前曾为反对肉体和敌人而战斗。

⑲这一批是指享天福者,因为他们在最后审判日时,灵魂将与复活的肉体重新结合,届时,但丁还将看到他们的肉身和形象,言外之意则是:但丁未等到最后审判就提前目睹享天福者的“仪容相貌”,这也是上帝的恩赐,使他得以目睹上帝的绝对而充分的安排。

⑳第47、48句的原文是:priva da l’atto l’occhio di più forti obietti;由于有人把句中的atto(本意为“行动”)与più forti obietti(“更为刺目的对象”)联系起来,成为“更为刺目的对象”的照射行

动，所以，原句就意谓“使眼睛无力承受更为刺目的对象的照射”；但也有人认为，atto 是与 occhio（眼睛）有关，是指眼睛本能观看刺目对象的能力，这样，全句就有了译文中的含义：眼睛无法观看其他对象，因为这些对象这时变得“更加刺目”，超过眼睛的视觉能力了。萨佩纽和波斯科-雷吉奥两注释本都倾向于后一种诠释。

㉑此处用典出于《新约·使徒行传》第二十二章第六句：圣保罗说：“那一天，大约在中午时分，当我快到大马士革城的时候，突然有一道从天上发出的强光照射在我身上。”动词“绕射”原文为 circunfulse，正是从《圣经》中的拉丁原文 circumfulsit 变来。

㉒这里是说，象征上帝的“爱”使净火天得到满足，因而处于安谧而静止的状态：但丁在《筵席》第二卷第三节第九至十句段以及本篇第一首第 122 句、第二首第 112 句和第二十二首第 64—66 句都提及这一点。整段三行韵诗的意思是：代表上帝恩泽的“强光”注入享天福者的灵魂身上，使之作好觐见上帝的准备，犹如蜡烛刚接触火焰时还不能一点就着（强光照在眼睛），随后则燃烧起来（可以承受觐见上帝的熊熊火光）。

㉓这里是说，但丁的视力这时又得到进一步提高。

㉔“自我防护”指但丁此刻已能经受任何强光的照射，换言之，这也是但丁获得上帝恩泽的第一个效果；即虽仍携带肉身，却已能觐见天堂的光辉了。

㉕这里用典出自《新约·启示录》第二十二章第一句：“天使带我看城内街道当中的一道‘生命水’的河，清澈如水晶，自上帝和羔羊的宝座流出来。”

㉖这种黄金镶嵌宝石的写法借鉴于维吉尔《埃涅阿斯记》第十章；本维努托曾对诗句中的流水、两岸、花卉、火星作过如下诠释：即流水比喻上帝的恩泽，即从上帝那里流出，灌输到人的心灵；两岸指《旧约》和《新约》的两队享天福者；花卉指从河水中汲取灵感的圣者；火星则指带来上帝恩泽的满怀炽热的仁爱之情的天使。

㉗“旋涡”一词，原文为 gurge，是来自拉丁语汇，相当于今文的 gorgo，也有波浪、流水之意，此用法也借鉴于维吉尔《埃涅阿斯记》第一章和第六章。

㉘这里用“畅饮”河水来比喻把双眼沉浸在这条光河里面。

㉙“眼中的太阳”指贝阿特丽切。

㉚“颗颗宝石”即是指火星点点。

㉛“暗示性前兆”，原文是 umbriferi prefazi，意谓真理有待揭示；prefazio 一词本属做弥撒时的“序祷”，这里也有预示和先兆之意。

㉜“生涩青酸”，原文是 acerbe：诗句意谓这些东西并非本身便是有缺陷的。

㉝诗句是说，把双眼变为“明镜”，以便“更好”地反映真理。“更入佳境”原文为 s'immegli，系动词 immegliare 的自反动词现在虚拟式，该动词又是但丁自造的，由副词 meglio 变来。

㉞“两个天国的朝班”指享天福者和天使两支队伍。

㉟“理得心安”是指得到充分的满足，从而平静下来：类似的写法也见于《炼狱篇》第三十首第 9 句、本篇第八首第 86 句。圣托马索在《神学大全》第二卷第一章中曾阐述过同样的思想：“渴

望幸福不是别的，而是渴望心愿得到满足；这是每个人都愿意得到的东西”；圣阿哥斯蒂诺在《忏悔录》第一章第一句段中也说：“只要我们的心灵不以你（上帝）为依托，它就是忐忑不安的。”

㊱这里值得注意的是“返回”一词的使用，因为它表明：人生在世是“暂时”的，因而与天国相比，这是“过渡性的放逐”，每个灵魂的真正祖国应是“天国”。

㊲可以想象，这是一个类似环形露天剧场的景况，其中有一千多个梯阶，所有神圣的精灵都分布其上。

㊳诗句把上述露天剧场式的背景具体描绘成天国的玫瑰，亦即所谓“洁白的玫瑰”（candida rosa）；据波斯科-雷吉奥注释本称，“玫瑰”是常见的神秘主义象征，有多种含义。

㊴这里是指在上帝直接（“不需中介”）主宰之处，“自然规律”（包括在尘世或天体中起作用的自然规律）就没有任何作用可起了。“不需中介”即是指不需有“次要起因”介入，参见本篇第七首第142句；另，《炼狱篇》第二十五首第68—75句也有阐述。

㊵“永葆春色的太阳”指上帝，因为上帝作为永恒的太阳，能使这朵玫瑰在永久的春天中盛开。

㊶“身着白袍的群体”指享天福者精灵，用典见于《新约·启示录》第七章第九句：“……我又看见一大群人，不可胜数。他们来自各国、各族、各民、各方，他们身披白袍，手执棕树枝，站在宝座和羔羊面前。”

㊷“我们的城市”指天国的耶路撒冷，用典也见于《新约·启示录》第二十一章第九至十句：“……其中一位天使对我说：‘随我来，让我将新娘——羔羊的妻子——指给你看。’在灵境中，他带着我上到一座高山。将由上帝那里从天而降的圣城新耶路撒冷指给我看。”

㊸这里是说，被上帝遴选入天国的人类灵魂永远是为数不多的，这也反映了但丁对腐朽堕落的人类的间接谴责；此外，但丁与其同时代人一样认为世界已接近末日：他在《筵席》一书中就曾把世界的存在分为六个时代，并说：“我们现在已处在世纪的最后阶段（即世界的第六个亦即最后时代），我们实际上是在等待天体运动的消耗殆尽”（见《筵席》第二卷第十四节第十三句段），因此，诗中提及“少数人前来填补”天国的空缺问题，不是偶然的。

㊹“参加这婚礼晚宴之前”是指在但丁溘然死去，荣升天堂之前；关于天国婚宴的说法，《炼狱篇》第三十二首第76句和本篇第二十四首第1—3都有提及。

㊺“崇高的亨利”指神圣罗马帝国皇帝亨利七世（见本篇第十七首及有关注释），但丁曾在《书信集》第五至七章中把他推崇为“上帝的使者”，是上帝派来拯救意大利人民于水火、惩治腐败、恢复公正、消弭党派之争的“新摩西”。他原为卢森堡公爵，生于1270—1280年间；1308年11月27日被诸选侯选为德国国王，并于1309年1月6日在阿圭斯格拉纳（Aquisgrana，今德国亚琛地区）加冕。他为人有崇高理想，但缺乏实践经验，可能因年纪过轻之故；他曾应教皇克莱蒙特五世（见《地狱篇》第十九首及有关注释）邀请，南下意大利，调和党派争端。1310年10月，他跨越阿尔卑斯山；1311年1月6日主显节（Epifania），在米兰被加冕为“罗马皇帝”（rex Romanorum），戴上了铁冠。据称，正是在此期间，但丁得以与他相遇，并在一封书

信中提及曾当面向他致敬。但丁在放逐期间,对他寄予厚望,不仅希望依靠他,能重返故土,而且还特别指望他能实现但丁的建立全球帝制、恢复秩序、公平与和平的宿愿,但可惜这一切最后均成泡影。亨利七世在平息意大利北部一些城市的叛乱中心力交瘁,后又试图粉碎在教皇克莱蒙特五世挑唆下成立的反对他的归尔弗派联盟而未果。1313 年 6 月 27 日,他在矛盾尖锐、困难重重的条件下,终于在罗马被加冕为神圣罗马帝国皇帝,他随即又试图进击以佛罗伦萨为首的归尔弗派联军,不幸于 1313 年 8 月 24 日暴卒于锡耶纳附近的蓬贡文托(Buonconvento),也有说是他被人下毒谋害的。他的死导致但丁与许多其他吉伯林派分子及白党分子希望的泯灭。诗句有意指出,亨利七世前来拯救意大利的行动是操之过早,因为意大利尚未"准备好欢迎他",但并未否定他那坚定而始终如一的理想。诗中"皇帝"一词用的是 agosto,该词后来发展为 augusto。

㊻这里用"贪婪"来形容意大利的丧失理智:竟把唾手可得的拯救和幸福像不懂事的孩童宁可饿死也不要乳娘那样,拒之门外。

㊼"这样一个人"指教皇克莱蒙特五世;"神所"指教会。诗句也借此对克莱蒙特五世欺骗亨利七世的行为进行了谴责。"他"即是指亨利七世;本篇第十七首第 82 句也提及这一欺骗行为。

㊽这里显然是影射克莱蒙特五世是在亨利七世死后才八个月便一命呜呼的,这正是上帝对他的公正惩罚。值得一提的是:所有关于亨利七世乃至克莱蒙特五世的诗句都是以预言式手法写出的,这也便为诗句增添了不少神秘色彩。

㊾"巫师西门",见《地狱篇》第十九首及有关注释;克莱蒙特五世死后,被打入地狱第八层恶囊的第三环,即犯有买卖圣职罪的鬼魂受苦的地点。

㊿"那个阿拉尼亚人"指教皇博尼法丘八世;"阿拉尼亚"(Alagna)即阿尼亚尼(Agnani),亦即博尼法丘八世的出生地。如《地狱篇》所描绘的,第八层恶囊第三层买卖圣职环的鬼魂都是被头下脚上倒栽在地洞里,俟后来的鬼魂接替原先鬼魂的位置,原先鬼魂就要被埋在地里的更下一层。克莱蒙特五世死于 1314 年,晚于博尼法丘八世(死于 1303 年),故诗中说他将使博"进入地层的更下边"。

第三十一首

洁白的玫瑰(1—24)
但丁的惊愕(25—51)
圣贝纳尔多(52—78)
对贝阿特丽切的感谢(79—93)
圣母的胜利(94—142)

洁白的玫瑰

因此,那神圣的战士队伍就在我面前,
展示成洁白玫瑰的形状①,
而基督曾在他的血泊中娶她为新娘②;
但是,另一批战士则在凌空翱翔③,
他们观看和歌唱使他们产生爱心的那位的荣光④,
他们也观看和歌唱善,正是善使他们如此不同凡响,
他们正像一群蜜蜂,
时而飞入花丛,时而又返回原地:
在那里,它们的辛苦会产生甘饴⑤,
他们落在那巨大的花朵里面:
那花朵装饰着那么多的花瓣,
他们随即又向上飞去,飞到他们的爱永久栖息的空间⑥。

因此，那神圣的战士队伍就在我面前，展示成洁白玫瑰的形状。（第三十一首第1、2行）

他们的面庞都燃烧着熊熊的火焰[7]，
他们有纯金的翅膀，其余都是洁白一片，
任何雪花都达不到那样的极限[8]。
当他们飞落在花上时，
他们就一级一级地送来平和与热爱，
这平和与热爱正是他们扇动双翼、拍打身侧而得来[9]。
那么众多的飞翔之物
置身于上方与花朵之间，
也并不能把视力和光辉阻拦[10]；
因为神光能穿透宇宙，
依照宇宙承受照射的资格何如，
这便使任何障碍都无法把它拦阻[11]。

但丁的惊愕

这个王国欢乐而安稳，
拥有旧的和新的国民[12]，
视线与爱都朝一个标的对准[13]。
哦，三合一的光啊——它闪烁晶莹，在他们眼中，只
　　是唯一的一颗星，
它使他们感到心满意足，无比欣幸[14]，
请你看一看下面尘世我们所经受的骤雨暴风！
若是说，来自这样一片地区的野蛮人[15]：
这片地区每天都被爱丽丝所笼罩，
她伴随她依依不舍的儿子，旋转不停，
这些野蛮人一见罗马和它那巍峨壮丽的建筑，
立即惊得口呆目瞪，
当时，拉特兰曾超越尘世间一切工程[16]；
我此刻从人间来到仙境，
从时间来到永恒，
从佛罗伦萨来到正义而健全的民众当中[17]，

我又该是怎样大吃一惊！
可以肯定，在这又惊又喜之中，
我宁愿有耳而不听人言，有口而不作声。
几乎像是长途跋涉的朝圣者
休息在他许愿朝拜的圣殿之中，
他四下张望，早已企盼能讲述那圣殿是什么模样[18]，
我这时也是如此，顺着那强烈的光芒，
将目光沿着一级级阶梯向上扫去，
时而向上观，时而向下望，时而又环顾四方[19]。
我看到一张张透露仁爱之心的面庞，
这些面庞闪烁着他人的光辉，浮现着自身的笑意[20]，
我还看到举止庄重得体，无懈可击。

圣贝纳尔多

我的视线已了解
天堂的全部总的情景，
却尚未停留在任何一个局部，细看分明：
我怀着重又燃起的欲望，转过身去，
想要向我的贵妇询问一些事情，
对这些事情，我的心灵充满疑问。
我所想的是这一位，回答我的却是另一人：
我以为看见的是贝阿特丽切，而所见却是一位老翁[21]，
他的衣着与那些光荣的精灵相同。
他的双眼和面颊
洋溢着和善的欢畅，仪态慈祥，
正如一位温和的父亲应有的模样。
我立即说道："她在哪里？"
他于是说："贝阿特丽切动员我离开我所在的地方，
来最后满足你的欲望；
倘若你朝上观看那从最高一级向下的第三层[22]，

你就会再次看到她坐在那个座位上：
那座位是她的功德为她安排停当。”
我不曾回答，向上抬起双眼，
我见她为自己绕上一道光环，
从身上反射出永恒的光线[23]。
不论是谁纵身潜入最深的海底，
仰望那雷声轰鸣的最高的天际，
任何凡人的肉眼与那天际的距离，
都不如在那里我的视线与贝阿特丽切的距离那样遥远[24]，
但是，任何东西都不曾把我遮拦，
因为她的形象下降到我的眼前，并无杂物掺入其间。

对贝阿特丽切的感谢

“哦，贵妇人啊，你是我的希望所寄，
你曾为了拯救我，不惜
把你的足迹留在地狱[25]，
我感激你的恩惠与德能，
让我看到所有这些情景，
而这恩惠与德能又都是来自你的威力与善行。
你使我摆脱了奴役，获得了自由[26]，
经过所有那些途径，
把使你能做到这一点的所有方式都全部运用。
请把你对我的宽厚善加保存，
以便让我那被你医治痊愈的灵魂
能在脱离肉体时仍然令你欢欣[27]。”
我就是这样祷告；而那一位，尽管显得如此之远，
却仍嫣然一笑，并看我一眼；
随即又转向那永恒的泉源[28]。

那神圣的老翁这时说道,
“为了让你完善地结束你的行程——
而请求和圣洁的爱也正是为此驱使我前来此境[29],
你且用双眼遍览一下这座花园[30];
因为观望它将会锻炼你的视线,
使它更能向上望去,把神光觐见[31]。
那位天后点燃我的全部爱心[32],
她必将把一切恩泽赐予我们,
因为我正是她的忠实信徒贝纳尔多。”
如同一个人也许是来自克罗地亚[33],
他是前来瞻仰我们的维罗妮卡[34],
由于饥渴久远,他竟总是不觉饱餐,
他站在那幅图像面前,心中一直说道:
“我主耶稣基督,真正的上帝,
难道你的相貌就是这样的?”
我此刻也正是这样,把那位的强烈仁爱仔细端详[35],
那位曾在这个世界上,
通过静修默想,把平和的滋味饱尝[36],
他开始说道,“蒙受恩泽的孩子啊,你若把眼光
只是放在这下面底部[37],
这快乐的景物就不会向你展露[38];
你还是该把那一圈圈梯阶仔细观看,直到那最远的一圈[39],
这样,你就会看到天后端坐在上面,
这个王国都臣服于她,对她至诚至虔。”
我抬起双睛,正像在清晨,
地平线的东方
压倒日落的那个部分[40],
我看到那最高一圈有一处,
也同样是光辉灿烂,胜过所有其他地方,

“这样，你就会看到天后端坐在上面，这个王国都臣服于她，对她至诚至虔。”（第三十一首第116、117行）

几乎像是用双眼从低谷向高峰观望。
正如在那等待法厄同胡乱驾驭的车辕出现的方位[41]，
光焰烧得最亮，
而这里和那里则变得暗淡少光，
同样，那片平和的金红色光芒[42]，
位于中央，灿烂辉煌，
而四面八方的光焰则一概减弱光亮。
我看见正是在那中央[43]，
有一千多位欢乐喜庆的天使在展翅飞翔，
他们各有各的技艺和亮光。
我看见这里有一个美女[44]，
在对他们的玩耍和歌唱露出笑意，
她正是所有其他圣者的目光中显示的欢喜[45]。
即使我的语言与我的想象一样丰富，
我也不敢贸然一试，
来把她那悦目的姿色作最低限度的描述。
贝纳尔多看到我在目不转睛、全神贯注地
仰望她那炽热的火光[46]，
也便十分亲切地把他的目光转到她的身上，
这目光使我的双眼变得更加热切地想要把她观望。

注释

①"神圣的战士队伍"指"身披白袍，手执棕树枝，站在宝座和羔羊面前"的诸圣者（亦即享天福者，见《新约·启示录》第七章第九句），因为他们都"身披白袍"，就形成了诗中所说的"洁白玫瑰"。

②这里又进一步把"神圣的战士队伍"比作在世上取得战斗胜利的教会，而这胜利又是来自基督受难（"在他的血泊中"），此典见于《新约·使徒行传》第二十章第二十八句："……教会是主用自己的血赎回来的。"把"教会"作为基督的"新娘"的比喻在《神曲》中是屡见不鲜的。

③"另一批战士"指众天使。

④"那位"指上帝。

⑤"在那里"指在蜂房：诗句是说，蜜蜂采集花粉的劳动会带来酿蜜的结果。

⑥诗句是指神光所在之处，因为神光是天使所热爱的永恒对象。

⑦此典来自《旧约·以西结书》第一章第十三句:"四个活物(天使)的形象有如烧着的火炭";《新约·启示录》第十章第一句:"我又看见一位有大能力的天使从天而降。他身披云霞,头戴彩虹,脸如太阳……"

⑧《旧约·但以理书》第十章第五句描述天使长米迦勒的形象曾用过"纯金"的字样:"……他身穿麻衣,腰束纯金";《新约·马太福音》第二十八章第三句写"上帝的天使"时,也曾提及他"衣裳洁白如雪"。波斯科-雷吉奥注释本指出,诗句描绘的天使形象既借鉴于《圣经》,也取法于中世纪流行民间的圣像,古代注释家曾认为,红、金、白三种颜色象征仁爱、智慧、纯洁,当然,也有作其他诠释的。

⑨这里是说,天使送来的"平和"与"热爱"都是从他们飞向上帝时从上帝那里得来的。

⑩"上方"指上帝所在的地方;"飞翔之物"指天使,"光辉"指上帝的光辉。"众多"一词,萨佩纽和波斯科-雷吉奥两注释本都依据佩特罗基版本,采用 moltitudine 一词,但不少手抄本则用 plenitudine(充满),因为但丁在《新生》第二十八章第七句段和《筵席》第二卷第十四节第七句段以及第四卷第五节第十三句段中也曾用 moltitudine 形容"众多"天使和星斗,而未用 plenitudine 描述天使或星斗"布满"天空,另,《新约·路加福音》第二章第十三句中所说的"一大队天军"也用的是 moltitudine。

⑪这段三行韵诗有两层意义:一是继续上段的含义,说明上帝的光辉是普照万物的,虽然天使正在上帝与"洁白玫瑰"之间,也不能把上帝的光辉"阻拦",因此,上帝的光辉是"任何障碍都无法阻拦"的;二是上帝的光辉照耀万物的多少,要依照万物各自的资格高低、接受能力大小而定,即如诗句所说的:"依照宇宙承受照射的资格何如"(secondo ch'è degno),同样的含义在本篇第一首第 1—3 句也曾提及。

⑫这里是指《旧约》与《新约》中所写的享天福者的魂灵;也有认为"旧"的国民是指天使(因为他们是先到)、"新"的国民是指享天福者(因为他们是后来)的。

⑬"一个标的"指上帝。

⑭"三合一的光"(trina luce)指三位一体的光。诗句从"欢乐而安稳"的"王国"联系到使尘世备受摧残的"骤雨暴风",从而把二者作出鲜明的对比,祈求上帝给予多灾多难的尘世以怜悯的一顾。

⑮从诗句引述的希腊神话故事来看,"这样一片地区"是指地球极北部地区,相当于纬度五十五线以上。"爱丽丝"(Elice)是希腊人对小熊星(一说"大熊星")的别称,诗中是指阿卡迪亚(Arcadia)国王吕卡翁(Licaone)之女卡利斯特(Calisto 或 Callisto),她也是林泽女神爱丽丝,是月神狄亚娜的随从之一,并得到狄的宠爱。宙斯引诱了她,月神怒而逐之;后她生下了宙斯之子阿尔卡德(Arcade),宙斯之妻尤诺出于嫉妒,将她变为母熊,后宙斯又将她变为大熊星座;其子阿尔卡德也遭到同样的命运,变为波俄特(Boote)星座,亦即牵牛星(Bovaro),或称卫熊星(Arctofilace)。此典可能出自奥维德的《变形记》第二章第 409—530 句。由于此二星总是相伴出现于五十五度以上纬度线地区,并且每日都经过天顶,从不降落到地平线之下,

但丁才根据这一天文现象写下有关诗句,并把二星生动地比喻为“依依不舍”的母子关系。

⑯“拉特兰”(Laterano)指罗马著名的拉特兰宫(见《地狱篇》第二十七首及有关注释),原为罗马皇帝所住宫邸,在君士坦丁皇帝将罗马馈赠给教皇西尔维斯特罗(见《地狱篇》第十九首及有关注释)后,直到1305年罗马教廷迁往法国阿威农为止,一直是教皇所在地。这里可能是指罗马鼎盛时期,其宏伟的建筑,举世无双;但也可能是指某一特定历史时期,即在教皇西尔维斯特罗进住拉特兰到野蛮人最初入侵罗马之间一段时期,当时,罗马城的金碧辉煌的建筑尚保存完好。

⑰这里连用三个时空对比的诗句来说明,但丁之所以“大吃一惊”的原因,特别是把但丁既恨又爱的佛罗伦萨与充满欢乐与荣光的天国(“正义而健全的民众”)作比,表明诗人把佛市看成世界一切腐败和罪恶的象征。

⑱波斯科-雷吉奥注释本认为,这里所说的“圣殿”可能是指西班牙加利齐亚(Galizia)地区的圣雅各·迪·坎波斯泰拉圣殿(San Iacopo di Campostella),因为该圣殿是中世纪最著名的朝圣地,本篇第二十五首第18句也提及该圣殿(请参考有关注释)。诗句是说,但丁急切地希望早日把自己所见的景象向世人讲述一番。

⑲近代一些注释家,依据古代注释家布蒂的分析,认为这时但丁与贝阿特丽切是在边走边看,但近代的莫米利亚诺不同意这种看法,强调这里只是指但丁用“目光”向上下、周围尽扫。波斯科-雷吉奥和萨佩纽两注释本也赞成莫的诠释。

⑳“他人”指上帝。

㉑“这一位”指贝阿特丽切,“另一人”即是指下句的“老翁”,亦即圣贝纳尔多(San Bernardo):他是西多会(Cistercensi)教士,法国著名的西多会克莱尔沃修道院(Abbazia di Clairvaux,“克莱尔沃”的意文名为“基亚拉瓦莱”Chiaravalle,该修道院始建于1115年)的创始人和首任院长,因而一般称他为“圣贝纳尔多·迪·基亚拉瓦莱”(或“圣贝尔纳·德·克莱尔沃”)。他于1091年生在勃艮第(Borgogna)地区的芳丹(Fontaines),1153年在克莱尔沃逝世。他是十二世纪宗教文化界最杰出的人物之一,曾出任教皇与君主的参谋,倡议发动第二次十字军围剿,力主改革静修生活,积极从事传教布道,提议静修与禁欲,为当时神秘主义学派的代表人物。他最敬拜圣母,曾被誉为“甜蜜导师”(doctor mellifuus)、“圣母眼睛的眼珠”(pupilla dell'occhio della Vergine)、“圣母最钟爱的学生”(alunno familiarissimo di Nostra Donna)乃至“玛利亚的神秘主义学家”(mistico di Maria);诗句用他来代替贝阿特丽切,作为但丁觐见圣母进而觐见上帝的引见人,看来正是以此为依据。他坚决反对当时经院哲学新学派亦即理性主义学派的代表人物之一阿贝拉尔多(Abelardo,1079—1142)的理论主张,促使桑斯主教会议(concilio di Sens)谴责阿为异端。他平生通俗体著作甚丰,但丁在《书信集》第十三章第八十句段中曾提及他的《论思考》(*De consideratione*);他还为耶路撒冷圣殿骑士会(Templari)订立过教规。1174年,他被追谥为圣徒。诗中说“他的衣着”与其他享天福者“相同”,即是指他也是“身披白袍”。

㉒贝阿特丽切的座位是在拉结的旁边（见《地狱篇》第二首第102句和本篇第三十二首第7—9句）。

㉓这里是说，贝阿特丽切全身周围为一光环所缠绕，从而反射出照射在她身上的神的光辉（“永恒的光线”）。

㉔诗句意在说明：但丁的视线与贝阿特丽切之间距离，虽比深入海底、仰望最高天空的人的肉眼与那天空之间距离还要遥远，却仍不妨碍但丁清晰地看到贝阿特丽切的形象，因为在这距离中间，没有杂物阻隔，但丁观看贝阿特丽切是直接的。

㉕这里是追述贝阿特丽切为了拯救但丁，亲自下到地狱第一层林勃，请求维吉尔代她前往救助（见《地狱篇》第二首）。

㉖“奴役”是指罪过使人受到奴役，此典出自《新约·罗马书》第六章第二十句圣保罗说的话：“当你们作罪的奴隶的时候，一点不会受义的管束。”因此，“获得了自由”即意谓脱离罪恶而获自由。圣托马索在《神学大全》第二卷第二章中也就此论述道：“既然依照自然的理性，人是倾向于正义的，而罪过则是违反自然的理性，因此，脱离罪过而获的自由才是真正的自由，同样，真正的奴役就是罪过施加的奴役。”

㉗“脱离肉体”指死亡；“医治痊愈”即是指灵魂摆脱罪恶而变得纯洁。

㉘“永恒的泉源”指上帝，因为上帝是享有天福之始，也是一切恩泽的永久源泉：此典也见于《旧约·诗篇》第三十六篇第九句：“你（上帝）是生命的泉源。”

㉙“请求”和“圣洁的爱”都是指贝阿特丽切，即是说，贝在“圣洁的爱”推动下，“请求”圣贝纳尔多前来协助但丁圆满地完成他的最后一段行程；但也有人认为，“圣洁的爱”是指圣贝纳尔多。值得注意的是：在但丁天堂之行即将结束的阶段，作为“引路人”的贝阿特丽切由圣贝纳尔多取代，这正如在结束地狱和炼狱之行时，作为理性化身的维吉尔让位于代表神学的贝阿特丽切一样：此刻将要直接觐见上帝，神学已不能担当此任务，须让位于代表静修默想生活的圣贝纳尔多，况且，圣贝纳尔多作为圣母的“忠实信徒”，也将请求圣母把但丁引见于上帝。

㉚“花园”原文为giardino，但在这里是指“洁白的玫瑰”。

㉛这里是说，观望享天福者所形成的“洁白玫瑰”，会使但丁的眼光变得更加有能力去觐见上帝，因为享天福者身上反射的正是“神光”。

㉜“天后”指圣母。

㉝“克罗地亚”（Croazia）：这里只是用以指一个远离罗马文明的外国地区。

㉞“维罗妮卡”（veronica）指至今保存在罗马圣彼得大教堂内的据说是耶稣留下的“真容”的圣像；该词恰是由vera icona（真正的圣像）的谐音组成。根据基督教传说，基督受难时，有一虔诚的妇人曾用自己的头巾揩拭流淌鲜血的耶稣的脸，这脸便印在头巾上，此即“真正的圣像”；另，十三世纪还有一传说称：这个为耶稣揩拭面容的妇人即是《新约》的《马太福音》第九章第二十至二十二句和《路加福音》第八章第四十三至四十八句所说的曾被耶稣治愈的患有十二年血漏症的那个女人。诗句是说，渴慕耶稣圣像已久的外国朝圣者一旦看到圣像，便

百看而不厌,换言之,看了很久也不觉满足(“不觉饱餐”)。但丁在《新生》第四十章也提及过这幅耶稣的“真容”。

㉟“那位”指圣贝纳尔多。

㊱诗句是说:圣贝纳尔多通过“默想生活”,曾在尘世预先尝到天堂的平和。

㊲“下面底部”指神秘的“洁白玫瑰”的下部。

㊳“快乐的景物”指幸福的氛围亦即天堂。

㊴“最远的一圈”指离但丁所在的地方最“远”(remoto)的一圈,亦即最“高”的一圈。

㊵这里是指:在光辉灿烂方面,“东方”压倒“日落”时的西方。

㊶这里用日神阿波罗之子法厄同驾驶太阳车、脱离太阳运行轨道、引火烧身的故事,比喻旭日行将升起的东方天际一片明亮,距此较远的四面八方则光线愈来愈弱:诗中的“车辕”即比喻太阳。

㊷“金红色光芒”原文为 oriafiamma,原是指法王的红色战旗,罗马拉特兰宫有一幅镶嵌画,描绘此旗乃是作为帝制象征,由基督亲自赐予查理大帝的:诗中是写“洁白玫瑰”最高处,中央一片“金红色光芒”,正是圣母所坐之处,而因为圣母曾使上帝与世人实现和解,同时也为了与法王战旗作鲜明对比,诗句特意用了“平和”一词。

㊸这里实际上是指在圣母所在的最明亮之处的“周围”。“技艺”指天使飞翔的动作有快慢高低之分,正如光芒的亮度也有强弱之分,因为如前所述,各天使是有等级之分的。

㊹“美女”(bellezza)指圣母。

㊺这里是说,圣母的灿烂光辉反映在众享天福者的眼中,显示出他们内心的“欢喜”。

㊻“炽热的火光”指圣母的火一般仁爱之情。

第三十二首

享天福者在天国玫瑰中的秩序安排(1—48)
天真无邪儿童的命运(49—84)
天使与圣者对圣母的歌颂(85—114)
最大的圣者(115—151)

享天福者在天国玫瑰中的秩序安排

那位静修默想者满怀热情,把他喜爱的对象瞻望[1],
他自动地承担起导师的任务,
开始把如下神圣的语言说出:
“在玛利亚脚下的那个如此美丽的妇女[2],
就是曾刺伤和撕裂创口的那一位,
正是玛利亚把那伤口弥合和治理。
在那第三排座位的序列当中[3],
坐着拉结,她与贝阿特丽切一起[4],
正如你所见,坐在此女的下边。
撒拉、利百加、犹滴和那一位:
她曾是那位歌者的曾祖母[5],
那歌者曾痛悔自己的过错,说道:‘求你怜悯我’[6],
你可以这样一级一级地向下望去,

正如我依照那玫瑰的一朵朵花瓣，
由上而下叫出各个名字。
从第七级向下算起，直到最后一级，
相继都是希伯来贵妇，
她们把花朵的所有发髻分隔两部[7]；
因为根据信仰是如何把目光投在基督身上[8]，
这些贵妇就构成一道隔墙，
那些神圣的阶梯便由此分列两旁。
这一边，花朵盛开，
所有花瓣全都齐放，
席坐的那些，都曾是对未来的基督满怀信仰[9]；
另一边，那一级级半圆形
掺杂着一些空当，
坐在那里的都是曾把面庞朝向已来的基督瞻望[10]。
正如在这里，那位天国贵妇的光荣座位[11]
与在这座位之下的其他座位，
形成一条分界线，
同样在对面，则有那伟大约翰的座位[12]，
他作为始终的圣者，曾遭受荒野之苦与殉道之惨，
后来又在地狱受苦两年[13]；
在他下边，座位也同样分有界线，
方济各、本笃和奥古斯丁[14]，
以及其他，也环坐在这一圈到那一圈，直到这里的下面[15]。
现在，你该注意一下那崇高的神意安排；
因为信仰的这一方面和另一方面
都将同等地充满这座花园[16]。
你该知道，从下面一层算起
——这一层把两条分界线从中间分切两半，
席坐在那里的绝非出于各自功绩，
而是依靠他人功绩，并且还有某些条件；

因为所有这些都是被解脱的精灵，
他们的被解脱是早在他们能作出真正选择之前[17]。
倘若你能把他们仔细观察，注意聆听，
你就能从他们那天真的面孔乃至那稚嫩的声音中，
把这一点发觉得透彻分明[18]。

天真无邪儿童的命运

如今，你满腹疑问，而尽管疑问丛生，你却默不作声；
但是，我将要把那难解的纽带解开，
这纽带在把你那细微的思维束紧。
在这王国的广大范围之内[19]，
点滴的偶然因素也不可能有立足之地，
正如没有干渴或饥饿或悲戚[20]；
因为你所见的任何事物，
都是由永恒的法律所规定[21]，
正如指环与手指恰好相应。
因此，这一个仓促来到真正生活之中的群体[22]，
在这里，相互之间的地位有高有低，
这并非毫无道理[23]。
正是因为有了这位国王[24]，
这个王国才享有这么多的爱，这么多的欢畅，
任何意志都不敢有更多的欲望，
也正是这位国王在创造所有这些心灵的愉快形象之际，
赐予他们不同程度的恩泽，听凭自己的欢喜；
在这里，只消有结果便足矣[25]。
这一点你们从《圣经》中可以得到说明，也可以看得很清，
其中谈到那一对孪生兄弟，
他们在母腹中就愤怒相争[26]。
因此，那最崇高的光辉
必须依照头发的颜色，

使他们匹配得当地戴上这种花冠似的恩泽[27]。
正因如此，并非根据他们在行为上的功绩，
他们被安置在不同的等级，
他们的地位不同，只在于那原生目光是否锐利[28]。
在最近两个世纪，
为了得救，除去天真无邪之外，
只须具备父母的信仰便足矣[29]。
既然前两个阶段已成过去，
就须在男孩那清白的羽翼上，
实行割礼，以求获取能力[30]。
但是，在神恩的时期来临之后，
若不经基督的完善洗礼，
这样的天真无邪也要被打入地狱[31]。

天使与圣者对圣母的歌颂

你现在该把那张面庞瞻望[32]，
它与基督最为相像，
因为单只她那光明就能令你把基督瞻仰。”
我看到有那么多的欢乐落在她的脸上[33]，
而这欢乐正是那些神圣的心灵携带在身旁[34]，
他们被创造出来，就是要沿着那高空飞翔，
在这之前，我所见到的一切，
都不曾令我如此叹为观止，
也不曾显示有什么容貌竟与上帝如此相似；
那曾最先飞落到那里的爱[35]，
歌唱着“恭喜你，玛利亚，蒙上帝恩宠”，
正在她的面前，把他的翅膀张开。
那幸福的天庭从四面八方[36]，
应和那神圣的歌唱，
这就使每张脸上都焕发出更加明朗的容光。

“哦,神圣的父亲啊,你为我竟甘愿降临这下面,
离开那根据永恒的安排
你所席坐的甜蜜所在[37],
那位如此欢快地观望我们天后
的双眼的天使,究竟是谁?
他是如此充满爱意,竟显得炽烈如火。”
这样,我又求教于这位的言训[38]:
他曾从玛利亚那里获得美丽,
犹如晨星从旭日那里借得光明[39]。
他于是对我说道:“每位天使和每个魂灵
所能具备的自信和欢欣,全都集于他一身;
我们也希望他确是这般情形,
因为他正是那一位:
当上帝之子想要把我们的分量负载于一身时,
那位曾来到下界,向玛利亚献上棕树枝[40]。

最大的圣者

但是,你现在来用目光,跟随我将要说出的话语观定,
你可以注意观察这个最最公正和悲天悯人的帝国中[41]
的一个个伟大名人。
那两位高坐其上,最为幸福,
因为他们距离奥古斯塔最近[42],
几乎是这朵玫瑰的两条根:
在左面靠近她的那位是众人之父[43],
正因为他胆大包天,贪尝禁果,
人类才尝尽那么多的苦涩;
在右面,你可以看到圣教会的那位年迈之父[44],
基督曾把这朵艳丽鲜花
的两把钥匙交付给他[45]。
那一位在死前曾目睹那美丽的新娘

所经历的所有苦难时期[46]，
而那新娘又是以长矛与钉子赢得来的[47]，
他就坐在前一位的身旁，而在另一位的身旁[48]，
则端坐着那位导师，正是在他的领导下[49]，
那些忘恩负义、反复无常、存心对抗的人，曾以吗哪为粮。
在彼得的对面，你可以看到席坐着安娜[50]，
她是那么满意地把她的女儿凝望，
竟至目不转睛，一心把和散那歌唱；
在那最大的族长对面，坐着露齐亚[51]，
她曾在你低垂眼帘、身陷危难之际[52]，
催动你的贵妇前来救急。
但是，因为令你昏沉入睡的时间正在疾驰，
我们将在这里画个句号，正如一个好裁缝，
要依照他所拥有的布料来剪裁衣裙[53]；
我们将把双眼转向那首要之爱[54]，
这就使你在朝他观望的同时，
得以竭尽所能，透过他的强光，深入探视。
但是，为了使你不致扇动你的翅膀，向后倒退，
而你却以为是在向前迈进，
也许在祈祷上天降恩时，理应
向能助你一臂之力的那位祈求降恩[55]；
你该满怀热情，把我紧跟，
让你的心灵不要与我的话语离分[56]。”
于是，他便开始把这神圣的祷告念诵[57]：

注释

①“静修默想者”指圣贝纳尔多；“他喜爱的对象”指圣母。

②“如此美丽的妇女”指夏娃。“刺伤和撕裂创口”是指夏娃在人类身上“刺伤”和“撕裂”原罪的“创口”，而正是圣母生下救世主，使人类的“伤口”得到“弥合”和“治理”。

③这里是指从上向下数的第三排座位。

④拉结(Rachel)是雅各的第二个妻子,象征“默想生活”;关于她以及她与代表神学的贝阿特丽切坐在一起的情况,《地狱篇》第二首第102句和第四首第60句、《炼狱篇》第二十七首第104句和《天堂篇》第三十一首第67—69句都曾提及(参见上述诗句及有关注释)。“此女”指夏娃。

⑤撒拉(Sara)是亚伯拉罕的妻子,在亚年老时,为他生下一子,即以撒(见《旧约·创世记》第二十章第二句和第二十一章第二至三句)。利百加(Rebecca)是以撒的妻子,生下雅各(见《旧约·创世记》第二十四章第六十七句和第二十五章第二十六句)。正是从撒拉和利百加身上,产生了信仰基督的希伯来人的祖先。犹滴(Iudit,亦即Giuditta朱迪塔)即设计杀死尼布甲尼撒手下大将荷洛芬斯、解救了被亚述军围困的犹太人的犹太寡妇(见《炼狱篇》第十二首第58—60句)。“那一位”指路得(Ruth),她是波阿斯(Booz)的妻子,大卫王的曾祖母,见《旧约·路得记》第四章第十句:波阿斯说:“我要娶摩押女子、玛伦的遗孀路得为妻”;第十八至二十二句:“……波阿斯生俄备得(Obed),俄备得生耶西(Jesse),耶西生大卫。”她是忍耐的典范。“歌者”指大卫王,因为据说,《旧约》的《诗篇》是出自他的笔下。

⑥这里用典出自《旧约·撒母耳记下》第十一章第二至二十六句和第十二章第一至二十五句:其中说,大卫看上了赫人乌利亚之妻拔示巴,并与她交欢,拔示巴不久怀了孕,大卫得知便以借刀杀人之计,谋杀了拔之夫乌利亚,正式娶拔为妻,上帝对大卫此举甚是愤怒,派先知拿单谴责大卫的罪行,大卫悔罪,写了《诗篇》第五十一篇,其中第一句便说:“慈爱的上帝啊,求你怜悯我,除去我的罪污。”诗中的“求你怜悯我”是用拉丁文:Miserere mei。

⑦“发髻”(chiome)在这里比喻花瓣。诗中提及“从第七级向下算起”是因为第一级至第六级乃是从圣母到路得所在之处;“希伯来贵妇”是指《旧约》中所谈到的一些圣女,因为她们对基督的信仰体现为对即将来到人世的基督的信仰,亦即所谓对“未来的基督”(Cristo venturo)的信仰。

⑧这里进一步说明:注⑦所谈及的“分隔两部”的根据正在于对基督的信仰体现为对“未来”,还是对“过去”,亦即该分界线(“一道隔墙”)是以对“未来的基督”的信仰和对“已来的基督”(Cristo venuto)的信仰为标准:后者是指已降临人世的基督,因而涉及的都是《新约》中所谈到的圣者;享天福者的等级序列(“神圣的阶梯”)就是这样划分的。

⑨“所有花瓣全都齐放”是指所有座位都已坐满;“未来的基督”即如注⑦所说,信仰上天许诺的“弥赛亚”亦即救世主即将降临人世,具体地则是指《旧约》所提及的各位始祖和圣者。

⑩“已来的基督”见注⑧。“另一边”指“隔墙”的右边,亦即圣母和“希伯来贵妇”的右边。诗中所说的“一些空当”,是要由未来的被上帝遴选者来填补的,最后要像另一个半圈那样,完全坐满。

⑪“天国贵妇”指圣母。

⑫“伟大约翰”指施洗者约翰:“伟大”一词出自《新约·马太福音》第十一章第十一句耶稣对施洗者约翰的评价:“我确实地告诉你们,从母腹生的人,没有一个比施洗的约翰更伟大。”“始

终的圣者”(sempre santo)是指在施洗者约翰出生前，他在母亲圣伊利沙伯的腹中便已被封为圣者：天使对施洗者约翰之父、祭司撒迦利亚说：“(施洗者约翰)在出生之前，已经被圣灵充满。”“荒野之苦”指施洗者约翰在“犹太的荒野”传道，他“身穿骆驼毛的衣服，腰束皮带，吃的是蝗虫野蜜”(见《新约·马太福音》第三章第一句和第四句)；“殉道之惨”指施洗者约翰被希律王下令砍头杀死(见《新约·马太福音》第十四章第一至十一句)。

⑬据说，施洗者约翰死后曾下到地狱的第一层即林勃，历时两年，后被基督解救，升入天堂。

⑭“方济各”、“本笃”即圣方济各和圣本笃，分别见本篇第十一首第43—117句和第二十二首第28—96句及有关注释。“奥古斯丁”即圣奥古斯丁，见本篇第十首第120句及注㊿。波斯科-雷吉奥注释本指出，诗句在这里未提及圣多明我，而在本篇第十一首和第十二首中，他与圣方济各是同时出现的，这可能是因为圣贝纳尔多这时所提及的都是各教派的创始人，而圣多明我的教派(多明我会)实际上是遵循奥古斯丁教派的教规的。

⑮“其他”可能是指类似前三者的各静修教派的奠基人和教父；“这里的下面”是“洁白玫瑰”的“黄芯”之处。

⑯诗中的“方面”(aspetto)有“观点”之意，即是说，信仰的两种观点：一是对“未来基督”的信仰；一是对“已来基督”的信仰。“花园”仍有花朵亦即“洁白玫瑰”之意。这段三行韵诗再次反映出但丁认为当时已将属世界末日的思想：即上帝将作出安排，使代表《新约》圣者的一边的那些空位，将由新遴选的享天福者加以补充，最后与代表《旧约》圣者的一边数目相等，二者加在一起，恰好相当于被上帝打下天界的叛逆天使的数目。

⑰这里是说，从把享天福者分为两部的两条分界线中间部分横切成两半的那居下的一层算起，便都是天真无邪的孩童精灵的所在范围：他们被上帝安置在这里，不是靠个人功绩，因为他们是过早夭折，尚无选择善恶的能力(“真正选择”)，至于“他人功绩”和“某些条件”，下面的诗句将作进一步详细阐述。

⑱这里值得一提的是：但丁认为，凡能升入天堂享有天福的精灵，其形象都保留其离开尘世时的年龄与面容(如本篇第三十一首第59句写圣贝纳尔多为一“老翁”)，而中世纪其他神学家则认为，所有这些精灵在最后审判日复活时，都将以完全成熟的肉体出现，即相当于青年时期，因为有神力将纠正每个精灵身上的“缺陷”如或不成熟，或已衰老，并且以其在尘世时机体的发展条件为依据。因此，诗中所说的年幼的享天福者仍保持其“天真的面孔”和“稚嫩的声音”。

⑲“王国”指净火天。

⑳这里用典出自《新约·启示录》第七章第十六句：“他们一定不会再挨饥抵饿或忍干受渴，也不会受日头和酷热的煎熬”；第二十一章第四句：“他(上帝)要擦干他们的眼泪。城中再没有死亡、忧伤、哭泣和痛苦。”

㉑“永恒的法律”指上帝制定的法律。诗句的含义是：万物相互之间都要彼此相应(犹如“指环”与“手指”相应一样)，换言之，上帝施恩多少要依各精灵的生前功绩大小而定。

㉒“仓促来到真正生活之中”指过早来到天国,因此,这个“群体”即是指年幼的享天福者。

㉓这里是说,即使年纪幼小的精灵,不能依据他们的“功绩”来安排他们的席位,也要按照“某些条件”,使他们的地位有高低之分。这里也反映出但丁与其他神学家在有关问题上的看法差异:后者认为,在孩童精灵当中,享天福的程度应是同等的。

㉔“国王”指上帝。

㉕“心灵”(menti)即是指灵魂。“只消有结果便足矣”,是指在上帝的安排方面,只消知道结果,而不应也不能问其理由,正如本维努托所诠释的:“上帝的意志与人的意志不同,因此,要探讨上帝何以愿意如此,那是无益的”;彼特罗·隆巴尔多在《教父名言集》第三章也说,“在被遴选者当中,有些是上帝爱得更多一些的,另一些则是上帝爱得少一些的”。圣托马索在《神学大全》第二卷第一章中也有类似的论述。

㉖这里是指以撒和利百加所生的双胞胎兄弟:以扫和雅各;上帝早在他们降生之前就讨厌大的(以扫),喜欢小的(雅各),并对利百加说:“你腹中的孩子要成为两个敌对国家的始源,其中一个要比另一个强,大的倒过来要服侍小的”(见《旧约·创世记》第二十五章第二十三句)。“愤怒相争”是指同一章第二十二句:“两个胎儿在她(利百加)腹中彼此纠缠。”此例在中世纪经常被引用来说明上帝遴选的神秘性,彼特罗·隆巴尔多在《教父名言集》第一章、圣托马索在《神学大全》第一卷都引用过此例,而作为典故,此例当出于《新约·罗马书》第九章第十一至十三句:“然而,这对孩子还未出生,还没有显出谁善谁恶,上帝便对利百加说:‘将来大儿子要服侍小儿子。’”此外,《旧约圣经》又说:‘我爱小儿子雅各,厌恶大儿子以扫。’这都是显明上帝拣选人,并不按着人的行为,乃是按着他自己的意思。”

㉗“最崇高的光辉”指上帝的光辉。诗句关于“头发的颜色”的写法,看来也是借用《圣经》的典故:十五世纪注释家兰迪诺就以扫和雅各的发色不同诠释此段说:“正如按上帝所喜欢的:以扫的发色是红的,而雅各的发色是黑的,因此,上帝也便喜欢给予雅各比给予以扫更多的恩泽。”

㉘这里是说,各孩童享有天福的程度不同,并非根据他的功绩大小,而是根据他们天生的觐见上帝的禀赋如何(“原生目光是否锐利”)。

㉙从本段三行韵诗起,连续两段说明第43句所说的“他人功绩”和“某些条件”究竟何所指。“最近两个世纪”是指人类被创造出来之后的两个不同时期,“最近”则是针对“创世”而言,亦即距创世最近的两个时期:一是从亚当到挪亚,为第一个时期;二是从挪亚到亚伯兰(即亚伯拉罕),为第二个时期;在这两个时期,为使孩童“得救”,除其本身的“天真无邪”外,只须其父母信仰“未来的基督”就够了。圣托马索在《神学大全》第三卷中就说:“在实行割礼前,只要信仰未来的基督,便足以使孩童作为成人以这种方法洗刷罪过。”

㉚这里是指:在前两个时期已成过去之后,孩童为了得救,除注㉙所述条件外,还必须实行割礼,以求使其双翼(“羽翼”)靠割礼而增添飞上天国的力量(“获取能力”)。但十六世纪注释家达尼埃洛(Daniello)认为,“羽翼”(penne,本意是“羽毛”)来自拉丁文 penis,指“阴茎”,似

也不无道理。圣托马索在《神学大全》第三卷曾就割礼问题阐述说:"大约在亚伯兰时期,信仰曾一度减退,许多人都倾向于崇拜偶像;此外,由于肉欲横流,天然的理性也受到蒙蔽。因此,在当时,而不是在这以前,建立割礼是适宜的,其目的是要加强信仰,减少色欲";"割礼的建立特别是针对原罪,而原罪是由为父者所犯,而不是由为母者所犯",因而割礼只用于男性。

㉛"神恩的时期"指基督教时期。"完善的洗礼"是就作为"不完善的洗礼"的割礼而言:圣托马索在《神学大全》第三卷中曾说:"洗礼本身包含着解救的完善,而上帝是召唤所有凡人都获得这种完善的解救的。相反,割礼则不包含解救的完善,而是把这种解救体现为这样一种形象:它将在以后依靠基督来付诸实现。"诗句是说,在这一时期,孩童若不受洗礼,死后也不能升天堂,而是要下到地狱第一层林勃(见《地狱篇》第四首及有关注释)。

㉜"那张面庞"指圣母的面庞。诗句的意思是:圣母的面庞放射出极为强烈的光芒("光明"),能锻炼但丁的视力,使之能承受对基督的觐见。

㉝"欢乐"指天堂的幸福光芒。

㉞"神圣的心灵"指天使。

㉟这里的"爱"指天使长加百列,他曾下降到原动天,歌颂圣母的荣光(见本篇第二十三首第91—111句)。诗中引述的歌词是加百列受上帝差遣,下降人世,向圣母通报她已身怀六甲,即将生育基督时,向圣母所作的祝贺(见《新约·路加福音》第一章第二十八句),原文用的是拉丁文:Ave,Maria,gratia plena。"把他的翅膀张开"意谓向圣母致以虔诚的敬礼。

㊱"幸福的天庭"指天堂中由天使和享天福者组成的两个朝班(见本篇第三十首第43—44句)。

㊲"这下面"仍指"洁白玫瑰"的"黄芯";"永恒的安排"指上帝的神秘莫测的安排;"甜蜜所在"指席位。

㊳"这位"指圣贝纳尔多。

㊴"获得美丽"指圣贝纳尔多从圣母那里获得新的光辉,从而使自身更加"美丽",因而犹如"晨星"从太阳那里"借得光明",显得更加明亮晶莹。这里的"晨星"指启明星(stella Diana),亦即金星。

㊵这里所说的"上帝之子"即耶稣。"想要把我们的分量负载于一身",是指耶稣想要"化为肉身":因为"我们的分量"是指凡人肉体的分量;诗句自然也含蕴着耶稣要把人类罪恶所造成的痛苦承担起来,但这里似主要指耶稣要化为肉身,降临人间。"棕树枝"象征胜利,传统圣像《圣告图》(*Annunciazione*)中一般都画成加百列手持棕树枝或鲜花盛开的树枝,前来向圣母通报她怀孕和即将生子的。

㊶"帝国"指天国;这里用尘世罗马帝国来隐喻:因为在尘世,正义和悲悯是衡量一个帝国是否完善的试金石,天上的"帝国"想必要在这两方面都达到顶峰了。

㊷"奥古斯塔"(Augusta),本意为皇后,在这里指天后亦即圣母。因为在罗马帝国,皇帝的称号

也应赋予皇后甚或皇太后，有时还赋予皇帝的姊妹（“奥古斯塔”是由“奥古斯都”Augusto亦即皇帝一词变来的，该词也见于本篇第三十首第137句，即agosta），这种习俗一直持续到拜占庭王朝。

㊸从本段三行韵诗起，诗句说明“洁白玫瑰”的“两条根”：一条在左面，为首的是“众人之父”即亚当，因为从他那里繁衍和沿袭下来信仰“未来基督”的众信徒。

㊹“洁白玫瑰”的另一条根在圣母的右面：“圣教会的那位年迈之父”指圣彼得，因为他是信仰“已来基督”的众信徒的始祖，他也确是信仰基督的使徒中的第一位。

㊺“艳丽鲜花”指天国，不是指“洁白玫瑰”。基督把天国的两把钥匙交付圣彼得的典故，出自《新约·马太福音》第十六章第十九句：“我（耶稣）还要把天国的钥匙交给你。”萨佩纽注释本与波斯科-雷吉奥注释本不同：把“钥匙”印成clavi，而不是chiavi。

㊻“美丽的新娘”仍指教会。“所有苦难时期”指教会所经受的种种迫害和苦难。“那一位”指福音书作者圣约翰（见本篇第四首及有关注释），他在去世之前，曾撰写《启示录》，揭示教会所遭受的种种虐待与迫害。

㊼这里是说，教会是基督以被钉上十字架的自我牺牲换来的，在圣像中，耶稣受难常以“长矛”（lancia）与“钉子”（clavi）作为象征：据传，长矛是罗马百人队队长隆吉诺（Longino）的武器（一说他是一名普通士兵），他在基督受难时，率领罗马士兵守卫十字架下；他在耶稣被钉上十字架后，用长矛刺穿耶稣的肋部；后他皈依了基督教，殉道于卡帕多齐亚（Cappadocia）的蒂亚内（Tiane）。

㊽“前一位”指圣彼得，即是说，圣约翰坐在圣彼得的右边。“另一位”指亚当，他的“身旁”则是指左边。

㊾“导师”指摩西。他曾奉上帝之命，率领希伯来人离开埃及，返回迦南，一路之上，历尽艰辛，忍饥挨饿，多次遭受他所率领的人们的非议和抱怨，后上帝见怜，赐予他们“吗哪”为食，得以度过荒漠。详见《旧约》的《出埃及记》第十六章第十三至三十五句；《民数记》第十一章第七句；《诗篇》第七十八篇第二十四句：“降下如雨的吗哪，作为他们的食物”；《新约·约翰福音》第六章第三十一至三十四句。

㊿“安娜”（Anna）是圣母的母亲，其父是约亚金（Gioacchino），他们死后都荣升天堂，成为圣者，被称为圣安娜和圣约亚金。“在彼得的对面”意谓在“洁白玫瑰”的另一边。

(51)“最大的族长”指亚当；“对面”意谓在施洗者约翰的右边。“露齐亚”即是指催促贝阿特丽切去拯救但丁的女神，参见《地狱篇》第一、二首及有关注释。她后来又负责把但丁送到炼狱山脚（参见《炼狱篇》第九首第55—63句）。

(52)这里是指露齐亚促使贝阿特丽切去搭救在森林中遇险的但丁（见《地狱篇》第二首第100—108句）。“低垂眼帘”是指但丁丧失向上攀登的希望；“身陷危难”是指但丁身陷阴暗的森林，惊魂未定。

(53)“令你昏沉入睡的时间”含义较暧昧，主要有两种解释：一是以南丘尼（Nencioni，1837—1896）

为代表的见解:认为这里是指“人类的时间”、“昼夜轮换、既有清醒也有睡眠”,这与“处于永恒的白昼”的无间断地醒而不睡的享天福者的状态恰好是相对立的;一是以巴尔比为代表的见解:认为这是指对神灵奥秘的沉思默想,静修入定,是一种“超越感官”的状态,因此,人也就像是在“熟睡”了。萨佩纽注释本倾向于后一种解释,波斯科-雷吉奥注释本则认为前一种解释“更佳”。全段的意思是:但丁最后一段行程所留下的时间业已不多,应把列举“名人”的话告一段落(“画个句号”),而像“一个好裁缝”依照布料剪裁衣裙那样,安排旅程内容。

(54)“首要之爱”指上帝。

(55)“那位”指圣母。

(56)此句的含义是:你该用“心灵”而不是用“嘴唇”来“紧跟”我的话语;这里用典出自《旧约·以赛亚书》第二十九章第十三句:“这些人民只用口舌来尊崇我。他们的心却远离我……”《新约》的《马太福音》第十五章第八句和《马可福音》第七章第六句也有上帝所说的同样的话。

(57)本首到此戛然而止,有些像“悬念”,更像我国章回小说“欲知后事如何,且听下回分解”的套话;看来,诗句有意以此来引起读者对下一首亦即全诗大结局的关注和兴趣。

第三十三首

圣贝纳尔多的祷告(1—45)
觐见上帝(46—108)
三位一体与化为肉身(109—132)
结局(133—145)

圣贝纳尔多的祷告

“你是贞女兼母亲,你是你子之女,
你最卑微也最崇高,超过其他造物,
你是永恒意旨的固定不移的最终限度[1],
你正是曾经使人类变得如此高贵的那一位,
这就使人类的造物主
并不厌弃使自己也成为他本身的造物[2]。
在你的腹内,燃烧起爱,
正是依靠这爱的热气,
这花朵才如此萌芽在这永恒的平和里[3]。
在这里,你是如日中天的火把,点燃我们的仁爱,
在下面,在凡人中间,
你则是他们活跃的希望源泉[4]。
圣母啊,你是如此伟大,如此无所不能,

谁要想获得恩泽而又不求助于你，
他的渴望就等于想要飞翔而又不要双翼。
你的善心不仅限于把祈求的人拯救，
而且有多少次，
它都是自动地走在祈求的前头。
你身上有慈悲，你身上有怜悯，
你身上有宽厚，你身上聚集
造物身上所能有的一切善意。
现在，此人从宇宙的最低洼地[5]
一直来到此处，
他曾把所有精神生命都一一看在眼里[6]，
他祈求你施恩，赐予他足够的能力，
使他能用双眼向上望去，
仰望最高处，仰望那最后之永福[7]。
我为我自己的觐见，
从未像现在为他那样，满怀更大的热诚，
我现在向你奉献我的全部祈求——我也祈求这些祈求不致有嫌过轻[8]，
望你能以你的请求，为他驱散
他那凡尘的一切迷雾，
使那最大的欢乐能在他眼前展现[9]。
我还向你祈求，王后——
你能做你所愿做的一切事由，
望你能在他完成如此重要的觐见之后，把他的健康情感保留[10]。
愿你的监护能战胜人类的冲动[11]：
请看一看：贝阿特丽切与多少享天福者
在向你双手合十，为了我的这些祈求！”
那双备受上帝尊敬的喜悦的眼睛
凝视着祷告者，正向我们表明：
那些虔诚的祈求是多么受到她的欢迎；

这双眼睛随即朝那永恒之光转去[12]，
不该认为，有什么造物
45 曾把如此明晰的眼光送入那片光辉里[13]。

觐见上帝

我此刻正像我应有的那样，
已接近一切欲望的尾声，
48 我心中的炽热愿望也达到顶峰[14]。
贝纳尔多向我微笑，向我示意：
让我向上看去；
51 但是，我早已如他所愿的那样，自行作出此举；
因为我的视力已变得异常清晰，
它愈来愈深地透入那崇高光芒射出的光线里，
54 而这崇高光芒本身便是真理[15]。
此后，我的所见就超出我的言语的表现力，
言语赶不上视力，
57 记忆力也便赶不上那么多难以言表的奇迹。
正像一个人在睡梦中观看事物，
睡醒之后，激动之情依然存留心底，
60 其他则不见重返脑际[16]，
我也正是这般模样，因为我之所见几乎都销声匿迹，
只有那来自梦中所见的甜蜜感觉，
63 还涓涓滴流在心里。
白雪正是这样在阳光下消融；
西比拉的警句也是这样，
66 失落在被风吹乱的树叶中[17]。
哦，至高无上的光芒啊，你如此凌驾在凡人的观念之上，
请你把曾显示过的景象，哪怕只是一点一滴，
69 送回到我的脑海里，
并使我的舌头变得足够强劲有力，

能把你的荣光中哪怕只是一粒火星，
留传给未来的世人；
因为一旦一些景象返回我的记忆，
一旦在这些诗句中，能有一点回音响起，
人们就必将更多地领悟你的胜利。
尽管我受到那强光的刺激，
我却相信，倘若我的双眼把它回避，
我就会神昏目迷[18]。
而我现在记得：当时正是为了这个原因，
我曾更加果敢地承受那强光照射，
这就使我的视线与那无穷的威力相结合[19]。
哦，浩瀚的恩泽啊，正是依靠它，我才敢于
把视线凝望那永恒之光，
直到我把视力在其中耗尽[20]！
我从它的深处看见，
在宇宙中被撕得五零七散的那些东西，
在它里面则依靠爱而连为一体[21]；
一些实体、偶有性和它们相互的关系，
正是以这种方式，几乎像是交融在一起，
我说的这一点无非是简单的光明一线而已[22]。
我相信，我当时所见的恰是这纽带的宇宙形式[23]，
因为我在谈出这一点的同时，
我感到自己在享受更大的乐趣。
只不过是一瞬间，对我却像是患上嗜睡症，
这瞬间的嗜睡竟比对二十五个世纪以前的壮举的记忆
　　更加昏迷不清，
正是那壮举曾令奈图努斯呆望阿耳戈船影[24]。
我的心灵也正是这样，全神贯注，
我目不转睛、纹丝不动、聚精会神地呆望着，
心中愈来愈旺地燃烧着热望观看的烈火。

在这光芒照耀下，竟然变成这样一个人：
他永不能容许自己转身
102 离开那光芒，而去把其他物象观望；
因为作为心愿对象的善，恰恰完全汇聚在这光芒里面，
凡是在那里面属于完美的东西，
105 在那光芒外面就变成有缺陷[25]。
现在，我的话语将要变得更加简短，
即使仅限于描述我所记得的那一星半点，
108 甚至我还不如一个婴儿，他仍在把舌头舔在乳头上边[26]。

三位一体与化为肉身

这倒不是因为我所观望的那片强光，
有了不仅是一个简单的形象，
111 它始终是方才那个模样；
而是我身上的视力，在观望的同时，不断增强，
正因如此，在我自身发生变化的同时，
114 单纯一个外貌，在我看来，便改变了形状。
在那崇高光芒的深邃而明亮的实质当中，
我觉得似乎有三个光圈，
117 三个光圈有三种颜色，一个规模；
一个似乎是另一个的反射，犹如一道彩虹反射着另一道彩虹，
第三个光圈红如烈火，
120 它同等地来自这边和那边，在熊熊烧灼[27]。
哦，我的言语是多么无能，我的思维又是多么软弱！
拿这一点与我所目睹的景象相比，
123 甚至说是“微不足道”，也还差得很多[28]。
哦，永恒之光啊，只有你自己存在于你自身，
只有你自己才能把你自身神会心领，
126 你被你自身理解，也理解你自身，你热爱你自己，
　　也向你自己微笑吟吟[29]！

那个光圈竟像是孕育在你身上[30]，
犹如一道反射的光芒，
它被我的双眼仔细端详，
我觉得它自身内部染上的颜色，
竟与我们形象的颜色一模一样[31]；
因此，我把我的全部目光都投在它身上。

结局

如同一位几何学家倾注全部心血，
来把那圆形测定，
他百般思忖，也无法把他所需要的那个原理探寻，
我此刻面对那新奇的景象也是这种情形：
我想看清：那人形如何与那光圈相适应，
又如何把自身安放其中；
但是，我自己的羽翼对此却力不胜任：
除非我的心灵被一道闪光所击中，
也只有在这闪光中，我心灵的宿愿才得以完成[32]。
谈到这里，在运用那高度的想象力方面，已是力尽词穷；
但是，那爱却早已把我的欲望和意愿移转，
犹如车轮被均匀地推动，
正是这爱推动太阳和其他群星[33]。

注释

①本首开篇头三十九行是写圣贝纳尔多对圣母的祷告，内容丰富，感情充沛，是赞颂圣母的祷词中的精彩之作，特别是第一段三行韵诗的头两句，用三对相互对立和矛盾的词语概括了圣母的超自然特征，更是脍炙人口的“绝句”：其中称圣母既是“贞女”又是“母亲”；上帝（即基督）既是圣母的“儿子”，圣母反过来又是上帝的“女儿”（“你是你子之女”）；圣母在一切造物中既是“最卑微”又是“最崇高”。“固定不移的最终限度”，依照布蒂的解释，即是指在此限度内，“永恒的最高智慧”亦即基督决定“拯救人类并采用人类的肉身”。

②这里所说的“造物主”（fattore）仍是指三位一体中的圣子基督，造物主成为他本身的“造物”（fattura），是指基督化为肉身；这种写法显然借鉴于十一世纪的圣彼埃尔·达米亚诺（见本篇

第二十一首第121句及注㊸)的有关祷词:Verbum fit factor et factura,creans et creatura(圣子既是造物主,又是造物,既是创造者,又是被创造之物)。

③“花朵”指享天福者的“洁白玫瑰”;“永恒的平和”指净火天,亦即天国。诗句是说,通过圣母的孕育,才重新点燃起上帝对人类之爱,也正是从这种爱中,“洁白玫瑰”才得以萌芽开花,换言之,天堂之花的萌生犹如代表上帝对人类之爱的基督在圣母腹内萌生一样。类似的话也见于公元四世纪的著名教父圣安布罗乔(Sant'Ambrogio,330—397)的有关论述:“在圣母的子宫内,萌生了百合花的恩泽”;圣贝纳尔多本人也曾说过:“圣母的子宫鲜花盛开;玛利亚的圣洁而完整的内脏分娩了一朵鲜花。”

④“这里”指在天国;“如日中天的火把”指熊熊燃烧的火把有如中午的太阳那样炽热。“活跃”意谓永不枯竭。

⑤“此人”指但丁。“最低洼地”(infima lacuna)显然是指地狱,但也可能具体地指位于地球中心的科奇土湖(见《地狱篇》第九首第28—29句);近代注释家对该词语是指地狱中的整个凹地,抑或只是指地狱的最低层颇有争议,萨佩纽和波斯科-雷吉奥注释本则认为,这是过分斤斤计较,诗句无非是要说明:但丁此行是经过宇宙空间的两个极限即“地心”与“天顶”罢了。

⑥“精神生命”(vite spiritali),即是指灵魂,包括地狱、炼狱乃至天堂的所有精灵。

⑦“最后之永福”(ultima salute)指上帝,因为整个天福都融汇在他身上。诗句是说,凡人的心智无力觐见上帝,必须依靠神的施恩,圣托马索在《神学大全》第一卷中也说过:“理性造物的最后完善要寄托在上帝身上,而这种完善是理性造物赖以生存的原则……必须使一切上升到超越其本性的地位的东西具备一种禀赋,这禀赋应凌驾于其本性之上……既然被创造出来的心智的自然能力不足以觐见上帝的本质,就必须使其身上的理解能力,依靠神的恩泽而得到加强。这种理解能力的加强,我们就称之为心智的启蒙。”

⑧这里连用三个“祈求”来表明圣贝纳尔多的祷告心情之热切。

⑨“最大的欢乐”指上帝,因为他是最高的天福。

⑩“王后”指圣母。诗句是说,希望圣母能保佑但丁在觐见“至善”(“如此重要的觐见”)之后,不致被尘世的虚妄财物所诱惑。

⑪“人类的冲动”指尘世的罪恶激情,其中最严重的当然是骄傲。

⑫“永恒之光”指上帝。

⑬这里是说,任何造物,天使也包括在内,都不能像圣母那样明晰地看透上帝的光芒。

⑭此句的动词是finii,本意是“结束”,因此,有人便认为此句的含义是但丁“心中的炽热愿望”已告“结束”;萨佩纽和波斯科-雷吉奥两注释本都不赞成作此解,而认为,该词在此处应有“达到顶峰”之意。

⑮这里是说,但丁的“视力”,在神恩帮助下,能深深地渗透到上帝的光芒里去,而上帝的光芒之所以“本身便是真理”,这是因为就其本质而言,上帝的光芒并不依靠其他光芒而成为真理,

圣托马索在《神学大全》第一卷中就说:"在上帝身上,其本质不仅符合其心智,而且也正是其心智本身;其心智是衡量任何其他本质和任何其他心智的标准,也正是其本质能进行理解。因此,不仅真理是在上帝身上,而且他本身便是第一真理和最高真理。"

⑯"其他"指梦中的具体事物和细节。

⑰"西比拉"(Sibilla)是相传崇拜日神阿波罗的八位女巫西比拉(Sibille)之一,据说她们都有预卜吉凶的能力,其中最有名的是库马娜(Cumana),《西比拉书》(*Libri sibillini*)前几部据说即出自她手,其中写下有关罗马帝国命运的神谕;另一位女巫阿尔布内阿(Albunea)住在罗马市郊的蒂布尔(Tibur,即今蒂沃利 Tivoli),亦即称"蒂布尔蒂娜"(Tiburtina),其神庙至今尚属完好;基督教作者曾认为,某些西比拉所写神谕有前基督教预言之价值,文艺复兴伟大画家米开朗基罗曾在梵蒂冈圣彼得大教堂的西斯廷礼拜堂(Cappella Sistina)中画有五位西比拉的肖像。诗中所说的"西比拉",可能即是库马娜,因为她曾把神谕写在树叶上,不料阵风吹入洞中,把树叶纷纷吹散,维吉尔《埃涅阿斯记》第三章中对此有详细描述。

⑱萨佩纽和波斯科-雷吉奥两注释本都对此段三行韵诗的用意作过如下分析:即认为但丁可能有这样想法:神光不同于阳光,阳光强烈,人的眼睛可以设法回避,神光强烈,人的眼睛则应设法长时间地注视它,因为人注视神光愈久,神光也便使人的眼力变得愈强,愈能深入透视神光,否则,人的视力则不再有能力觐见上帝了。

⑲这里是说,但丁的"视线"能触及神的本质("无穷的威力")。

⑳此句的含义是:但丁宁愿把自己的全部视力都消耗在觐见上帝方面,尽管字面上原句似易使人误解为"摧毁视力"。

㉑"它"指神光,亦指神的本质;诗句用撕得纷乱的纸张或书页合成一本或一卷为例,形象地比喻:宇宙中"被撕得五零七散"的万物,在上帝身上都会被上帝用"爱"把它们"连为一体",从而说明上帝的统一性。

㉒"实体"(sustanze)、"偶有性"(accidenti)都是亚里士多德和经院哲学的常用语汇:"实体"是指靠其本身就能存在的物质;"偶有性"则是指依赖实体而存在的物质或方式,它不是必然的,而是可变的;"相互的关系"原文为 costume,本意为"天赋",这里则指实体与偶有性二者之关系。"简单的光明一线"意谓诗句只能说明真理之万一。

㉓"这纽带的宇宙形式"指神的实质,因为上帝把一切造物都统一和联系为一个和谐的整体。

㉔此段三行韵诗含义暧昧,注释家对之争议颇多,关键在于对"嗜睡症"的理解。目前占优势的诠释是,"嗜睡症"(letargo)意谓"遗忘",即是说,但丁在觐见上帝的光芒时,竟有"一瞬间",心驰神往,把其他一切都遗忘了("嗜睡"),其"昏迷不清"程度甚于对二千五百年以前("二十五个世纪以前")寻找金羊毛的阿耳戈英雄们(参见《地狱篇》第十八首及有关注释)驾驶第一艘海船航行海面的"壮举"的记忆:而但丁对当时海神奈图努斯初见这海船时惊得目瞪口呆的情景却还能记忆犹新。根据中世纪编年史通常记载,阿耳戈英雄在伊阿宋(参见《地狱篇》第十八首及有关注释)带领下寻找金羊毛是发生于公元前 1223 年,因而诗中说是"二

十五个世纪以前”。诗中的“阿耳戈船影”，原诗只用 Argo（阿耳戈）一词来代表破浪航行海上的第一艘大船。

㉕这里是说，觐见代表至善的上帝是人心所向，而这至善正完全包含在这神光（即上帝）里面；因此，即使是善，若不离开上帝〔“在那（神光）里面”〕便是“完美的”，若离开上帝（“在那光芒外面”），也会从“完美”而变为“有缺陷”，因为只有上帝是“完美”的。

㉖这里又用“婴儿”作比，说明但丁无力表达超出他本身能力的景象。

㉗从本段起，诗句描述三位一体的神光：即三个光圈有三种颜色，一样大小：“一个”指第二个，它似乎是“另一个”即第一个的“反射”；第三个则燃烧如火，是来自第一个（“这边”）和第二个（“那边”）。因此，第一个是圣父，第二个是圣子，第三个是圣灵，圣子是由圣父而来，圣灵则代表火一般的仁爱，它又来自圣父和圣子。

㉘诗句是说，光说但丁的“言语”与“思维”是“微不足道”，还是不够的，应当说是“毫无价值”。

㉙这里是说，神的三位一体表现在：神只能包含在自身之内，神理解自身（如圣父），也被自身所理解（如圣子），神同样靠自身来燃起仁爱之情，既理解又被理解（如圣灵）。这里用典盖出自《新约》的《约翰一书》第一章第五句：“上帝是光，在他那里找不到黑暗的踪影”；《马太福音》第十一章第二十七句：耶稣说，“我的一切都是父交给我的，只有父才认识我，也只有我和那些我愿意指示的人，才认识父”；《约翰福音》第十章第十五句：“正如我上帝认识我，我也认识父上帝。”但丁在《筵席》第二卷第五节第十一句段中也说，“只有神光自己才能完全看透自己”。

㉚“那个光圈”指代表圣子的第二个光圈。从本段起，诗句开始转到基督“化为肉身”的问题上去。

㉛这里说明一种超自然的“反常”现象：即把一个图像用同一种颜色画在一件东西上，这对“凡人”来说，是不可思议的，而这正是神秘难测的“化为肉身”的体现：在这形象当中，圣子变为“真正的人”，而同时又继续成为“真正的上帝”。

㉜“心灵的宿愿”指清楚地觐见神的奥秘；诗句是说，要洞悉神的奥秘，还必须有神恩的启示（“闪光”）。

㉝“爱”指上帝，因为正是上帝在“推动”一切：即是说，正是上帝在以调节宇宙秩序的同样节奏来推动（“移转”）但丁的求知欲和意愿，犹如一个车轮在外力的推动下，围绕其轴心转动，它的各个部分所受到的推动力，也都是“均匀”的。“意愿”一词，原文为 velle，为拉丁文，波斯科-雷吉奥注释本用斜体印出。值得注意的是：本首（同样也是本篇）也如前两篇那样，照例用“群星”（stelle）宣告结束。

本书系根据意大利新意大利出版社(La Nuova Italia)出版、纳塔利诺·萨佩纽(Natalino Sapegno)主编,勒·莫尼埃出版社(Le Monnier)出版、翁贝尔托·波斯科(Umberto Bosco)与乔瓦尼·雷吉奥(Giovanni Reggio)合编的但丁·阿利基埃里(Dante Alighieri)著《神曲》(*LA DIVINA COMMEDIA*)译出,其中:

《地狱篇》(*INFERNO*):新意大利出版社 1994 年 5 月版、勒·莫尼埃出版社 1994 年 12 月版;

《炼狱篇》(*PURGATORIO*):新意大利出版社 1994 年 5 月版、勒·莫尼埃出版社 1995 年 1 月版;

《天堂篇》(*PARADISO*):新意大利出版社 1994 年 5 月版、勒·莫尼埃出版社 1995 年 2 月版。

本书插图选自 19 世纪法国著名插图画家古斯塔夫·多雷为《神曲》所作的插图。

黄文捷

1999 年 1 月译 竣于北京

译后记一：

略谈但丁《神曲》版本的由来与发展

读者在读过伟大诗人但丁的这部巨著《神曲》之后，必会感到其中的注释何其繁多，有时甚至会繁多到令人生厌的地步，但与此同时，恐怕也会有相反的感觉，即感到这些注释的必要性；感到这些注释对于理解或加深理解诗句，是颇有裨益的，尽管有时，对某一诗句的解释，或对某一典故的考证，有几种诠释同时出现，令人无所适从。注释之多乃至不可或缺，自然是由于这部诗作确实寓意深、典故多，涉及的知识面广（举凡哲学、神学、天文学、星相学、物理学、数学、几何学、历史学、地理学、希腊神话、民间掌故，等等，不一而足），这是任何一个只具备普通常识和学识的人都难以驾驭的。译者在历时三年的翻译过程中，也深感个中的艰深，遍尝难言的苦味，有时甚至会感到，若没有一些古今注释家的有关诠释，几乎是只字难译，寸步难移的。今天，在完成这部不朽之作的翻译之后，译者情不自禁，要对一切有关的古今注释家，特别是对本译本所依据的两个版本的主编者萨佩纽先生和波斯科（已故）及雷吉奥两位先生，满怀感激之情，从心底里道声："多谢！"的确，若没有他们的指教和协助，要想比较顺利地完成这项繁重而艰巨的工作，是根本不可能的。（当然，对于一个译诗的译者来说，更重要的是如何恰当地处理诗句的结构、韵脚、风格问题；但是，如果不较好地解决作为理解原诗的第一步，又怎能迈出作为处理诗句的第二步呢？）

由此也可以看出，注释对于《神曲》版本的重要性。然而，根据译者所掌握的极不完全的资料，《神曲》问世之初，二者并不是像以后那样，是密不可分的，即形成类似金批《水浒传》那样的批注本或注释本。看来，正是这部不朽之作的价值和艰深，促使诗作本文与评注逐渐由分流发展为合流。

《神曲》完成的年代,至今一直是众人争议的话题,这是因为但丁不曾留下手稿;最早的《神曲》版本都是手抄本,其中有些可追溯到十四世纪,亦即《神曲》问世不久,从这里也可以看出《神曲》的社会影响之巨大。最著名的手抄本(同时也是最古老的之一),有1336年的皮亚钦察的“劳迪亚诺”(Laudiano)手抄本和1337年的米兰的“特里乌尔齐亚诺”(Trivulziano)手抄本,距但丁逝世的1321年分别为十五年和十六年。这两个版本都曾于1921年用珂罗版付印。当时人们对《神曲》的喜爱和重视,从以中世纪流行的纤细画装饰抄本可见一斑。其中最精美的有“香提区手抄本”(Codici di Chantilly)和“梵蒂冈·乌尔比纳泰手抄本”(Codice Vaticano Urbinate)。薄伽丘对但丁十分崇拜,不仅把《神曲》的原名《喜剧》改名为《神曲》〔即在“喜剧”(Commedia)一词上加形容词“神的”(divina),成为“神的喜剧”,中译名则为《神曲》,该名自1555年由卢多维科·多尔契出版社(Lodovico Dolce)出版的版本正式起用后,一直沿用至今〕,而且还写下著名的《但丁赞》,并亲自抄录《神曲》多次,其中最早的抄本为“卡皮托拉雷·迪·托列多手抄本”(Capitolare di Toledo)。薄伽丘生于1313年,比生于1265年的但丁小四十八岁,由于他对《神曲》钻研甚深,他所投靠的佛罗伦萨僭主于1375年左右,曾委托他在佛市的圣斯泰法诺·迪·巴迪亚(S. Stefano di Badia)教堂讲解《神曲》,因为他当时已经体力虚弱,只讲解了《地狱篇》里的十七首诗,即以健康为由中断,旋即溘然长逝。用印刷技术出版的《神曲》最早版本当中,最老的为一部1472年的版本。佛罗伦萨于1481年出版的第一版《神曲》是意大利文艺复兴时期的著名画家波提切利(Botticelli,1445—1510)为之插图的。众所周知,《神曲》是但丁用所谓“俗语”(volgare)写的(其实,这种“俗语”与今天的意大利文比较,无异于我国的古文之于白话文),十五世纪上半叶,贝托尔迪(Bertoldi,?—1445)首次将《神曲》译为拉丁文,并作了评注。似乎可以由此推测,版本加评注,亦即《神曲》的注释本,大约起始于十五世纪。至十六世纪,就逐渐增多,如1544年威尼斯出版的亚历山德罗·维卢泰洛(Alessandro Vellutello)注释本,全名为《阿利基埃里·但丁的喜剧,附亚历山德罗·维卢泰洛的新说明》(*La Comedia di Dante Alighieri,con la nova espositione di Alessandro Vellutello*);著名的威尼斯1555年版《神曲,附卢多维科·多尔契的评注》(*La Divina Commedia col commento di Lodovico Dolce*)。但也有单篇的注释本,如《阿利基埃里·但丁的喜剧中的地狱篇,附圭尼弗尔泰·巴尔齐扎的评注》(*Lo Inferno della Commedia di Dante Alighieri col commento di Guiniforte Barzizza*)。十七至十八世纪,较著名的注释本有1732年卢卡出版的《但丁·阿利基埃里的神曲,附庞贝·文图里神父的评注》(*La Divina Commedia di Dante Alighieri col commento del p. Pompeo Venturi*);1791年罗马出版的《但丁·阿利基埃里的神曲,附B.隆巴尔迪神父的评注》(*La Divina Commedia di D. Alighieri col commento del p. B. Lombardi*);其中也有《神曲》个别篇章的注释本,如《洛伦佐·马加洛蒂评注但丁的地狱篇前五首》(*Commento di Lorenzo Magalotti ai primi cinque canti dell'Inferno di Dante*)。洛·马加洛蒂(1637—1712)是罗马著名的文学家和科学家,曾担任佛罗伦萨名门望族莱·德·梅迪契(L. de'Medici)于1657年成立的“佛罗伦萨齐门托学院”(Accademia fiorentina del Cimento)的秘书。自十九世纪以来,《神曲》注释本如雨后春笋般大量出版,如:由著名的词典学家、多题作家R.安德雷奥利(R. Andreoli,1823—1891)评注的《神曲》,先后于1856年在那不勒斯和1870年在佛罗伦萨出版;由天主教教士路易吉·贝纳苏蒂(Luigi Benassuti)评注的《神曲》,于1865—1868年在维罗纳出版;由著名的评注家和文学家尼科洛·托马塞奥(Nicolò Tommaseo,1802—1874)注释的《神曲》,于1865年在米兰出版;由著名的但丁学家贾科摩·波莱托(Giacomo Poletto,1804—1904)评注的《神曲》,于1894年在罗马出版:波莱托曾在梵蒂冈举行过但丁讲座;由著名的瑞士但丁学家、新教牧师G.安德雷亚·斯卡尔塔齐尼(G. Andrea Scartazzini,1837—1901)修订并评注的《神曲》,先后于1874—1890年在莱比锡和1893年在米兰出版,由于该版本价值很高,1929年又由意大利但丁学会(Società dantesca italiana)出版,作为斯卡尔塔齐尼评注的《神曲》第九版,由朱塞佩·万戴利(Giuseppe Vandelli)在斯的评注基础上作了新的评注，通常称为“斯卡尔塔齐尼-万戴利注释本”，以后又陆续多次重印和修订；由著名但丁学家、历史学家、文学评论家托马索·卡西尼（Tommaso Casini，1859—1917）评注的《神曲》，于1889年在佛罗伦萨出版，该版本的第六版曾由S. A. 巴尔比（S. A. Barbi）重编并增订，于1922年在佛罗伦萨出版，曾多次重印，通常称为“卡西尼-巴尔比注释本”。在十九世纪，似乎也可以看出《神曲》的影响力扩及国外：如1818—1819年，在巴黎就出版了《神曲，附乔萨法泰·比亚乔利的评注》（*La Divina Commedia col commento di Giosafatte Biagioli*）；1842—1843年，在伦敦出版了由著名的文学家、诗人、小说家和评论家乌哥·佛斯科利（Ugo Foscoli，1778—1827）解说“一个意大利人”（即马志尼）主编的《神曲》；德国的莱比锡和弗赖堡也分别于1891年和1892—1893年出版了由菲拉赖特（Filalete）和贝耳泰尔神父（Berthier）评注的《神曲》。

随着二十世纪的到来，《神曲》的各种注释本更是以迅猛之势大量涌现。这些注释本各具特色，异彩纷呈，其中重要的有：由著名的文学家、评论家佛兰切斯科·托拉卡（Francesco Torraca，1853—1938）重新评注的《神曲》，1915年出版于米兰；由著名的意大利文学史家维托里奥·罗西（Vittorio Rossi，1865—1938）评注的《神曲》中的第一篇《地狱篇》，1923年出版于那不勒斯〔后两篇即《炼狱篇》和《天堂篇》的评注则由萨尔瓦托雷·法西诺（Salvatore Fascino）续作〕：罗西是学术界知名人士，是罗马大学教授，曾任意大利最著名的林琴学院（Accademia dei Lincei）院长；路易吉·彼特罗博诺（Luigi Pietrobono）评注的《神曲》，1923—1926年出版于都灵；由伊西多罗·德尔·隆哥（Isidoro Del Lungo，1841—1927）评注的《神曲》，1924—1926年出版于佛罗伦萨：德尔·隆哥是著名的文学家和评论家，也是有声望的但丁学家，曾任成立于1582年的佛罗伦萨克鲁斯卡学院（Accademia de la Crusca）的院长；同样，也是在1924—1926年出版的、由G. A. 文图里（G. A. Venturi）评注的罗马版《神曲》；由卡洛·斯泰因纳（Carlo Steiner）评注的《神曲》，1926年出版于都灵；由卡洛·格拉布埃尔（Carlo Grabher）评注的《神曲》,先后于1934—1936年在佛罗伦萨和1950—1951年在米兰出版;由著名的文学家、评论家阿蒂利奥·莫米利亚诺(Attilio Momigliano,1883—1952)评注的《神曲》,1945—1946年出版于佛罗伦萨:莫米利亚诺自1934年起任佛罗伦萨大学意大利文学教授,并是克鲁斯卡和林琴两学院的院士;由曼弗雷迪·波雷纳(Manfredi Porena)评注的《神曲》,1946—1948年出版于波洛尼亚,波雷纳还与马里奥·帕扎利亚(Mario Pazzaglia)合编了《但丁选集》(*Opere di Dante*),1966年也在波洛尼亚出版;由法乌斯托·蒙塔纳里(Fausto Montanari)主编的《神曲》,1949—1951年出版于布雷夏;由切萨雷·加尔博利(Cesare Garboli)主编的《神曲》,1954年出版于都灵;由纳塔利诺·萨佩纽主编的《神曲》,1955—1957年出版于佛罗伦萨,其主编的第二版为修订版,亦出版于佛市,1985年又在佛市出版了其主编的新版;由路易吉·马拉格利(Luigi Malagoli)评注的《神曲》,1955—1956年出版于米兰;由丹尼埃莱·马塔利亚(Daniele Mattalia)主编的《神曲》,1960年和1975年出版于米兰;由西罗·A.基门兹(Siro A. Chimenz)主编的《神曲》,1962年出版于都灵;由乔瓦尼·法拉尼(Giovanni Fallani)主编的《神曲》,1964—1965年出版于墨西拿;由朱塞佩·贾卡洛内(Giuseppe Giacalone)评注的《神曲》,1967—1969年出版于罗马;由翁贝尔托·波斯科和乔瓦尼·雷吉奥合编的《神曲》,1979年出版于佛罗伦萨,1988年又在出佛市出版了增添名家评论部分的新版;由卡洛·萨利纳里(Carlo Salinari)、塞尔乔·罗马尼奥利(Sergio Romagnoli)和安东尼奥·兰查(Antonio Lanza)合编的《神曲》,1980年出版于罗马;由埃米利奥·帕斯奎尼(Emilia Pasquini)和安东尼奥·夸利奥(Antonio Quaglio)合编的《神曲》,1982年出版于米兰,当时只出版了《地狱篇》和《炼狱篇》。此外,1924—1939年,在都灵,G.比亚基(G. Biagi)、G. L.帕塞里尼(G. L. Passerini)、E.罗斯塔尼奥(E. Rostagno)和U.科斯莫(U. Cosmo)合编了《神曲的艺术表现和历代评论》(*La Divina Commedia nella figurazione artistica e nel secolare commento*),其中汇集了自十四世纪到十九世纪所有评论家的评注,应当说是一部很有参考价值的工具书。

这里值得一提的是:1921 年,但丁学会出版了但丁全集的校勘本,后由乔治·佩特罗基(Giorgio Petrocchi)负责校订其中的《神曲》部分,题为《古本喜剧》(*La Commedia secondo L'antica vulgata*),现定为但丁学会的国家版。其中"前言"和《地狱篇》两部分,1966 年出版于米兰;《炼狱篇》和《天堂篇》两部分则于 1967 年仍在米兰出版。本译本所依据的萨佩纽注释本和波斯科-雷吉奥注释本,都借鉴于这一国家版,而尤以后者为最,但他们在评注上都并未把佩特罗基的观点全盘照搬,而是有所创新。

在二十世纪,《神曲》流传意大利国外的势头更大了,美国的波士顿,先后于 1909—1913 年和 1933 年,出版了由 C. H. 格兰德金特(C. H. Grandgent)评注的《神曲》英文版;德国的斯图加特,于 1954—1957 年出版了海尔曼·格梅林(Hermann Gmelin)评注的《神曲》德文版。尤为著名的是 1965 年出版于巴黎的由安德烈·佩扎尔(André Pézard)翻译和评注的《但丁全集》法文版(*Dante, Œuvres complètes*)。

目前,从意大利国内的《神曲》注释本来看,最重要的当然首推国家版,但本译本所依据的两个版本也是最畅销的:萨佩纽注释本的 1985 年新版,至 1994 年 5 月已重印十次;波斯科-雷吉奥注释本的 1988 年新版,《地狱篇》至 1994 年底重印十二次,《炼狱篇》和《天堂篇》则分别至 1995 年 1 月和 2 月重印十一次。

在《神曲》版本的演变和发展的历史长河中,相继出现了不少有影响的注释家,其中参考价值最大的自然是一些古代注释家,他们的见解至今仍被当今版本大量引用,这是因为他们所处的时代与但丁时代相距甚近,有的甚至是但丁的亲属和同时代人,他们对《神曲》的背景和内容更为熟悉,对诗人的思想和精神吃得更透,尽管有些人只对《神曲》的个别诗篇,特别是《地狱篇》作了评注。在古代注释家中,较重要的,除前已提及的薄伽丘之外,还有如下一些:但丁的两个儿子:雅科波·阿利基埃里(Jacopo Alighieri)和彼特罗·阿利基埃里(Pietro Alighieri);雅科波的评注,曾被收入由二十世纪初的著名的短篇小说家、记者、戏剧评论家朱利奥·皮齐尼(Giulio Piccini,

1849—1915，笔名为“雅罗”Jarro）于1915年在佛罗伦萨编纂出版的《雅科波·阿利基埃里评注但丁·阿利基埃里的〈地狱篇〉》（*Chiose alla cantica dell'Inferno di Dante Alighieri scritte da Jacopo Alighieri*）；彼特罗的评注，相对地被引用的较多，1845年曾由V. 南努齐（V. Nannucci）在佛罗伦萨出版了《彼特罗·阿利基埃里论但丁》（*Pietro Alighieri super Dante*）。据说，用意大利俗语写出《神曲》第一篇评注的是雅科波·德拉·拉纳（Jacopo della Lana，1290？—1365？），1866—1867年由皮亚钦察的文学家和史学家路奇亚诺·斯卡拉贝利（Luciano Scarabelli，1806—1878）编纂了《但丁·德利·阿利基埃里的喜剧，附波洛尼亚的雅科波·德拉·拉纳的评注》（*Comedia di Dante degli Alighieri col commento di Jacopo della Lana bolognese*），在波洛尼亚出版；1924年，德国的法兰克福也出版了有拉纳评注的、由F. 施密特-科纳兹（F. Schmidt-Knatz）编纂的其他版本。另一位也是出自波洛尼亚的文学家、公证人、政治家格拉齐奥洛·德·班巴利奥利（Graziolo de Bambaglioli，1291—1343），他曾用拉丁文评注《地狱篇》；1915年，由A. 菲亚马佐（A. Fiammazzo）在萨沃纳出版了他的《但丁评注》（*Il commento dantesco*）。有两位与但丁同时代的注释家，都是不知名姓的：一是以1865年在都灵出版有关著作的出版人F. 塞尔米（F. Selmi）命名的评注者，通称“塞尔米评注”（Chiose Selmi），塞尔米出版的评注本题为《一位与诗人同时代的无名作者对神曲第一篇的评注》（*Chiose anonime alla prima cantica della Divina Commedia di un contemponeo del poeta*）；另一位即是十分著名的“最佳评注”（Ottimo），全名为《神曲最佳评注》（*L'Ottimo commento della Divina Commedia*），该书于1827—1829年在比萨由A. 托里（A. Torri）出版，L. 贝洛莫（L. Bellomo）于1980年曾认为，此作者为“安德雷亚·兰齐亚”（Andrea Lancia）。另有一位通称“佛罗伦萨无名氏”（Anonimo fiorentino）的注释家，此名大致取自1866—1874年由P. 范范尼（P. Fanfani）编纂的、在波洛尼亚出版的《十四世纪的无名氏对神曲的评论》（*Commento alla Divina Commedia di Anonimo del secolo XIV*）。被后世注释家经常借鉴和援引的两位十四世纪的注释家，一是本维努托·达·伊莫拉(Benvenuto da Imola)和佛兰切斯科·达·布蒂(Francesco da Buti),他们两位都是《神曲》最早的评注家中间的佼佼者,可惜译者手头没有他们的具体生卒日期和生平资料,只知前者是文学家;关于前者的评注,1887年,G. F. 拉卡伊塔(G. F. Lacaita)曾在佛罗伦萨编纂出版了《本维努托·德·拉马巴尔迪斯·德·伊莫拉评注但丁·阿利基埃里喜剧》(*Benvenuto de Ramabaldis de Imola Comentum super Dante Alighierii Comoediam*)一书;后者的评注曾于1838—1862年由C. 贾尼尼(C. Giannini)在比萨编入《佛兰切斯科·达·布蒂对但丁神曲的评注》(*Commento di Francesco da Buti sopra la Divina Commedia di Dante*)。

近代乃至当代的《神曲》注释家在继承和借鉴古代注释家的基础上,对注释《神曲》这一艰巨工作,也作了不少值得赞许的贡献:他们在一定程度上发展和深化了古代注释家的一些观点和分析,弥补了古代注释的某些漏洞,澄清了其中某些疑点,纠正了某些难以避免的错误。近代注释家中比较重要的有:托马塞奥,他的原籍是达尔马提亚(现属南斯拉夫)的塞贝尼克(Sebenico),是十九世纪著名的意大利评论家和文学家,他一生坎坷,于1839年居住威尼斯时期,曾因爱国思想而被当时统治意大利北部的奥匈帝国逮捕入狱,1848年曾参加昙花一现的威尼斯临时政府。威尼斯被奥地利攻陷后,他被迫逃亡到希腊的科孚岛(即今克基拉岛),当时他已几乎失明;1854年返都灵,1865年又赴佛罗伦萨,靠卖文生活,直至逝世。他在流亡科西嘉岛时期,曾搜集并出版大量托斯卡纳、希腊等地民歌,一生著作颇丰,涉及范围极广(诗歌、小说、宗教、伦理、教育、历史、政治、文学评论、哲学、语文学,等等),还著有《神曲评注》(*Commento alla Divina Commedia*)一书。托拉卡曾于1903—1928年任那不勒斯大学意大利文学教授;1920年任意大利参议院议员,著有多部研究但丁及《神曲》的作品:如《但丁研究》(*Studi danteschi*)、《但丁新研究》(*Nuovi studi danteschi*)、《神曲评注》(*Commento alla Divina Commedia*)等。斯卡尔塔齐尼的《神曲评注》和《但丁百科全书》(*L'Enciclopedia dantesca*),也是两部享有盛名的作品。此外,德尔·隆哥、卡西尼、斯泰因纳也都是但丁学家所推崇的注释家。至于当代注释家，萨佩纽、波斯科、雷吉奥是当前最杰出的注释家，可惜波斯科已去世，不然，作为专门研究但丁作品的学者，他必将会对《神曲》的评注工作，做出更多的令人瞩目的贡献；他与雷吉奥合作达十五年之久，在合编《神曲》的工作中，他侧重评论分析，雷吉奥则主要负责注解，他在评论中有时甚至敢于指出《神曲》中的某些不足和疏漏，尽管遭到某些学者的非议，但由此也可看出他作为一个实事求是的学者的魄力、睿智和胆识，在这一点上，雷吉奥也是与他有许多共同之处的。萨佩纽的注释本第一二版都主要依据斯卡尔塔齐尼-万戴利注释本，新版则以国家版为《神曲》本文的依据，但他从不全部照搬，而是有分析、有批判地加以借鉴和采纳，他与波斯科、雷吉奥都有旁征博引、敢于和善于提出独到见解的长处。

时代在前进，《神曲》的注释本也在随着时代的步伐，不断更新和完善。我相信，随着新的世纪的到来，必将有更多更好的注释本出现，这将是对世界范围的广大《神曲》读者乃至译者的莫大福音，使伟大诗人但丁的这部伟大诗作放出更加辉煌的光彩，永传后世。

黄文捷

1999年10月写于北京

译后记二：

我译《神曲》

今年是我翻译的但丁名著《神曲》面世的第九个年头了。趁此出新版[①]之机，我倒也想回顾和总结一下当初翻译这部鸿篇巨制的感受，以求鞭策我今后在译作这条艰辛的道路上更明智地走下去。

记得在我才译完《天堂篇》前几首，偶然与几位朋友聚会时，一位意大利朋友就曾问我："你怎么会想到翻译这么难译的作品？这样的作品对我们意大利人来说，也是很难懂的啊！"我当时据实告诉他：这是一位意大利文学权威人士在主编一套意大利古典文学名著的丛书时，在几位参加译著的朋友分工当中派给我的任务。我当时还有几句潜台词，没有说出，但这几句潜台词却是我在接受任务时，在一次相关的会议上，曾真诚而坦率地说出过的："我对这项翻译工作不够格。"的确，我虽然从事意大利政治经济问题的研究有近四十年，但从我的资历，从我的中外文学语言和修养的水平，从我近四十年长期从事的与文学毫不沾边的外事工作来说，我是远远担不起这样一种极端艰巨的重任的。但是，我最后还是担起来了：这一方面是出于对这位主编丛书的权威人士瞧得起我、委我以重任的感激，自思只要我能全力以赴，即使不能完成一项上乘之作，至少也不会辜负他的重托，另一方面也渴望弥补我久仰但丁名著的大名却始终不曾拜读的一大缺憾，若能殚精竭虑，将这部不朽名著译为多少像样的中文，也算是我在这区区一生中多少做了一件有意义的事。但是，我万万没有想到，动笔之后，竟发现这项译作的难度远远超过我所预料的。据我所知，在我之前，已有三位大家译过《神

---

① 指华文出版社 2010 年 2 月出版拙译《神曲》。

曲》全诗,最早的是王维克,随后的则是田德望和朱维基,其中田先生的译本是直接从意大利原文翻译的。从体裁来说,王、田两先生的译本均为散文体,朱先生的译本则为自由诗体(诗句行数与原诗相等,但无韵脚),那么我首先面临的、也必须解决的是译本的体裁,这体裁必须与以前的几种译本要有所不同,否则,要我来搞一个新译本又有何价值、有何意义呢?经过一番苦思酝酿之后,我决定用自由诗体,但要尽可能押韵,尽可能上口,并且要时刻注意不可因文害意。想得虽好,做起来却难了。我曾几度因举步维艰而想打退堂鼓,请求"换马"。感谢这位主编先生一再支持和鼓励,我终于在艰苦奋斗的三年中间坚持下来了,我完成了这部宏伟的世界名著的译作,但我的心始终是忐忑不安的,我深感有愧于但丁,尽管我的的确确尽了力。

众所周知,翻译是一种二度创作,它比纯粹创作省力的是少了一层原创构思,然而,把两种完全不同的文字化为其中的一种,即把西方的一种文字译为中文,具体到《神曲》的译作,则是把但丁所在的十三、十四世纪的古意大利文译为今天的汉语,却非易事,何况是译诗,尤其是译像《神曲》这样的格律严谨、包罗万象的百首长诗。谈到这里,我想起但丁自己所说的一段话:"人都知道,凡是按照音乐规律来调配成和谐体的作品都不能从一种语言译成另一种语言,而又不致完全破坏它的优美与和谐。这就是为什么荷马史诗不能像希腊人流传下来的其他著作那样从希腊文译成拉丁文的缘故。这就是为什么《诗篇》(《圣经》)中的诗句没有音乐性的和谐之美的缘故,因为这些诗句是从希伯来文译成希腊文,又从希腊文译成拉丁文,而在第一次翻译中,那种优美就消失了。"①但丁在其《筵席》第一章第七句段的这番话,再精辟不过地说明了译诗之难,我从翻译《神曲》的整个过程当中也深切地感受到这番话是千真万确的。所以,一个有志或已经成为《神曲》的译者的人,不论他是不是"诗人",也不论他有没有才气,更不论他是直接

① 译文引自田德望译《神曲》的《译本序》,见人民文学出版社 1994 年 6 月版,第 32—33 页。

从原文翻译的，还是通过一种或几种文字转译的，似乎都应好好地琢磨琢磨但丁上述的一番话，以免对自己的译作作出不切实际的估价。

我不是诗人，我译《神曲》主要是靠努力而不是靠所谓的“诗才”。我为自己的译作规定的目标是量力而行的，是不高的，即：要在完全确保原诗固有的行数（《神曲》共一百首，其中《地狱篇》三十四首，《炼狱篇》和《天堂篇》各三十三首，每首一百余行），尽可能把原诗每行诗句的含义保持在原行之内或原行所属的一个诗段之内的前提下，使读者对《神曲》全诗的结构和内容有较全面的了解。之所以如此，是因为：《神曲》是以极其严格的格律写成的，即三行韵体（terzina），亦即每三行押一韵，为一诗段，而且每行限有十一个音节（endecasillabo），押韵的格式又属名为“塞万泰斯”（serventese）的连缀韵脚：aba，bcb，cdc，ded... 以此类推；每首最后一行均为单行诗句，其韵脚要按前三行诗段的第二行诗句的最后音节押成。由此可见《神曲》格律之严谨和复杂，且不说译为中文，即使用英、德等与意文不同属一个语系的字母文字翻译，也是困难重重。翻译前辈田德望老先生就此曾说过一段话，是很值得我们这些后辈善加思考的，他说：“意大利语元音较多，适于用‘三韵句’写诗，英语和德语就不大适合这种格律，”“英德翻译家也有用这种格律译《神曲》者，然而，对照原文细读，就会发现，他们为使译文合乎格律，往往削足适履或者添枝加叶，前一种做法有损于原诗的内容，后一种做法违背原诗凝练的风格。”田老先生的这番话在我动笔之前，对我译诗目标的确定，曾起过很大的警戒作用。它启示我：要有自知之明，不可好高骛远，尤其是不可有类似痴人说梦的那种说什么要“保持原诗风格”的哗众取宠的抱负。因为这种抱负是根本无法企及的。与意文表达方式比较相近的一些西方文字尚且难以做到这一点，那么与意文等所有西方文字完全不同的中文要做到这一点显然就更是难上加难了。再者，什么是原诗的风格呢？不言而喻，原诗的风格首先体现在格律上。按原诗格律译《神曲》，对一些西方译者来说，正如前面所说，是一大难事，因此，有些人便舍此而求诸无韵的自由诗体或是散文。这种情况与我国过去和目前的情况是一样的。

有谁又能不假思索地扬言:自己能用非原诗的格律翻译《神曲》而又能保持原诗的诗韵呢?又有谁能不自量力地自称有能力从非原文的版本转译《神曲》而又能保持原诗的风格呢?写到这里,我不禁又想起前面引述过的但丁论译诗的那番话了。

过去,我国确也有人尝试过用近乎我国古体诗的格律来翻译《神曲》,不过,我觉得,这种“翻译”实际上无异于林纾之译小仲马的《茶花女》,倒莫如说是一种“改写”。二十世纪二十年代的大才子钱稻孙老先生,就首创一种类似字数较多的骚体的新格律,用来译过《神曲》的《地狱篇》的前几首;据说,《地狱篇》的第一首译得很成功,第二、三首押韵格式就失严了:其翻译的诗句每行字数从六个到十三四个不等,根本无法与原诗每行十一个音节(实际上,每个音节等于我国的一个“字”)的严整匀称相比,何况钱大才子后来又不得已中途搁笔了呢!尽管如此,至今却仍有人在这方面跃跃欲试。记得在一次有关《神曲》翻译的小型会议上,我眼见一位学者得意扬扬地拿出他把《地狱篇》第一首头一段三行韵诗译成四句五言古诗的一份手稿给一位外国朋友看。这位外国朋友不通中文,见了自然惊喜钦佩有加。我在一旁却不禁暗自慨叹:能用寥寥五个字一行译出《神曲》的诗句确是十分难得,但是,要知道,这不过是全诗——或者再缩小一些,是《地狱篇》——的开头三句,其内容简单,又没有全诗比比皆是的人名、地名、山名、水名等专有名词,这些专有名词音译起来,至少要占五个字中的两三个字,多则如但丁一生倾心爱慕的、在《神曲》中象征神学而带领但丁升入天堂的那个女子的名字:“贝阿特丽切”!光是这一个名字就把五个字全部占满了,这诗又怎样译下去呢?由此可见,我国古诗的格律,不论是五言的也好,七言的也好,甚至是字数更多些的骚体也好,都无法涵盖和演绎《神曲》的丰富而庞杂的内容。所以,我深信,这位学者若能把《地狱篇》继续译下去,就一定会遇上许许多多本来就可以预料到的、难以解决和克服的问题和困难,甚而也许会比钱老先生更早地“中途搁笔”!

当然,《神曲》之难译并不仅仅表现在格律上,况且,对我来说,我已经像不少中外译者那样,把用格律诗译《神曲》视为畏途,“狡猾”地绕过这一困难而选择尽可能押韵的自由诗体了。应当看到,用中文译《神曲》确实要比用英、法、德等西方文字译《神曲》难得多:中西文的差异实在太大了。一九九八年九月,我曾应邀参加在但丁故去的地点拉维纳举行的介绍和讨论世界各国翻译《神曲》情况的国际研讨会。这次会议是由拉维纳文化关系中心主办的题为“神曲在世界”的一系列活动之一,而且是第一场。该研讨会每次举行三天,每次介绍和讨论用三种文字翻译《神曲》的情况:一天一种。我所参加的这次,恰恰是介绍和讨论《神曲》的中译本、英译本和法译本的情况。我在会上会下,曾向那些外国听众、外国朋友大致说明用中文译《神曲》难度之大,其中也谈到中西文的巨大差异。这些对中文完全不了解的听众和朋友听了之后,都感到既吃惊又有趣。譬如在句法上,西文是可以按需要把主语、动词、宾语、补语等随意调换位置的,中文则否;再如,西文的名词附加语是要放在名词之后的,有时很长,与名词相隔数行,甚而相隔一大段,中文则永远要把附加语放到名词之前,如果附加语过长,还得把它分解开来,重新组合。当时,我曾举《地狱篇》第二十六首第 25 至 30 行为例,为说明问题,我在这里不得不引述原文如下:

Quante il villan ch'al poggio si riposa,
nel tempo che colui che' l mondo schiara
la faccia sua a noi tien meno ascosa,
come la mosca cede a la zanzara,
vede lucciole giù per la vallea,
forse colà dov' e' vendemmia e ara:

我的译文是:

在普照世界之物

向我们隐藏它的面庞更少一些的时辰，
这时，苍蝇也让位于蚊虫，
在高地上歇息的农夫
看到山谷之下有多少萤火虫在飞舞，
也许，那地方正是他收获葡萄和耕耘土地之处；

我觉得，这两段三行韵诗是很有代表性的，能充分说明中文与原文在语法、句法、词语顺序上的差异之大，而且即使是原文本身的词句结构，也与其正常的形式大有区别。按照正常的表达方式，这两段三行韵诗理应是：

“Il villano che si riposa al poggio vede quante lucciole giù per la vallea, forse colà dove e' vendemmia e ara, nel tempo che colui che schiara il mondo tiene a noi la sua faccia meno ascosa, come la mosca cede a la zanzara;”

但是，但丁为了把上述内容写成三行韵诗，竟把应有的正常次序完全打乱了，其中尤为有趣的是：主句的主语 Il villano（农夫），与其动词 vede（看到）加宾语 lucciole（萤火虫）相隔三行，而形容“萤火虫”的量词 quante（多少）也与“萤火虫”相距三行之遥，并且还没头没脑地放在第一段三行韵诗第一行的句首，若不看下去，根本弄不清 quante 什么！这样的行文在中文中简直是不可思议的。类似的诗句在《神曲》中当然是不胜枚举，这迫使我在翻译过程中颇费苦心，只好依照我为自己定下的原则目标，即前面说过的要“完全确保原诗固有的行数”，要“尽可能把原诗每行诗句的含义保持在原行之内或原行所属的一个诗段之内”，加以处理。上面所举的两段三行韵诗就表明：这一点我还是做到了，即保持了原诗固有的第 25 至 30 行的行数；每行诗句的含义虽不能完全保持在原行之内，但毕竟是完全纳入两个诗段之内了。

译《神曲》之难也难在它所涵盖的知识面委实过于广泛。我在为我的译本所写的《略谈但丁〈神曲〉版本的由来与发展》一文中曾作过这样的表白：由于《神曲》“涉及的知识面广（举凡哲学、神学、天文学、星相学、物理学、数学、几何学、历史学、地理学、希腊神话、民间掌故，等等，不一而足），这是任何一个只具备普通常识和学识的人都难以驾驭的”。正因如此，加之《神曲》寓意既深，典故又多，我在翻译过程中曾不得不参考大量古今注释家的注释，而且为方便读者阅读起见，我还尽量列举和有选择地采纳他们的一些观点，在译本中作了许许多多相当详尽的注释，正如我在上文中所说的，读者在读过《神曲》之后，“必会感到其中的注释何其繁多，有时甚至会繁多到令人生厌的地步。但与此同时，恐怕也会有相反的感觉，即感到这些注释的必要性，感到这些注释对于理解或加深理解诗句，是颇有裨益的。尽管有时，对某一诗句的解释，或对某一典故的考证，有几种诠释同时出现，令人无所适从”；我还说，我“在历时三年的翻译过程中，也深感个中的艰深，遍尝难言的苦味，有时甚至会感到，若没有一些古今注释家的有关诠释，几乎是只字难译，寸步难移的；今天，在完成这部不朽之作的翻译之后，译者情不自禁，要回过头来，对一切有关的古今注释家，特别是本译本所依据的两个版本的主编者萨佩纽先生和波斯科（已故）及雷吉奥两位先生，深怀感激之情，从心底里道声：‘多谢！’的确，若没有他们的指教和协助，要想比较顺利地完成这项繁重而艰巨的工作，是根本不可能的”。应当进一步说明的是：我在引述和借助这些古今注释家的分析和观点时，从不敢“掠人之美”，我总要注明出自谁人之口；此外，为了使读者对三行韵句和全诗每一首的诗句行数乃至段落有较为清晰的了解，也为了使一些专家和学者更易于研究并查考全诗，我还仿效我所依据的两个版本的做法，为每一首标出诗句行码并加上小标题。

今天，在九年过去、回首往事时，应当说，我对我的译作是很不满意的，因为尽管我已经作出了最大的努力，却毕竟补救不了我才疏学浅的致命伤。在一次有关翻译《神曲》的会议上，我就曾在发言的最后说：“我深信，中国必将会有一些新的《神曲》译者作出更好得多的翻译，他们的翻译也定会无愧于但丁这个伟大的名字。”

九年来，我的心情一直很沉重，我总是感到很怅惘，很压抑，有时甚至会感到伤感和失落。仔细分析一下,这种心情并非完全来自我对自己译作的不满,它也出自我对眼下存在的某些现象感到的茫然:我突然发现但丁和他的《神曲》在人们的心目中似乎已经失掉昔日的光辉,受到从未有过的冷落。我常想起我的一位年轻朋友在见到我辛勤翻译《神曲》时曾说过的一句话:“你何必这么辛苦地翻译它呢?将来即使出版了,又有谁会看它呢?!”应当承认:目前的情况正应验了他的话!我往往会想,但丁难道真的不如昆德拉?《神曲》难道真的不如《指环王》?难道时代不同了,就该把一些宝贵的文化遗产看成时过境迁的东西,好则送进博物馆,坏则扫入垃圾堆?难道对待一些如《神曲》这样的世界性文学精品,就该像二十世纪二十年代意大利未来主义者所宣称的那样,把它们看成和其他一切艺术作品一样,都是“相对”的,都注定要成为过时的东西,注定要毁灭,要像未来主义派最重要的创始人马里内蒂(1876—1944)所大声疾呼的,“要让艺术作品连同它的作者的尸体一起被烧掉”?!然而,目前,的确有人在明里、暗里或半明半暗地认为那些古老的、传统的、经典的文学艺术作品今天已经是“不合时宜”了,甚至主张(并且也这样做了!)对这些作品大动斧凿,大改特改:好莱坞前些年不是就曾把莎翁的《罗密欧与朱丽叶》和《哈姆雷特》,把狄更斯的《远大前程》,改编成以现时代为背景的“烂片”吗?我国不是也有人在不断地“东施效颦”吗?这种现象是很可悲的,实际上是一种“文化危机”,是另一种意义上的“文化虚无主义”!我每想到此处就不胜愤慨,却又无可奈何。我几乎感到回天无望了!但是,每到此时,我却觉得,仿佛又有一个声音在我耳边回荡。它在安慰我,鼓励我,提醒我;它在告诉我,但丁和他的《神曲》至今已流传了近七百年,并且还要继续流传下去,人类文化遗产宝库中的其他文学艺术精品也是同样如此!有谁能向我们保证当前走红的作家和畅销的作品有如此强大的生命力呢?但丁和他的《神曲》将永远不会被时代潮流所淘汰和淹没,因为其价值是永恒的。显然,这是我自己的心声的另一面:它在设法安抚我的悲观情绪。但这实际上也可说是一种聊以自慰的阿Q精神。

我深知,要想改变《神曲》和其他类似的世界精品受冷遇的现状,是很难的,因此,只要我还活着,我就必须、也只能怀着怅然而无奈的心情,继续在翻译的道路上一步一步地走下去,走下去……

黄文捷

写于2004年5月

2009年11月修订

译后记三：

十年有感

自从拙译但丁《神曲》于2000年出版以来，已经有十个年头过去了。十年，对于历史的长河来说，不过是短短的一瞬，但是，对于一个人的生命来说，却是相当漫长的：一个人的一生又能有几个“十年”呢？十年固然漫长，但流逝得却也飞快：一晃我已是八十有一的老人了，行将就木！一个人到了我这样的风烛残年的时候，总不免喜欢怀旧和忆旧。回顾我这几十年的翻译生涯，其中究竟有多少值得记忆的有意义的事呢？显然，《神曲》的翻译应当首列其内。

提起《神曲》的翻译，我不能不追忆起曾经倡议过、支持过、鼓励过我的故人——已故的吕同六先生。如果当时没有他的大力举荐，我是绝没有那么大的勇气和恒心接受和完成这项艰巨的工作的。我要重申对他的感谢。可惜他英年早逝，不能目睹译林的《神曲》新版的问世，但愿他在天有知，能为此感到欣慰。

但丁和我国的屈原一样，都是生于乱世，一生遭遇都很坎坷，结局都很悲惨：一位是客死异乡，另一位则是投江自尽。他们生前肯定都不会想到：他们各自所写的两部愤世之作——《神曲》和《离骚》——竟会成为留传千秋万代的文学瑰宝。联想到当今有一些搞文学艺术创作的人，他们生活在所谓“太平盛世”，锦衣玉食，一心追求的却是功名利禄，富贵荣华，把自己的作品看成“商品”，时刻不忘把自己的创作与“市场效应”和“票房价值”挂钩，有的甚至大言不惭地公开扬言愿当豪商富贾；这样的一些人，若多少还有一点良知，不妨把但丁、屈原以及古今中外许多大师大家当作一面镜子，用来虚心地对照一下自己，届时能不感到汗颜、无地自容吗？可以肯定，他们的东西是经不起时间考验的,早晚要被扫入历史的垃圾堆!

有人可能会说:时代变了啊!但是,我想:不管时代怎样变,文学艺术创作绝不该只图媚俗敛财,而永远是要自主创新,要与商业脱钩!文学艺术不能“商业化”,不然,就不能成其为文学艺术了。这是一条亘古不变的准则和真理。这正如公平正义,不管时代怎样变,都应是人类社会努力追求实现的一个崇高目标一样。

我曾在不同场合多次声明:就我本人的微薄才智和功力而言,翻译《神曲》这样不朽名著,是不够称职的,但我毕竟是竭尽了我的全力。我也曾不止一次表示深信:国内今后必将有更多更好的《神曲》中译本出现,这些中译本必将无愧于但丁这个伟大名字。对此,我至今坚信不疑。我愿意在这里重申我的这种自我评价和坚定信念。

黄文捷

写于2010年9月12日

经典译林

Yilin Classics

书名	单价
癌症楼	78.00 元
爱的教育	39.00 元
安娜·卡列尼娜	65.00 元
傲慢与偏见	36.00 元
八十天环游地球	32.00 元
白洋淀纪事	39.00 元
包法利夫人	38.00 元
背影	28.00 元
边城	36.00 元
变形记 城堡	38.00 元
茶馆	32.00 元
查拉图斯特拉如是说	38.00 元
城南旧事	29.00 元
当代英雄	45.00 元
地心游记	32.00 元
飞向太空港	39.00 元
复活	42.00 元
富兰克林自传	36.00 元
高老头	39.00 元
格林童话全集	49.00 元

书名	单价
艾青诗集	35.00 元
爱丽丝漫游奇境	29.00 元
安徒生童话选集	42.00 元
奥德赛	92.00 元
巴黎圣母院	42.00 元
百万英镑	35.00 元
悲惨世界（上、下）	98.00 元
被侮辱与被损害的人	39.00 元
变色龙：契诃夫中短篇小说集	39.00 元
草叶集：惠特曼诗选	39.00 元
茶花女	35.00 元
沉思录	29.00 元
大卫·科波菲尔（上、下）	79.00 元
稻草人	29.00 元
飞鸟集·新月集：泰戈尔诗选	39.00 元
福尔摩斯探案集	58.00 元
傅雷家书	49.00 元
钢铁是怎样炼成的	39.00 元
格列佛游记	35.00 元
给青年的十二封信	38.00 元

书名	单价	书名	单价
古希腊悲剧喜剧集（上、下）	118.00 元	海底两万里	38.00 元
红楼梦	69.00 元	红与黑	49.00 元
呼兰河传	35.00 元	呼啸山庄	39.00 元
基督山伯爵（上、下）	108.00 元	纪伯伦散文诗经典	42.00 元
寂静的春天	35.00 元	假如给我三天光明	32.00 元
简·爱	39.00 元	金银岛	35.00 元
经典常谈	29.00 元	荆棘鸟	45.00 元
静静的顿河	128.00 元	镜花缘	49.00 元
局外人·鼠疫	38.00 元	菊与刀	35.00 元
克雷洛夫寓言	32.00 元	宽容	32.00 元
昆虫记	39.00 元	老人与海	32.00 元
理想国	45.00 元	聊斋志异	55.00 元
了不起的盖茨比	38.00 元	列那狐的故事	39.00 元
猎人笔记	38.00 元	林肯传	39.00 元
鲁滨逊漂流记	39.00 元	鲁迅杂文选集	36.00 元
绿山墙的安妮	36.00 元	罗马神话	16.80 元
罗生门	39.00 元	骆驼祥子	32.00 元
美丽新世界	35.00 元	名人传	39.00 元
拿破仑传	49.00 元	呐喊	29.00 元
牛虻	38.00 元	欧·亨利短篇小说选	36.00 元
欧也妮·葛朗台	32.00 元	彷徨	32.00 元
培根随笔全集	38.00 元	飘（上、下）	88.00 元
普希金诗选	42.00 元	骑鹅旅行记	36.00 元
乞力马扎罗的雪	39.80 元	热爱生命·海狼	38.00 元

书名	单价	书名	单价
人间草木：汪曾祺散文精选	49.00 元	人类群星闪耀时	36.00 元
人性的弱点	39.00 元	日瓦戈医生	68.00 元
儒林外史	42.00 元	三个火枪手	59.00 元
三国演义	59.00 元	沙乡年鉴	42.00 元
莎士比亚喜剧悲剧集	49.00 元	少年维特的烦恼	28.00 元
神秘岛	48.00 元	神曲（共三册）	128.00 元
十日谈	68.00 元	世说新语（上、下）	89.00 元
双城记	45.00 元	水浒传	69.00 元
四世同堂（上、下）	78.00 元	苔丝	39.00 元
谈美	35.00 元	谈美书简	36.00 元
汤姆·索亚历险记	32.00 元	汤姆叔叔的小屋	45.00 元
唐诗三百首	39.00 元	堂吉诃德	78.00 元
天方夜谭	42.00 元	童年	38.00 元
童年·在人间·我的大学	49.00 元	瓦尔登湖	36.00 元
我是猫	39.00 元	乌合之众	35.00 元
物种起源	42.00 元	雾都孤儿	44.00 元
西顿野生动物故事集	38.00 元	西游记	62.00 元
希腊古典神话	49.00 元	乡土中国	36.00 元
小妇人	45.00 元	小王子	29.00 元
星星离我们有多远	35.00 元	喧哗与骚动	58.00 元
羊脂球	38.00 元	一九八四	36.00 元
一间自己的房间	36.00 元	伊利亚特	82.00 元
伊索寓言：555 则	36.00 元	尤利西斯	58.00 元
约翰·克利斯朵夫（上、下）	98.00 元	月亮和六便士	45.00 元

书名	单价	书名	单价
战争与和平（上、下）	108.00 元	朝花夕拾	22.00 元
中国民间故事	39.00 元	子夜	49.00 元
最后一课	36.00 元	罪与罚	66.00 元